D1293966

LA CHARCUTERIE

en toute simplicité

BIBLIOTHÈQUE ADMINISTRATIVE
Ministère des Communications du Québec
Éléments de catalogage avant publication

Frentz, Jean-Claude

La charcuterie en toute simplicité /[...réalisé par Jean-Claude Frentz en collaboration avec l'Institut national des Viandes inc.; collaborateurs à la rédaction: Monique Chevrier, André Gignac, Marcel Harvey]. — Québec, Québec: Les Publications du Québec; Montréal, Québec: Les Éditions La Presse ltée: Institut national des Viandes Inc., 1989.

XVIII, 172 p.
« Le ministère de l'agriculture, des pêcheries et de l'alimentation du Québec a participé financièrement à la réalisation de cet ouvrage ». — P. IV
ISBN 2-551-08332-X

1. Charcuterie 2. Cuisine (Viande) I. Chevrier, Monique II. Gignac, André III. Harvey, Marcel IV. Institut national des Viandes inc. V. Québec (Province). Ministère de l'agriculture, des pêcheries et de l'alimentation VI. Titre

A38 A1 F73

Les
PUBLICATIONS
DU QUÉBEC

LA CHARCUTERIE
en toute simplicité

JEAN-CLAUDE FRENTZ

Le contenu de cette publication a été réalisé par Jean-Claude Frentz, en collaboration avec l'Institut national des Viandes inc.

Cette édition a été produite par
Les Publications du Québec
1279, boul. Charest Ouest, Québec (Québec)
en coédition avec
les Éditions La Presse ltée
44, rue Saint-Antoine Ouest, Montréal (Québec)
et
l'Institut national des Viandes inc.
10216, rue Lajeunesse, Montréal (Québec)

Collaborateurs à la rédaction:
Monique Chevrier, c.n.d.
André Gignac
Marcel Harvey

Direction artistique: Brigitte Carrier, Les Publications du Québec
Illustrations couleurs: Delisle, Gagnon associés
Dessins techniques: Les ateliers G O B
Graphisme de la couverture: Bouchard Georges, graphiste
Photographie de la page couverture: Pierre McCann, photographe
Conception de la grille intérieure: Michel Tremblay, Les Publications du Québec
Collaboration spéciale: Alpina Salami inc.
Les Spécialités Prodal (1975) inc.

Le Ministère de l'Agriculture, des Pêcheries et de l'Alimentation du Québec a participé financièrement à la réalisation de cet ouvrage.

Dépôt légal — 1er trimestre 1989
Bibliothèque nationale du Québec
Bibliothèque nationale du Canada
ISBN 2-551-08332-X

Cet ouvrage est dédié à tous
mes amis canadiens et spécialement
à Kornel Piacek, charcutier
québécois émérite, à Marcel Baril,
Gérard Marcheterre et Gilles Rocheleau,
bien connus dans le domaine de l'alimentation.

Jean-Claude Frentz

PRÉFACE

♦ ♦ ♦ ♦ ♦ ♦ ♦ ♦ ♦ ♦ ♦ ♦ ♦ ♦

C'est après de nombreuses années de travail que nous vous présentons enfin notre livre ***La charcuterie en toute simplicité***. C'est en France, avec l'ami Jean-Claude Frentz, que nous avions élaboré un projet pour un livre de charcuteries qui pourrait s'adresser à tous. Jean-Claude s'est allié à deux personnalités bien connues du monde de l'alimentation, soit Monique Chevrier, directrice de l'École d'art culinaire de l'Institut national des viandes inc. et André Gignac, professeur en boucherie-charcuterie de cet institut. Vous pourrez constater, grâce à cette collaboration et à leur travail acharné, que les recettes éprouvées sont fort simples et peuvent être facilement préparées, et sont de plus accompagnées de nombreuses photos qui vous aideront à mieux les apprécier.

Nous avons ajouté, grâce à la collaboration de Marcel Harvey, conseiller en vins, un chapitre sur les vins qui saura certes vous renseigner sur les vins à boire avec la charcuterie.

Un gros merci à l'auteur et à ses collaborateurs. ***La charcuterie en toute simplicité*** est un livre qui, j'espère, saura vous plaire.

Roger Fortier
Directeur de l'Institut national des Viandes inc.

AVANT-PROPOS

En France, la profession de charcutier est très ancienne puisqu'elle était déjà régie, vers le Xe siècle par des règlements de salubrité et de surveillance sur les fraudes alimentaires. Étymologiquement, le mot charcutier vient de « chaircuitier » (chair cuite). C'est le 18 juillet 1513 que le roi de France Louis XII a autorisé les charcutiers, par lettres patentes, à acheter les viandes de porc dans les marchés de Paris et autres lieux du royaume afin d'en débiter les chairs.

L'art de transformer la viande de porc et, par extension, celles issues d'autres espèces animales aussi variées que la volaille, le gibier, le poisson, le boeuf, le veau et même le mouton ou le cheval, en préparations charcutières multiples et diversifiées implique de la part de l'opérateur des connaissances étendues et approfondies. L'apprentissage de ce métier est long et requiert de la part de ceux qui s'y préparent des qualités physiques et intellectuelles certaines.

Le présent ouvrage n'a pas la prétention de traiter de toutes ces questions d'une manière exhaustive et précise; son seul but est de donner quelques bases, illustrées par des recettes choisies parmi les plus simples à confectionner, susceptibles de donner l'envie à quiconque de transformer la viande de porc, entre autres, en délicieuses « cochonnailles ».

L'histoire de la charcuterie remonte très loin dans le temps. Déjà, sous les Grecs et les Romains, il existait toute une variété de produits charcutiers contenant même, quelquefois, de la viande de chien ou de singe; le boyau était déjà utilisé comme enveloppe.

Traditionnellement, la charcuterie française découle de la transformation de l'ensemble des produits dérivés du maigre, du gras et des abats du porc; mais au cours des siècles et compte tenu des richesses du terroir, des habitudes de vie, des impératifs économiques voire aussi d'influences étrangères, d'autres viandes furent admises. C'est ainsi que le boeuf que l'on trouve dans la charcuterie alsacienne fut introduit par les populations germaniques ou encore que le cheval, animal utilisé dans les mines du Nord, fut et est encore employé dans certaines préparations typiques de cette région minière de France. Citons aussi l'exemple du sud-ouest de la France, région privilégiée pour l'élevage du canard et de l'oie, et qui a donné aux Français le goût, bon au demeurant, de consommer de délicieux mets charcutiers élaborés avec les chairs de ces animaux.

D'autres cas pourraient être rapportés et expliqueraient le fait qu'aujourd'hui la carte des charcuteries en France est aussi riche que celle des fromages et des vins.

Enfin, dans la plupart des pays industrialisés, la consommation des produits de charcuterie ne cesse de croître; cette augmentation, liée dans une certaine mesure au processus d'urbanisation, tient aussi au fait que cette denrée alimentaire présente de nombreux avantages pour le consommateur. Mentionnons, entre autres;

– la facilité d'emploi de ce produit culinaire qui ne nécessite aucune préparation préalable et qui peut être consommé, suivant le cas, aussi bien chaud que froid;

♦ ♦ ♦ ♦ ♦ ♦ ♦ ♦ ♦ ♦ ♦ ♦ ♦ ♦

- sa bonne qualité organoleptique;
- ses excellentes valeurs énergétique et biologique;
- la grande variété des préparations et des présentations.

Nous espérons que les acquéreurs de ce livre y trouveront de quoi satisfaire leur curiosité à l'égard de cette branche de la gastronomie moins connue que ne l'est sa proche parente la cuisine. Nous leur souhaitons de bien réussir les préparations charcutières qu'ils entreprendront et... nous leur disons

Bon appétit.

Jean-Claude Frentz

Directeur de projet au Centre de recherches alimentaires de Saint-Hyacinthe

REMERCIEMENTS DE L'AUTEUR

◆ ◆ ◆ ◆ ◆ ◆ ◆ ◆ ◆ ◆ ◆ ◆ ◆ ◆

L'auteur tient à remercier vivement les personnes et les organismes suivants pour leur aimable collaboration à cet ouvrage:

Soeur Monique Chevrier, directrice des cours d'art culinaire à l'Institut national des Viandes, pour les recettes empruntées à ses ouvrages;

Messieurs Roger Fortier et André Gignac, respectivement président et professeur à l'Institut national des Viandes, pour leurs précieux conseils en ce qui a trait à l'adaptation aux normes, recettes et terminologies canadiennes;

Messieurs Guy Aubert et Pierre Baracco, professeurs à l'École supérieure des Métiers de la Viande de Paris, pour les recettes et idées puisées dans leurs cours ou écrits parus dans la littérature professionnelle;

Messieurs Jean-Pierre Ariès et Alain Juillard, respectivement responsable de production en conserverie et ingénieur agricole, pour leur aide relative aux textes traitant du foie gras et de la stérilisation des charcuteries;

Les éditions Jérôme Villette de Paris pour les textes empruntés aux tomes 1 et 2 de l'ouvrage *Le compagnon charcutier*, et utilisés notamment dans les deux premiers chapitres;

Monsieur Patrick Poterre, ingénieur-conseil, pour sa collaboration à l'illustration de l'ouvrage;

Madame Françoise Burgaud, conseillère culinaire auprès de la société Moulinex de Paris;

Messieurs Michel Bergeret, Jean Soussana et Christian Teubner, éditeurs d'ouvrages techniques, pour la mise à disposition de photos et documents;

La direction et le personnel du restaurant *Le Béarn* pour avoir accepté de préparer pour nous les recettes communiquées;

Monsieur Gilles Rocheleau, directeur national des ventes chez Hoechst Canada Inc., et Monsieur Paul Patry, président de la firme Les aliments UFL, pour avoir facilité les communications en cours de production;

Monsieur Michel Pinel, ingénieur biologiste au Centre de recherches appliquées aux industries agricoles et alimentaires, pour le texte d'introduction du présent ouvrage;

Monsieur Marcel Harvey, auteur de nombreuses chroniques sur les vins et la charcuterie, pour le texte de conclusion du présent ouvrage.

TABLE DES MATIÈRES

◆ ◆ ◆ ◆ ◆ ◆ ◆ ◆ ◆ ◆ ◆ ◆ ◆ ◆

INTRODUCTION

Les produits de charcuterie doivent leur qualité à leur composition équilibrée en viandes, en matières grasses et en ingrédients divers; leur succès en alimentation est dû à de nombreux avantages tant du point de vue nutritionnel que gastronomique, pratique ou économique.

Les produits de charcuterie sont des aliments sains et pleins d'énergie qui constituent une source de plaisir

Toutes les préparations charcutières sont très bonnes pour la santé car leurs composants (maigre, lait, oeufs, etc.) sont une source de protéines d'excellente qualité, de sels minéraux (phosphore, fer, etc.) et de diverses vitamines indispensables au développement physique et intellectuel de tout individu. Grâce à la présence de matières grasses, la charcuterie est aussi un bon réservoir d'énergie; elle présente l'avantage de calmer la faim pendant des heures car la digestion des graisses par l'organisme ne se fait que progressivement, contrairement à celle des sucres, autres carburants de l'organisme, qui est rapide et libère l'énergie immédiatement.

Les produits de charcuterie sont agréables à consommer; la variété des coloris et des présentations égaie les repas et la composition en épices associée aux arômes obtenus au cours de la préparation peut satisfaire les plus fins gourmets.

Les produits de charcuterie font partie des aliments qui peuvent trouver leur place dans tous les menus

On peut servir des charcuteries au petit déjeuner, à l'heure de la collation, de l'apéritif et même comme plat de résistance aux repas du midi ou du soir. La multiplicité des recettes et des présentations permet de varier à souhait les menus. Toutefois, comme ces produits ne contiennent pas tous les nutriments nécessaires à l'organisme, ils doivent être servis accompagnés d'aliments complémentaires, par exemple:

- de légumes et de fruits (apport de cellulose et de vitamines);
- de produits laitiers (apport de calcium, etc.);
- de corps gras d'origine végétale (apport d'autres acides gras essentiels et d'autres vitamines);
- de pain, de céréales, de sucres (apport de glucides).

La charcuterie offre un moyen de mieux utiliser, de mieux valoriser et de mieux conserver certains morceaux de viande

Peu utilisées en cuisine, certaines petites viandes et viandes nerveuses peuvent être valorisées en charcuterie, car le broyage, l'assaisonnement et la cuisson en font un produit bien lié, tendre et sapide. Il en est de même pour les gras qui, en charcuterie, deviennent digestibles grâce à leur émulsification par les protéines de la viande, du lait, des oeufs, etc., en cours de préparation.

Certaines techniques charcutières permettent aussi de conserver les produits plus longtemps. En effet, les préparations salées et cuites se conserveront plusieurs jours au froid (température inférieure à 4°C), si elles sont rangées dans leur emballage de cuisson ou mieux, sous vide. Les conserves, elles, resteront intactes encore plus longtemps. Il est recommandé toutefois de ranger au froid celles qui ont été stérilisées dans des appareils ménagers car, dans ces cas, il n'est pas possible de s'assurer que la stérilisation soit parfaite.

Quelle que soit la méthode utilisée, il faut toujours préparer ces produits avec grand soin:

- Utiliser des matières premières de bonne qualité, sans odeurs désagréables, conservées au froid;
- Préparer les produits dans des conditions d'hygiène satisfaisantes;
- Contrôler la température à coeur des produits en fin de cuisson.

Les produits de charcuterie doivent être consommés en respectant l'équilibre nutritionnel

Vu leur teneur en gras, on reproche quelquefois aux produits de charcuterie d'être la cause de maladies nutritionnelles: obésité, athérosclérose, etc. Pourtant, consommées avec modération, ces préparations sont très bonnes pour la santé.

Tableau I - 1

Portions alimentaires recommandées en fonction de l'âge et des activités des convives (pain et charcuterie)

Denrée en grammes	3 à 5 ans	6 à 9 ans	10 à 12 ans	13 à 15 ans	16 à 18 ans	Adultes sédentaires Personnes âgées	Adultes moyen-nement actifs	Adultes très actifs
Pain	60	80	100	120	à volonté	120	à volonté	à volonté
HORS-D'OEUVRE OU ENTRÉE (masse dans l'assiette)								
Jambon	30	35	35	40	50	50	60	70
Andouille	20	25	25	30	40	30	40	45
Boudin noir	20	20	30	35	40	35	40	50
Cervelas	20	30	30	35	40	35	40	50
Fromage de tête	20	30	30	35	40	35	40	50
Galantine	20	30	30	35	40	35	40	50
Museau vinaigrette	20	30	30	35	40	35	40	50
Pâté de campagne	20	30	30	35	40	35	40	50
Pâté de foie	20	30	30	35	40	35	40	50
Rillettes	20	30	30	35	40	35	40	50
Saucisson à l'ail	20	20	20	30	40	30	40	45
Saucisson sec	20	20	20	25	35	25	35	40
PLAT PRINCIPAL (avant cuisson pour les produits à cuire)								
Petit salé, potée	néant	100	100	110	140	120	140	150
Jambon blanc	60	80	90	90	100	90	100	110
Andouillette	néant	100	120	120	140	130	140	150
Boudin noir	néant	100	100	120	150	140	150	160
Cervelas	néant	80	80	120	130	120	130	140
Saucisses :								
• chipolatas	néant	100	120	130	140	130	140	160
• crépinettes	néant	100	120	130	140	130	140	160
• Toulouse	néant	100	120	130	140	130	140	160
• Montbéliard	néant	80	100	120	140	120	140	160
• Francfort	néant	90	90	120	140	120	140	160
• Strasbourg	néant	80	80	100	120	100	120	150

Source : Groupe permanent d'Études des Marchés de Denrées alimentaires, Ministère de l'Économie et des Finances, Commission de contrôle des marchés, Paris, novembre 1977.

Le cholestérol, par exemple, qui entre dans la composition de certaines matières grasses, est indispensable à la synthèse de la vitamine D et de certaines hormones; c'est un constituant du tissu nerveux et de la membrane cellulaire. Toutefois, lorsqu'il est en excès, il favorise le dépôt des graisses dans les parois des artères, ce qui peut mener à une athérosclérose.

Ce genre de maladie est le plus souvent la conséquence d'une suralimentation qui résulte soit, comme son nom l'indique, d'un excès de recettes, soit d'une dépense d'énergie insuffisante: sédentarité, sous-activité physique, etc.

Les corps gras ne sont pas les seuls en cause. En effet, ces maladies peuvent aussi être entraînées par une consommation excessive de sucres, stockés sous forme de graisses, ou encore provenir de troubles métaboliques, de facteurs héréditaires, de troubles psychologiques, etc.

En conclusion, la charcuterie a sa place dans notre alimentation où elle est source de nutriments indispensables et de plaisir, mais, comme toute bonne chose, il convient de ne pas en abuser.

La valeur énergétique des aliments

Les aliments doivent leur valeur énergétique à la présence des constituants essentiels:

- Protéines dans la viande, le poisson, les oeufs, les légumes secs;
- Glucides dans le pain, les céréales, les sucres;
- Lipides dans les corps gras.

La valeur énergétique des viandes et produits de charcuterie varie donc essentiellement avec la teneur en matières grasses puisque:

- 1 gramme de protéines produit 17 kilojoules;
- 1 gramme de glucides produit 17 kilojoules;
- 1 gramme de lipides produit 38 kilojoules.

Tableau I - 2

La charcuterie: valeurs nutritionnelles

Nom des produits	Protides *g/100 g*	Lipides *g/100 g*	Glucides *g/100 g*	Calories *g/100 g*	Nom des produits	Protides *g/100 g*	Lipides *g/100 g*	Glucides *g/100 g*	Calories *g/100 g*
Andouille de Vire	19	18	0,2	239	Fromage de tête	16	15	0,4	201
Andouillette	18	18	0,2	235	Poitrine fumée	15	25	0,4	287
Boudin blanc	10	13	5,5	179	Poitrine salée	15	24	0,4	283
Boudin noir	12	33	1	349	Rillettes du Mans	15	42	0,1	438
Cervelas	12	28	1,1	304	Rillettes d'oie	15	45	0,1	465
Coppa	27	20	0,4	290	Rôti de porc cuit	21	6	1	142
Crème de foie de porc	10	37	3	385	Saucisse de Francfort	13	28	1,3	309
Épaule cuite standard	17	6	1,8	129	Montbéliard	14	31	0,6	337
Jambom sec	24	19	0,2	268	Strasbourg	13	28	1,4	310
Lardons	15	24	0,4	278	Toulouse	14	30	0,6	328
Merguez	16	26	0,6	300	Arles	20	47	3,3	516
Mortadelle	14	29	1,4	323	Chorizo	20	45	3,5	499
Pâté de gibier	16	20	3	256	Jésus	22	30	2	366
Terrine de campagne	15	29	3	333	Montagne	25	32	2	396
Pâté en croûte (hors croûte)	16	30	0,5	336	Rosette	24	33	2	401
Pâté de jambon	15	28	1	316	Salamis danois	14	49	2,2	506
					Saucisson sec	23	38	2,4	444

Source: *Congrès international de diététique*, Paris juillet 1988.

Tableau I - 3

Composition des viandes et produits de charcuterie

EAU — Environ 65 à 70 %.

GLUCIDES — Pratiquement pas.
— À partir de la petite quantité de glycogène musculaire se forme un peu d'acide lactique qui exerce une action favorable sur la qualité marchande de la viande durant sa maturation.

LIPIDES — Variables selon l'espèce, l'état de l'animal et le morceau.
En moyenne:
5 % cheval, poulet, foie, 5 à 10 % veau, lapin, 10 à 20 % boeuf et mouton, 20 à 30 % porc*, 32 % charcuterie.
— Se trouvent généralement à la surface de la carcasse (couverture), autour des rognons, en petite quantité autour des muscles et, dans le muscle, sous forme de grosses virgules (marbré) ou de fines arborisations (persillé).
— Formées de **glycérides** (à base d'acides palmitique, stéarique et oléique); plus ou moins fluides selon l'espèce et la nourriture de l'animal.

PROTÉINES — 15 à 20 % en moyenne.
— Protéines d'excellente qualité, riches en acides aminés indispensables.
— Ces protéines sont de différentes espèces:
- les plus importantes sont insolubles dans l'eau:
  myosine du muscle 8 à 11 %,
  myostroïne (riche en nucléo-protéines) 4 à 5 %,
  collagène des membranes (donnant gélatine par cuisson prolongée);
- une petite quantité est soluble dans l'eau:
  myoalbumine 1 % qui coagule par la chaleur formant l'écume du bouillon.

— Une petite quantité de corps azotés non protéiques (purines, etc.) dont la valeur alimentaire est discutée. Elles auraient un rôle tonique et apéritif.

MINÉRAUX — Environ 1 %.
— Riches en **phosphore** (les abats en sont deux fois plus riches que la viande).
— Nettement pauvres en calcium.
— Riches en **fer** (foie très riche en fer).

VITAMINES — Riches en vitamines du **groupe B,** la viande fraîche de porc est particulièrement riche en B_1.
— Pas de vitamine C (sauf le foie).
— Graisse pauvre en vitamines liposolubles. **Foie** très riche en vitamines A et D (parce qu'organe de réserve).

CALORIES — Varient essentiellement d'après la teneur en lipides.
En moyenne,
100 g net de:

viande	860 kJ
porc moyennement gras	1590 kJ
charcuterie	1715 kJ
foie	550 kJ

* La viande de porc débarrassée de sa couche de gras protectrice présente également une teneur en lipides basse (autour de 5 % dans les parties nobles).

Source: D'après J. Trémolières, Y. Serville, R. Jacquot. Tome 1; *Les bases de l'alimentation*. Tome 2; *Les aliments*. Éditions ESF, 1972.

Tableau I - 4

Composition en gramme par 100 grammes et valeur énergétique de quelques composants de la charcuterie

	Eau	**Lipides**	**Protéines**	**Valeur énergétique / 100 g**
Maigre sans gras visible	74	5	20	125
Maigre avec environ 30 % de gras visible	52	32	14	344
Foie	71	4	21	120
Dos/Gras de bardière	9	88	2,5	802

Source: D'après J.-C. FRENTZ *et al. L'encyclopédie de la charcuterie,* Orly, Éditions Soussana, 1982.

Chapitre premier

LES MATIÈRES PREMIÈRES

La préparation des produits de charcuterie fait appel à un art très ancien basé avant tout sur l'emploi de la viande de porc. Ayant diversifié ses formulations au cours des années, la charcuterie offre maintenant des produits à base de viandes et de poissons variés.

La viande

À part la viande de porc, on trouve donc aujourd'hui, dans les diverses préparations, du boeuf, du mouton, de la volaille et du gibier.

Animaux de boucherie et de charcuterie

Porc

Le porc domestique appartient à la famille des suidés dans laquelle il forme le genre *sus* avec le sanglier. Son origine n'est pas claire, mais on croit qu'il existe une population porcine européenne ainsi qu'une population porcine asiatique, descendant toutes deux du sanglier domestique, et que les races actuelles sont issues des croisements multiples effectués entre ces deux populations depuis le début du XIXe siècle.

Monsieur Georges Chaudieu, auteur français renommé, parle du porc avec magnificence:

« ...Mais revenons au porc. C'est l'animal protée, et mises à part sa soie et sa peau, presque toutes ses chairs subissent des transformations charcutières et culinaires. La graisse de ses intestins et de l'épiploon, différente de celle du lard, fournit le saindoux, le vieux-oing, qui est la graisse la plus molle et la plus humide des animaux. Mais c'est surtout dans la cuisine qu'aucun autre animal ne peut lui être comparé. Il se métamorphose sous toutes les formes: sa tête en « fromage » devient un mets succulent, sa langue et ses oreilles se servent en menus droits, ou salées ou fumées, ou encore grillées. Ses pieds, panés à la Sainte-Menehould, ou farcis de truffes. Ses côtelettes grillées, panées ou à la sauce charcutière, excitent notre appétit. Ses cuisses et ses épaules se changent en jambon, son sang, sa fressure, sa panne, ses boyaux, sa crépine, fournissent toutes sortes de boudins, d'andouillettes et d'andouilles, de saucisses; sa chair hachée devient le principe de toutes les farces, de tous les pâtés et galantines, des saucissons secs, crus ou cuits, de toutes les saucisses; sa poitrine devient le petit-salé, cher au casse-croûte des matins champêtres ou hivernaux; son carré se sert en rôti, et l'échine se met en côtelettes, etc.

« Partant de ce hors-d'oeuvre, il est nécessaire d'aller plus avant dans le détail de l'utilisation des chairs et des abats de porc auxquels il faut joindre ceux du boeuf, du veau et du mouton, puisque obéissant souvent aux techniques de la charcuterie et de la cuisine.

« Mais d'abord, à tout seigneur tout honneur, parlons des jambons!

« Quel attrait mystérieux entraîne les humains, tout ou moins ceux du sexe masculin, à lorgner les parties charnues du sexe opposé, et les deux, à priser, pour leurs satisfactions gustatives, celles du porc.

« Jadis, le jambon, c'était la cuisse ou l'épaule d'un cochon ou d'un sanglier qui avait été salée. De nos jours, seule la cuisse a droit à cette appellation. L'épaule crue ou cuite, salée ou fumée, conservant le nom de la place qu'elle occupe dans l'anatomie animale.

« Mais il est bon de savoir ce que chaque appellation recouvre et le goût si particulier qui distingue tel jambon de tel autre. En passant, il n'est pas négligeable de rendre hommage à l'influence civilisatrice qu'il exerce, ce qui faisait dire au philosophe François Génin:« AU FROMAGE ET AU JAMBON, L'HOMME COGNOIST SON COMPAGNON ». Et petit à petit des techniques diverses ont fourni une variété de jambon de goûts divers[1]. »

1. Georges CHAUDIEU. *De la gigue d'ours au hamburger*, Chennevières, Éditions de la Corpo, 1980.

Tableau 1 - 1

Appellations commerciales des morceaux de porc au Canada (C) et en France (F)

Appellation	Principales destinations culinaires et charcutières
C = jambon frais **F = jambon**	— confection de jambons secs ou fumés, jambons cuits avec ou sans os — emploi en rôtis et tranches à poêler — fabrication de spécialités (ex. : jambon persillé)
C = soc et rôti de côte **F = échine**	— utilisation sous forme de côtelettes, rôtis avec ou sans os — confection de salaisons sèches ou fumées (ex. : coppa)
C = côtelettes et rôti de filet **F = pointe et milieu de filet**	— emploi préférentiel sous forme de rôtis et côtelettes — fabrication de salaisons sèches ou fumées (ex. : bacon de filet)
C = flanc **F = poitrine**	— emploi en salaison pour la préparation de poitrine salée ou fumée, et de spécialités (ex. : pancetta) — utilisation pour de nombreuses fabrications de charcuterie : pâté, rillette, rillon, creton
C = picnic frais **F = hachage**	— utilisation sous forme de rôtis — emploi en salaison cuite en en charcuteries diverses : saucisse, saucisson, rillette, terrine, ballottine
C = gras de dos **F = lard ou bardière**	— vente en l'état par le charcutier (lard gras frais) ou salé — emploi en cuisine pour la confection des bardes et lardons — utilisation fréquente en charcuteries courantes : pâté, boudin, saucisse
C = bajoue **F = gorge(*)**	— utilisation pour la confection de farce, chair à saucisses, pâté, terrine, saucisson

* Sur la coupe parisienne, la gorge reste attenante à l'ensemble anatomique formé par la poitrine et le hachage.

Figure 1.1
Coupe canadienne du porc

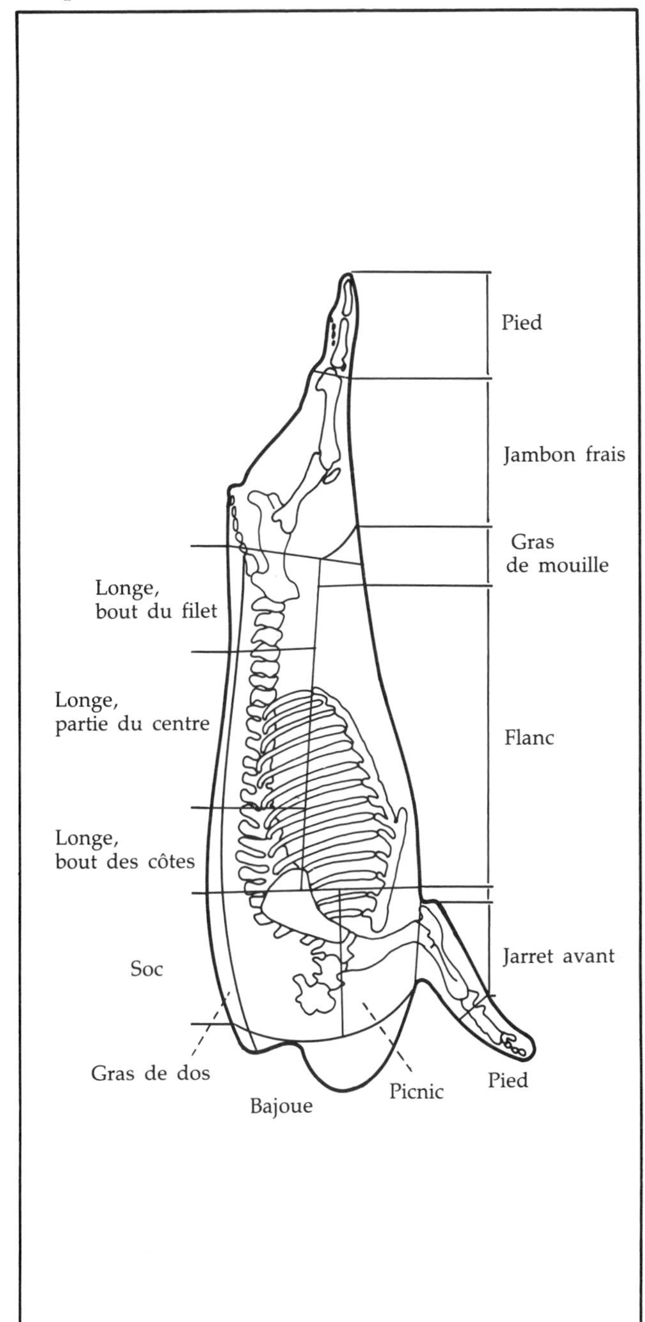

Figure 1.2
Coupe française du porc (type parisienne)

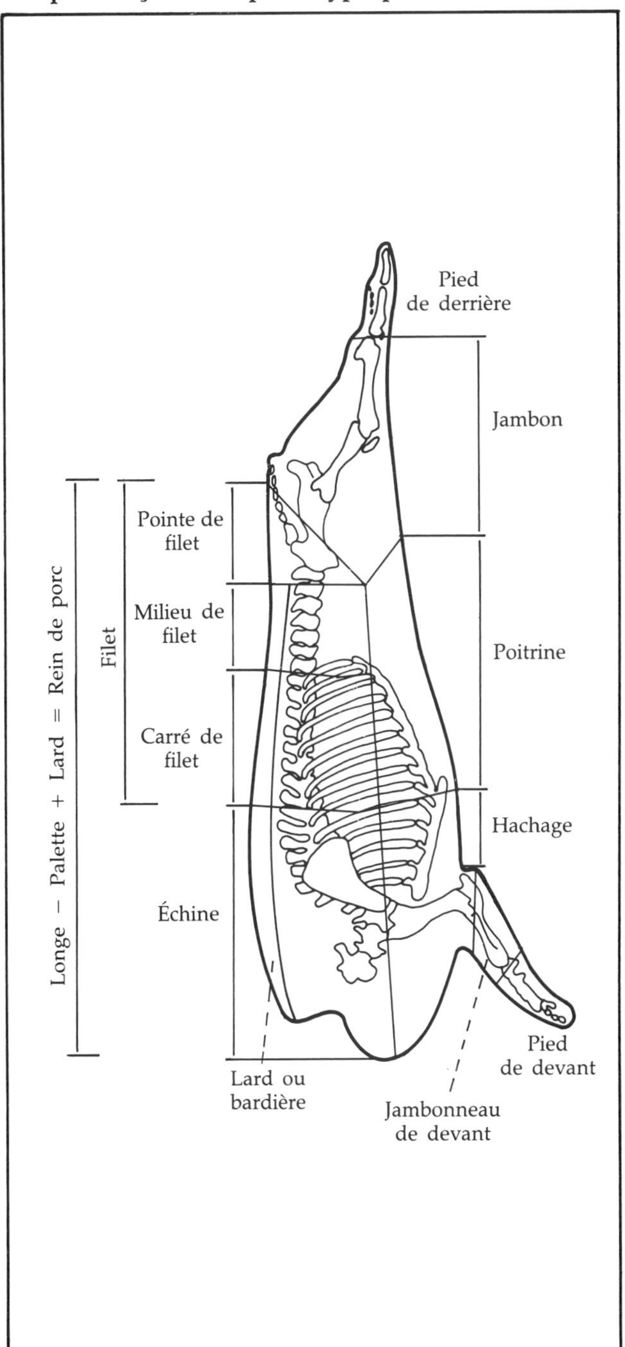

Source: Institut national des Viandes inc.

* Comme en font foi ces deux figures, compte tenu des critères de découpe des carcassses de porc qui diffèrent d'un pays à l'autre, les appellations commerciales des différents morceaux ne coïncident pas exactement.

Le porc charcutier est un animal de moins de six mois qui n'a jamais été utilisé pour la reproduction, et dont le poids vif se situe entre 80 et 105 kg, ce qui représente un poids de carcasse, sans tête, de 60 à 77 kg (le rendement entre le poids vif et le poids de carcasse est d'environ 73 %).

Les méthodes d'élevage ont beaucoup évolué et la production intensive et systématique des entreprises spécialisées a remplacé le plus souvent l'élevage artisanal. Autrefois élevé pour sa graisse, le porc est élevé aujourd'hui avant tout pour sa viande. Son alimentation est, en effet, étudiée pour favoriser le développement des muscles au détriment des tissus adipeux.

Cette nouvelle méthode d'élevage, qui modifie considérablement la morphologie de l'animal, influe aussi sur la qualité de la viande. Il est donc important de bien connaître la différence entre les trois grands types de viande de porc: la viande normale, la viande sombre (DFD) et la viande exsudative (PSE).

Viande normale

La viande normale présente une section humide mais sans exsudation; sa consistance est ferme et offre une certaine résistance à la pression du doigt; sa couleur varie du rose intense au rouge franc; coupée, la viande a tendance à sécher et grisonner. C'est une viande qui se conserve très bien, et celle qui se prête le mieux à la transformation en charcuterie.

Viande sombre (DFD-dark, firm, dry)

La viande sombre provient généralement d'animaux abattus dans de mauvaises conditions: l'extérieur est rouge pourpre, non brillant; la section est sèche et collante, et de consistance ferme. La conservation de cette viande est difficile, et il faut éviter de s'en servir pour fabriquer des produits secs.

Viande exsudative (PSE-pale, soft, exsudative)

La viande exsudative est de couleur rouge, ou rose pâle; elle est humide au toucher, et sa consistance est molle; de plus, les muscles ont tendance à se séparer les uns des autres. À la cuisson, les pertes sont importantes et la viande risque d'être sèche et filandreuse.

Boeuf et veau

De nombreuses spécialités charcutières peuvent s'enorgueillir de devoir leurs qualités et leur renommée à la présence de viandes ou d'abats d'origine bovine dans leur formulation. Les exemples sont trop nombreux pour en faire une énumération exhaustive; aussi, nous ne mentionnerons que les principaux.

Charcuteries cuites (saucisses, saucissons, salamis cuits, cervelas, mortadelles, etc.)

Les salamis cuits fabriqués en Allemagne et dans certains pays d'Europe de l'Est contiennent souvent un assez fort pourcentage de viande de boeuf ou de veau: mentionnons, par exemple, les saucisses de Strasbourg, de Vienne et de Munich.

Viandes de boeuf séchées

La viande séchée des grisons (spécialité d'origine suisse) constitue un pur régal; elle est obtenue par le traitement en salaison de viandes très maigres issues uniquement de la cuisse. C'est un aliment de haute valeur énergétique, très agréable à consommer. On peut aussi servir cette viande fumée.

Produits à base d'abats

Plusieurs spécialités bien connues sont préparées avec des abats de boeuf ou de veau, tripes à la mode de Caen, terrines de cervelle et de ris de veau, saucissons de foie de veau, coeur de veau farci, langue de boeuf à l'écarlate, quenelles et boulettes de foie, etc.

Saucissons et salamis séchés

Dans le monde entier, la viande maigre de boeuf entre dans la confection de salamis et de saucissons secs dont la qualité incontestable ne le cède en rien à celle de produits similaires réalisés uniquement avec de la viande de porc.

Mouton

La viande de mouton, et plus spécialement celle issue de jeunes agneaux, est très appréciée en cuisine. Elle est légère à l'estomac, délicate au palais, et supporte, mieux que toute autre, le raffinement de la gastronomie et la rusticité des préparations antiques comme le « méchoui ». Le mouton est éclectique; il garnit la table du pauvre comme celle du riche; sa poitrine s'accommode harmonieusement de pommes de terre ou de raves et fait bon ménage, dans le cassoulet, avec l'ail, le porc et les haricots.

En charcuterie, cette viande est peu employée et seules les parties de la carcasse dites « bas morceaux » trouvent grâce aux yeux des charcutiers.

Animaux de basse-cour

La viande des animaux de basse-cour (volaille, lapin) est très utilisée en charcuterie cuite où elle entre dans de nombreuses préparations.

Poulet

Le poulet est une jeune volaille n'ayant pas atteint la maturité sexuelle et dont le bréchet est souple. La masse de l'animal éviscéré, sans abats, va de 850 g (calibre petit) à plus de 1 400 g (calibre gros).

Sa chair entre dans la confection de boudin blanc, de rillettes, de terrines et ballottines. On peut aussi présenter la volaille entière fumée.

Dinde

La dinde a été introduite en Europe au XVIe siècle par les conquistadores espagnols, mais ce n'est qu'au XXe siècle que la zootechnie a commencé à s'intéresser à la volaille.

Comme le poulet, la dinde se caractérise par un rapport viande nette sur carcasse très intéressant, et les différences de composition et de qualité technologique entre le muscle blanc et le muscle rouge sont sensiblement les mêmes. La bête éviscérée offre un rendement de 75 à 80 % : la peau représente 10 %, la poitrine 27,1 % (mâle) et 25,4 % (femelle), et les cuisses 13,5 % chez les mâles et 14,2 % chez les femelles. Mentionnons aussi qu'il existe peu de dépôts de graisse au niveau intra-musculaire; ce sont surtout les tissus adipeux abdominaux et sous-cutanés qui prédominent.

Cette viande permet de réaliser toutes sortes de préparations charcutières sans que l'on soit obligé, comme avec la viande de porc, de prendre des précautions particulières. (Si la dinde est abattue avant l'âge de 25 semaines, on parle alors de dindonneau.)

Oie

Cet oiseau de forte taille est utilisé essentiellement pour la production du foie gras. La chair, considérée alors comme un sous-produit, fournit la matière première des confits, des rillettes et des cous farcis.

Tableau 1 - 2

Rendement moyen d'un poulet de 1 600 g vif

	% du poids vif	% de la masse de l'animal éviscéré	% de viande	% de peau	% consommables (viande et peau)
Poulet effilé	83	—	38	10	48
Poulet éviscéré (sans abats)	67	100	47	11	58
Blanc (sans os et sans peau)	12	18	100	—	100
Pilon	10,5	15,5	64	7	71
Haut de cuisse	13,5	20	72	9	81
Aile	8,5	13	33	16	49

Source : J. PAQUIN, RTVA n° 160, Paris, 1980, dans *L'encyclopédie de la charcuterie*, Orly, Éditions Soussana, 1982.

La viande d'oie se prête aisément au salage, au fumage et au confisage; la graisse, par contre, qui possède un bas point de fusion, pose des problèmes lors de la confection de produits « pure oie »: c'est le cas notamment des rillettes, qui ne peuvent être confectionnées qu'en période froide.

L'oie de Toulouse, très répandue dans le sud-ouest de la France, possède au plus haut degré l'aptitude au développement précoce et à l'engraissement; elle convient tout spécialement pour la production du foie gras. Les plus grosses sont de type industriel: le jars pèse de 12 à 14 kg et la femelle de 9 à 10 kg.

On utilise aussi l'oie grise des Landes, et l'oie du Rhin qui est plus prolifique mais moins productive en foie gras.

Le rendement de l'oie grasse plumée non vidée est le suivant: viande désossée et graisse, 50 %; foie, 8 %; coeur, gésier et peau, 8 %; cou et ailerons, 8 %; carcasse, os, intestins, tête, pattes et autres, 26 %.

Canard

Le canard se différencie des autres volailles par son rendement en viande maigre très faible, la qualité de sa chair, extrêmement savoureuse, et la quantité relativement importante de gras et de peau.

En langage gastronomique, le canard est souvent appelé caneton; c'est d'ailleurs jeune (4 mois environ) qu'un canard doit être mangé.

Il est bon de faire mariner la viande, les abats et la peau avec une masse égale de viande de porc. Le vin qui convient le mieux est le madère ou le porto; on utilise aussi le Cointreau, le curaçao, le marasquin et même le cognac ou l'armagnac. L'assaisonnement des charcuteries à base de canard peut être relevé avec du thym, du romarin, de la marjolaine, de l'oignon et de l'ail.

Le pâté de canard d'Amiens (spécialité du nord de la France) représente le haut de la gamme de toute une variété de terrines et pâtés élaborés autour de cette chair savoureuse à laquelle on associe très souvent le parfum de l'orange. Il faut noter aussi qu'on confectionne avec le canard des confits excellents et que le magret, très à la mode, se prête bien au salage et au séchage.

Pintade

De la taille d'un poulet de grain, la pintade est un gallinacé caractéristique des savanes d'Afrique dont l'espèce la plus répandue (*numida meleagris*) est l'ancêtre des oiseaux domestiques. Déjà connue des Grecs et des Romains, on l'appelait au Moyen Âge « poule de Turquie » ou « poule d'Inde ».

Sa chair peut facilement remplacer celle du poulet dans les terrines et les ballottines car leur goût est très semblable. La pintade donnera toutefois à ces préparations un léger goût de gibier.

Lapin

La viande de lapin est d'un emploi assez courant en charcuterie cuite où elle entre dans de nombreuses préparations telles les rillettes, les ballottines et les terrines; après désossage soigneux et farcissage, on réalise également une spécialité appelée « lapin farci » connue surtout dans la région de Bordeaux.

Le maigre de lapin étant une viande sèche et, par surcroît, ne présentant pas de saveur spécifique, il est préférable de la faire mariner longuement avant de l'ajouter à la préparation; il est important de choisir des alcools et des aromates de qualité. De plus, il faut prévoir dans la formulation une quantité suffisante de gras pour conférer du moelleux à la terrine ou à tout autre produit dans la composition duquel elle doit entrer.

Gibier

Le gibier, selon Georges Chaudieu « ... *c'est tout ce que l'on prend en chassant et qui sert à l'alimentation des chasseurs et aussi de leurs amis. De poil ou de plume, il va de l'alouette, à l'ortolan, au sanglier et au cerf, en passant par le lièvre. Il a aussi sa hiérarchie des valeurs. Au sommet, on trouve la bécasse, le faisan, la perdrix mais le populaire lapin de garenne (sans la myxomatose) fournit encore de belles gibelottes et des pâtés somptueux. L'art culinaire et la charcuterie se sont emparés du gibier pour en tirer des préparations allant des plus riches aux plus modestes, ce qui n'exclut pas les rôtis antiques de chevreuil ou de sanglier, c'est-à-dire de gros gibier*[2]. »

---

2. Georges Chaudieu, *De la gigue d'ours au hamburger*. Chennevières, Éditions de la Corpo, 1980.

La viande de gibier apporte dans les préparations de charcuterie une saveur particulière qui provient:

- des caractères spécifiques des animaux ainsi que de leur mode de vie et d'alimentation;
- du fait que l'animal a été tué sans être complètement saigné et après avoir fourni un effort important.

Les muscles étant riches en acide lactique et pauvres en glycogène, la rigidité cadavérique survient rapidement. Ces viandes acides peuvent donc, dans une première phase, fermenter sans se putréfier. Cette propriété est mise à profit dans le faisandage, de plus en plus modéré de nos jours, des viandes destinées à la consommation sous forme de préparations culinaires.

Même si le gibier d'élevage ne possède en commun avec l'animal sauvage que les caractères qui relèvent de l'espèce de l'animal, en se basant sur les types d'assaisonnements, on peut distinguer quatre grands groupes de gibiers:

- le lièvre, auquel on peut rattacher le lapin de garenne;
- le sanglier, auquel on peut rattacher le cerf, l'orignal, le chevreuil, le chamois et le daim (souvent d'élevage). La viande de ces animaux est toutefois plus sèche que celle du sanglier;
- le merle, auquel on peut rattacher les oiseaux dont la chair possède un goût prononcé;
- le faisan, auquel on peut rattacher les oiseaux dont la saveur de la chair risque d'être masquée par celle d'un assaisonnement.

Il est à noter que certains des animaux dont il est fait mention dans le présent ouvrage ne se trouvent que dans les marchés d'importation alors que pour d'autres la vente commerciale peut être interdite; cependant, afin de satisfaire la curiosité de tous, nous avons cru bon de ne pas limiter notre texte pour autant.

Lièvre

D'après les amateurs, la chair du lièvre de montagne est meilleure et plus odoriférante que celle de l'animal vivant en plaine; cette supériorité proviendrait des plantes aromatiques qui constituent une part importante de son alimentation.

À l'achat, l'état de cet animal doit être sérieusement vérifié car, souvent, l'étendue des blessures causées par les plombs est telle que la chair est impropre à la consommation. Le nez légèrement saignant et humide, ainsi que les yeux brillants sont les indices principaux d'un lièvre tué récemment.

Rillettes, terrines et pâtés, ballottines et galantines, mousses et farces diverses constituent des modes d'apprêts agréables pour découvrir et apprécier l'arôme et le goût sauvage de ce gibier; il importe toutefois que la sécheresse de sa chair soit compensée par un apport suffisant de maigre et gras de porc.

Le détail d'un lièvre de 2,5 à 3 kg donne les pourcentages suivants:

	%
Chair	36
Os et tête	28
Foie - coeur - poumon - rognons	4
Sang recueilli, variable	3
Peau, pattes et entrailles	29
	100

La marinade de la chair de lièvre s'accommode bien de cognac — rhum — vin rouge et eau-de-vie de genièvre; quant à l'aromatisation, on pourra, outre le poivre, utiliser des herbes et aromates séchés comme: le thym, le laurier, le genièvre, le basilic, le romarin et la sauge.

Lapin de garenne

Bien que le lapin de garenne puisse subir les même préparations que le lièvre ou le lapin domestique, son proche cousin, sa chair est moins estimée; elle n'en possède pas moins une valeur gustative d'un apport précieux dans les farces à pâtés et terrines. La blancheur et le goût presque neutre du muscle de ce gibier le rendent intéressant pour la confection de mousses et mousselines; on peut également, en mélange à de la poitrine de porc, en faire d'excellentes rillettes.

Sanglier

Mammifère sauvage, très voisin du cochon domestique, le sanglier est un animal assez commun dans les contrées au climat tempéré. Jusqu'à l'âge de six mois, il s'appelle marcassin et puis de six mois à un an, il est désigné sous le nom de bête rousse; en règle générale, les préparations culinaires et charcutières sont élaborées avec les diverses parties des animaux de cet âge.

Pour obtenir les meilleurs résultats de l'emploi de viande de cet hôte des bois, il faut respecter quelques préceptes:

- cette viande est un peu plus ferme que celle du porc et requiert un temps de cuisson un peu plus long; elle est soit travaillée en farce fine ou dans des produits comme les terrines, mélangée à des morceaux de porc fermes et soutenus en couleur comme l'échine de porc (soc);
- cette matière première sauvage est plus sèche que celle issue du porc domestique, les proportions mises en oeuvre dans les préparations charcutières seront donc limitées à 40 % afin d'obtenir le moelleux indispensable;
- la marinade de viandes de sanglier est effectuée avec un soin particulier et, à cet effet, on peut utiliser du cognac associé à du vin rouge vinaigré.

Enfin, les compositions d'épices destinées à aromatiser les terrines et autres préparations gourmandes pourront être formulées sur les bases suivantes:

- pour 100 g d'épices composées en poudre: coriandre 25 g, sauge 10 g, thym 15 g – genièvre, thym, basilic, mélilot, menthe (10 g de chacun). On emploie au kilogramme de préparation 2 à 3 g de ce mélange ainsi que du poivre, un peu d'ail frais voire des oignons dans les terrines.

Orignal

Le plus grand des cervidés actuels, l'orignal est certainement l'hôte le plus spectaculaire de la forêt boréale. Son corps trapu porté par des membres démesurément longs, son cou très court qui supporte une tête démesurément longue aussi n'en font certes pas, à première vue, le plus esthétique des animaux mais, à le voir évoluer dans son environnement, on comprend vite qu'il est un chef-d'oeuvre d'adaptation.

Bien qu'il soit assez abondant, l'orignal est un animal secret dont seuls les chasseurs les plus habiles et les plus patients auront raison; sa chair, qui rappelle celle du boeuf de la meilleure qualité, demeure donc un mets de choix.

Chevreuil

Cet excellent gibier, dont la taille normale adulte est d'environ un mètre, pour un poids approximatif de 20 à 25 kg, est la bête la plus gracieuse de la faune vivant dans les bois et on le rencontre aussi bien en plaine qu'en montagne. Chassé à l'affût ou aux chiens courants, le chevreuil constitue le gibier de venaison le plus recherché et sa chair particulièrement succulente ne devrait pas être marinée. En charcuterie, on peut l'utiliser pour en faire de délicieuses terrines.

Cerf de Virginie

La taille du cerf de Virginie, mieux connu au Québec sous le nom de « chevreuil », est plus importante que celle de son cousin européen puisqu'un mâle peut atteindre jusqu'à 90 kg et une femelle, 46 kg. Le goût de sa chair est toutefois également très fin et elle peut entrer dans le même type de préparations que celle du chevreuil européen.

Faisan

Comme tous les gibiers, le faisan doit être consommé jeune, c'est-à-dire à moins d'un an. On reconnaît un jeune animal à l'extrémité des rémiges, qui doivent être très pointues, à la couleur grise des pattes ainsi qu'à la flexibilité du bréchet et la petite dimension des ergots.

Ce gibier de roi, comme le nommait Brillat-Savarin, peut supporter les apprêts des plus simples aux plus riches. En charcuterie, les préparations froides forment pour ce gallinacé de beaux effets artistiques: galantine et ballottine, mousse, pâté et terrine, aspic, etc. De nombreux concours de charcuterie se sont inspirés de ce superbe oiseau pour fixer les thèmes des chefs-d'oeuvre à faire réaliser par les concurrents.

Le poisson

Avec 12 000 espèces réparties dans une centaine de familles, les poissons offrent une matière première extrêmement variée : chair maigre ou grasse, molle ou ferme, colorée ou blanche, à goût plus ou moins prononcé. Représentant une source de protéines relativement abondante, la chair de certains poissons qui se vendent mal à l'état frais — poisson trop gros, ou trop gras, ou blanc avec de nombreuses arêtes, à goût neutre ou fade — peut être valorisée en produit de charcuterie.

Sur le plan nutritionnel, il y a équivalence entre 100 g de viande et 100 g de chair de poisson. La chair de poisson est particulièrement riche en soufre, en phosphore, en iode, en vitamine B, en vitamines liposolubles et en lysine.

Les principaux poissons pouvant être utilisés en charcuterie forment une liste non limitative relativement importante : le chinchard, la sardine, la brème, la carpe, le gardon, le goujon, la tanche, le lieu noir, le merlan bleu, le tacaud, le saumon, la truite, le maquereau, le thon, le poisson-chat, la morue, la barbotte, le doré, le brochet...

Les poissons nobles mentionnés ci-dessus sont surtout utilisés en charcuterie fine ; on peut aussi les utiliser pour modifier une des caractéristiques organoleptiques (consistance, couleur, goût, etc.) de certaines préparations.

Les recettes de produits de charcuterie à base de poisson qui figurent dans le présent ouvrage constituent des bases à partir desquelles il est possible de faire des extrapolations.

Les abats et les issues

Les abats et les issues des animaux nourriciers de l'homme ont été plus ou moins prisés par les peuples. Athénée célébrait déjà « les gros intestins de bestiaux » et Homère a noté l'excellence d'un plat de « tripes de boeuf », préparé à l'intention d'Achille,

Tableau 1 - 3

Les abats et leurs utilisations en charcuterie

ABATS BLANCS				
	Mouton	**Boeuf**	**Veau**	**Porc**
Pied	Élément de base d'une spécialité dénommée « pieds paquets » dans laquelle entre aussi l'appareil digestif.	Emploi dans la confection des tripes à la mode de Caen.	Utilisation assez rare mais possible comme plat servi avec sauce vinaigrette ; emploi le plus fréquent pour la préparation du boeuf mode et des gelées.	Emploi en charcuterie pour la fabrication des pieds panés et pieds truffés.
Tête	—	Utilisation du mufle pour la fabrication du museau de boeuf (préparation salée, cuite et mise en marinade acide).	Très appréciée ; le plus souvent servie avec la langue et quelquefois la cervelle.	Entre généralement dans la confection du fromage de tête ou de spécialités comme l'andouille de campagne.
Tripe Appareil digestif	Entre dans la préparation des pieds paquets.	Nom donné à l'ensemble de l'appareil digestif : panse - bonnet - feuillet - franchemule qui sert à la confection du gras-double et des tripes cuisinées.	Utilisation possible en même temps que celle du boeuf dans le gras-double et les tripes. La fraise (instetin grêle avec son gras) est employée pour la confection d'andouillettes renommées (Cambrai).	Emploi large des viscères (estomac-boyaux) pour la confection des andouillettes et andouilles.

Tableau 1 - 3

Les abats et leurs utilisations en charcuterie (suite)

ABATS ROUGES				
	Mouton	**Boeuf**	**Veau**	**Porc**
Amourettes	La moelle épinière des animaux est ainsi dénommée; celles du boeuf et du veau sont principalement utilisées comme garniture après dégorgement, nettoyage et pochage.			
Cervelle	La plus petite	La plus grosse et la moins délicate	La plus appréciée	Appréciée également
	Cet abat est fragile. Il est utilisé après dégorgement et enlèvement des membranes et rougeurs sanguinolentes; il peut servir entre autres à la confection d'éléments de garniture pour bouchée au vol-au-vent.			
Coeur	Vendu souvent avec le foie et les poumons (fressure).	Plat économique mais sans finesse.	Le seul réellement apprécié en cuisine (coeur farci).	Vendu souvent avec le foie et les poumons (fressure); utilisable dans certains types de pâtés.
Foie	À 2 lobes et 1 lobule; goût assez médiocre.	À 1 lobe; moins délicat que celui de veau.	À 1 lobe et 1 lobule; le plus apprécié pour sa finesse et sa délicatesse.	À 4 lobes et 1 lobule; sert surtout à la confection de pâtés et terrines.
Joue	Peu utilisée seule.	Possibilité d'emploi dans certaines fabrications de charcuteries ordinaires, voire dans certains plats (morceau très gélatineux).	Reste le plus fréquemment sur la tête et vendue comme telle.	Reste le plus souvent attenante à la tête et subit le même traitement.
Langue	Peut se préparer en gelée avec les joues attenantes.	Vendue entière et utilisée en cuisine; sert aussi à des préparations comme la langue fumée ou « à l'écarlate ».	Plus délicate que celle du boeuf; vendue en principe avec la tête et se cuisine avec celle-ci.	Le plus souvent utilisée avec la tête dans la confection du fromage de tête ou emploi dans les hures.
Poumon	Abat rarement utilisé en cuisine — employé pour l'alimentation animale.			Peut entrer dans les préparations spéciales (pâté d'abats).
Ris	Très petit chez l'agneau; également très délicat.	—	Ne se trouve que chez les jeunes animaux (thymus); très prisé et largement utilisé en cuisine.	—
Rognon	Assez apprécié en cuisine; présenté à raison de 2 à 3 pièces par convive.	Peu apprécié car souvent un peu ferme.	Excessivement recherché en raison de sa finesse et délicatesse.	Souvent peu apprécié en raison d'une odeur urineuse difficile à faire disparaître.

Source: J.-C. FRENTZ *et al. Le Grand Livre des Métiers de Bouche,* Paris, ERTI-LECERF, 1980.

que Thétis plongea dans les eaux du Styx pour le rendre invulnérable.

Aujourd'hui, on différencie:

- Les abats rouges, soit les joues, la langue, la cervelle, le poumon, le coeur, la rate, le foie, le ris, etc., nommés ainsi en raison de leur couleur rouge ou rosée;
- Les abats blancs, panse, tête et pieds, qui sont échaudés avant d'être vendus. (Certains ouvrages, traitant de la question englobent cervelle, ris et amourettes dans les abats blancs.)

En charcuterie, ce sont surtout les abats et les issues porcins qui sont employés pour confectionner une grande variété de préparations. La France est l'un des rares pays au monde où tous les abats de porc sont employés intégralement; en effet, les charcutiers français sont réputés orfèvres dans l'art de confectionner les pâtés et terrines à base de foie, mais ils connaissent tout particulièrement le secret des andouillettes et andouilles, charcuterie cuite typiquement française obtenue uniquement à partir du tube digestif complet du porc (estomac et intestins).

Parmi les sous-produits de porc, ceux qui sont décrits ci-après connaissent les plus grandes faveurs dans l'art de confectionner de délicieuses cochonnailles.

Foie

Le foie doit être utilisé le plus frais possible car cet état de fraîcheur détermine non seulement le parfum incomparable qu'il est susceptible de conférer au produit dans lequel il est ajouté mais aussi le pouvoir liant; par ce terme, on entend la capacité que possèdent les protéines du foie à stabiliser, lors de la cuisson, un mélange de divers éléments (foie, gras, oeufs, farine, etc.) agglomérés par hachage et pétrissage.

En pratique, cela veut dire que plus le foie est frais, moins le pâté ou la terrine se rétractera ou fondra à la cuisson.

Pour préparer le foie, il faut le rincer et, à l'aide d'un couteau tranchant et bien affilé, le débarrasser des vaisseaux et résidus biliaires.

Tête

La tête sert de base à la confection du fromage de tête mais il est possible de réaliser une tête de porc en galantine. Pour ce faire, la tête crue est désossée entièrement puis elle est farcie, recousue et emballée dans un linge; le tout subit une cuisson dans un bon bouillon.

Sang

Le sang est le composant essentiel du boudin et si, pour des raisons diverses, on ne peut trouver de sang de porc chez son charcutier, il sera remplacé par du sang de veau ou de boeuf. Malheureusement, le boudin ne sera pas d'aussi bonne qualité; en particulier, il risque d'être plus sec. On pourra pallier cet inconvénient en remplaçant environ le quart du sang indiqué dans la recette par un mélange de lait et de crème.

Estomac

La poche formée par un estomac entier de porc peut contenir une quantité importante de farce. Pendant le pochage, la paroi de cet organe se rétracte et la farce, enfermée à l'intérieur, a tendance à gonfler. On obtient, après cuisson, un rouleau ferme facile à manger en tranches. La spécialité écossaise dénommée « haggis », réalisée avec un estomac de mouton, est basée sur le même principe.

Crépine

L'épiploon est le nom réel de la crépine — repli du péritoine qui relie entre eux la rate et le côlon hélicoïdal du gros intestin.

La crépine, appelée aussi coiffe ou toilette, sert d'enveloppe pour des préparations de charcuterie fraîche dénommées « crépinette » ou « saucisse en coiffe ». On l'utilise également pour recouvrir la surface des pâtés et terrines. La crépine est souvent salée, ce qui améliore sa conservation; pour l'assouplir, il faut la rincer soigneusement dans l'eau tiède légèrement vinaigrée.

Boyaux

Les historiens sont presque unanimes à reconnaître que, déjà chez les Grecs et les Romains de l'Antiquité, l'utilisation de boyaux d'animaux comme enveloppe pour divers mélanges à base de viande, était courante. Les charcutiers contemporains utilisent toujours beaucoup de boyaux naturels mais parallèlement, ils sont amenés, pour diverses raisons, à les remplacer par des boyaux artificiels élaborés à partir de fibres d'origine animale (cuir de bovins) ou végétale (cellulose, coton), voire encore avec des matériaux plastiques.

On englobe sous l'appellation de boyaux naturels l'intestin des animaux de boucherie et de charcuterie. Suivant leur diamètre et les caractéristiques de leur paroi (finesse, teneur en graisse, résistance), les différentes portions de l'intestin sont plus ou moins recherchées en technologie alimentaire. Ainsi, on remarque que le porc est le seul animal dont l'intestin est utilisé entièrement en charcuterie (voir tableau 1-4).

Tableau 1 - 4

Divers boyaux utilisés en charcuterie

Espèce	Partie anatomique Longueur (m)	Appellation	Diamètre (mm)	Aspect
Porc	Intestin grêle 15-20	Menu de porc	30-44	Texture fine, presque transparent, nervuré, clair, beige clair
	Caecum 0,3-0,4	Sac de porc	Non calibré	Aspect très frisé
	Côlon, portion hélicoïdale 2,5-3	Chaudin	40-80	Bosselé, épais, tendre rosé clair
	Côlon, portion sous-lombaire 0,8-1	Robe ou suivant	40-50	Non bosselé, lisse, tendre, rosé ou blanc
	Rectum 0,7	Fuseau	45-90	Charnu, épais, blanc rosé
Boeuf	Intestin grêle 30-40	Menu de boeuf	30-50	Parois plus épaisses que menu de porc, gris-rose
	Caecum 1-2	Baudruche	80-145	Grosses nervures apparentes, blanc rosé
	Côlon 6-8	Gros de boeuf	40-70	Parois épaisses, rose
Mouton	Intestin grêle 25-30	Menu de mouton	14-30	Transparent, texture très fine, blanc ou rosé

Source: M. MIGAUD et J.-C. FRENTZ. *La charcuterie crue et les produits saumurés*, Orly, Éditions Soussana, 1978.

Dans le cadre du présent ouvrage, les recettes de charcuterie sous boyau font référence presque exclusivement aux menus de porc et de mouton (intestin grêle), ainsi qu'aux boyaux gros de boeuf. Le particulier, s'il est amené à se procurer des boyaux naturels, les achètera uniquement sous forme salée. Avant de les utiliser, il sera nécessaire de les rincer soigneusement pour éliminer le sel, puis de les tremper dans de l'eau tiède légèrement vinaigrée; ce traitement a pour but de les assouplir et de faciliter l'introduction de la chair à saucisse à l'intérieur.

Le foie gras

Le foie gras est une découverte très ancienne et de nombreux textes tant égyptiens que romains prouvent que ces peuples engraissaient les oies avec des figues et consommaient leur foie délicieux.

Dans des temps plus proches, c'est sous le règne de Louis XV et de Louis XVI que le foie gras apparut en France. Tout d'abord en 1769 à Nérac où Taverne créa les terrines de Nérac. Ensuite à Périgueux, Courtois fabriqua des pâtés de foie. Enfin à Stras-

Tableau 1 - 5

Critères de classification des foies gras

CANARD			
Qualité	**Masse**	**Apparence (*)**	**Texture**
Extra A	Minimum 400 g	Paroi extérieure lisse, blanc rosé, couleur uniforme, sans taches rougeâtres, trace sanguine ou défaut apparent	Ferme mais souple au toucher
Extra B	Sans distinction	Mêmes critères, mais couleur moins uniforme, présence de taches rougeâtres ou sanguines peu prononcées	
Deuxième	Tous les foies normalement engraissés mais ne répondant pas aux critères ci-dessus énoncés, à l'exception des foies non engraissés		
OIE			
Extra	Maximum 900 g	Paroi extérieure lisse, couleur uniforme blanc rosé, sans taches rougeâtres, trace sanguine ou défaut apparent	Ferme mais souple au toucher
Première	Entre 901 g et 1 099 g		
Gros	1 100 g et plus	Mêmes critères, mais couleur moins uniforme	Toutes textures acceptées
Deuxième	Sans dictinction	Mêmes critères, mais présence de taches rougeâtres ou sanguines et pointes rouges	

* La couleur des foies gras est surtout déterminée par la variété de maïs utilisée pour le gavage.
En France, dans le Périgord, les foies sont ocre-jaune clair et la graisse exsudée à la cuisson sera jaune. Dans les Landes et dans le Gers les foies sont blanc rosé et la graisse exsudée sera blanche.
C'est pour cette raison que, dans les fabrications de bloc de foie gras, il sera utile de mélanger foies blancs et foies jaunes pour que la graisse exsudée soit jaune et non blanche, ce qui sera plus joli d'aspect.

Source: « Guide pratique de l'éleveur gaveur », S.I.C.A. Saint-Sever 1975, dans L'*encyclopédie de la charcuterie*, Orly, Éditions Soussana, 1982.

bourg en 1780, Jean-Pierre Clause, cuisinier du Maréchal des Contades prépara ses pâtés de foie gras en croûte. Nicolas Doyen compléta ce chef-d'oeuvre gastronomique en mariant le foie gras d'oie à la truffe.

Longtemps, le consommateur a préféré consommer ce mets délicieux plutôt très cuit, souvent en croûte et généralement truffé. De nos jours, la tendance ayant évolué, il peut se servir cru et surtout mi-cuit débarrassé de tout artifice. Cette pérennité du foie gras l'a conduit à un sommet jamais atteint par aucun autre aliment. Son élaboration a contribué à diviniser l'idée que l'on s'en fait. En Gascogne, le foie gras est sacré! Pour le déguster, l'apprentissage devient initiation.

Comment faire son choix?

Qu'il soit d'oie ou de canard, il faut impérativement utiliser le foie le plus frais possible, c'est-à-dire au maximum 48 h après le sacrifice. Il doit être brillant, souple mais pas mou, sans tache ni hématome; sa couleur est généralement blanc rosé.

La masse moyenne d'un foie de canard est de 400 à 500 g, celle d'un foie d'oie oscille entre 700 et 800 g. Pour la mise en boîte, on préfère le foie d'oie qui semble mieux résister au traitement thermique élevé; quant au foie de canard, il pourra être dégusté chaud ou mi-cuit.

Chapitre 2

LES INGRÉDIENTS DE BASE

Les liants et les conservateurs

En charcuterie, comme dans toute activité culinaire, certains ingrédients sont utilisés presque constamment. Il est donc recommandé de toujours les avoir à portée de la main, et de bien connaître les propriétés de chacun pour pouvoir en tirer le meilleur parti possible.

Amidon

L'amidon est largement utilisé pour lier, épaissir ou stabiliser un grand nombre de produits alimentaires: sauces, potages, charcuterie, etc.

Il existe une gamme d'amidons différents:

- de par leur origine: graines de céréales (amidon de blé, de maïs, de riz) ou de tubercules (fécules de pomme de terre ou de manioc);
- de par leur composition et leurs propriétés: les amidons sont insolubles dans l'eau et se comportent à froid comme un corps inerte; c'est uniquement après chauffage qu'ils acquièrent leurs propriétés liantes, épaississantes et gélifiantes; ces propriétés sont tributaires de leur comportement à la chaleur, au refroidissement et au cours du stockage (voir le tableau 2-1).

Pour les produits de charcuterie courants décrits dans cet ouvrage, la fécule de pomme de terre, l'amidon de maïs et même la farine de blé constituent des liants aux performances suffisantes et intéressantes.

Gélatine

La gélatine est préparée, dans l'industrie, par hydrolyse partielle et par solubilisation dans l'eau chaude, du collagène des os des animaux, des tissus conjonctifs (couennes, tendons, aponévroses, etc.) et des dermes de peau.

On utilise principalement les couennes et les os frais; l'hydrolyse est réalisée soit par voie acide (couenne), soit par voie alcaline (os). Les bouillons obtenus sont filtrés, clarifiés, concentrés puis séchés soit en plaques, ce qui donne des feuilles de gélatine qui sont ensuite broyées, soit directement en grains ou en poudre.

La gélatine industrielle remplace bien la gelée « maison » obtenue par cuisson prolongée des couennes, tendons, aponévroses et os, puis par filtration et clarification; la fabrication ménagère est d'ailleurs de plus en plus abandonnée car elle demande trop de temps et donne des gélatines dont la limpidité, la fermeté et la qualité bactériologique sont aléatoires.

Tableau 2 - 1

Qualités des amidons

	Température de gélatinisation	Pouvoir liant	Empois	Consistance du gel	Résistance aux températures élevées
Fécule de pomme de terre	60-65 °C	Très bon	Visqueux translucide	Le moins dur	Faible
Fécule de manioc	60-65 °C	Passable	Très translucide	Dur	Faible
Amidon de maïs	70-72 °C	Bon	Opaque	Le plus dur	Moyenne
Amidon de blé	80-85 °C	Bon	Opaque	Dur	Moyenne
Amidons modifiés	Supérieure	Très bon		Absence de gélification	Très grande

Source: D'après *Le Grand Livre des Métiers de Bouche*, J.-C. Frentz *et al.*, Paris, ERTI-LECERF, 1980.

Oeuf

L'oeuf est un produit qui a une excellente valeur alimentaire. On le consomme tel quel ou dans des préparations culinaires et charcutières. Le blanc est constitué en grande partie d'eau et de protéines; le jaune, moins riche en eau que le blanc, renferme la quasi-totalité des matières grasses et une partie des protéines (voir le tableau 2-2).

L'oeuf renferme des quantités appréciables de vitamines, surtout le jaune qui est parfaitement digestible cru et cuit; le blanc, par contre, offre une certaine résistance aux sucs digestifs et doit être consommé cuit.

L'utilisation des oeufs dans les préparations culinaires et charcutières se justifie par leurs remarquables caractéristiques.

Un pouvoir liant

À l'état liquide (frais ou congelé), l'oeuf entier a le pouvoir de lier entre elles les particules de farine ou de tout autre ingrédient granulaire pour former une pâte continue, plus ou moins visqueuse. Les protéines d'oeuf coagulent à basse température (inférieure à 70°C) ce qui justifie leur utilisation dans les produits peu cuits.

Un pouvoir aromatique et sapide

L'oeuf possède une saveur caractéristique qui subsiste après un mélange avec d'autres ingrédients et la cuisson.

Un pouvoir émulsifiant

Le jaune d'oeuf doit son pouvoir émulsifiant, en particulier, à la lécithine qu'il contient.

Un pouvoir colorant

Le jaune d'oeuf confère aux produits une teinte jaune vif agréable à l'oeil.

Un pouvoir moussant, aérant et levant

Le blanc d'oeuf possède la propriété de gonfler sous l'effet mécanique; la neige ainsi obtenue est stable car les protéines sont alors dénaturées.

Tableau 2 - 2

Composition chimique moyenne de l'oeuf (%)

	Eau	Protéines	Lipides
Oeuf entier	74	12	12
Jaune	49	17	32
Blanc	87	11	traces

Pour vérifier la fraîcheur d'un oeuf, il suffit de le tremper dans l'eau; s'il reste:

- horizontal, il a moins de 4 jours;
- incliné à 15 ou 20°, il a de 4 à 10 jours;
- vertical, il a plus de 10 jours.

Sel

En termes de chimie, le sel de cuisine s'appelle chlorure de sodium et il provient soit des mines (sel gemme), soit des marais salants (sel marin); ce dernier contient plus d'impuretés que le sel gemme et, en particulier, du chlorure de calcium. En charcuterie, il est souhaitable d'utiliser du sel raffiné épuré; l'origine du sel a donc peu d'importance.

Le sel se présente sous forme de cristaux réguliers (cristallisé), de cristaux variables (concassé), de sel fin (en poudre) et de sel grené (gros sel). On utilise le plus souvent en charcuterie le sel fin et le sel grené, notamment pour le frottage des pièces de salaison.

Le sel a été l'un des premiers moyens de conservation connu. Ce n'est pas un antiseptique, en ce sens qu'il ne détruit pas les bactéries (ou tout au moins très peu), mais il freine leur développement. Aujourd'hui, l'utilisation de nouvelles techniques de stabilisation des aliments (froid, stérilisation) a fait passer cette action du sel au second plan, d'autant que les consommateurs de charcuterie veulent des produits de moins en moins salés. Les doses d'emploi du sel sont précisées dans chaque recette.

Nitrite et nitrate (salpêtre)

Le salpêtre, ou nitrate de potassium, est un sel extrait des terres salpêtrées, ou préparé à partir du nitrate de sodium. Il se présente sous forme de cristaux blancs très solubles dans l'eau, au goût amer. Bien qu'utilisé depuis l'Antiquité pour le rosissement des viandes, son emploi n'a été reconnu officiellement, dans la plupart des pays, que depuis le début du siècle. Le salpêtre est toujours utilisé en association avec le sel et le sucre et à des doses très faibles, de l'ordre de 0,5 g au kilogramme de préparation (voir *Sel conservateur*).

Son rôle est surtout d'assurer le maintien d'une couleur rose appétissante aux charcuteries et salaisons dans lesquelles il a été employé. Il faut noter toutefois que l'action du salpêtre est assez lente et « capricieuse », puisque dépendante d'un processus bactérien. Aussi, les fabricants de charcuterie sont-ils autorisés à utiliser un produit plus efficace : le nitrite de sodium.

Sel conservateur

Pour faciliter la mise en oeuvre du salpêtre, il est conseillé de réaliser un pré-mélange, plus facilement utilisable. Celui-ci est appelé « sel conservateur » et la dose est de 1 à 2,5 g au kilogramme de préparation.

À titre indicatif, pour obtenir 1 kg de sel conservateur, mélanger :

- 190 g de salpêtre*
- 310 g de dextrose (sucre de maïs) ou sucre ordinaire
- 500 g de sel fin

Le mélange doit être soigneusement homogénéisé, puis placé dans un récipient hermétique et stocké dans un endroit sec ; il est recommandé de bien l'agiter avant de s'en servir.

Les assaisonnements

Épices et herbes aromatiques

De tout temps, l'homme a ajouté des condiments à sa nourriture, d'abord sous forme de plantes aromatiques, puis d'épices et d'aromates.

L'épice est une denrée extrêmement périssable surtout lorsqu'elle est réduite en poudre ; ses parfums s'éliminent rapidement si elle n'est pas conservée avec soin. Il est donc préférable de ne pas stocker d'épices trop longtemps. L'idéal est de les broyer soi-même au fur et à mesure de l'emploi. La conservation doit se faire en récipients hermétiques à l'abri de la lumière dans un endroit frais et sec.

Les principales épices et herbes aromatiques utilisées en charcuterie sont les suivantes :

Aneth

L'aneth, ou *dill* des nordiques, est surtout destiné au poisson ; il s'associe mal à l'ail, à l'huile d'olive et à la ciboulette ; il ne doit jamais bouillir.

Anis étoilé

Cette épice doit son nom à sa forme d'étoile à huit branches mais, souvent, on préfère la dénommer « badiane ». Sa note aromatique très empreinte de

---

* La réglementation actuellement en vigueur au Canada, fait obligation aux fabricants de charcuterie de n'utiliser que le nitrite de sodium (exception faite pour quelques spécialités de produits secs).

En règle générale, ils emploient un mélange commercial dénommé « sel nitrité » et qui contient 6,4 de nitrite de sodium, le reste étant du sel ordinaire. Pour sa mise en oeuvre, ils devront donc tenir compte des doses indiquées sur l'étiquette sachant que le niveau de nitrite permis dans un pâté est de 200 ppm avant cuisson.

Certaines législations étrangères, dont la France, ont un autre point de vue à cet égard et autorisent à des doses précises indifféremment le nitrite ou le nitrate seul voire un mélange.

Dans les recettes où la recommandation d'emploi de « sel conservateur » est précisée, il est conseillé aux fabricants de charcuterie de prévoir son remplacement par le sel nitrité. Dans ce cas, le fabricant doit se conformer aux doses préconisées sur l'étiquette.

Le particulier peut acheter du nitrate de potassium en pharmacie.

fraîcheur la fait apprécier pour la confection des épices composées destinées à parfumer les merguez; elle entre aussi dans le traditionnel mélange dit « cinq-épices » ou « cinq-parfums » chinois.

Basilic

Herbe royale, le basilic présente une saveur poivrée. Il en existe deux variétés:

- le basilic à petites feuilles, à saveur citronnée, à réserver pour les salades;
- le basilic à feuilles larges, donnant son parfum caractéristique au pistou, surtout utilisé dans les farces de viande blanche ou de volaille, ou encore dans les terrines de légumes.

Bois de santal

Épice rouge qui entre généralement dans la confection des mélanges d'épices destinés à aromatiser et colorer les boudins noirs.

Cannelle

Écorce de variétés exotiques de laurier, la cannelle se roule sur elle-même en bâton lorsqu'on la détache. Celle de Ceylan est claire et douce, et sert pour les farces à base de viande blanche; celle de Chine est plus foncée, plus corsée, à préférer pour les farces très aromatisées. C'est une des quatre épices de base en charcuterie.

Cardamome

Graines logées dans les capsules des fruits d'une espèce de roseau poussant aux Indes, la cardamome, réduite en poudre, entre dans la composition du cari. Il faut les doser avec prudence dans les pâtés de poisson à chair grasse (anguille) ou les farces de veau.

Cari

Le cari est un mélange de plusieurs épices dont la composition diffère suivant les régions; il rassemble en général: curcuma, coriandre, cumin, girofle, cardamome, gingembre, piment de Cayenne, macis, etc. (On écrit parfois curry ou carry.)

Céleri

Commercialisé sous forme de graines ou en poudre, le céleri a un goût voisin de celui des grains de fenouil qui se marie très bien avec celui du persil. Quant au sel de céleri, il s'agit de céleri rave émincé, séché au four, pulvérisé et mêlé de sel fin.

Cerfeuil

La saveur du cerfeuil est plus douce et plus subtile que celle du persil et son arôme est très volatil; il convient donc de l'utiliser immédiatement après ciselage et de lui éviter toute chaleur supérieure à 80 °C.

Coriandre

Les feuilles de coriandre sont utilisées en cuisine chinoise et maghrébine. Les graines sont appréciées mondialement et entrent dans le cari, dans les préparations « à la grecque », dans les charcuteries allemandes et suisses ainsi que dans les farces de légumes égyptiennes.

Cumin et carvi

Le cumin, dont la graine jaunâtre dégage une forte odeur poivrée, est largement utilisé dans la cuisine arabe, indienne et mexicaine. Le carvi, dont la graine noirâtre dégage une saveur moins poivrée, est surtout prédestiné aux poissons et crustacés; il peut entrer dans la confection du mélange dit « toute-épice ».

Curcuma

Plante de l'Inde qui entre dans la composition du cari, le curcuma est renommé pour ses propriétés tinctoriales (jaune).

Estragon

L'arôme caractéristique de l'estragon est le secret de la béarnaise. Il s'allie fort bien à l'aneth et à la mélisse. Il est apprécié dans les terrines de crustacés et de poissons, et dans les farces de volaille à chair blanche.

Fenouil

Il s'agit du fenouil âcre dont les tiges séchées servent à aromatiser les braises pour griller le poisson, et les grains à donner de la saveur aux ragoûts de poissons ou de légumes et aux charcuteries.

Hysope

Très prisée dans la cuisine des siècles derniers, l'hysope est aujourd'hui oubliée, sauf en Allemagne. Sa saveur, tenant à la fois du romarin et de la sarriette, relève les farces de veau.

Genièvre

Les baies de genièvre, de saveur fruitée, font partie des ingrédients classiques des marinades, des courts-bouillons, des préparations à base de gibier et de certaines charcuteries. Elles peuvent être broyées au préalable dans un moulin à poivre.

Gingembre

Le gingembre se vend en rhizome ou en poudre. De plus en plus apprécié, le rhizome frais a une saveur poivrée et laisse une impression de saveur fraîche voire glaciale; pour l'utiliser, il faut le peler et le râper.

En poudre, il est utilisé pour les terrines et les pâtés et entre dans la composition du cari.

Girofle

Les clous de girofle sont des boutons floraux séchés; leur saveur forte et piquante rehausse le court-bouillon et le pot-au-feu. Le clou entier de bonne qualité est charnu, bien sec et pourvu d'un bouton friable. On le trouve également réduit en poudre. C'est une des quatre épices de base en charcuterie.

Laurier-sauce

La feuille de laurier-sauce est l'aromate par excellence des pâtés et terrines campagnards auxquels elle confère son parfum très particulier. Elle constitue un des éléments du bouquet garni destiné au court-bouillon, aux marinades et aux sauces; son dosage, délicat, dépend de l'état de la feuille qui peut être fraîche ou séchée. Il vaut mieux l'émietter très finement pour l'introduire dans les farces.

Marjolaine

Souvent confondue avec l'origan et parfois préférée à la sarriette et au thym, la marjolaine donne un goût agréable aux farces de poisson, de volaille et de gibier. Elle est surtout utilisée sous forme de feuilles séchées qui conservent bien leur arôme.

Menthe

Il existe plusieurs sortes de menthe, soit:

- la menthe pouliot: fleurs mauves en petits bouquets sur plusieurs étages dont le parfum se rapproche de celui du thym;
- la menthe verte ou menthe cultivée: fleurs en bouquets roses, feuilles fines et dentelées;
- la menthe poivrée: fleurs violacées, feuilles glabres et fragiles.

Les plus estimées sont les menthes pouliot et poivrée; la menthe cultivée est plus aromatique que la menthe sauvage. Elle peut être utilisée fraîche et séchée.

Muscade et macis

La muscade est une amande mûre et coriace débarrassée du macis. Elle se vend entière ou en poudre mais il vaut mieux l'acheter entière et la râper au fur et à mesure de ses besoins.

Le macis est la membrane qui enveloppe la noix de muscade dont elle a le goût nuancé; sa saveur s'approche de celle de la cannelle.

Fraîche, la noix est de couleur rouge foncé; séchée et moulue, elle est jaune-orangé. C'est une des quatre épices de base en charcuterie.

Origan

Pour beaucoup, l'origan est la marjolaine sauvage. Son utilisation (réduit en poudre ou séché) est classique dans les préparations italiennes.

Paprika

Cette belle épice rouge est le fruit du *Capsicum Annum* très cultivé en Europe de l'Est et principalement en Hongrie dans la région de Sgezid; cousin germain du piment doux espagnol, le paprika existe en plusieurs saveurs qui vont de l'extra-doux au fort. Les qualités « demi-doux » ou « doux » semblent les plus appréciées dans les préparations charcutières.

Persil

L'arôme piquant et anisé du persil est universellement connu. On en connaît deux variétés:

- le persil commun à feuilles lisses, le meilleur;
- le persil nain frisé ou persil double à feuilles ourlées, découpées ou ormementées.

Il supporte bien l'ébullition et fait partie du bouquet garni.

Piment de Jamaïque

Cette épice doit son nom à son appellation botanique *Pimenta Dioica* (ou autrefois *Pimenta Officinalis*) mais en réalité, elle n'est ni un piment ni même un poivre quoiqu'on puisse la dénommer parfois poivre de la Jamaïque; elle provient en réalité d'un myrte. Ses baies sont cueillies avant maturité et, après séchage, elles présentent une saveur forte tirant à la fois de la cannelle, de la muscade, du girofle et du poivre. Cette particularité lui vaut d'être dénommée « toute-épice » ou encore, improprement, « quatre-épices ». Aux Antilles françaises, elle s'appelle « Bois d'Inde » et dans les pays anglophones « all-spice ».

Le piment de la Jamaïque peut à juste titre être considéré comme une épice universelle apte à aromatiser agréablement de nombreuses préparations charcutières.

Piment fort

Sous ce terme générique quelquefois remplacé par d'autres comme piment explosif, piment enragé ou de Cayenne, on désigne le fruit de *Capsicum Frutescens*.

Lorsqu'il est encore entier, on lui prête le nom de « bec d'oiseau » voire celui de « pili-pili ». Dosé en pointe, il est susceptible de relever la saveur fade des terrines de poisson et à plus large dose, mais toujours modérée, il corse les farces de viandes.

Dans certains produits typiques comme la merguez et le chorizo, il fera la différence entre les préparations douces et piquantes.

Poivre

On peut utiliser le poivre sous différentes formes:

- le poivre gris (ou noir) est récolté avant maturité; c'est le fruit complet, donc le poivre le plus fort;
- le poivre blanc est cueilli à maturité complète et débarrassé de son écorce; sa saveur est moins forte.

Le poivre est vendu en grains, concassé ou moulu; il est toutefois préférable de le moudre au fur et à mesure des besoins.

C'est une des quatre épices de base en charcuterie.

Poivre rose

La baie rose de Bourbon est très souvent appelée, à tort, poivre rose. En fait, il ne s'agit pas de poivre tel que défini par les usages professionnels.

Ce faux poivrier, originaire d'Amérique du Sud et répandu en Floride, est un arbuste résineux buissonnant qui pousse dans toute l'île de la Réunion, et plus particulièrement sur des sols exigeant une assez grande humidité. Les fruits donnent des baies globuleuses d'un rouge écarlate, à pulpe légèrement sucrée, qui sont cueillies en période hivernale (mai-août) pour être commercialisées.

Les baies sont confites dans le vinaigre pour être commercialisées comme substitut du poivre. Actuellement, le poivre rose est en vogue et certains charcutiers ont crée des spécialités nouvelles qui en contiennent.

Poivre vert

Le poivre vert se vend généralement en boîte ou en bocal stérilisés. Cueilli avant maturité, il se présente sous la forme de petits grains verts très tendres d'environ 3 mm de diamètre.

Le poivre vert a d'abord été utilisé en cuisine pour apprêter différents mets tels que le steak ou le canard. Il n'est pas possible de donner toutes les recettes auxquelles le poivre vert s'ajoute. En général, il peut remplacer avantageusement le poivre sec; il s'adapte particulièrement bien aux marinades, aux sauces accompagnant le gibier, aux farces, aux pâtés et aux terrines.

Il faut toujours rincer le poivre vert à grande eau avant usage. Tout reste se conservera parfaitement bien pendant un mois ou davantage s'il est placé en chambre froide dans un récipient en verre ou en plastique contenant une eau légèrement salée.

Romarin

Les feuilles étroites et épaisses du romarin, appelées « aiguilles », ont une saveur légèrement camphrée qui convient bien aux terrines de gibier. Le romarin en poudre donne une certaine amertume; quant aux aiguilles, il vaut mieux les couper finement avec des ciseaux.

Safran

Le safran est une épice originale tirée des stigmates de la fleur.

On préférera le safran en filaments séchés à celui en poudre; il est prédestiné aux bouillabaisses, aux paellas et aux soupes de poisson.

Sarriette

La sarriette rappelle le thym et le romarin. La plus appréciée est la sarriette commune, à utiliser plutôt fraîche que séchée.

Sauge

La sauge ne doit être utilisée qu'en très petites quantités.

Les amateurs la préfèrent à petites feuilles et, contrairement aux autres herbes aromatiques, l'utilisent surtout séchée.

Thym

Le thym est l'herbe maîtresse du bouquet garni.

Le thym d'hiver est plus camphré que le thym d'été, dit vulgaire. Il s'utilise pour toutes les préparations.

Vanille

La vanille est le fruit d'une variété d'orchidée découverte au Mexique, réputée pour sa finesse et la ténacité de son parfum; la vanille Bourbon des îles de l'océan Indien, luisante et givrée, est la plus suave, mais son parfum est fugace; celle de Tahiti est puissante mais moins fine. On la trouve en gousses (à choisir souples), en poudre pure ou sucrée, et en extraits. Elle s'utilise dans les farces délicates pour pâtés de foie de volailles.

Tableau 2 - 3

Origine botanique des épices et herbes aromatiques

Rhizome	Curcuma, gingembre
Bulbe	Échalote, oignon, ail
Feuille	Ciboule, ciboulette, cerfeuil, céleri, coriandre, estragon, fenouil, laurier, marjolaine, menthe, basilic, persil, romarin, sauge, sarriette, serpolet, thym
Écorce	Cannelle
Fruit	Cardamome, aneth, piment, coriandre, cumin, genièvre, anis, poivre, vanille
Graine	Cardamome, moutarde brune - noire et blanche, coriandre
Amande	Muscade
Sommité florale	Estragon, marjolaine, origan, sarriette, thym
Bouton floral clos	Câpre, clou de girofle
Stigmates	Safran

Source: J.-C. FRENTZ *et al. Le Grand Livre des Métiers de Bouche*, Paris, ERTI-LECERF, 1980.

Conservation des herbes fraîches[3]

Aux épices diverses, aux mélanges d'épices dans lesquels entrent presque toujours des herbes séchées aux aromates tels que l'ail, l'échalote, l'oignon, il

3. D'après *Le Livre des terrines et pâtés*, Paris, ERTI-LECERF, 1981.

faut ajouter l'apport des herbes fraîches aux parfums parfois fort subtils dans l'éventail des saveurs à associer aux farces. Le parfum d'une herbe fraîche et celui d'une herbe séchée n'ont rien de comparable. Leurs réactions à la cuisson sont également différentes.

Nous n'en sommes plus à l'époque où les bouquets aromatiques séjournaient dans la cuisine, trempant dans un verre d'eau, fanant au fil des jours non seulement en perdant leur parfum caractéristique mais aussi hélas en développant des arômes secondaires parfois déplorables. L'ère du froid permet de garder les herbes fraîches sans altération de leurs essences, pendant un temps plus ou moins long selon le moyen employé.

Au réfrigérateur

- Triez et lavez les herbes, séchez-les à fond.
- Enfermez-les dans un sachet polyéthylène, chassez l'air, maintenez avec un lien armé.
- Rangez dans le bac à légumes; durée de conservation parfaite 4 à 6 jours.

Au congélateur

- Triez et lavez les herbes, séchez-les à fond.
- Divisez-les par portions; en chassant l'air, enveloppez chaque part dans un morceau d'aluminium spécial pour la congélation.
- Disposez tous les petits paquets sur un plateau non isolant du froid (pas de bois); mettez dans le congélateur déjà réglé en froid maximal depuis au moins 6 h; au bout de 24 h, regroupez dans un sachet polyéthylène également spécial pour la congélation; étiquetez; entreposez à −18°.
- Durée optimale de conservation 6 mois.

Dans l'huile

Vieille recette spéciale pour les feuilles vertes, le basilic notamment.

- Triez et lavez les herbes, séchez-les à fond, prélevez les feuilles.
- Rangez-les en petits bocaux, par couches d'environ 1 cm, en poudrant d'une petite pincée de sel entre chacune.
- Couvrez d'huile d'olive.
- Durée de conservation 5 à 8 mois, bocal non entamé.

Attention

Il est préférable de ciseler les herbes fraîches et d'éviter le batteur qui les échauffe.

Mélanges d'épices et d'aromates

Le mélange d'aromates le plus couramment utilisé en cuisine ou en charcuterie est certainement le bouquet garni. Aujourd'hui un peu négligé, il était autrefois préparé avec soin; sa version la plus simple demandait de lier ensemble thym, laurier et persil, et la version plus aromatique le transformait en véritable petit paquet où thym, laurier et persil étaient enveloppés avec deux ou trois clous de girofle, voire du lard, dans du vert de poireau.

Dans les livres de cuisine anciens, on mentionne aussi l'emploi du nouet: il s'agit d'un petit morceau de mousseline noué dans lequel on enferme les aromates nécessaires à la cuisson; son principal avantage est que l'on peut récupérer les aromates en fin de cuisson sans que les différents ingrédients ne soient dispersés dans le bouillon ou la sauce.

Pour parfumer agréablement les préparations de charcuterie, on peut se procurer dans le commerce des mélanges prêts à l'emploi dits épices composées ou mélangées. S'il es vrai qu'un charcutier ou un chef préfère souvent composer lui-même ses propres mélanges, il est prouvé que la qualité des diverses épices mises en oeuvre varie parfois en fonction de leurs conditions de récolte et d'approvisionnement; ceci risque évidemment de poser des problèmes à l'utilisation. Les industriels triturateurs d'épices savent, en général, résoudre ces difficultés. Ils savent surtout préserver les arômes des plantes, feuilles, rhizomes, baies et autres parties de végétaux, grâce à des systèmes de mouture perfectionnés; de plus, la mise en oeuvre après mouture d'emballages garantissant une bonne conservation va de pair.

Caractéristiques des principaux mélanges

Voici, à titre indicatif, la composition des principaux mélanges. Il s'agit, dans tous les cas, des quantités à mettre en oeuvre pour préparer 100 g de mélange. Rappelez-vous qu'il est toujours préférable d'acheter les épices et herbes entières, séchées ou déshydratées, et de les moudre soi-même.

Toute-épice

14 g de piment de la Jamaïque
20 g de muscade
32 g de cannelle
18 g de girofle
16 g de carvi

Il existe de nombreuses variétés de *toute-épice* dans le commerce. En général, le poivre n'entre pas dans la formulation et le mélange contient au moins quatre épices dont la muscade, la cannelle et le girofle.

Épices fines

25 g de muscade
10 g de girofle
8 g de basilic
4 g de gingembre
8 g de fenouil
8 g de céleri
10 g de laurier
6 g de marjolaine
21 g de romarin

La dose d'emploi au kilogramme de préparation est comprise entre 1 et 3 g; le poivre doit être ajouté en plus.

Épices rouges ou épices à boudin

8 g de cannelle
7 g de girofle
4 g de laurier
4 g de sauge
4 g de marjolaine
4 g de romarin
4 g de basilic
4 g de thym
15 g de gingembre
6 g de bois de santal
40 g de piment rouge doux

La dose d'emploi au kilogramme de préparation est comprise entre 1 et 3 g; le poivre doit être ajouté en plus.

Autres mélanges

Certaines formulations plus simples sont données dans les recettes de l'ouvrage. Nous avons aussi ajouté une rubrique spéciale concernant l'aromatisation des pâtés et terrines.

Les liliacées

Ail

Il existe plusieurs variétés d'ail:

- l'ail blanc ou commun, récolté en juillet, en août et en septembre;
- l'ail rose, improprement appelé quelquefois ail rouge, très parfumé;
- l'ail rouge, encore appelé échalote d'Espagne ou d'Égypte, au goût plus doux.

Germé, l'ail est très fermentescible, aussi doit-il être stocké dans un endroit sec, aéré et frais.

Il est conseilé de ne pas hacher l'ail mais de l'écraser soit avec un mortier, soit avec un presse-ail. S'il n'est pas frais ou s'il est germé, on recommande de:

- le réduire en pâte avec une masse égale de sel fin et de laisser reposer le tout au moins 12 h avant l'emploi;
- l'écraser et le laisser macérer dans un liquide à haut degré alcoolique;
- l'écraser et le faire cuire quelques minutes dans un peu de vinaigre.

On peut aussi remplacer l'ail frais par de l'ail déshydraté en poudre de bonne qualité.

Ciboule et ciboulette

La ciboule et la ciboulette appartiennent, comme l'oignon frais et l'ail, à la famille des liliacées. La ciboule (encore appelée cébette ou cive) est plus grande et a un goût plus âcre que la ciboulette (encore appelée civette); leur saveur rappelle celle de l'oignon et de l'ail.

On utilise surtout la ciboulette, finement et fraîchement coupée et jamais chauffée, pour relever le goût des salades et des omelettes; elle agrémente en particulier la vinaigrette destinée à accompagner des viandes froides.

Échalote

L'échalote grise a une saveur fine et accentuée; malheureusement, on trouve plus souvent dans le commerce l'échalote-oignon de saveur moins fine; elle existe également sous forme d'extrait alcoolique, de pâte salée ou déshydratée.

En cuisine, l'échalote est utilisée hachée dans certaines sauces telles que la béarnaise ou avec du beurre pour garnir les grillades. Elle est d'un emploi assez courant en charcuterie où elle relève agéablement la saveur de certaines préparations telles que l'andouillette (produit typiquement français à base de boyaux de porc, qui se consomme grillé), le fromage de tête voire les terrines de viande ou les saucisses et les saucissons.

Oignon

L'oignon, riche en substances sucrées (6 à 10 %), croît dans de nombreuses régions du globe et il est d'autant plus fort qu'il contient moins d'eau et de sucre.

L'oignon est utilisé en charcuterie dans de nombreuses préparations cuites mais jamais avec des produits crus ou des pièces salées en saumure. Ses principes aromatiques étant volatils et lacrymogènes, les utilisateurs choisissent souvent d'employer l'oignon déshydraté de bonne qualité.

Dans les charcuteries cuites (boudin de sang, pâtés), on utilise le plus souvent l'oignon frit ou rissolé; cette opération lui fait perdre, suivant le degré de cuisson, de 50 à 70 % de sa masse, l'oignon frais contenant 90 % d'eau environ.

Poireau

D'un goût assez délicat, le poireau est très répandu, ce qui lui a valu en France le surnom d'« asperge du pauvre ». Il faut laver les poireaux avec le plus grand soin car la terre se glisse et reste accrochée aisément dans la bulbe. Utilisé assez rarement en charcuterie, il peut toutefois entrer dans la confection du lait infusé dont on se sert pour parfumer le boudin blanc.

Les produits divers

Alcool

Les vins et alcools divers peuvent être utilisés pour parfumer les produits de charcuterie, mais ils doivent être employés en quantité modérée de façon à ne pas nuire à la finese du produit. L'utilisation des vins blancs secs ou rosés peu acides, moins riches en tanin que les vins rouges fortement colorés qui sont susceptibles de modifier la teinte des préparations de charcuterie, est souvent préférée. Exceptionnellement, dans les pâtes à saucissons secs, on préfère généralement ajouter du vin rouge peu coloré. Les vins de liqueur sont souvent conseillés en raison de leur arôme plus accentué, de leur degré alcoolique élevé, de leur richesse en substances sucrées, et de leur faible acidité.

Les vins rouges peu teintés et de fort degré sont réservés aux marinades pour venaison et aux saucissons secs; ceux plus teintés sont utilisés dans les sauces brunes. Les andouillettes de porc sont cuites au chablis ou au muscadet et dégustées avec les mêmes vins.

Enfin, les vins sont aussi utilisés en cuisson afin d'imprégner la préparation. On peut utiliser du vin blanc, du rosé ou du rouge; Landry donne les conseils suivants[4]:

- il doit être de bonne qualité (la cuisson n'améliore pas un vin médiocre); on déconseille les coupages, qui supportent mal la cuisson;
- on préfère un cru franc pas trop jeune;
- les vins bouchonnés et piqués sont éliminés;
- les bourgognes d'un certain âge sont décantés afin d'éliminer la lie;
- le vin blanc est plus spécialement réservé aux viandes blanches, et le vin rouge aux viandes rouges.

4. R. Landry, *Guide alimentaire des épices, aromates et condiments*, Paris, Marabout, 1978.

Grâce aux propriétés antiseptiques de l'alcool, l'addition de ce dernier, en quantité suffisante, améliore la qualité hygiénique et la conservation des aliments. Les truffes se conservent très bien, sans perte d'arôme, dans un liquide alcoolique de titre au moins égale à 20°.

La macération des épices de 12 à 24 h dans un alcool à 40° les aseptise quelque peu et renforce leur saveur.

Les vins de liqueur contribuent à la bonne maturation des viandes et abats marinés.

Les doses d'emploi des divers alcools sont précisées dans les recettes.

Champignon

On connaît plus de 5 000 variétés de champignons dont la majorité sont comestibles et plus ou moins savoureux.

Certains sont cultivés (champignons de couche, champignons chinois, etc.); on les trouve presque toute l'année. Le champignon de couche doit être ferme et sans taches, le chapeau doit être lisse, sans trous, ni fissures. Le champignon chinois le plus cultivé est le champignon noir: en fait, ce n'est pas un champignon mais un varech cultivé en mer de Chine; il n'a pas de saveur particulière et sa couleur noire permet d'agrémenter la présentation de certains produits. La plupart des champignons ne pouvant être cultivés, on ne peut les trouver à l'état frais qu'à certaines saisons (girolles l'été, cèpes en automne, etc.). Le reste de l'année, on les trouve à l'état séché: ils se conservent ainsi très longtemps et il suffit, avant de s'en servir, de les faire tremper pour les réhydrater.

De nombreux champignons sont utilisés en charcuterie: la truffe occupe la place d'honneur pour parfumer foie gras, boudin blanc, etc. On utilise fréquemment les cèpes, les girolles (ou chanterelles), les morilles, les gyromitres, etc.

Conseils

- Comme les champignons ont une teneur en humidité élevée (90 %), ils augmentent l'humidité du produit auquel ils sont incorporés; il faut donc en tenir compte en ajoutant l'eau ou le bouillon; ils rendent également beaucoup d'eau à la cuisson; on peut pallier cet inconvénient en les faisant sécher au four avant de les préparer.
- Il est préférable de les laver rapidement à l'eau courante, car, au cours du trempage, ils ramollissent.
- Au contact du métal ou de l'eau, ils noircissent; pour éviter cet inconvénient, on peut ajouter du citron ou du vinaigre d'alcool.
- Il ne faut pas les faire cuire trop longtemps sinon ils deviennent caoutchouteux.

Citron

Le citron est utilisé pour ses propriétés aromatisantes, acidifiantes, antioxydantes et nutritionnelles (riche en vitamines); il doit ses propriétés à la présence d'acide citrique et d'acide ascorbique. Son jus peut remplacer avantageusement le vinaigre; grâce à son acidité et à ses propriétés antioxydantes, il empêche les légumes épluchés ou coupés de noircir au contact de l'eau ou à la cuisson. Aujourd'hui, par contre, le citron est de plus en plus remplacé par l'acide citrique de synthèse aux propriétés voisines de celles du citron.

L'emploi du citron en charcuterie se limite, dans la plupart des cas, à la décoration.

Eau de fleur d'oranger

L'eau de fleur d'oranger est un sous-produit de la distillation des fleurs de l'oranger (*Citrus Vulgaris*); elle provient en effet de la partie aqueuse de cette distillation, et la teneur en essence pure des produits vendus dans le commerce doit être d'au moins 350 mg/l.

L'eau de fleur d'oranger aromatise agréablement le boudin blanc, la galantine et quelquefois le pâté de foie. Son parfum fin et subtil, légèrement douceâtre, est facilement masqué par les épices; c'est la raison pour laquelle son emploi n'est pas recommandé pour les produits fortement assaisonnés.

Pistache

On utilise fréquemment, en charcuterie, les amandes ou fruits du pistachier, connues généralement sous le nom de pistaches, pour parfumer et décorer des préparations diverses.

Le pistachier est originaire du Turkestan où il croît naturellement à l'état sauvage sous forme buissonneuse. L'arbre greffé est cultivé depuis la plus haute Antiquité dans de nombreuses régions du globe au climat assez chaud (Italie, Espagne, Algérie, Turquie, etc.).

La pistache, débarrassée de son écale assez sèche, est une amande oléagineuse vert pâle, d'une saveur douce et agréable, recouverte d'une pellicule violacée ou brun rougeâtre qu'il convient d'éliminer pour l'utilisation en charcuterie. Il suffit de plonger les pistaches dans l'eau bouillante et de les laisser frémir quelques instants, puis de les ressortir et de les rouler dans un linge propre.

Sucre

C'est le sucre classique de betterave ou de canne qui est généralement utilisé sous forme cristallisée. Son emploi en charcuterie est ancien, et il demeure le meilleur sucre pour favoriser l'action du salpêtre, participant ainsi au rosissement des produits de charcuterie.

Truffe

La truffe est un champignon souterrain, sans tige, ni racine qui se présente sous la forme d'une boule bosselée plus ou moins noire; on la trouve au pied des chênes, des châtaigniers et des noisetiers dans certaines régions de la France (Périgord, Quercy, Dauphiné, etc.) et aussi en Italie et en Espagne.

Sa rareté relative et l'impossibilité de la cultiver en font une denrée rare et assez chère.

Seules trois espèces ont droit à l'appellation « truffe » au sens culinaire du terme et donnent droit à l'appellation « truffé » aux produits auxquels elles sont incorporées:

- la truffe noire du Périgord (*Tuber Melanosporum*) qui est la reine des truffes;
- la truffe musquée noire (*Tuber Melanosporum* variété *Moschatum*);
- la truffe musquée du Périgord (*Tuber Brumale*).

Les ingrédients utilisés en charcuterie pâtissière

Beurre

Le beurre est un corps gras largement utilisé en cuisine et en pâtisserie, pour l'excellente saveur qu'il confère aux aliments.

La dénomination est réservée exclusivement au corps gras solide provenant du lait de la vache.

Le beurre présente l'inconvénient d'être de composition variable suivant les saisons et les races; il en résulte une variation de ses propriétés technologiques et de sa couleur (blanc l'hiver, jaune l'été). Il est peu crémant, son intervalle de plasticité est réduit et il rancit facilement.

De nouvelles techniques permettent aujourd'hui de séparer les différents composants du beurre en fonction de leur point de fusion. On obtient ainsi:

- la crème au beurre: point du fusion 24-27 °C;
- le beurre de pâtisserie: point du fusion 31-32 °C;
- le beurre feuilletage: point de fusion 40-41 °C.

Farine

Par farine on désigne exclusivement le produit de la mouture de l'amande du grain de froment nettoyé et industriellement pur.

Outre son utilisation dans la fabrication des pâtes, la farine sert pour lier, épaissir et stabiliser un grand nombre de produits alimentaires: sauces, potages, charcuterie... La plus utilisée est la farine de blé car elle est la seule qui soit réellement planifiable, c'est-à-dire capable de former, après hydratation et pétrissage, une pâte extensible.

Il existe plusieurs qualités de farine qui se distinguent par leurs propriétés technologiques et leurs aptitudes boulangères, pâtissières et biscuitières.

Rappelons qu'un grain de blé est constitué:

- d'enveloppes dures qui seront le constituant principal du son, obtenu après mouture;
- d'un germe qui sera séparé en meunerie et destiné à certains emplois spéciaux (huilerie, pharmacie, diététique);
- d'une amande ou albumen, qui donne la farine.

La composition de la farine est variable:

- amidon: 65 - 75 %;
- gluten: 4 - 14 %;
- humidité: inférieure à 16 %;
- cendres (matières minérales): 0,5 - 0,6 %.

Aussi on distingue trois types de farine:

- type 45 à teneur en cendres inférieure à 0,5 %: utilisation en pâtisserie;
- type 55 à teneur en cendres comprise entre 0,5 et 0,6 %: utilisation en viennoiserie, biscotterie, boulangerie;
- type 65 à teneur en cendres de 0,62 à 0,75 %: utilisation en biscuiterie.

Lait

Le lait est utilisé depuis longtemps dans différentes préparations culinaires et charcutières. Le lait entier liquide tend toutefois aujourd'hui à laisser la place à ses dérivés (poudre de lait, fromage, beurre, lactose, caséinate de sodium, etc.) de qualité quelquefois supérieure et d'utilisation plus aisée.

Le lait est un milieu complexe par sa composition et par sa structure. Cette complexité est un avantage puisqu'on lui doit la variété des produits laitiers que nous connaissons; c'est aussi un inconvénient puisqu'elle lui confère une faible stabilité (coagulation, acidification, etc.).

Rappelons succinctement la composition du lait:

- eau: 900 g / l;
- matières grasses: 40 g / l;
- protéines: 34 g / l;
- lactose (sucre du lait): 52 g / l;
- sels minéraux: 9 g / l;
- vitamines A, B_1, B_2, C et D.

Qualités technologiques du lait et de ses dérivés

Grâce à ses nombreux composants, le lait offre plusieurs avantages au point de vue technologique. C'est un produit:

- *nutritif*, grâce à la qualité de ses protéines, à sa haute teneur en calcium et en phosphore, et à sa richesse en vitamines;
- *sapide*, grâce à l'alimentation de l'animal et à une fermentation lactique dirigée qui libère diverses substances aromatiques (le sucre du lait est à l'origine du goût acide ou aigrelet);
- *mouillant*, grâce à l'affinité de ses composants pour l'eau;
- *colorant*, grâce au lactose qu'il contient qui permet de faire dorer la surface des préparations;
- *liant* et *émulsifiant*, grâce aux protéines qu'il contient.

Le lait a aussi toutes les propriétés des matières grasses et du lactose. De plus, il permet de fixer ou d'accentuer l'arôme des produits auxquels il est ajouté.

Sortes de lait présentées sur le marché

Il existe plusieurs sortes de lait sur le marché. Suivant les effets recherchés, il pourra être utilisé entier, écrémé ou fractionné.

On trouve des laits homogénéisés, pasteurisés, stérilisés ou U.H.T.

Le lait *homogénéisé:* la matière grasse se trouve dans le lait sous forme de globules de grosses tailles (de l'ordre de 10 microns) qui remontent fortement à la surface. L'homogénéisation consiste à pulvériser sous pression ces globules en petites particules de l'ordre de 1 à 2 microns. L'opération a pour avantage d'améliorer la stabilité de la matière grasse dans le lait et de faciliter son assimilation par l'organisme.

Un lait homogénéisé rancit plus vite qu'un lait normal à moins qu'il ait subi un traitement thermique suffisant pour détruire les enzymes responsables.

Le lait *pasteurisé* est un lait qui a subi un traitement thermique peu intense (30 secondes à 70-75°C), afin de détruire la flore microbienne dangereuse. Comme le traitement ne suffit pas pour détruire tous les microbes, ce lait assaini a une conservation de courte durée.

Le lait *stérilisé* est un lait qui a subi un traitement thermique intense (45 minutes à 115°C) afin de détruire tous les microbes. Ce lait a une bonne conservation, mais présente malheureusement un goût de cuit.

Le lait *U.H.T.* (ultra-haute température) est un lait qui a subi un traitement thermique intense (quelques secondes à 145 °C), suffisant pour tuer tous les microbes. Contrairement au précédent, ce procédé permet de respecter les qualités nutritives et organoleptiques du lait.

Levure

La levure a comme rôle principal de rendre les pâtes légères et digestibles.

On en distingue deux vatiétés:

- la levure biologique, appelée aussi levure de boulangerie ou levure de bière;
- la levure chimique ou poudre levante, appelée aussi poudre à pâte.

Levure biologique

On appelle levure un champignon microscopique de genre *Saccharomyces*, capable de transformer les sucres en gaz carbonique et en alcool. Cette réaction est une fermentation et elle n'a lieu correctement que si deux conditions sont réunies: il faut, d'une part, qu'il y ait du sucre (sucres simples ajoutés à la pâte ou apportés par la farine: glucose, maltose, etc.) et, d'autre part, que la levure soit dans des conditions favorables pour agir (présence de matières minérales, d'azote, d'eau, etc., absence d'air, température optimale entre 28 et 35°C).

Avant d'être utilisée, la levure biologique doit être diluée dans de l'eau ou du lait pas trop chaud car elle est sensible à la chaleur. On ne doit pas la diluer dans de l'eau salée ni sucrée sinon elle se déshydratera et mourra. Une fois cette opération terminée, la levure pourra être répartie de façon homogène dans la pâte. Trois méthodes d'incorporation sont recommandées:

- La levure est dispersée dans une partie de l'eau ou du lait; le sel et le sucre sont dissous dans l'autre partie. Les deux suspensions sont ensuite versées dans le pétrin ou le batteur-mélangeur contenant déjà la farine et les autres liquides.
- La levure est dispersée dans une partie de l'eau ou du lait; le sel et le sucre sont dissous dans la cuve du pétrin ou du mélangeur contenant le reste des liquides. La suspension de levure est incorporée juste après l'apport de la farine, dès le début du pétrissage.
- Le sel et le sucre sont dissous dans les liquides; la farine est ajoutée. La levure émiettée est incorporée juste avant le pétrissage.

Levure chimique

Appelée aussi poudre à pâte, la levure chimique est le résultat de longues recherches. Ce type de levure fournit les gaz nécessaires à la pâte soit par volatilisation complète, au four, soit par réaction chimique.

Elle est surtout employée dans le domaine de la biscuiterie - pâtisserie.

La levure chimique comporte trois éléments de base:

- une substance alcaline génératrice de CO_2 (les carbonates d'ammoniaque, le bicarbonate de soude, etc.);
- une substance acide neutralisante (acide tartrique, ou crème de tartre);
- une substance stabilisante (matières amylacées: farines ou amidons).

Au moment de son emploi, la levure chimique doit être aussi sèche que possible; il est donc recommandé de la conserver dans un endroit sec et dans des boîtes hermétiques.

Margarine

La margarine est une émulsion, c'est-à-dire un mélange d'eau sous forme de gouttelettes microscopiques et de corps gras. Cette émulsion, comme celle du beurre, contient de 15 à 16 % d'eau.

La phase grasse est composée d'huiles végétales fluides – huile de tournesol, de soja et d'arachide – d'huiles végétales concrètes – huile de coprah (pulpe de la noix de coco), de palme et de palmiste (extraits du fruit de palmier à huile) – et d'huiles concrètes marines. À ces composants, on ajoute du sel, pour la saveur, et des émulsifiants. On peut aussi ajouter au mélange du diacétyl afin de lui conférer un arôme identique à celui du beurre, et de l'acide citrique pour le goût et la conservation.

Le mélange est conçu en fonction de l'utilisation que l'on veut en faire. On distingue :

- La margarine de table qui a un point de fusion bas (25 - 26 °C) et qui fond dans la bouche ;
- la margarine de boulangerie qui a un point de fusion bas, ce qui permet de la réduire en pâte crémeuse ;
- la margarine pour pâte feuilletée qui a un point de fusion élevé et une consistance dure et cireuse, ce qui permet de l'étendre facilement.

Afin de ne pas détruire l'émulsion, on chauffera toujours la margarine au bain-marie.

Saindoux

Très utilisé en cuisine, le saindoux est un corps gras susceptible de servir à la confection de pâtes à pâtisserie charcutière. Il est obtenu à partir de la fusion du gras rénal du porc dénommé « panne ». Le bon saindoux des charcutiers, d'une blancheur immaculée et d'une texture mousseuse, n'est jamais fait autrement qu'avec ce type de gras et il est battu en cours de refroidissement, ce qui l'aère et le rend plus léger.

Marche à suivre pour confectionner le saindoux

- Découper la panne en petits morceaux et la hacher au gros disque ;
- Dans un récipient (en fonte de préférence), faire chauffer un peu d'eau pour éviter que la graisse n'attache et mettre la panne à fondre ;
- Remuer souvent à la spatule en montant à ébullition ;
- Laisser fondre le gras et arrêter lorsqu'il ne s'échappe plus de vapeur du récipient et que les rillons (résidus de fonte) sont cuits sans être roux ;
- Couler la graisse chaude à travers une passoire fine directement dans les récipients dans lesquels le saindoux sera conservé.

Chapitre 3

L'OUTILLAGE

Toute personne qui désire fabriquer des produits de charcuterie doit avoir à sa disposition un certain outillage. Plusieurs de ces instruments sont d'usage courant alors que d'autres, le poussoir par exemple, sont utilisés uniquement en charcuterie.

Le matériel de fabrication

Le matériel de base pour la fabrication de charcuterie ménagère doit comprendre les outils suivants: un hachoir, un robot de cuisine, un poussoir et un batteur-mélangeur.

Hachoir ou hache-viande

Qu'il soit manuel ou électrique, tout hachoir domestique (figure 3.1) est muni:

- d'un corps comprenant, sur les modèles électriques, le bloc-moteur;
- d'une vis hélicoïdale servant au transport des morceaux de viande;
- d'un couteau à quatre branches, généralement auto-affûtant;
- de disques perforés, généralement deux, dont l'un possède des trous de 3 à 4 mm de diamètre et l'autre des trous de 7,5 à 9 mm (figure 3.2);
- d'une couronne à créneaux pour maintenir le couteau et le disque en place.

Le hachoir est un appareil dangereux. En effet, bien que le diamètre de l'orifice par où l'on introduit les viandes soit relativement petit, il est facile de s'y prendre les doigts. Il est donc recommandé d'utiliser un pilon, généralement en matière plastique, pour pousser les viandes et gras destinés à alimenter l'appareil.

Pour assurer la qualité du mélange et le bon fonctionnement de l'appareil, il est important de bien préparer les matières premières. Il faut d'abord parer la viande (la débarrasser des nerfs, aponévro-

Figure 3.2
Disques perforés*

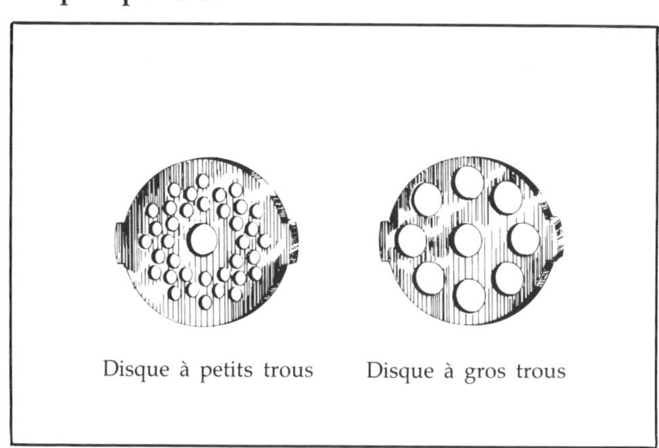

Figure 3.1
Le hachoir*

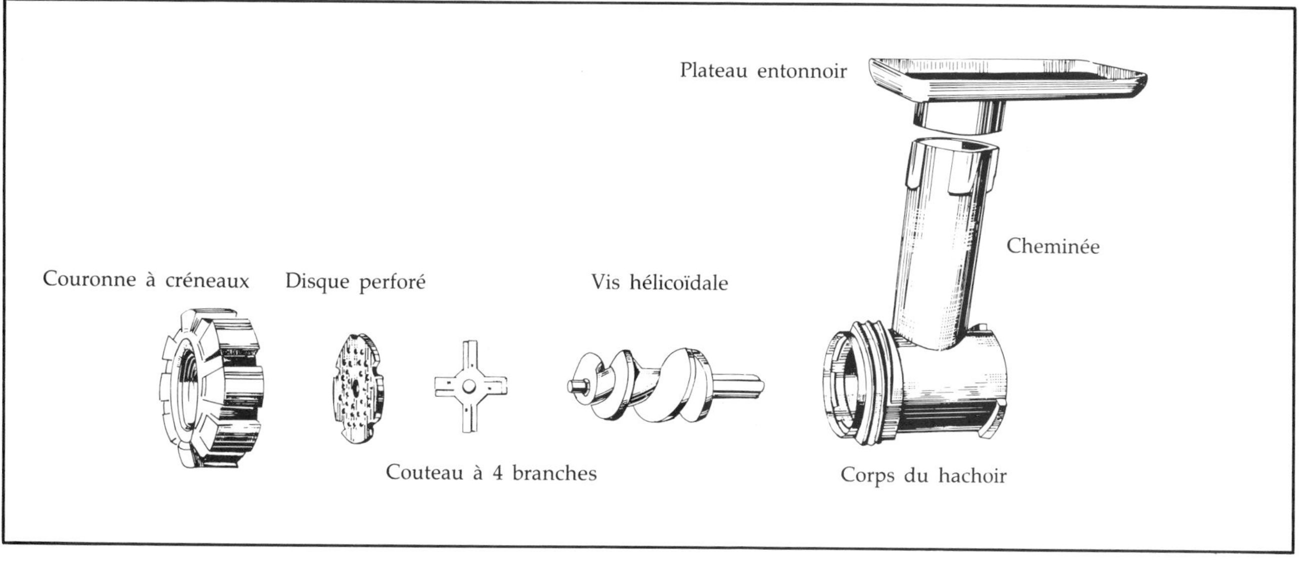

* Sur certains modèles de hache-viande, il existe un disque à trous moyens.

ses, cartilages et os qui gênent la coupe), puis la découper en très petits morceaux. Cette opération permet non seulement d'alléger considérablement le travail du hachoir mais aussi d'éviter le problème connu sous le nom de « bourrage » caractérisé par l'entortillement des nerfs ou aponévroses autour du couteau: la viande est alors réduite en bouillie au lieu d'être hachée correctement.

Il est recommandé de laisser refroidir la viande avant de la passer au hachoir. Si l'on veut obtenir une viande hachée finement (disque à petits trous), on doit utiliser le disque à gros trous avant de procéder à l'opération finale.

Le hachoir doit être lavé avec soin après chaque utilisation comme tout autre outil ménager. Il faut toutefois attacher une attention particulière au corps de l'appareil. L'intérieur n'est pas facilement accessible mais on peut utiliser un goupillon pour décoller les particules de viande collées dans les rainures.

Notons enfin que, dans la plupart des cas, le hachoir peut se transformer en poussoir à saucisse.

Robot de cuisine

Le robot de cuisine est un modèle réduit du « cutter » de charcutier professionnel. Toutefois, bien que le système de coupe soit le même, les principes de son fonctionnement sont un peu différents. En effet, le robot de cuisine (figure 3.3) est pourvu d'un bol fixe dans lequel tournent, sur un

Figure 3.3
Le robot de cuisine

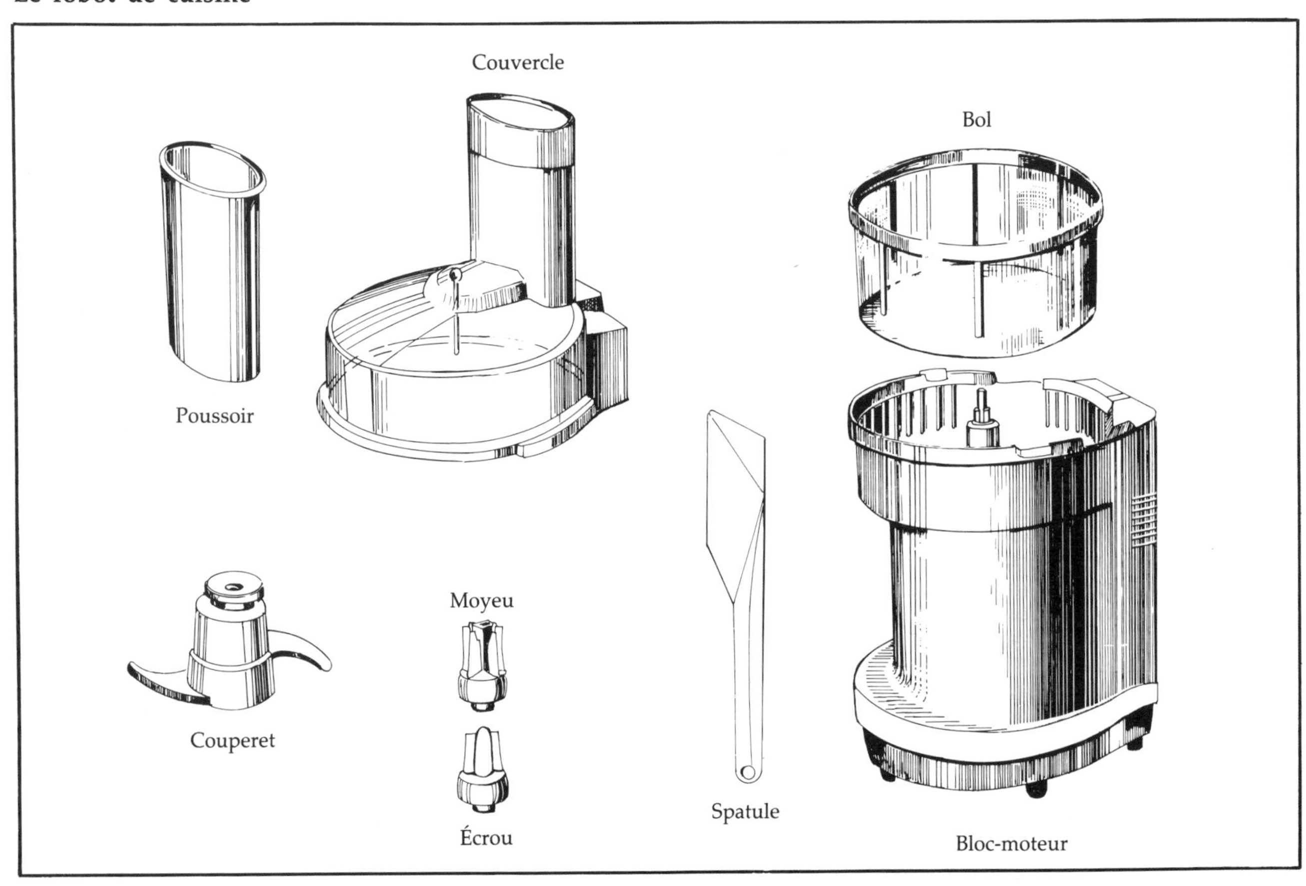

plan horizontal, deux couteaux; les lames du cutter charcutier (3, 6 ou 9), par contre, tournent sur un plan vertical dans une cuve évasée qui tourne également.

La plupart des robots de cuisine qui peuvent servir à l'élaboration de charcuteries ont les caractéristiques suivantes:

- Deux vitesses de coupe:
  une grande pour la préparation des textures fines (mousses, mousselines, farces et pâte fine);
  une petite pour hacher grossièrement les matières premières. Dans ce cas, le robot peut remplacer le hachoir équipé d'un disque à gros trous;
- Un bol de travail amovible pour faciliter le nettoyage de l'appareil;
- Des accessoires pour pétrir la pâte, couper les légumes, mélanger ou battre.

Poussoir

Le poussoir est l'appareil qui sert à pousser la chair à saucisse sous le boyau. On l'appelle aussi bourreuse; dans ce cas, on parle de bourrer la chair sous le boyau.

Pour bien réussir les saucisses et saucissons, il est absolument essentiel d'avoir un de ces appareils. Ils existent sous deux formes:

- le poussoir proprement dit, utilisé par les professionnels;
- le système de poussoir fixé à la sortie du hachoir; il suffit de remplacer le couteau et le disque par un embout spécial (figure 3.4). On peut aussi remplacer cet accessoire par le bout d'un entonnoir métallique auquel on aura fait subir certaines transformations (figure 3.5).

Si on ne dispose d'aucun de ces appareils, on peut toujours utiliser une poche à pâtisserie munie d'une douille large ou même un entonnoir. Il est d'ailleur recommandé d'utiliser un entonnoir pourvu d'un embout long lors de la fabrication du boudin noir; comme le mélange sang-oignon est très fluide et qu'il doit remué constamment, il est moins laborieux et plus efficace d'utiliser cet instrument.

Figure 3.5

Fabrication d'un poussoir à saucisse

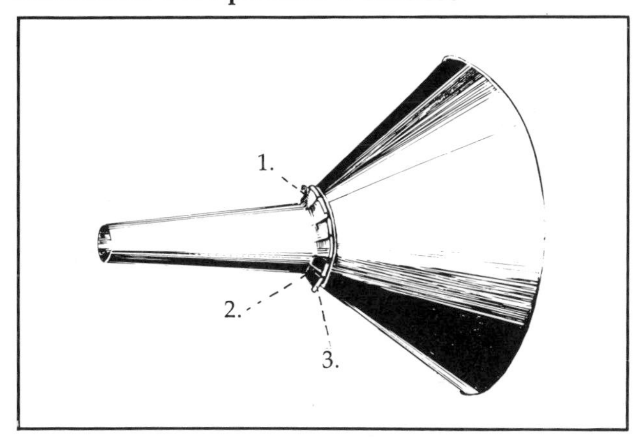

1. Coupez l'entonnoir métallique suivant le diamètre d'entrée du hache-viande.
2. Pratiquez quelques petites incisions.
3. Repliez légèrement vers le goulot.

   Enlevez du hachoir à viande le disque et le couteau, et placez-y le bec que vous venez de fabriquer à la place.

Figure 3.4

L'entonnoir à saucisse

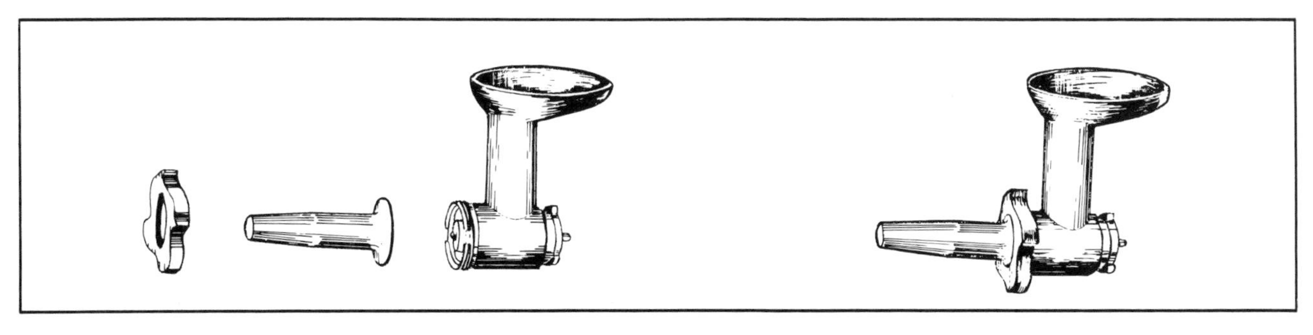

Batteur-mélangeur

Le batteur-mélangeur classique (figure 3.6) comporte une cuve en acier inoxydable et un bras mélangeur qui se déplace suivant un mouvement planétaire, ce qui assure une répartition parfaite du mélange.

Ce type de matériel est pourvu, le plus souvent, de trois accessoires:

- un batteur plat pour mélanger les matières premières préparées au hache-viande ou au robot de cuisine avec tous les ingrédients; en charcuterie, on utilise cet instrument pour les pâtés, terrines, saucissons, saucisses, rillettes, etc.;
- un fouet métallique — peu employé en charcuterie — pour les préparations légères comme le blanc d'oeuf en neige, la crème fouettée, etc.;
- un crochet à pâte pour pétrir le mélange et notamment la pâte à brioche décrite dans le présent ouvrage.

Le matériel de cuisson

La cuisson des charcuteries se fait à l'aide des mêmes instruments que la plupart des autres préparations culinaires. Le matériel de cuisson d'une cuisine bien équipée est donc, dans la majeure partie des cas, largement suffisant.

Le petit matériel

Les ustensiles nécessaires à la fabrication de charcuterie sont ceux que l'on trouve habituellement dans une cuisine bien organisée. Il convient toutefois de donner quelques précisions au sujet de certains d'entre eux.

Balance

Il est important d'avoir une balance juste pour mesurer avec précision les quantités voulues. Il est aussi pratique d'avoir à portée de la main quelques outils dont la contenance est connue car les quantités inférieures à 20 g sont souvent difficiles à évaluer à l'aide d'une balance.

Le verre et les cuillères à soupe et à thé sont le plus souvent utilisés.

Figure 3.6

Le batteur-mélangeur

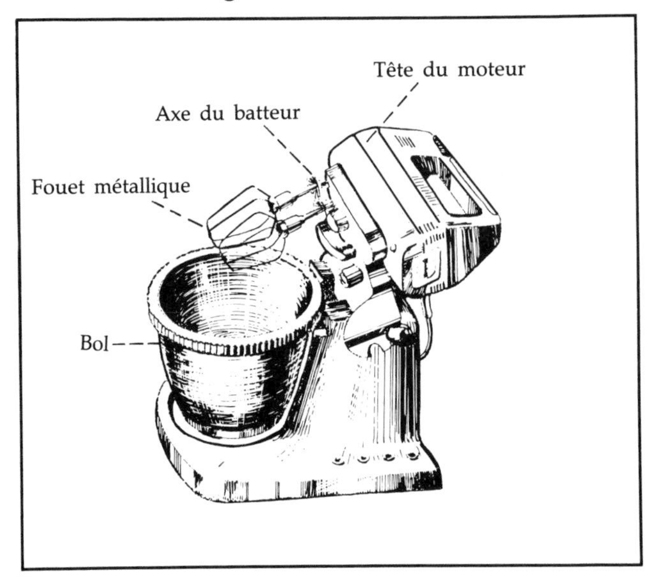

Tableau 3 - 1

Équivalence pour les quantités des principaux ingrédients

Ingrédients	Contenance		
	1 verre	1 c. à soupe	1 c. à thé
Liquide	200 ml	20 ml	—
Beurre		20 g	7 g
Farine	120 g	12 g	4 g
Fécule	100 g	10 g	3 g
Riz cru	180 g	18 g	6 g
Sel fin		16 g	5 g
Semoule	140 g	14 g	4 g
Sucre	150 g	15 g	5 g

Thermomètre-sonde

Très utile pour déterminer la température des aliments, les thermomètres métalliques à cadran (voir figure 3.7) sont non seulement fiables et robustes mais de prix très abordable.

Figure 3.7

Le thermomètre-sonde

Moules et terrines

Il existe une grande variété de moules et de terrines. Généralement de forme ovale ou rectangulaire, les moules à pâtés en croûte sont munis de charnières; grâce à ce dispositif, les pâtés sont plus faciles à démouler.

Les terrines, par contre, ont des formes diverses. Rondes, carrées, rectangulaires ou ovales, elles sont souvent décorées d'anses ou encore pourvues de couvercles décorés de têtes de gibier ou de volaille. Fabriquées en grès, en porcelaine, en fonte émaillée ou en terre vernissée, elles assurent une cuisson lente et régulière.

Il existe enfin des moules en « gouttière » avec ou sans couvercle pour la cuisson au bain-marie. Les farces et les mousses, une fois démoulées, sont de forme ronde.

Moulin à épices

Comme les épices moulues perdent rapidement leurs principes aromatiques, il est préférable de les conserver entières et de les moudre à la dernière minute à l'aide d'un moulin ou d'un broyeur à épices.

Chapitre 4

LES PRÉPARATIONS DE BASE

La chair à saucisse

La chair à saucisse constitue la base d'un certain nombre de préparations charcutières. Sa fabrication est assez simple. Elle nécessite toutefois une attention particulière car la conservation du produit est assez délicate; il faut absolument utiliser des viandes en parfait état de fraîcheur et s'assurer que le mélange reste très froid (0 à 2°C).

750 g	*de viande de porc maigre (picnic frais/épaule)* ET
250 g	*de gras (dos/bardière)*
	OU
500 g	*de viande de porc maigre* ET
500 g	*de flanc/poitrine*
50 ml	*d'eau très froide*
18 g	*de sel*
2 g	*de poivre gris moulu*

Passer la viande et le gras très froids au hachoir muni d'un disque à gros trous;

Mélanger le tout avec le reste des ingrédients.

Réfrigérer jusqu'au moment de son utilisation.

La farce à gratin

La farce à gratin, qui est précuite, sert à bonifier certaines charcuteries et surtout à leur donner plus d'onctuosité et de moelleux. On l'utilise finement hachée dans les garnitures de galantines, de ballottines, de terrines et de pâtés en croûte; la quantité ajoutée ne doit jamais représenter plus de 10 % du mélange.

100 g	*de graisse d'oie ou de canard*
250 g	*de poitrine de porc, en dés*
300 g	*de foies de volaille, en morceaux*
70 g	*de champignons frais émincés*
30 g	*d'échalote hachée*
100 g	*de foie gras en dés (facultatif)*
100 ml	*de cognac*
4	*jaunes d'oeufs*
20 g	*de sel*
2 à 3 g	*de poivre*
2 g	*d'épices fines*

Dans une sauteuse, chauffer la graisse et y faire revenir les dés de poitrine; les retirer et les remplacer par les foies de volaille.

Rajouter les dés de poitrine, les champignons, l'échalote et faire sauter le tout sur feu vif environ 2 minutes;

Quelques secondes avant de retirer le tout de la sauteuse, ajouter le foie gras;

Déglacer la poêle soigneusement au cognac.

Hacher finement au robot tous les éléments revenus, avec le jaune d'oeuf, le déglaçage et l'assaisonnement;

Réfrigérer jusqu'au moment de son utilisation.

La crème fouettée

La crème fouettée est surtout utilisée dans la confection des produits de charcuterie fine de haute qualité. Remplaçant totalement ou partiellement les autres corps gras, elle donne à la préparation plus de légèreté, de moelleux et d'onctuosité.

500 ml	*de crème à 35 %*
3 à 5 g	*de sucre*

Battre la crème au fouet à grande vitesse avec très peu de sucre;

Arrêter dès qu'elle aura une consistance ferme (trop battue, elle jaunira et tournera au beurre);

Réfrigérer jusqu'au moment de son utilisation.

La gastrique

Caramel brun classique déglacé au vinaigre, la gastrique sert à rehausser le goût de certaines préparations charcutières salées-sucrées, par exemple les terrines de canard. On ajoute normalement 5 à 10 g de gastrique par kilogramme de produit.

100 g	*de sucre*
30 ml	*d'eau*
80 à 100 ml	*de vinaigre de vin*

Dans une casserole, faire chauffer le sucre et l'eau, à feu vif, tout en remuant avec une spatule de bois; lorsque le caramel blondit, réduire légèrement le feu et attendre le brunissement;

Retirer du feu et déglacer au vinaigre en prenant garde au bouillonnement;

Laisser refroidir jusqu'à ce que le caramel soit lisse et liquide. S'il durcit, le chauffer légèrement et rajouter un peu de vinaigre.

On peut aussi refroidir le caramel avant d'ajouter le vinaigre en plongeant la casserole dans de l'eau froide, puis déglacer au vinaigre en chauffant légèrement, si nécessaire.

La gelée

Préparation de base en charcuterie, la gelée sert à la cuisson des produits tels que galantines, ballottines et saucissons cuits et à la confection des fromages de tête, museau, hure de porc, etc. Après clarification et raffermissement, elle sert aussi à la décoration.

La gelée maison s'obtient par la cuisson prolongée de substances gélatineuses (couennes, pieds de porc ou de veau, abats de volaille, etc.) accompagnées de condiments et d'aromates pour favoriser la libération de la gélatine naturelle et prolonger la conservation de la gelée; on peut également ajouter un agent acidifiant (vinaigre ou vin blanc). Il est aussi possible d'utiliser les couennes et pieds une seconde fois car le traitement thermique n'épuise pas tous leurs principes gélifiants. La gelée obtenue en deuxième cuisson sera toutefois moins limpide.

Préparation

12 l	*d'eau*
1 l	*de vin blanc sec*
7 à 8 kg	*de couennes**
200 g	*de sel*
400 g	*d'oignons*
400 g	*de carottes*
100 g	*de céleri, en branches*
1	*bouquet garni*
	du vert de poireau (facultatif)

Blanchir les couennes puis les rincer à l'eau froide;

Verser l'eau dans une marmite, ajouter les couennes, la garniture aromatique et le sel;

Porter le tout à ébullition en écumant s'il y a lieu;

Ajouter le vin, et laisser cuire pendant 5 à 6 heures à environ 90°C.

En fin de cuisson, dégraisser et égoutter les substances solides;

Passer le liquide au chinois et finir le dégraissage;

Porter à nouveau à ébullition, bien écumer;

Laisser refroidir, puis mettre au froid jusqu'à utilisation.

Il est très important de garder la gelée au froid car elle est fermentescible et de consistance délicate. Il faut, de plus, la faire bouillir avant chaque utilisation et la jeter dès qu'elle semble avancée.

Décoration à la gelée

La gelée qui sera utilisée comme élément de décoration doit d'abord être clarifiée et raffermie.

Clarification

L'élimination des impuretés de la gelée se fait, en général, à l'aide de blanc d'oeuf ou de sang frais. Pratiquée couramment en cuisine, la clairification au blanc d'oeuf s'effectue de la manière suivante:

2	*blancs d'oeufs et*
15 ml	*de vinaigre par litre de gelée*

Dans une casserole, faire tiédir la gelée et ajouter le vinaigre;

Chauffer jusqu'à environ 55°C, puis ajouter le blanc d'oeuf et battre énergiquement au fouet.

Amener au seuil de l'ébullition, tout en remuant, puis cesser d'agiter et retirer du feu dès les premiers bouillons;

Laisser reposer de 15 à 20 minutes.

* On peut remplacer environ le tiers des couennes par des pieds de veau désossés.

À l'aide d'une écumoire, retirer la croûte blanchâtre qui s'est formée à la surface;

Filtrer la gelée;

Laisser refroidir et garder au froid jusqu'à son utilisation.

Raffermissement

On raffermit normalement la gelée naturelle à l'aide de gélatine commerciale.

30 à 50 g *de gélatine par litre de gelée*

Faire tiédir la gelée clarifiée et ajouter la gélatine;

Amener au seuil de l'ébullition tout en fouettant;

Retirer du feu et ajouter au besoin un peu d'alcool, pour corser le goût; on utilise généralement du porto, du madère, du cognac ou de l'armagnac (environ 10 à 20 ml par litre de gelée).

Glaçage

La gelée décorative est surtout utilisée pour glacer les produits de charcuterie. Quelle que soit la méthode d'application choisie (voir les figures 4.1 *A, B, C* et *D*), il importe que la gelée soit maintenue à une température approchant celle de la gélification (environ 25°C).

Figure 4.1

Les différents modes de glaçage

A. Glaçage par nappage

B. Glaçage par trempage

C. Claçage en moule

D. Glaçage en moule

Glaçage par nappage

Verser la gelée sur le produit à l'aide d'une petite louche et corriger les manques au pinceau. Pour que la gelée prenne rapidement, s'assurer que la surface à couvrir est très froide.

Glaçage par trempage

Cette technique est intéressante mais nécessite la mise en oeuvre d'une grande quantité de gelée et un contrôle rigoureux de la température. De plus, pour obtenir un beau glaçage, il faut tremper la pièce à glacer dans le bac de gelée de deux à quatre fois.

Glaçage en moule (par chemisage)

Cette troisième méthode sert uniquement au glaçage des charcuteries fabriquées en moule et présentées démoulées; elle est surtout employée par les charcutiers professionnels. Le travail se fait en deux phases. Il faut d'abord tapisser le fond du moule d'une mince couche de gelée et la laisser prendre, puis replacer la pièce dans le moule et remplir les interstices de gelée. Une fois le gelée figée, il suffit de tremper le moule dans l'eau chaude pour démouler la préparation.

Le fond de volaille

Le fond de volaille est très utilisé en cuisine pour la confection de consommés, crèmes, fricassées et veloutés de volaille; en charcuterie, on pourra l'employer pour la fabrication des quenelles, ballottines et terrines de volaille (voir les recettes).

2,5 l	*d'eau*
1 kg	*de volailles trop fermes (vieilles poules) carcasse, abattis*
150 g	*de carottes*
1	*oignon*
	du blanc de poireau et du céleri en branches
1	*bouquet garni*
30 g	*de sel*

Cuire l'ensemble pendant 2 à 3 heures en respectant les points suivants:

Ne jamais couvrir un fond ou alors seulement partiellement pour laisser le passage de la vapeur;

Compléter le mouillement en cours de cuisson pour maintenir le niveau initial;

Écumer avec soin au début et en cours de cuisson;

Ajouter la garniture aromatique après le premier écumage;

Faire bouillir lentement et régulièrement afin d'éviter la moindre émulsion des graisses qui troublerait le fond;

Découper les éléments nutritifs assez petits pour favoriser l'expansion.

Le fumet de poisson

Le fumet de poisson est utilisable après clarification et raffermissement, pour la confection des gelées destinées à la décoration des terrines de poisson. Tel quel, il entre dans la préparation des farces à pâtés, compotes et quenelles de poisson.

1 l	*d'eau*
900 g	*d'arêtes et parures de poisson**
100 ml	*de vin blanc sec*
2	*petits oignons émincés*
1	*jus de citron*
1	*bouquet garni*
20 g	*de sel*

Rincer soigneusement les arêtes et parures de poisson;

Disposer dans une casserole la totalité des ingrédients et faire bouillir 30 à 45 minutes;

Écumer et filtrer au chinois;

Laisser refroidir, puis mettre au froid jusqu'à utilisation.

De conservation précaire, le fumet de poisson

* Éviter d'utiliser les arêtes de poisson gras qui peuvent communiquer un goût particulier et persistant; pour obtenir un fumet bien clair, éliminer soigneusement les branchies.

peut, en cas de stockage prolongé, être mis en congélation.

D'une manière générale, la confection du fumet de poisson obéit aux mêmes principes que ceux évoqués pour le fond de volaille.

La marinade

La marinade est un mélange d'alcools, de vin, d'épices et d'aromates destiné à parfumer et attendrir divers aliments.

Sa composition varie surtout en fonction de l'élément à mariner (viandes de boucherie ou de charcuterie, volaille, venaison, poisson, etc.). Il est toutefois important de considérer la taille des morceaux et leur destination culinaire (voir le tableau 4-1).

En charcuterie, on fait mariner les viandes entrant dans la confection de terrines, de ballottines, de galantines et de pâtés en croûte.

Marinade instantanée

Couramment utilisée en charcuterie, la marinade instantanée est toujours très facile à préparer. Com-

Tableau 4 - 1

Utilisation des marinades

Type de marinade	Destination	Utilisation	
		En charcuterie	En cuisine
Instantanée	En charcuterie: viandes découpées en lanières, dés, lèches ou aiguillettes entrant dans la confection de terrines, ballottines, galantines et pâtés en croûte. En cuisine: pièces de faible épaisseur destinées à être grillées ou frites.	**A.** Mélanger aux viandes sel, sel conservateur et sucre; laisser reposer quelques heures. **B.** Ajouter la marinade et laisser reposer le tout au froid pendant quelques heures ou même quelques jours (conditions précises indiquées dans les recettes).	Ajouter le mélange aux pièces à mariner et laisser reposer quelques heures.
Cuite	En charcuterie: viandes découpées en lanières, dés, lèches ou aiguillettes entrant dans la confection de terrines, ballottines, galantines et pâtés en croûte. En cuisine: pièces de viande de boucherie et de gibier.	Même utilisation que la marinade instantanée.	Couvrir les pièces à traiter et laisser reposer quelques heures.
Crue	En cuisine: pièces de viande de boucherie et de gibier.	Peu pratiquée.	Faire macérer les épices, aromates et condiments dans l'alcool, puis couvrir les pièces de viande et laisser reposer quelques heures.

posée surtout d'ingrédients secs, elle est ajoutée aux viandes préalablement salées. En effet, on doit d'abord laisser reposer les morceaux de viande quelques heures avec du sel, du sucre et du sel conservateur. Les conditions de mise en oeuvre sont précisées dans les recettes.

Par contre, lorsqu'elle est utilisée en cuisine, les aliments ne doivent pas être salés au préalable mais couverts directement de marinade et macérés quelques heures seulement.

En cuisine, la marinade cuite est utilisée pour le gros gibier et la viande de boucherie, mais sa mise en oeuvre est différente.

Marinade cuite

La marinade cuite est très semblable à la marinade instantanée. La différence fondamentale réside dans le fait que les alcools et aromates mis en oeuvre doivent être précuits, puis refroidis et filtrés avant d'être utilisés. Il existe, encore une fois, plusieurs recettes.

Voici, par exemple, une marinade pour les terrines ou pâtés d'animaux domestiques (lapins, volaille):

1,5 l	*de vin blanc sec*
50 ml	*d'huile d'arachide*
100 g	*de carottes*
50 g	*d'oignons*
60 g	*d'échalotes*
10 g	*d'ail*
50 g	*de persil*
1	*branche de thym*
2	*feuilles de laurier*
2	*clous de girofle*

Dans une casserole, faire suer dans l'huile carottes, oignons et échalotes émincées;

Ajouter vin, ail, persil, thym, laurier et clous de girofle;

Porter le tout à ébullition, puis cuire à petits frémissements pendant environ 30 minutes;

Filtrer au chinois étamine;

Garder au froid jusqu'à utilisation.

Pour le traitement des viandes de gibier, procéder de la même façon mais remplacer le vin blanc par un vin rouge corsé et ajouter de la sauge, du romarin et quelques baies de genièvre.

Marinade crue

Peu utilisée en charcuterie, la marinade crue est composée de vin, de vinaigre, d'aromates, de condiments et de légumes. Elles sert à mariner les grosses pièces de boucherie et de gibier.

La pâte

Un grand nombre de préparations charcutières sont présentées sous forme de pâtisserie. Il est donc important de connaître les différents types de pâte (voir le tableau 4 - 2). Précisons que la plupart de ces pâtes peuvent être préparées sans problème dans un robot de cuisine ou au batteur-mélangeur.

Pâte à brioche ou pâte levée

La pâte à brioche est une pâte fermentée dont la préparation est assez longue. Comme toutes les pâtes à levain, elle doit avoir levé avant d'être mise à cuire. De plus, on recommande de la préparer douze heures à l'avance et de la garder au froid jusqu'à son utilisation.

500 g	*de farine tout usage*
4	*oeufs*
250 g	*de beurre ramolli*
100 ml	*de lait*
10 g	*de sel*
10 g	*de levure granulée*
10 g	*de sucre*

Délayer la levure dans la moitié du lait tiédi et ajouter le quart de la farine; laisser reposer le mélange à température ambiante ou près d'une source de chaleur afin qu'il gonfle sous l'effet de la fermentation; elle servira alors de levain.

Travailler le reste de la farine et du lait avec le sel, le sucre, les oeufs, et le beurre; ajouter le levain et pétrir à la main ou au batteur jusqu'à ce que la pâte se détache bien;

Laisser la pâte à température ambiante ou près d'une source de chaleur jusqu'à ce qu'elle double de volume (il faut environ deux heures).

Rompre la pâte afin d'en arrêter momentanément la fermentation; la ranger dans un endroit frais ou au réfrigérateur et la couvrir d'un linge ou d'un plastique pour éviter le croûtage.

Il existe plusieurs recettes de pâte à brioche. La suivante est surtout utilisée pour les préparations salées telles que foie gras en brioche, saucisson brioché et boudin blanc en brioche. Le mode opératoire conseillé est un peu long, mais il donne une pâte légère et agréable à déguster.

500 g de farine tout usage
300 g de beurre légèrement ramolli
6 oeufs
100 ml d'eau tiède
10 g de sucre
10 g de sel
15 g de levure granulée

Tableau 4 - 2
Les pâtes

	Type de pâte	Composants	Utilisation
Pâte à foncer	ferme	farine, sel matière grasse, eau	pâtés, croustades rissoles, tourtes
Pâte brisée (pâte à tarte)	ferme	farine, sel matière grasse eau, (oeufs)	quiches
Pâte à pâté	ferme	farine, sel matière grasse eau, (oeufs)	pâtés en croûte pâté de Pâques
Pâte à pâté mi-cuite	ferme	farine, sel matière grasse eau à 50°C	pâtés en croûte
Pâte feuilletée	ferme	farine, sel matière grasse, eau	feuilletés, baguettes allumettes, pâtés rissoles, friands bouchées, vol-au-vent
Pâte à brioche	molle	farine, sel matière grasse eau tiède ou lait sucre levure granulée	saucisson brioché foie gras en brioche boudins blancs en brioche poisson en brioche
Pâte à choux	molle	farine, sel matière grasse eau, oeufs	gnocchi, choux beignets divers mousseline de Saint-Jacques

Tamiser la farine;

Disposer le quart en fontaine, et ajouter la levure et l'eau tiède dans le creux prévu à cet effet;

Pétrir et former une boule;

Recouvrir d'un linge et laisser doubler de volume.

Disposer le reste de la farine en fontaine, y mettre le sel, le sucre dissous dans un peu d'eau, et deux oeufs; pétrir la pâte en la soulevant et en la battant de manière à incorporer le plus d'air possible; ajouter deux autres oeufs et pétrir soigneusement, puis intégrer les deux derniers.

Incorporer le beurre petit à petit; lorsque le mélange est bien élastique et tendre, étaler la pâte, y envelopper le levain, et pétrir délicatement jusqu'à l'obtention d'un bon mélange.

Fariner la pâte et la laisser reposer à température ambiante jusqu'à ce qu'elle double de volume, puis la rompre, c'est-à-dire la ramener à son volume normal en la rabattant de l'extérieur par touches successives.

Ranger la pâte au frais jusqu'au moment de l'utilisation.

Pâte à choux

Facile à réaliser, la pâte à choux s'utilise aussi bien en pâtisserie sucrée qu'en pâtisserie charcutière. Elle permet de faire des amuse-gueule appétissants et une variété infinie de délicieux beignets.

1 l	*d'eau*
320 g	*de beurre*
8 g	*de sel*
500 g	*de farine tout usage*
16	*oeufs*

Dans une casserole, faire bouillir l'eau, le sel et le beurre;

Hors du feu, verser la farine en une fois.

Remettre la casserole sur le feu et, avec une cuillère en bois, tourner jusqu'à ce que la pâte forme une boule et se détache des parois;

Enlever la casserole du feu et ajouter le premier oeuf; mélanger soigneusement et rapidement, puis ajouter un à un les autre oeufs jusqu'à ce que la pâte soit ferme tout en étant molle. (Il est possible que douze oeufs soient suffisants.)

Pâte brisée

La pâte brisée (ou pâte à tarte) s'utilise pour les préparations charcutières chaudes ou froides.

500 g	*de farine*
250 g	*de matière grasse, en dés*
10 g	*de sel*
1 ou 2	*oeufs*
100 à 150 ml	*d'eau*

Disposer la farine en fontaine, ajouter la matière grasse légèrement ramollie et le sel.

Verser l'eau petit à petit en brassant pour qu'elle se mélange plus rapidement;

Ajouter l'oeuf (s'il est à la même température que le beurre, il sera plus facile à incorporer).

Travailler la graisse et les autres ingrédients dans la farine avec le bout des doigts;

Pétrir rapidement toute la masse jusqu'à ce que la pâte soit souple (si elle est un peu granuleuse, ajouter un peu d'eau froide);

Laisser reposer au réfrigérateur.

Pâte à foncer

Appelée aussi pâte sablée (surtout en pâtisserie sucrée), la pâte à foncer sert à la fabrication de pâtés, croustades, rissoles et tourtes. Pour qu'elle soit particulièrement croustillante, on recommande d'utiliser du saindoux ou de la graisse de rognon de boeuf.

500 g	*de farine tout usage*
250 g	*de matière grasse*
10 g	*de sel*
100 à 200 ml	*d'eau*

On peut préparer cette pâte de la même façon que la pâte brisée ou avoir recours à la méthode dite sablée:

Couper le beurre en petites parcelles, le recouvrir de farine tamisée et travailler rapidement à l'aide des doigts;

Dans le « sable » obtenu, creuser une fontaine et incorporer sel et eau en pétrissant de l'extérieur vers l'intérieur;

Façonner le tout en boule et pétrir des deux mains en incorporant de l'air dans la pâte;

Laisser reposer au frais avant utilisation.

Pâte à pâté

Cette pâte est presque identique à la pâte brisée, mais elle est moins riche en matière grasse. Elle est toujours cuite en moule, garnie à l'intérieur d'une farce de viande ou de poisson. Pour éviter l'éclatement de la pâte, on doit garnir le couvercle d'une cheminée qui permettra à la vapeur de s'échapper durant la cuisson.

500 g *de farine tout usage*
2 *oeufs*
150 g *de matière grasse*
100 ml *d'eau*
10 g *de sel*

Elle se prépare de la même façon que la pâte brisée.

Pâte à pâté mi-cuite

On peut aussi préparer une pâte à pâté mi-cuite. L'ajonction d'eau chaude lui donne une meilleure consistance et permet de trancher le pâté, une fois cuit, sans trop de problèmes.

500 g *de farine tout usage*
150 à 175 g *de matière grasse*
10 g *de sel*
100 ml *d'eau à 50° C*

Disposer la farine en fontaine; ajouter au centre la matière grasse, divisée en parcelles, et le sel.

Couper le gras dans la farine avec le bout des doigts jusqu'à ce que le mélange soit granuleux.

Ajouter l'eau chaude et travailler rapidement le tout du bout des doigts. Former une boule et laisser reposer la pâte une nuit au réfrigérateur pour lui faire perdre son élasticité.

Pâte feuilletée

La pâte feuilletée se compose elle aussi d'eau, de sel et de matière grasse. Pourtant, grâce à la technique du feuilletage, elle est assez différente des autres. Il existe trois façons de la préparer:

500 g *de farine tout usage*
10 g *de sel*
250 à 300 ml *d'eau*
375 à 400 g *de beurre doux ou de graisse à feuilletage*

Feuilletage classique

Le feuilletage classique (figure 4.2) demande que l'on prépare une détrempe avec la farine, le sel et l'eau, puis qu'on insère la graisse entre les couches de pâte par pliage.

Feuilletage rapide

Pour préparer la pâte plus rapidement, on suggère de couper le gras dans la farine avant d'ajouter l'eau et le sel, et d'utiliser des plis en portefeuille lors du tourage (figure 4.3).

Feuilletage « méthode hollandaise »

Si l'on suit la méthode hollandaise, on mélange la matière grasse avec le tiers de la farine, et la farine restante avec l'eau et le sel, puis on insère la détrempe dans la matière grasse.

Figure 4.2

Le feuilletage classique

1. Préparer les ingrédients et tamiser la farine.

2. Disposer la farine en fontaine et ajouter le sel.

3. Verser l'eau sur le sel.

4. Mélanger le tout jusqu'à l'obtention d'une pâte homogène.

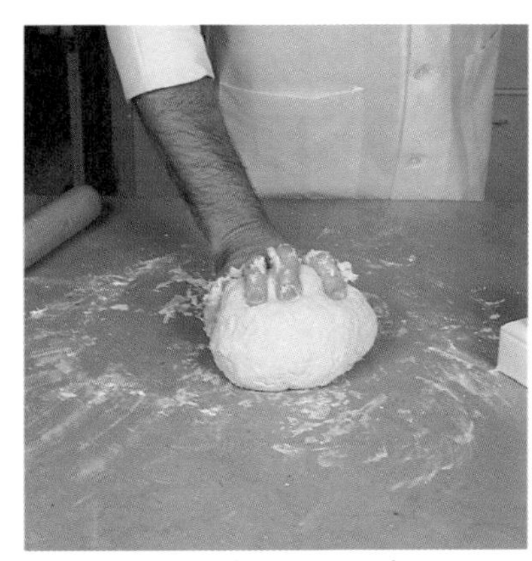

5. Former une boule avec la pâte en travaillant rapidement pour ne pas donner un excès d'élasticité à la détrempe.

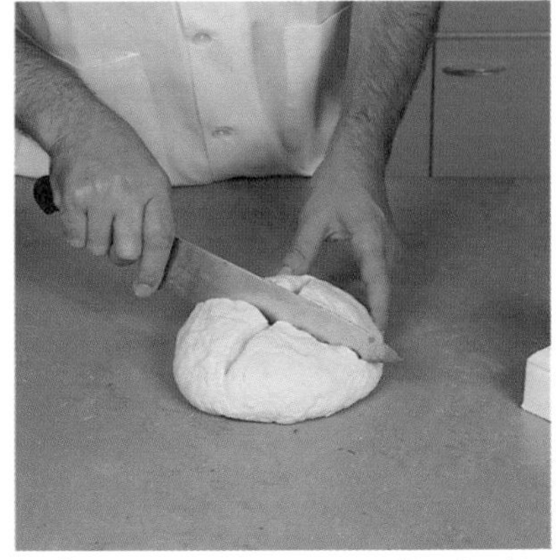

6. Avec un couteau, entailler la détrempe en croix (ceci a pour effet de réduire l'élasticité de la pâte).

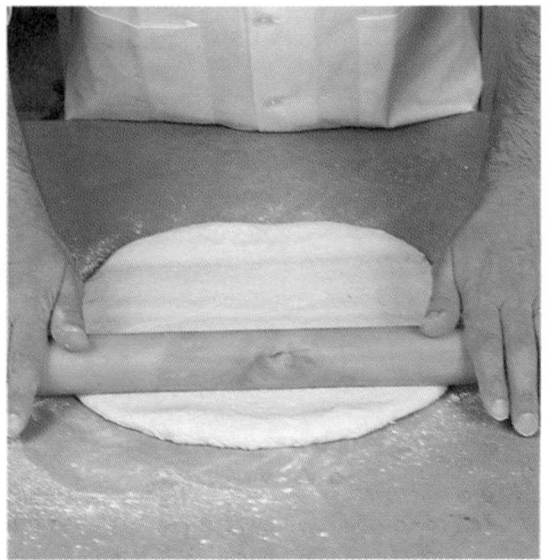

7. À l'aide d'un rouleau, étendre la pâte.

8. Pétrir la matière grasse jusqu'à ce qu'elle ait la même consistance que la détrempe.

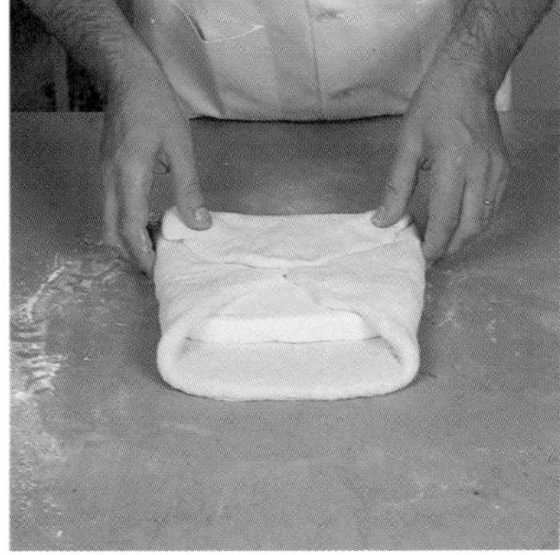

9. Envelopper la matière grasse dans la pâte en rabattant les quatre côtés de la détrempe.

Figure 4.2
Le feuilletage classique (suite)

10. Abaisser le pâton au rouleau à trois fois sa longueur.

11. Rabattre et replier le tiers du pâton.

12. Fermer le deuxième côté.

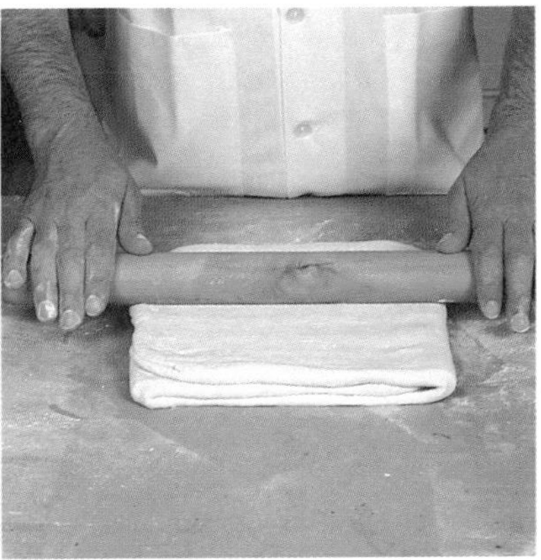

13. Faire pivoter le pâton d'un quart de tour vers la droite; l'abaisser et le plier à nouveau.

14. Marquer le nombre de tours correspondant avec les doigts. Laisser reposer la pâte dix minutes puis recommencer le tourage (étapes 10 à 13). Laisser reposer à nouveau et terminer par un ou deux tours.

Figure 4.3

Le feuilletage rapide

1. Déposer les morceaux de matière grasse sur la farine et faire dissoudre le sel dans l'eau.

2. Couper grossièrement le gras dans la farine, puis ajouter progressivement l'eau salée.

3. Façonner le tout en boule en ayant soin de ne pas trop pétrir le mélange (les morceaux de gras doivent être visibles dans la détrempe).

4. Former le pâton en farinant le plan de travail.

5. Allonger au rouleau à environ quatre fois sa longueur initiale.

6. Réaliser ce qu'on appelle le tour portefeuille.

7. Plier en quatre.

8. Uniformiser l'épaisseur du pâton au rouleau.

9. Faire pivoter le pâton vers la droite et l'abaisser une deuxième fois.

Figure 4.3

Le feuilletage rapide (suite)

10. Plier de nouveau en quatre.

11. Marquer le nombre de tours. La pratique de ce tourage permet d'obtenir, avec deux tours portefeuille, l'équivalent de trois tours simples.

Chapitre 5

LA PÂTISSERIE CHARCUTIÈRE

L'expression « pâtisserie charcutière » est un néologisme professionnel utilisé couramment pour désigner les charcuteries cuites enfermées dans une croûte de pâte.

Suivant que la garniture est cuite ou non avant d'être mise en pâte, on classe les préparations de ce genre en deux grandes familles. Les pâtisseries dont la garniture est précuite, par exemple le saucisson brioché, certaines tourtes et le jambon en croûte, ne nécessitent qu'un temps de cuisson limité; le contenu des pâtés en croûte et des friands, par contre, sera cuit en même temps que la pâte.

Il existe plusieurs sortes de pâtisseries charcutières; les plus courantes sont les préparations en brioche, les pâtés en croûte et les produits en feuilletage.

Les produits en brioche

Les pâtisseries charcutières servies en brioche doivent être préparées avec de la pâte levée.

Foie gras frais en brioche

Cette préparation onctueuse est considérée par tous comme un délice culinaire. Le gavage des oies dans le but d'obtenir ce foie gras si recherché remonte à la plus haute Antiquité. C'est un produit de luxe qui atteint des prix ne permettant pas de le prévoir sur la table de tous les jours.

1 kg	*de pâte à brioche*
1 kg	*de foie gras*
25 g	*de sel épicé composé de 18 g de sel, 1 g de sel conservateur, 3 g de sucre, 1,5 g de poivre blanc moulu, 1,5 g d'épices fines*
30 ml	*de fine champagne*
50 g	*de truffes*
	jaune d'oeuf

Parer soigneusement les foies; les débarrasser des peaux, vaisseaux ou graisses encore présents (utiliser au besoin une pince à épiler); si les pointes des lobes sont dures, les couper ou du moins les écraser pour les attendrir.

Saupoudrer les foies de sel épicé et les mélanger délicatement à l'assaisonnement;

Déposer le tout dans une terrine, arroser de fine champagne et laisser macérer 48 heures au réfrigérateur.

Façonner le foie en forme de boudin d'un diamètre égal aux trois quarts de la largeur des moules;

Fendre le boudin jusqu'au centre sur toute la longueur et le farcir de truffes;

Refermer le boudin et le couper à la longueur des moules.

Abaisser la pâte et foncer les moules beurrés en laissant dépasser la pâte largement;

Déposer le foie au fond de chaque moule;

Badigeonner les bords de la pâte de jaune d'oeuf et refermer les abaisses en les ajustant bien.

Inciser la surface en formant une croix et préparer deux ouvertures pour les cheminées de métal;

Laisser lever à température ambiante, puis dorer au jaune d'oeuf et cuire au four préchauffé à 180-200°C (environ 40 minutes).

Laisser refroidir, puis couler une gelée aromatisée au porto par les cheminées.

Poisson en brioche[5]

Cette savoureuse préparation de poisson sera du plus joli effet présentée dans une pâte à brioche en forme de poisson (photo en début de chapitre). Les écailles peuvent être imprimées avec les pointes d'un ciseau dont les branches sont légèrement entrouvertes; veiller cependant à ne pas percer la pâte. Après cuisson, la pointe des écailles sera légèrement brunie et la présentation vraiment spectaculaire.

200 g	*de filets de poisson (brochet, par exemple)*
350 g	*de filets de saumon*
10 g	*de beurre*
1	*échalote émincée*
2,5 g	*de sel*
	un peu de poivre blanc moulu
	une pincée de muscade

5. Recette tirée de l'ouvrage *Le Livre des terrines et pâtés.* Paris, ERTI-LECERF, 1981.

Figure 5.1
Poisson en brioche

Figure 5.2
Décoration du poisson

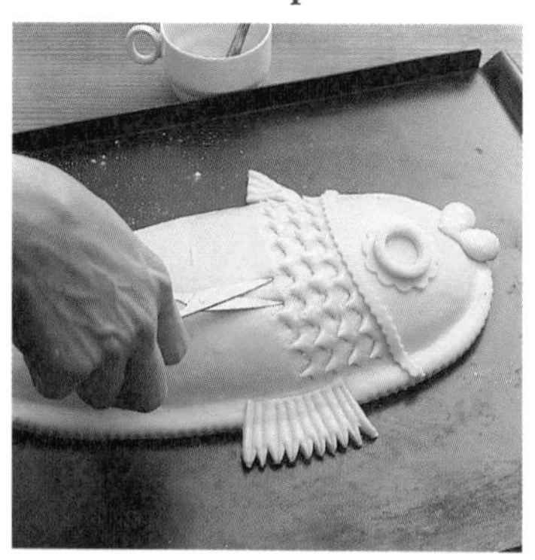

20 g	*ou ½ blanc d'oeuf*
40 g	*de béchamel épaisse*
220 ml	*de crème fouettée*
5 g	*d'aneth et d'estragon hachés*
750 g	*de pâte à brioche parfumée à la noix de muscade*
2	*jaunes d'oeufs*

Faire suer l'échalote dans le beurre et saler les filets de poisson préalablement coupés en morceaux;

Passer le tout au robot de cuisine avec le poivre et la muscade, ajouter le blanc d'oeuf, la béchamel, puis la crème fouettée et les herbes.

Abaisser la pâte et découper deux silhouettes de poisson;

Déposer la moitié de la farce sur une des abaisses en laissant 2 cm de libre sur tout le pourtour;

Couvrir de filets de saumon puis du reste de la farce en lissant bien;

Placer la seconde abaisse et bien souder les bords.

Découper dans la pâte restante des nageoires et une bouche et les coller avec le jaune d'oeuf; former les écailles et découper un oeil; installer la cheminée et badigeonner entièrement au jaune d'oeuf en suivant le sens des écailles;

Cuire au four préchauffé: 20 minutes à 220°C, et 30 minutes à 200°C.

Figure 5.3
Saucisson en brioche

1. Étaler la pâte au rouleau puis dorer pâte et saucisson.

2. Après avoir légèrement fariné le saucisson, l'enrouler dans la pâte.

3. Pincer les extrémités; souder la pâte en dessous.

4. Introduire deux crochets aux extrémités.

5. Suspendre le saucisson dans le moule préalablement graissé.

Saucisson en brioche

Réchauffé au four et servi avec une sauce, le saucisson brioché (figure 5.3) est un régal accompagné d'un bon Côtes du Rhône. On peut le servir en entrée ou comme plat principal.

1	*petit saucisson cuit*
	pâte à brioche
	oeuf battu avec sel
	farine

À l'aide du rouleau, abaisser la pâte en un rectangle d'une longueur égale au saucisson, puis dorer à l'aide d'un pinceau (la masse de la pâte doit correspondre approximativement à la masse du saucisson).

Enduire d'oeuf toute la surface du saucisson préalablement débarrassé du boyau; le fariner légèrement et le déposer sur l'abaisse;

Rouler le saucisson dans la pâte, pincer les extrémités et y introduire les crochets (confectionnés dans du fil d'acier rigide inoxydable) en prenant soin de bien les centrer.

Déposer l'ensemble dans le moule graissé de manière que les crochets reposent sur les extrémités du moule (la soudure du pâton doit se trouver dessous, sans toutefois reposer sur le fond du moule).

Dorer en prenant soin de ne pas faire couler la dorure sur les côtés;

Déposer le moule près d'une source de chaleur, et laisser lever la pâte presque au ras du moule; laisser ensuite reposer à température ambiante durant 10 minutes et dorer une seconde fois;

Décorer, à l'aide de ciseaux, le dessus de la brioche.

Cuire au four (220°C, chauffage coupé) pendant environ 20 minutes;

Après cuisson, laisser refroidir dans le moule pendan 15 à 20 minutes.

Procéder au démoulage: cette opération délicate demande de ne pas trop remuer le moule, ce qui risquerait de décoller le saucisson de la brioche.

Retirer délicatement les crochets.

On peut aussi préparer des portions individuelles de saucisson pimenté en brioche pour servir avec l'apéritif. On utilise alors des moules à petits fours: *a*) foncer les moules de pâte à brioche; *b*) couvrir d'une rondelle de saucisson; *c*) fermer d'une seconde abaisse; *d*) dorer à l'oeuf et cuire au four. Ces petites brioches sont délicieuses tièdes ou froides.

Les pâtés en croûte

On désigne sous le nom de « pâtés en croûte » les pâtés composés de farce ou de chair à laquelle on ajoute une forte proportion de morceaux maigres d'origines diverses (porc, veau, volaille, gibier), et cuits enveloppés dans une abaisse de pâte feuilletée ou de pâte à foncer. Ces produits, généralement de qualité supérieure, peuvent aussi contenir du foie gras. Ils sont servis bien chauds ou, plus couramment, frais et aromatisés de gelée.

Confection

Il existe plusieurs façons de préparer les pâtés en croûte. Si la pièce à monter est de petite dimension, on peut avoir recours au procédé de fabrication sans moule (figure 5.4). La préparation la plus connue du genre est le pâté pantin.

Il est toutefois plus courant d'utiliser des moules et des terrines. Généralement fermés d'une abaisse simple (figure 5.5), ces pâtés peuvent aussi être couverts de deux abaisses. Dans ce cas, l'excédent de pâte de la première abaisse est replié sur le contenu du moule et le tout est recouvert de la seconde.

Les deux types de préparation que nous venons de décrire demandent que l'on confectionne des cheminées pour permettre à l'air et aux vapeurs intérieures de s'échapper pendant la cuisson. Pour éviter qu'elles ne s'obstruent lors du traitement thermique, on peut y glisser un tube de papier aluminium ou de papier sulfurisé.

Il existe enfin des pâtés non couverts dont les bords sont ourlés, puis pincés et striés de façon décorative.

Décoration et cuisson

La décoration des pâtés en croûte se limite, en général, à celle de leurs « couvercles de pâte » et les artifices décoratifs utilisés, peu nombreux, sont constitués presque uniquement par des traits de couteau, des dentelures, des pinçages et des découpages collés. Les motifs reproduits représentent habituellement des feuilles, des fleurs ou des animaux. Les bouchons en pâte cuite, destinés à l'obturation des cheminées, constituent de véritables ornements et la juxtaposition de dorures diverses (voir le tableau 5.1) permet d'accentuer les contrastes.

Une fois décorés, les pâtés doivent être cuits à four moyen (180°-210°C); le temps de cuisson sera déterminé en fonction de la forme et de la grandeur du moule (environ 1 h 30 pour les grands moules).

Si le pâté est servi froid, couler la gelée une dizaine de minutes après la cuisson et compléter le remplissage avec de la gelée tiède lorsque le pâté sera froid.

Figure 5.4

Préparation d'un pâté sans moule

1. Dans une abaisse, découper des formes ovales, en dorer le pourtour puis disposer la chair au centre.

2. Replier dans le sens longitudinal.

3. Appuyer sur les extrémités.

4. Rabattre les extrémités sur le dessus et retourner le pâté.

5. Confectionner un couvercle.

6. Enduire légèrement le pâté de dorure et y poser le couvercle.

7. Dorer le couvercle, le strier et faire une cheminée avant de mettre au four.

Figure 5.5

Préparation du pâté en croûte

1. La pâte, la garniture et différents moules.

2. Couper un rectangle dans une abaisse de pâte.

3. Rabattre les extrémités du rectangle.

4. Replier.

5. Déposer dans le moule préalablement graissé.

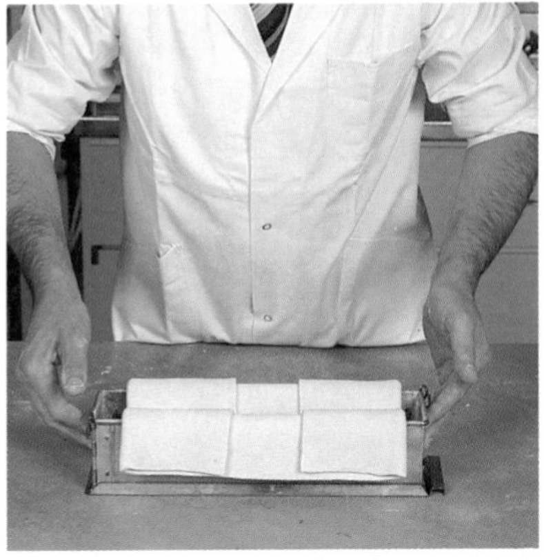

6. Laisser déborder de chaque côté du moule.

7. Déplier vers les extrémités.

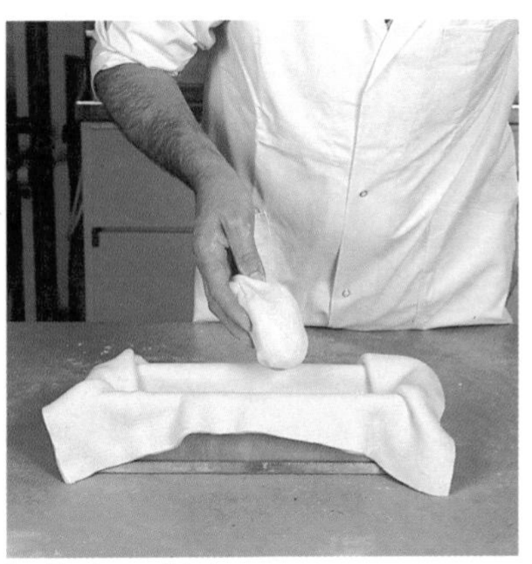

8. Fariner légèrement un tampon de pâte.

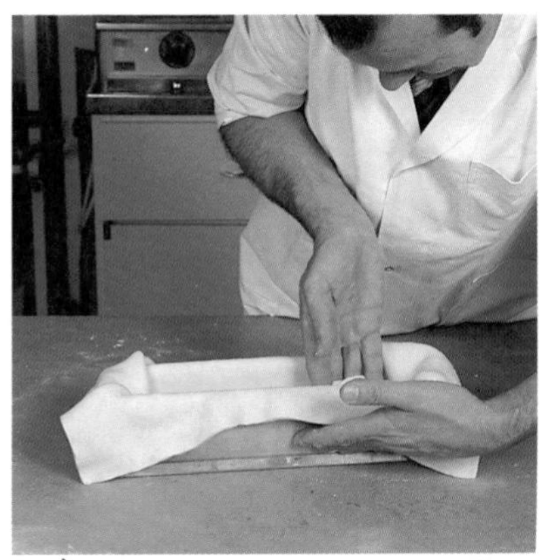

9. À l'aide du tampon, faire adhérer la pâte aux parois du moule.

Figure 5.5

Préparation du pâté en croûte (suite)

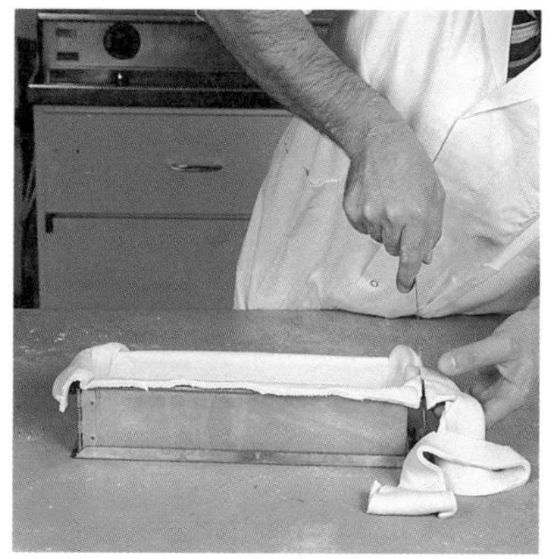

10. Couper l'excédent de pâte.

11. Remplir de garniture en commençant par les extrémités.

12. Dorer le pourtour.

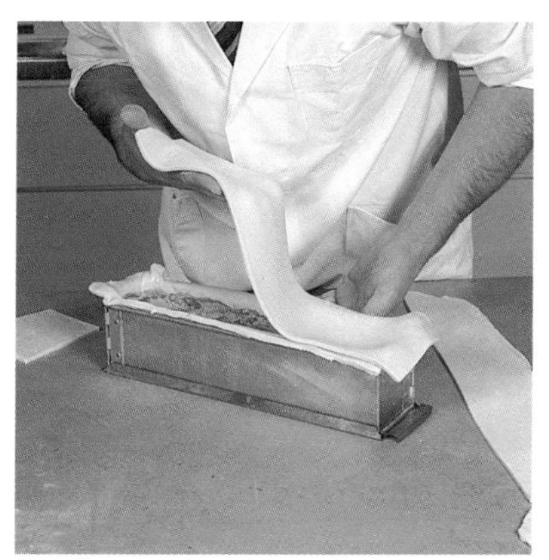

13. Recouvrir d'une abaisse.

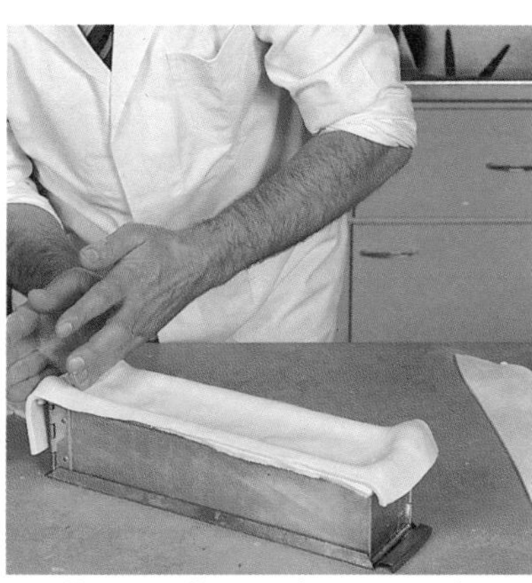

14. Faire adhérer le couvercle en appuyant légèrement.

15. Couper la pâte au ras du moule.

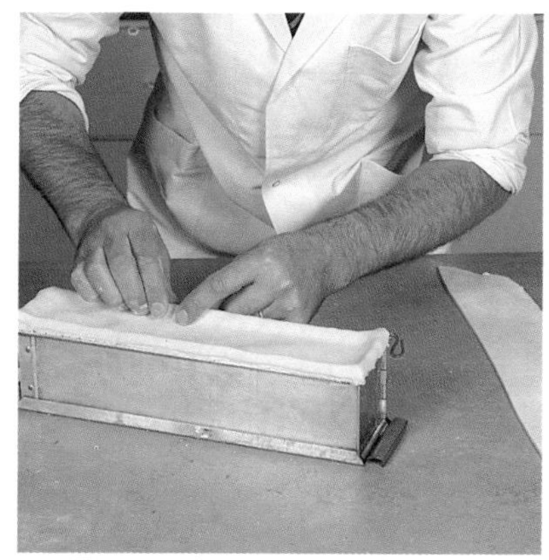

16. Dresser le pourtour du pâté entre le pouce et l'index.

17. Souder à l'aide d'une pince à l'extérieur puis à l'intérieur.

18. Dorer le pâté.

Figure 5.5

Préparation d'un pâté en croûte (suite)

19. Découper à l'emporte-pièce les éléments décoratifs.

20. Décorer.

21. Installer les cheminées et dorer le tout avant de mettre au four.

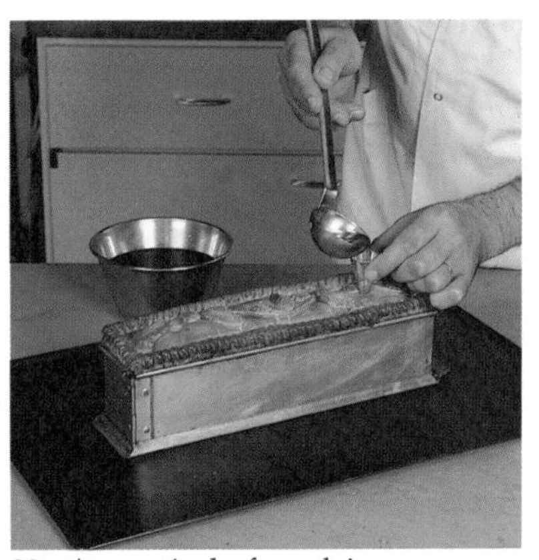

22. Au sortir du four, laisser reposer quelques instants puis couler de la gelée.

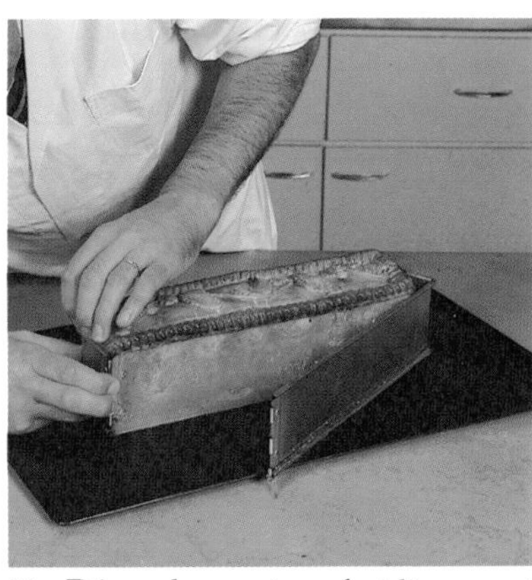

23. Démouler après refroidissement en chambre froide.

24. Découper

Tableau 5 - 1

Les dorures

Dorure	Couleur après cuisson
Jaune d'oeuf délayé dans l'eau ou le lait	brun doré foncé
Poudre de lait écrémé délayée dans l'eau ou le lait chaud	doré
Blanc d'oeuf	doré clair

Garnitures

Si une enveloppe de pâte transforme n'importe quelle terrine en pâté appétissant, il importe de bien choisir la garniture de façon que la consistance croustillante de la pâte contraste agréablement avec la farce qu'elle renferme.

Garniture à la mode alsacienne

Les pâtés en croûte à la mode alsacienne sont généralement remplis de la garniture à ballottine classique. Pour varier le goût, on peut remplacer le cognac ou la fine champagne de la marinade par 40 ml de vin blanc sec et ajouter une persillade à la farce fine.

Garniture à la mode béarnaise

400 g	*de foie (porc/volaille)*
450 g	*de porc (bajoue/gorge)*
18 g	*de sel*
5 g	*de sucre*
1 g	*de sel conservateur*
1	*oeuf*
100 ml	*de crème à 35 %*
10 ml	*de madère*
3 g	*de poivre gris moulu*
5 g	*d'ail frais écrasé*
	persil

Découper environ la moitié du foie en lèches régulières et réduire le reste en petits morceaux; procéder de la même façon avec la bajoue préalablement parée; répartir le sel, le sel conservateur et le sucre sur ces éléments et laisser reposer le tout 48 heures au réfrigérateur.

Réduire les morceaux de foie à l'état de farce fine à l'aide du robot de cuisine en y ajoutant l'oeuf, la crème, le madère, le poivre, l'ail et le persil; ajouter la bajoue et laisser tourner quelques tours pour la réduire en petits grains de la grosseur d'une lentille;

Incorporer les lèches de foie à la farce; garder le tout au réfrigérateur jusqu'au moment de remplir les moules.

Figure 5.6

Pâté en croûte

Garniture à la mode bourguignonne

100 g	*de foie de volaille ou de porc*
600 g	*de porc (flanc/poitrine)*
100 g	*de bacon*
15 g	*de sel*
1 g	*de sel conservateur (facultatif)*
3 g	*de sucre*
2	*oeufs*
25 g	*de farine ou de fécule*
30 g	*d'oignons frits*
30 g	*de moutarde forte*
20 g	*de ketchup*
3 g	*de poivre gris moulu*
10 g	*de persil haché*

Découper le foie et le flanc en petits morceaux, ajouter le sel, le sucre et le sel conservateur et laisser reposer de 24 à 48 heures.

Passer les matières premières et le bacon au hache-viande équipé du disque à gros trous;

Ajouter ensuite la moutarde, le ketchup, la farine, les oeufs, les oignons, le poivre et le persil;

Ranger au frais jusqu'à utilisation.

Garniture du pâté de Pâques

300 g	*de maigre de veau (épaule)*
120 g	*de foie de porc*
360 g	*de chair à saucisse*
12 g	*de sel*
1 g	*de sel conservateur (facultatif)*
5 g	*de sucre*
60 ml	*de crème à 35 %*
1	*oeuf*
60 ml	*de cognac*
40 g	*d'échalote hachée*
2 g	*de poivre blanc moulu*
2 g	*de toute-épice*
	oeufs durs

Découper le veau et le foie en petits dés;

Ajouter le sel, le sel conservateur et le sucre, et laisser reposer au réfrigérateur de 24 à 48 heures.

Passer la viande au disque fin du hache-viande;

Incorporer la chair à saucisse, la crème, le cognac, l'oeuf, l'échalote et les épices; bien mélanger le tout, ranger au frais jusqu'à utilisation.

Pour bien réussir la présentation de cette recette, on recommande de garnir la pâte de farce jusqu'à mi-hauteur avant de disposer les oeufs durs dans le sens de la longueur en les faisant se toucher bout à bout, puis de couvrir du restant de farce.

Pâté au poulet[6]

Le pâté au poulet constitue un repas complet. En effet, sa garniture très colorée, qui peut d'ailleurs être utilisée également sur des vol-au-vent ou des timbales, recèle de bons morceaux de viande et des légumes savoureux.

Selon l'usage que l'on veut en faire, on présentera les pâtés en portions individuelles (en général, petits moules ronds) ou dans un grand moule rectangulaire de format familial. Dans ce dernier cas, on choisira, si possible, un moule qui ne déparera pas la table au moment du service. Naturellement, le temps de cuisson peut varier légèrement en fonction de la dimension des moules.

2	*poulets (environ 2 kg chacun)*
3	*branches de céleri*
1 kg	*de carottes*
2	*branches de persil*
3	*oignons moyens*
2	*feuilles de laurier*
	sel et poivre
1	*pincée de thym moulu*
1 kg	*de pommes de terre*
	beurre manié (650 g de farine et 650 g de beurre)
1	*boîte de pois verts*
4 l	*d'eau (en moyenne)*

Couper les poulets en morceaux grossiers; placer les morceaux dans un chaudron et les couvrir d'eau;

Ajouter le céleri, 5 carottes, le persil, les oignons et les feuilles de laurier;

Assaisonner avec le sel, le poivre et le thym; amener à ébullition et laisser bouillir pendant 1 heure 30 à 2 heures.

Pendant ce temps, faire cuire aux trois quarts de leur cuisson les pommes de terre et le reste des carottes;

Préparer le beurre manié.

Quand le poulet est cuit, le désosser et le couper en cubes d'environ 3 cm;

Couler le bouillon, le chauffer à une température moyenne et y ajouter le beurre manié en brassant continuellement pour le dissoudre dans le bouillon.

Couper les pommes de terre en petits cubes d'environ 2 cm; les incorporer ensuite à la sauce;

Couper les carottes en cubes de 1 cm et les incorporer au mélange;

Ajouter les cubes de poulet;

En dernier lieu, ajouter les pois verts;

Vérifier l'assaisonnement et rectifier au goût.

Verser dans un moule et recouvrir d'une abaisse de pâte;

Cuire au four à 245°C pendant 15 minutes.

Les produits en feuilletage

Les pâtisseries appartenant à cette catégorie font souvent partie de buffets élaborés. On les sert aussi à l'apéritif.

Friands

Le friand est un produit de pâtisserie charcutière classique relativement simple à réaliser; il se consomme chaud.

pâte feuilletée
chair à saucisse
oeuf battu avec du sel

6. Recette communiquée par André Gignac.

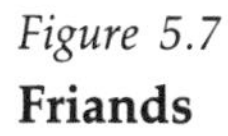

Dans une abaisse de pâte feuilletée de 3 mm d'épaisseur, découper des carrés ou des rectangles de 8 × 12 cm;

Déposer un boudin de chair à saucisse au centre de chaque abaisse;

Badigeonner le bord à l'oeuf et replier une moitié sur l'autre;

Laisser reposer, puis dorer et strier.

Cuire sur une plaque à four chaud (230°C — chauffe coupée) pendant environ 20 minutes.

Figure 5.7

Friands

Figure 5.8

Fabrication des friands

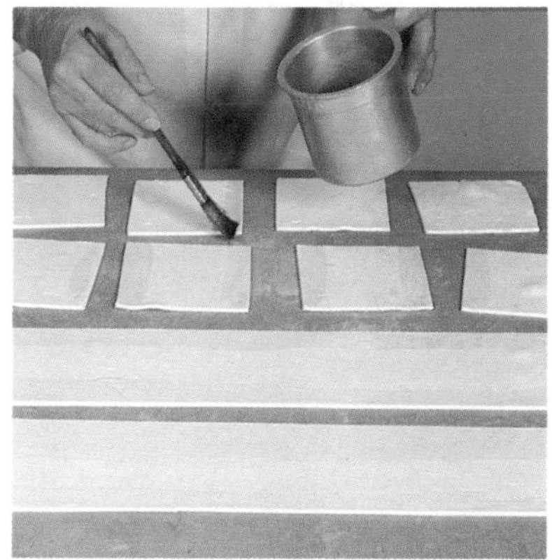

1. Dans une abaisse de 3 mm d'épaisseur, découper soit des bandes de 10 cm de largeur ou des carrés de 10 cm de côté, et dorer la bordure.

2. Garnir de chair à saucisse.

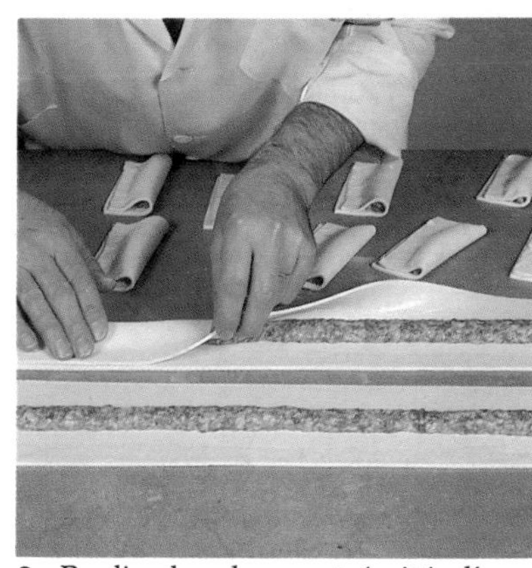

3. Replier les deux extrémités l'une sur l'autre et découper.

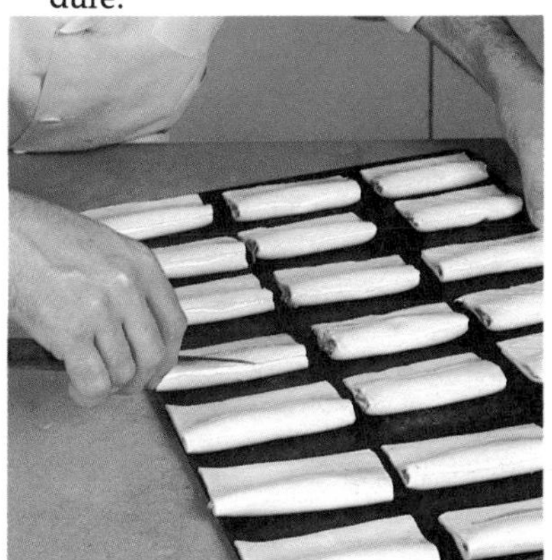

4. Après avoir doré, faire une incision sur la face arrondie pour empêcher la pâte de s'ouvrir à la cuisson.

5. Strier la surface et mettre au four.

Figure 5.9

Préparation des saucisses feuilletées

A. Préparation pièce par pièce

1. Découper des bandelettes de pâte feuilletée et les enduire de moutarde.

2. Disposer une saucisse cocktail sur la bandelette et l'enrouler.

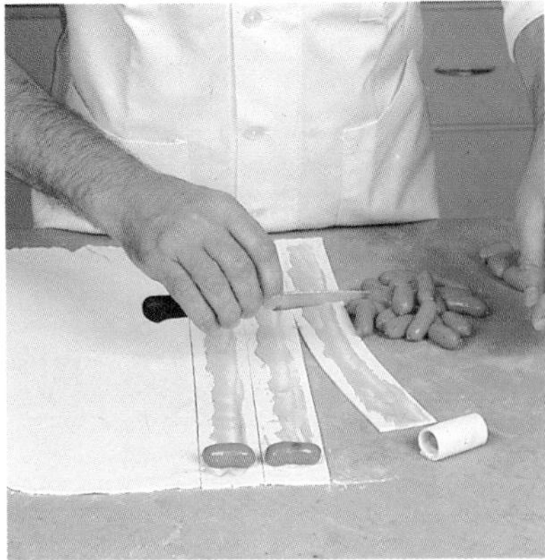

3. Couper la pâte une fois la saucisse enroulée.

B. Préparation en série

1. Découper des bandes de feuilletage dans le sens de la longueur.

2. Dresser un cordon de moutarde sur chaque bande.

3. Disposer les saucisses sur la moutarde.

4. Badigeonner la bordure du feuilletage de dorure.

5. Replier la pâte et souder la bordure.

6. Couper le boudin pour détacher chaque saucisse et cuire au four à 220 °C pendant 15 minutes.

Chapitre 6

LES PRODUITS CONFITS ET LES METS FARCIS

Les charcuteries confites

Confit de foie

Cette préparation typique qu'est le confit de foie peut être élaborée indifféremment avec du foie de porc ou de volaille; sa particularité réside dans le fait qu'elle comporte une très forte proportion de foie et qu'une partie de ses composants subit une précuisson — une sorte de confisage.

600 g	*de foie de porc ou de volaille*
400 g	*de porc (bajoue/gorge)*
18 g	*de sel*
1 g	*de sel conservateur*
5 g	*de sucre*
40 g	*de graisse d'oie ou, à défaut, de saindoux*
2 g	*de poivre gris moulu*
3 g	*d'ail frais écrasé*
15 ml	*d'armagnac*

Découper le foie et la bajoue soigneusement parée en petits morceaux; les mélanger séparément avec le sel, le sel conservateur et le sucre et les laisser reposer 48 heures au réfrigérateur.

Dans une sauteuse, faire réchauffer la graisse et y faire cuire la bajoue environ 30 minutes;

Faire ensuite rissoler le foie en évitant de le saisir à coeur.

Passer la bajoue puis le foie au hache-viande équipé du gros disque; mélanger ces éléments avec le poivre, l'ail et l'armagnac et travailler jusqu'à l'obtention d'une pâte homogène;

Mouler en terrine ou en pot de grès et procéder à la cuisson en veillant à ce que la température à coeur soit d'au moins 85°C (voir *Cuisson des pâtés et des terrines*).

Confit d'oie ou de canard

Les recettes de confits varient en fonction des us et coutumes mais, en règle générale, on suggère d'utiliser de l'oie grasse ou du canard gras.

1	*oie grasse*
	ou
1	*canard gras*
	gros sel
	thym, laurier, ail

Désosser l'animal (on appelle la partie récupérée « veste » ou « paletot ») et détacher les ailes et les cuisses en gardant assez de peau et de graisse autour pour compenser la rétraction due à la cuisson;

Peser les morceaux et les saler (environ 20 g de sel par kilogramme de viande), ajouter au goût thym, laurier, ail, et laisser reposer 48 heures au réfrigérateur.

Découper la graisse comme la viande; la mettre à fondre à feu doux pendant environ une heure en ayant soin d'écumer souvent; la passer, la clarifier et la conserver pour la cuisson du confit.

Laver la viande à l'eau chaude, puis la rincer à l'eau froide, l'égoutter et la sécher;

Faire chauffer la graisse et y plonger les morceaux; régler la température à 90-92°C et laisser cuire les morceaux environ 2 heures 30 sans couvrir (il est difficile de prévoir le temps de cuisson nécessaire car il varie en fonction de la qualité de la viande et de la grosseur des morceaux; pour s'assurer que le confit est bien cuit, piquer la viande: s'il ne sort plus de sang, elle est cuite).

Égoutter les morceaux, clarifier à nouveau la graisse et la reporter à douce ébullition;

Stériliser des terrines ou des pots de grès en les passant à la flamme; verser un peu de graisse dans le fond, y placer un confit (aile et cuisse) et le recouvrir de graisse chaude. Laisser refroidir, puis ranger au froid. On peut aussi mettre le confit en boîte. Toutefois, comme cette préparation demande que le contenant soit stérilisé une fois rempli, le temps de cuisson préalable devra être réduit.

Gésier de canard ou d'oie confit

Coupé en tranches fines, le gésier confit entre dans la composition de salades originales dont il fait un délice. On le mange aussi chaud, accompagné de haricots blancs ou de lentilles, ou même mélangé à la garniture du cassoulet.

gésiers de canard ou d'oie
gros sel
graisse d'oie

Mélanger les gésiers très propres à du gros sel (environ 30 g par kilogramme) et les laisser 48 heures au réfrigérateur

Rincer les gésiers à l'eau chaude, puis à l'eau froide, et les égoutter soigneusement;
Les cuire environ 1 heure dans la graisse d'oie stabilisée à 90°C;

Les récupérer et les conserver recouverts de graisse clarifiée.

Graisseron de porc

Spécialité typiquement landaise, le graisseron était jadis un sous-produit du confit. En effet, on le faisait à l'origine avec les résidus de fonte des graisses utilisées pour les confits.

Cette préparation, dont il existe des variantes à base de viande d'oie ou de canard, est un véritable régal, surtout si on la déguste avec du pain de seigle grillé encore tiède.

gras de porc (dos/bardière)
viande de porc (échine ou poitrine)
sel, poivre
muscade
ail

Passer le gras au hache-viande muni du disque à gros trous, puis le faire fondre lentement en marmite en remuant assez fréquemment;

Filtrer la graisse et récupérer les résidus de fonte (graisserons).

Hacher ensuite la viande de porc et la cuire en marmite dans un peu de graisse;

Mélanger les graisserons à la viande et aux épices;

Mouler à chaud dans des terrines ou des pots de grès.

Rillettes de porc

Les rillettes sont des préparations élaborées avec des matières premières d'excellente qualité, et dont la fabrication est assez délicate. Elles sont, de plus, difficiles à conserver à l'état frais. On suggère donc de les couvrir d'une mince couche de saindoux. Délicieuses en entrée, les rillettes ne doivent jamais être consommées trop froides.

650 g de maigre de porc (picnic frais ou soc)
350 g de panne
15 g de sel
2 g de poivre blanc moulu
saindoux

Dans une cocotte de fonte, faire fondre le gras sans le laisser attacher; y plonger la viande coupée en morceaux réguliers et la faire revenir;

Ajouter ensuite sel et poivre; amener à ébullition, puis couvrir et réduire le feu;

Laisser cuire de 4 à 6 heures ou jusqu'à ce que la graisse soit claire et que la viande se défasse aisément.

Égoutter les morceaux de viande et, à l'aide d'une fourchette, les écraser soigneusement;

Séparer le jus de viande de la graisse;

Remettre la viande dans le récipient ayant servi à la cuisson, puis lui faire réabsorber le jus de viande préalablement porté à ébullition;

Ajouter progressivement au mélange la graisse liquide.

Une fois la graisse absorbée, vérifier l'assaisonnement et, au besoin, le rectifier;

Reporter le tout à ébullition une dernière fois pour le stériliser, puis laisser en attente jusqu'à ce que la graisse commence à figer;

Remplir des petites terrines ou des pots de grès à l'aide d'un ustensile très propre.

Après refroidissement complet, couler sur les rillettes une mince couche de saindoux bouilli.

Rillettes de volaille

Faciles à réaliser, ces rillettes sont faites de pure volaille (viande et graisse). On choisira de préférence une poule assez âgée car elle fournit une viande de qualité qui ne se défait pas lors de la cuisson.

700 g	*de volaille cuite*
300 g	*de graisse de volaille**
15 g	*de sel*
2 g	*de poivre blanc moulu*

Découper la volaille en gros morceaux, séparer les gras de la viande et retirer les abats.

Faire fondre le gras sans le laisser brûler, puis le filtrer (garder seulement la graisse limpide; s'il n'y en a pas assez, ajouter du saindoux)

Faire cuire les morceaux de volaille dans un bouillon aromatisé, jusqu'à séparation parfaite des chairs (temps de cuisson en fonction de l'âge de la volaille);

Après cuisson, séparer les peaux de la viande et laisser refroidir le tout.

Passer les peaux cuites au robot de cuisine;

Déposer dans une cocotte la viande, les peaux émincées et la graisse; ajouter le sel et le poivre et laisser cuire environ une heure ou jusqu'à ce que les fibres de viande se détachent facilement et que l'ensemble soit pasteurisé.

Après cuisson et au moment où la graisse commence à figer, bien remuer le mélange pour qu'il soit homogène, puis remplir les moules.

Rillettes d'oie

Spécialité du terroir landais, les rillettes d'oie se dégustaient autrefois sur des tartines de pain de campagne grillées et légèrement frottées à l'ail.

Comme la graisse d'oie a un point de fusion très bas, la recette pure oie, qui ne peut être préparée qu'en période froide, laisse souvent la place à un mélange de porc et d'oie. On peut, par exemple, remplacer la graisse d'oie par de la panne (recette A) ou même préparer des rillettes moitié oie moitié porc (recette B).

A.

850 g	*de viande d'oie grasse*
200 g	*de panne*
18 g	*de sel*
2 g	*de poivre blanc moulu*
1 g	*de toute-épice*
5 ml	*d'armagnac*
20 ml	*de vin blanc*
1/4	*d'orange*
	bouquet garni
	os de l'oie (facultatif)

Garder un filet d'oie (magret) et découper le reste de la viande en gros cubes;

Faire fondre la panne dans une cocotte en fonte et y faire dorer les os de l'oie, puis le magret et les cubes de viande (bien remuer pour éviter qu'elle n'attache);

Déposer les os dans un petit sac en étamine.

Lorsque les morceaux sont bien dorés, ajouter l'assaisonnement, les os, le bouquet garni, le vin blanc et les morceaux d'orange;

Régler la cuisson à 85° C et cuire environ 4 heures en laissant le couvercle légèrement entrouvert.

Lorsque la viande est cuite et la graisse liquide, couler le bouillon (graisse et jus de viande);

Écraser la viande à la fourchette, sauf le magret qui doit être laissé en morceaux;

Il importe de bien écraser aussi la peau pour ne pas la retrouver sous la dent lors de la dégustation.

Décanter la graisse et lui donner un bouillon afin d'éliminer les impuretés.

Dans un mélangeur ou à l'aide d'une spatule, mélanger le bouillon dégraissé et l'armagnac à la viande; ajouter ensuite la graisse;

Refroidir rapidement le produit et, dès qu'il commence à figer, remplir les moules.

---

* Pour obtenir un mélange plus ferme, on peut remplacer 80 g de graisse animale par de la graisse végétale (de palme ou autre).

B.

500 g	*de viande d'oie grasse*
500 g	*de porc (flanc/poitrine)*
100 g	*de panne*
100 g	*de graisse d'oie*
18 g	*de sel*
2 g	*de poivre blanc moulu*
1 g	*de toute-épice*
5 ml	*d'armagnac*
	bouquet garni: thym, laurier, oignon piqué de clous de girofle

Couper la viande en gros dés, et faire fondre le gras dans une cocotte;

Faire revenir le porc pendant environ 30 minutes, puis ajouter la viande d'oie et faire dorer le tout encore 30 minutes en remuant fréquemment pour éviter que la viande n'attache;

Ajouter le reste des ingrédients, régler la cuisson à 90° C et cuire environ 5 heures en laissant le couvercle légèrement entrouvert;

Procéder ensuite comme à la recette précédente.

Rillons

Les rillons, appelés aussi rillauds ou grillons, sont des préparations de charcuterie cuite dont le berceau est l'Anjou et la Touraine; ce sont des morceaux maigres de poitrine ou d'épaule de porc cuits dans de la graisse maintenue à haute température.

Les rillons constituent un aliment énergétique très apprécié. On les consomme aussi bien comme entrée que pour le casse-croûte ou le pique-nique.

porc (flanc/poitrine)
caramel liquide
saindoux
sel

Couper la viande en morceaux d'environ 90 g;

Faire rissoler la viande à feu vif, jusqu'à coloration; la saupoudrer légèrement de sel.

Recouvrir de saindoux et laisser cuire à légers frémissements de 60 à 90 minutes;

Pour accentuer la coloration, ajouter en fin de cuisson quelques gouttes de caramel liquide;

Ôter les rillons de la graisse, et bien les égoutter.

Cretons québécois[7]

Traditionnellement, on préparait les cretons dans une casserole de fonte, puis d'aluminium très épais, cependant, une casserole ordinaire convient également. Cette préparation, qui se caractérise par le fait qu'elle est à base de porc uniquement, se mange comme les rillettes sur du pain ou encore sur un biscuit.

800 g	*de porc haché ou de porc maigre à 75 %*
200 g	*de gras de panne*
1	*oignon moyen*
150 ml	*d'eau chaude*
13 g	*de sel*
2 g	*de poivre noir moulu*
3 g	*de toute-épice*
2 g	*d'ail frais (facultatif)*
200 ml	*de lait*
4	*tranches de pain blanc (les croûtes enlevées)*

Couper la panne en très petits cubes; en faire fondre la moitié et mélanger l'autre moitié à la viande. (On peut aussi hacher en même temps le porc et la moitié de la panne en les passant au hachoir muni du disque à gros trous).

Hacher l'oignon très fin et le faire revenir dans la panne fondue jusqu'à ce qu'il soit transparent;

Mélanger l'eau ainsi que le lait et les mies de pain à la viande et ajouter le tout à la panne en brassant constamment;

Faire cuire à ébullition lente et brasser fréquemment de façon que la viande ne colle pas.

Après 15 à 20 minutes, ajouter les assaisonnements.

Cuire environ 2 heures;

Vider dans un moule et laisser reposer 15 minutes en brassant de temps en temps.

Placer au réfrigérateur et attendre au moins 5 heures avant de servir.

7. Recette communiquée par André Gignac.

Compote de thon

Cette préparation est très simple à réaliser et nécessite seulement quelques précautions de la part de l'opérateur au moment de la cuisson qui ne doit pas être trop tumultueuse, au risque de « brûler » la compote et de lui conférer un goût amer.

450 g	*de filets de thon albacore en morceaux*
100 g	*de gras de porc (dos/bardière)*
200 g	*de panne*
300 ml	*de fumet de poisson*
10 g	*de sel*
1 g	*de poivre blanc moulu*
1	*pincée de basilic et de marjolaine*

Découper le gras de dos et la panne en petits dés et les faire cuire à feu doux pendant 3 heures 30 (ajouter un peu d'eau pour démarrer la cuisson);

Environ 1 heure 30 après le début de l'ébullition du gras, ajouter le thon et l'assaisonnement; terminer la cuisson en remuant fréquemment le mélange à l'aide d'une spatule en bois, afin que le contenu n'attache pas au fond de la cocotte.

Retirer le poisson;

Réchauffer le fumet et le laisser bouillir environ 5 minutes.

Incorporer le poisson au fumet et travailler le mélange jusqu'à ce qu'il soit homogène, puis le laisser reposer 30 minutes;

Ajouter ensuite le gras et bien brasser le tout.

Mettre le confit en petits pots; laisser refroidir avant d'entreposer au réfrigérateur.

Les charcuteries farcies

Les produits farcis ressemblent beaucoup aux galantines et aux ballottines.

Cou d'oie farci

Préparation très ancienne, le cou d'oie farci est toujours très appécié. On le sert froid, en hors-d'oeuvre, ou chaud accompagné de petits pois frais, ou encore sur un lit d'oseille entouré et nappé de sauce Périgueux.

1	*cou d'oie*
300 g	*de maigre d'oie*
250 g	*de flanc/poitrine de porc*
150 g	*de picnic frais/épaule de porc*
150 g	*de bajoue/gorge de porc bien parée*
60 ml	*de lait pasteurisé*
1	*oeuf*
80 g	*de foie gras précuit, en dés*
18 g	*de sel*
2 g	*de poivre blanc moulu*
1 g	*de toute-épice*
20 g	*de farine ou de fécule*
20 ml	*d'armagnac*
10 ml	*de jus de truffe*

Détacher délicatement la peau du cou sans la trouer, et la coudre partiellement de façon à pouvoir la remplir aisément;

Préparer une farce fine au robot de cuisine en mélangeant l'épaule et la gorge de porc avec l'oeuf, le lait froid, la farine, le sel et les épices;

Couper le maigre d'oie en fines lanières et la poitrine de porc en dés et incorporer le tout à la farce.

Une fois le mélange bien homogène, ajouter délicatement le foie de gras refroidi;

Parfumer le tout à l'armagnac et au jus de truffe;

Introduire la garniture dans la peau du cou partiellement cousue, et recoudre la peau soigneusement.

Plonger le cou dans la graisse d'oie stabilisée à 80 °C et le laisser cuire environ 2 heures 30 ou jusqu'à ce qu'il remonte à la surface;

Une fois qu'il est cuit, le recouvrir de graisse clarifiée.

Lapin farci

Si l'on excepte le désossement du lapin, qui nécessite une certaine dextérité, cette préparation est assez simple à effectuer. Le lapin farci est une charcuterie cuite susceptible de satisfaire les palais les plus gourmands; on le consomme froid découpé en tranches fines comme une ballottine.

lapin
sel (20 g/kg)
sel conservateur (1 g/kg)
sucre (5 g/kg)
vin blanc sec
cognac
thym
estragon

Garniture

400 g	*de maigre et foie de lapin*
400 g	*de porc (bajoue/gorge)*
20 ml	*de vin blanc sec*
15 g	*de sel*
1 g	*de sel conservateur (facultatif)*
5 g	*de sucre*
1	*oeuf entier ou 2 blancs d'oeufs*
30 g	*de fécule*
100 ml	*de lait*
2 g	*de poivre blanc moulu*
2 g	*de toute-épice*
5 g	*d'ail frais écrasé*
	persil
	gélatine

Désosser soigneusement le lapin (figure 6.1) et mettre de côté le foie et les morceaux de maigre entrant dans la garniture.

Peser ce qui reste du lapin et, en fonction de la masse obtenue, préparer le mélange de sel, de sel conservateur et de sucre; en frotter le lapin, puis arroser légèrement de vin et de cognac; ajouter quelques branches de thym et d'estragon, couvrir et laisser mariner environ 48 heures au réfrigérateur;

Découper le foie et les morceaux de maigre en lèches, parer soigneusement la bajoue et la détailler en petits morceaux; mélanger ensemble avec le sel, le sel conservateur, le sucre et le vin; laisser reposer au réfrigérateur.

Passer la bajoue au hache-viande équipé du disque à petits trous;

Mélanger le hachis avec l'oeuf, la fécule, le lait froid, les épices et le persil;

Incorporer la viande et le foie;

Saupoudrer légèrement de gélatine le lapin étalé et bien séché, puis couvrir de garniture.

Rouler le tout dans un papier sulfurisé; l'envelopper d'un torchon et le resserrer au cordon de cuisson comme une ballottine;

Cuire au bouillon à environ 80°C de manière à obtenir 72°C à coeur;

Après refroidissement, retirer l'enveloppe et décorer le tout; servir froid.

Figure 6.1

Désossement du lapin

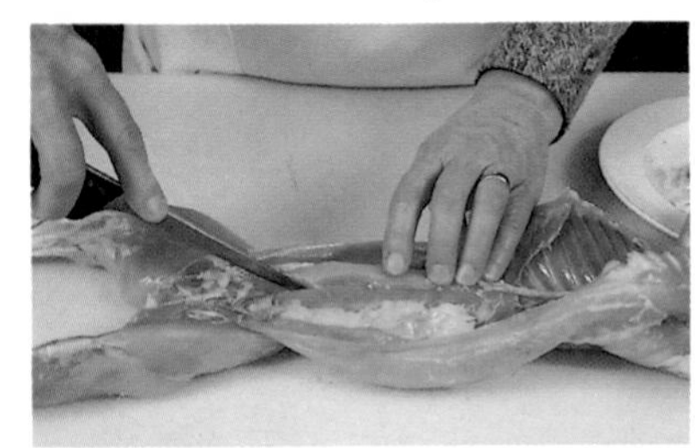

1. En suivant la colonne vertébrale ouvrir avec précaution par le milieu.

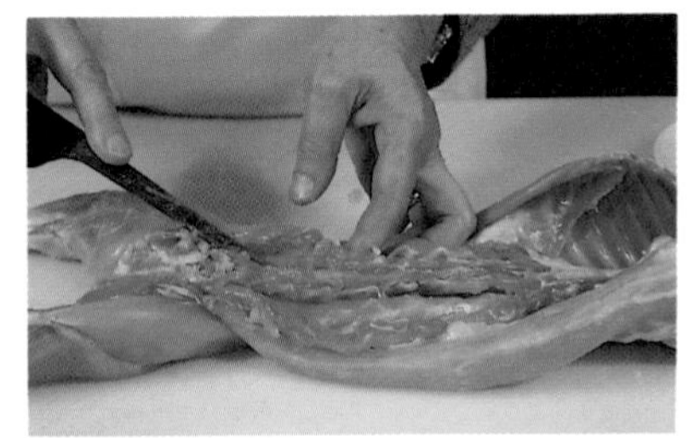

2. Dégager la chair des reins sous les vertèbres lombaires jusqu'à la queue.

3. Après incision, l'ensemble des côtes est dégagé.

Figure 6.1

Désossement du lapin (suite)

4. Retirer la colonne vertébrale en commençant par l'arrière.

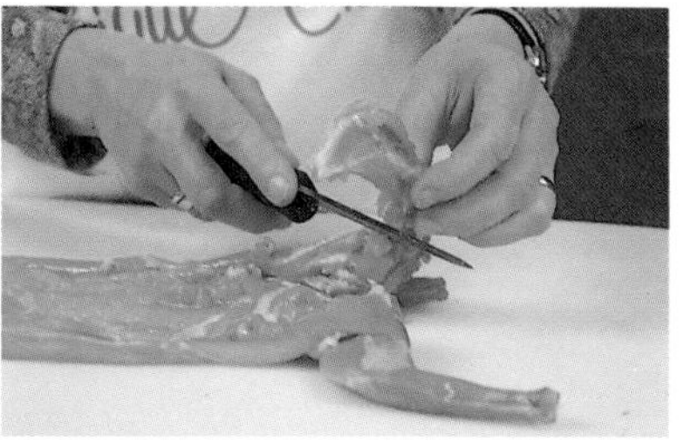

5. La colonne vertébrale étant retirée, désosser les cuisses en évitant de percer la peau.

6. Couper les pattes et désosser minutieusement les épaules.

Figure 6.2

Galantine classique de poularde

Galantine classique de poularde[8]

La galantine classique constitue une présentation artistique qui ne sacrifie en rien à l'aspect gastronomique puisque d'une part, il est essentiel d'apporter le plus grand soin à la fabrication de la farce et d'autre part, on redonne à l'animal sa forme initiale tout en l'assortissant de décors appétissants. On utilise souvent pour la décoration, qui doit être à la hauteur de la préparation, des légumes comme le poireau et la carotte associés à la truffe, et toutes les fantaisies sont permises.

	poularde (1,6 à 2 kg)
	abattis
500 g	*d'os de volaille*
2,5 l	*d'eau*
10 g	*de sel*
½	*oignon*
80 g	*de blanc de poireau*
80 g	*de céleri-rave*
½	*feuille de laurier*
5	*grains de poivre blanc pilés*
5 g	*de sel à pâtés*
	poivre en grains moulu
150 g	*de foie gras d'oie*
250 ml	*de lait*
	une pincée de sel à pâtés
2 cl	*de porto*
2 cl	*d'armagnac*

Farce et garniture

120 g	*de chair de poulet parée*
	romarin frais
120 g	*de carré de porc paré*
2	*petites feuilles de sauge hachées*
160 g	*de lard gras (gras dur)*
100 g	*de jambon cuit*
10 à 15 g	*de sel à pâtés*
30 g	*de truffe*
	poivre blanc moulu

Désosser la poularde;

Mettre dans l'eau froide la carcasse concassée, les abattis et les os supplémentaires;

Saler, ajouter tous les légumes en dés, les aromates et le poivre, puis porter à ébullition;

Saler et écumer; laisser à petits bouillons pendant une heure en écumant de temps en temps.

Assaisonner la chair de la poularde avec le sel à pâtés et le poivre, laisser en attente au frais;

Parer le foie gras, le baigner dans du lait pendant une heure pour dégorger le reste du sang;

Éponger, assaisonner avec le sel à pâtés; ajouter le porto et l'armagnac, laisser mariner quelques heures.

Couper les viandes et le gras en lanières, ajouter sel à pâtés, poivre et herbes hachées; entreposer au frais;

Passer les viandes deux fois au disque fin du hachoir, le gras une seule fois, puis refroidir;

Peu à peu, incorporer le gras au hachis de viande, refroidir;

Passer la farce au tamis, refroidir encore;

Couper le jambon, la truffe et le foie gras mariné en dés; incorporer le tout à la farce.

Étaler la farce sur la poularde désossée (le volume de la farce doit être identique au volume de la carcasse retirée, ici 500 à 600 g), la recoudre et la remodeler à la main dans sa forme en ficelant, façonner;

Envelopper la poularde dans un torchon, sans trop serrer; lier aux deux extrémités.

Pocher dans le bouillon porté à 80°C; prévoir 40 minutes par kilogramme, à température constante;

Laisser refroidir dans le pochage en lestant d'une masse de un kilogramme;

Mettre au frais et, après 24 heures, retirer l'enveloppe;

Décorer.

8. Recette tirée de l'ouvrage *Le livre des terrines*, Paris, ERTI-LECERF, 1981.

Figure 6.3

Désossement d'une poularde pour une galantine classique

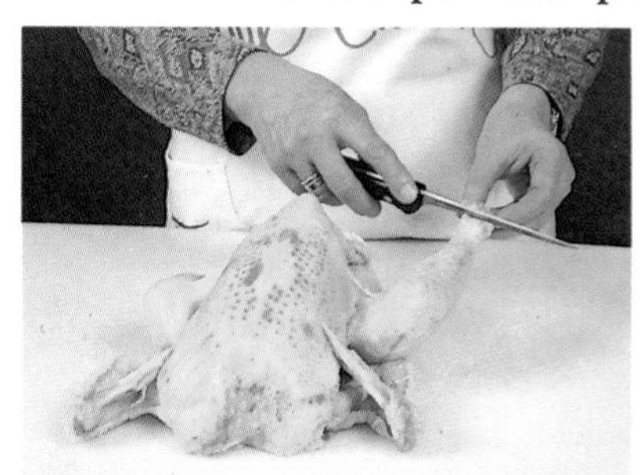

1. Oter le cou et les pattes si cela n'est pas fait. Retrousser la peau et couper le cou le plus près possible du corps. Couper les pattes au-dessous de l'articulation pour éviter à la peau de se rétracter pendant la cuisson.

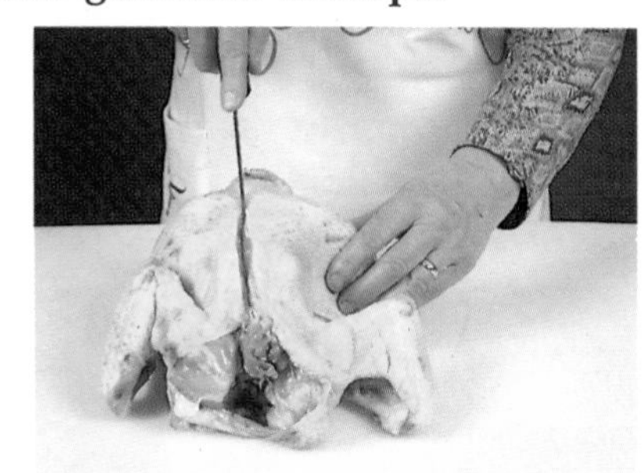

2. Fendre peau et chair le long de la colonne vertébrale. Inciser tout le long de la colonne vertébrale de part et d'autre, avec un couteau bien affûté.

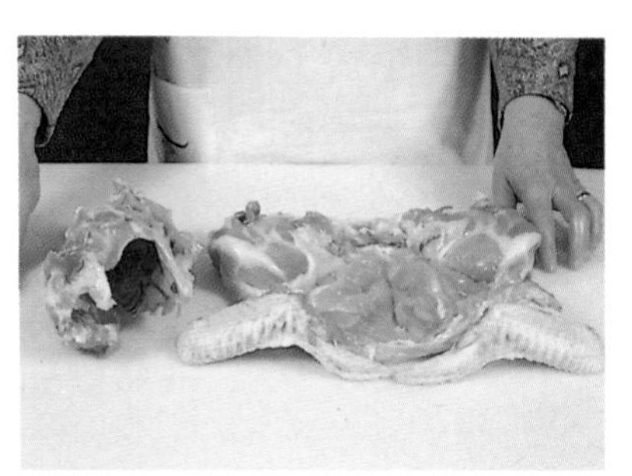

3. Dégager la carcasse. Défaire la chair de part et d'autre de la colonne vertébrale, le plus près possible de celle-ci. Maintenir les os de la main gauche et dégager soigneusement la poitrine.

4. Enlever les os. La carcasse est soigneusement libérée en évitant d'abimer la peau. Les ailes et les cuisses subsistent. Aplatir la poularde sur une planche et l'assaisonner.

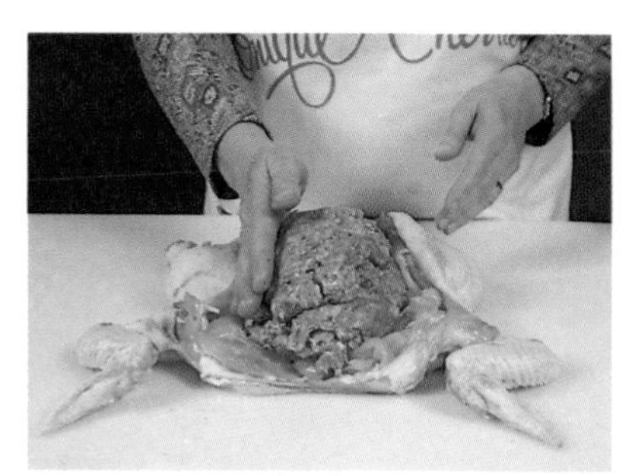

5. Farcir la poularde. La quantité de farce doit être proportionnelle au volume de la carcasse. La répartir régulièrement sur la volaille, du croupion au cou.

6. Recoudre la poularde. Rejoindre chair et peau pour enfermer la farce, recoudre avec une aiguille à brider tout le long de la partie fendue sans oublier aucun orifice.

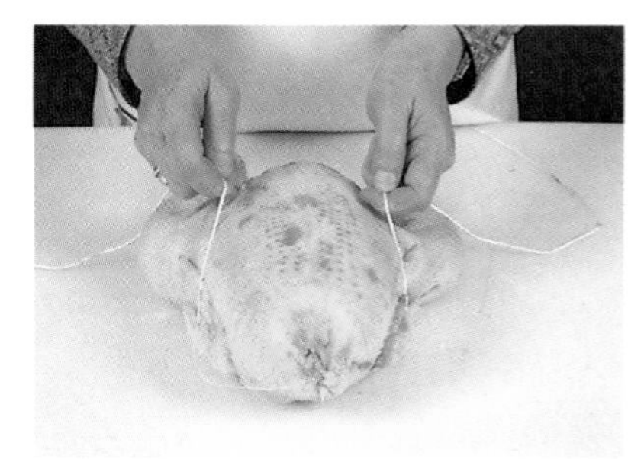

7. Trousser la poularde. En passant un fil sous le dos que l'on croise devant, le tourner sous les cuisses de l'extérieur vers l'intérieur en serrant. Les cuisses doivent être étroitement jointes.

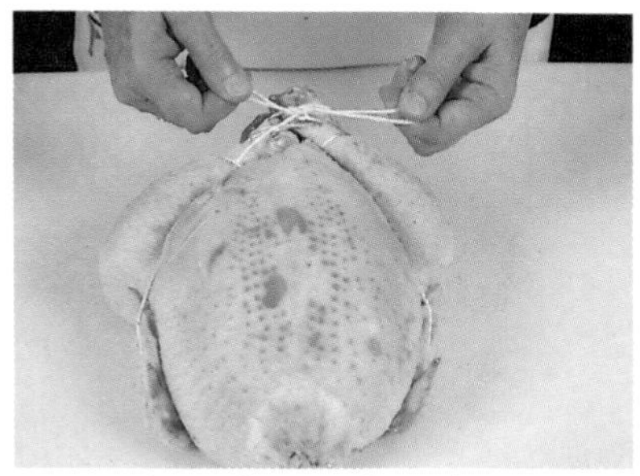

8. Lier les ailes en les plaquant au corps. Ramener chaque extrémité du fil vers l'avant et passer sous les ailes, puis revenir vers les cuisses et nouer. Ainsi la poularde se retrouve comme une volaille bridée prête à cuire.

Chapitre 7

LES PRODUITS EN MOULES ET EN TERRINES

Les pâtés et les terrines

L'appellation *terrine* devrait être, théoriquement, réservée aux préparations cuites dans une terrine pourvue ou non d'un couvercle, et la dénomination *pâté* devrait s'appliquer aux mêmes produits enfermés et cuits dans une abaisse de pâte. Aujourd'hui, ces deux termes sont très souvent confondus; les développements indiqués dans les recettes ne tiennent donc pas compte du distinguo et se basent uniquement sur les appellations courantes.

Pour suivre les différentes étapes, se référer à la figure 7.1.

Utiliser du gras de bardière très mince (porc).

Placer une barde de gras dans le moule de façon qu'elle recouvre le fond, les côtés et le dessus du pâté. Orienter la face unie de la barde vers l'extérieur de la terrine; c'est elle qui apparaîtra au moment du démoulage. Si l'on doit utiliser plus d'une barde, la seconde sera juxtaposée à la première et non superposée (photo A).

À l'aide d'un couteau, transpercer en plusieurs endroits la partie de la barde qui recouvre le pâté. Cette opération empêche le gras de se recroqueviller à la cuisson (photo B).

Il est important de badigeonner l'intérieur de la barde avec de la farce pour que la préparation adhère bien. Ne pas foncer les extrémités du pâté (photo C).

Replier la barde (photos D et E)

On peut aussi foncer un moule en utilisant de la coiffe. Dans ce cas, si le morceau de coiffe n'est pas suffisamment grand, le deuxième morceau devra être superposé au premier et, contrairement à la barde, on ne doit pas transpercer la coiffe qui recouvre le dessus du moule.

Figure 7.1

Techniques de fonçage

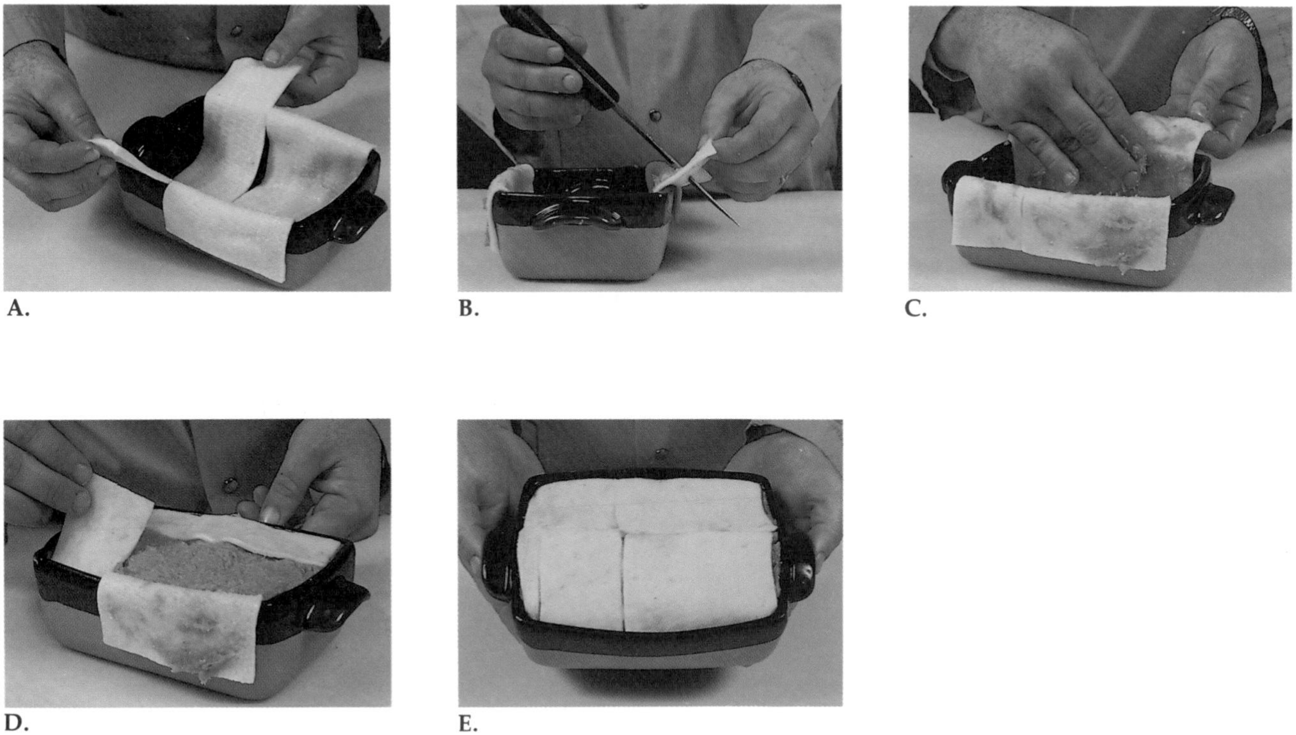

A.

B.

C.

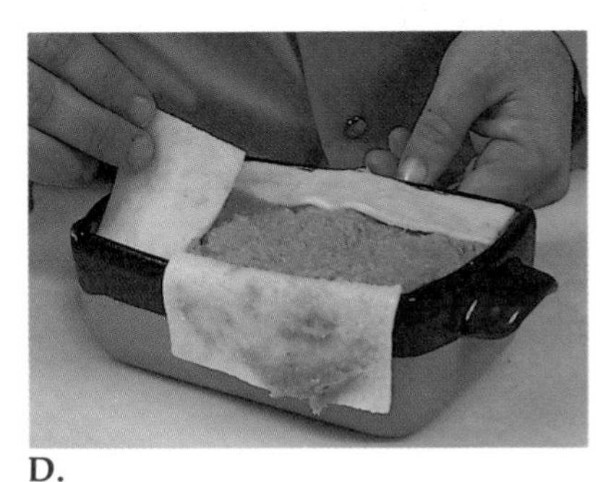

D.

E.

Cuisson des pâtés et des terrines

En règle générale, il est conseillé de cuire les produits dans les meilleurs délais suivant leur fabrication; en effet, les viandes et abats hachés et triturés contiennent des microorganismes qui prolifèrent rapidement si la cuisson n'intervient pas pour arrêter leur développement. À défaut de pouvoir les cuire tout de suite, il faut entreposer les pâtés et terrines au réfrigérateur mais jamais durant une période excédant quelques heures. Pour les conserver plus longtemps, il faut faire congeler les préparations. Toutes s'y prêtent bien sauf les mousselines, les mousses, les terrines de poisson et les pâtés de foie qui nécessitent une précuisson.

La congélation des terrines et pâtés de viande crus se pratique comme suit:

- Tapisser la terrine d'une feuille d'aluminium en la laissant dépasser de part et d'autre;
- Remplir la terrine comme à l'accoutumée et refermer la feuille d'aluminium;
- Démouler la préparation en prenant soin de conserver la forme de la terrine;
- Recouvrir d'une nouvelle feuille d'aluminium et, au besoin, introduire le tout sous un sac de plastique;
- Placer la préparation au congélateur à la position grand froid pendant environ 20 heures.

Il est préférable de ne pas garder la préparation plus de 3 ou 4 mois au congélateur. Pour la faire cuire, il suffit de la remettre dans la terrine qui a servi à son formage et de lui faire subir le traitement thermique normal sans décongélation préalable.

La cuisson, quant à elle, se fait toujours de la même façon, que la préparation soit couverte ou non.

- Faire chauffer le four à température moyenne (180°C);
- Déposer la terrine dans une lèchefrite contenant de l'eau chaude afin d'éviter le dessèchement;
- Mettre le tout au four;
- Après 15 minutes, régler le thermostat à 130-150°C.

Le temps de cuisson peut varier (1 à 3 heures) suivant la dimension du récipient et la masse qu'il contient (voir *Contrôle du degré de cuisson*).

Cuisson sans protection de surface

La cuisson des pâtés et terrines se fait le plus souvent sans protection de surface, soit sans couvercle. Cette méthode donne de bons résultats et permet notamment de conférer une belle croûte dorée à la terrine et de lui communiquer un goût de rôti agréable. Elle entraîne, toutefois, deux inconvénients:

- un risque de dessèchement, surtout si la température et trop élevée;
- une perte de masse due à l'évaporation.

Cuisson avec protection de surface

Dans certains cas, il est préférable de faire cuire la préparation sous couvert afin que le pâté ne se dessèche pas en cours de cuisson.

- Préparer une pâte à luter en délayant deux cuillerées à soupe de farine avec un peu d'eau pour obtenir une texture mollette;
- Déposer le couvercle sur la terrine et le souder à la terrine à l'aide de la pâte à luter. Si le couvercle n'a pas de trou pour laisser échapper la vapeur interne, il est conseillé de laisser de 3 à 4 cm du couvercle non lutés.

Contrôle du degré de cuisson

Il est conseillé de s'assurer que la cuisson est suffisante avant de sortir le produit du four; pour ce faire, il existe deux procédés:

- un procédé empirique, pas tout à fait démuni d'intérêt, qui consiste à enfoncer une aiguille (à brider par exemple) dans la préparation et à la retirer pour l'appliquer sur l'avant-bras: si la lame est brûlante sur toute sa longueur, le pâté est assez cuit;
- une méthode plus sûre qui consiste à enfoncer un thermomètre-sonde au coeur du pâté et à lire sur le cadran la température qui doit être au minimum de 70 et, si possible, 75°C.

Les produits délicats, à base de légumes et de poisson, doivent être retirés du four à la température à coeur minimale.

Traitement après la cuisson

Lorsque les produits sont cuits, il faut les retirer du four et les laisser tiédir, puis les arroser avec une bonne gelée, assez forte, éventuellement aromatisée au porto ou au cognac.

Dans le cas ou la terrine doit être conservée plus longtemps, il est préférable de remplacer la gelée qui, malheureusement, risque de moisir, par du saindoux de très bonne qualité. Cette matière grasse imperméabilise la terrine et la met à l'abri de toute oxydation ou détérioration de surface. La terrine, soigneusement préparée et cuite, pourra ainsi être conservée au moins un mois.

Une autre technique est envisageable et se pratique comme suit:

- lorsque la terrine est cuite, la sortir du four, enlever s'il y a lieu le couvercle, puis la laisser reposer un quart d'heure;
- placer ensuite sur la préparation une planchette découpée, si possible, à la dimension intérieure de la terrine et enveloppée de papier d'aluminium;
- charger d'une masse de 1 à 3 kg pour bien tasser les ingrédients et laisser refroidir totalement de cette façon, à température ambiante;
- lorsque la terrine est froide, enlever la planchette et couler la gelée tiède qui comblera les interstices; mettre ensuite au réfrigérateur.

Cette façon de procéder évitera que la terrine ne s'émiette au découpage.

Assaisonnement des pâtés et des terrines

Toutes les recettes décrites dans le présent chapitre comportent des exemples de formules d'assaisonnement. Elles mettent en oeuvre des éléments variés qui permettent de mieux typer tel ou tel produit. Ainsi, la présence d'alcool, d'oignon rissolé ou non, d'ail et d'échalote associée à des épices ou aromates en proportions variables contribue à une personnalisation du pâté ou de la terrine. La recette qui suit constitue un mélange d'épices composées qui se prépare à l'avance. Il est recommandé d'en utiliser une dose moyenne de 4 ou 5 g au kilogramme de préparation dans les recettes demandant des « épices pour pâtés »; naturellement, il ne s'agit que d'une suggestion susceptible de correctifs et d'améliorations.

Réduire finement au moulin à poivre ou au robot de cuisine:

10 g	*de gingembre*
40 g	*de macis*
75 g	*de coriandre*
15 g	*de cannelle*
20 g	*de girofle*
15 g	*de laurier*
15 g	*de thym*
10 g	*de marjolaine*
200 g	*de poivre blanc ou gris ou d'un mélange des deux*

Certaines épices étant très difficiles à réduire en particules fines (gingembre, girofle, coriandre), on peut se les procurer dans le commerce déjà moulues.

Les mélanges d'épices composées prêts à l'emploi doivent être stockés dans un récipient hermétique et il faut éviter de les conserver trop longtemps, au risque de constater une dépréciation très nette de leur pouvoir aromatique.

Pour les recettes qui requièrent du sel à pâtés, on peut mélanger les épices broyées au sel. Théoriquement, on utilise 20 g d'épices composées pour 50 g de sel; 16 à 20 g de ce sel à pâtés seront généralement suffisants pour assaisonner 1 kg de farce.

Préparations à base de foie

Pâté de foie

Cette préparation charcutière courante peut être fabriquée à partir de foie de porc ou de foie de volaille. Ce dernier confère au produit un arôme caractéristique très apprécié des connaisseurs; il présente cependant l'inconvénient de favoriser le verdissement de la tranche.

300 g	de foie (porc ou volaille, ou un mélange des deux)
600 g	de gras de flanc/mouille
18 g	de sel
1 g	de sel conservateur
5 g	de sucre
100 ml	de lait
	persil
	bouquet garni
1	oeuf
2 g	de poivre gris moulu
10 g	d'oignon
20 g	de farine ou de fécule
10 ml	de porto, de madère ou d'eau de fleur d'oranger
	bardes fines
	coiffes de crépine

Parer les foies, puis les découper en cubes;

Préparer aussi des cubes de gras, ajouter les foies, le sel, le sel conservateur et le sucre, puis entreposer au réfrigérateur de 12 à 24 heures;

Barder la terrine qui servira à la cuisson.

Faire rissoler les oignons;

Faire chauffer le lait avec le persil et le bouquet garni;

Hacher finement le foie au robot de cuisine avec l'oeuf, les épices et l'oignon.

Introduire ensuite le gras préalablement blanchi et égoutté;

Ajouter le lait chaud, débarrassé de ses herbes, la farine et l'alcool.

Travailler le mélange jusqu'à consistance fine;

Bien tasser le pâté dans la terrine bardée;

Couvrir d'une coiffe de crépine et cuire au four à 180°C (voir *Cuisson des pâtés et des terrines*).

Figure 7.2
Pâté fermier

Pâté fermier à l'ail

Délicieux pâté dont l'extérieur est doré et croustillant et l'intérieur tendre et succulent, le pâté à l'ail a une saveur toute particulière. Il est encore meilleur après deux ou trois jours.

600 g	de bajoue/gorge de porc
100 g	de foie de porc
200 g	de flanc/poitrine de porc
20 g	de farine
50 ml	de bouillon ou de lait
1	oeuf
10 ml	de vin blanc sec
15 g	de sel
4 g	d'ail écrasé
5 g	d'épices pour pâtés
	bardes fines
	coiffes de crépine

Mélanger les viandes et les passer au hachoir muni du disque à gros trous;

Travailler le hachis avec l'oeuf, la farine, le bouillon, le vin blanc; assaisonner.

Lorsqu'il est homogène, déposer le mélange dans une terrine chemisée de fines tranches de barde;

Recouvrir de crépine et cuire au four (voir *Cuisson des pâtés et des terrines*).

Pâté fermier à l'oignon

De bonne qualité, rustique et sobre, le pâté fermier à l'oignon vient de la Chalosse, située dans le bassin d'Aquitaine au sud des Landes; dans cette contrée, la polyculture et l'élevage des porcs et des oies constituent une activité importante.

300 g	*de soc/échine de porc*
300 g	*de bajoue/gorge de porc*
300 g	*de foie de porc*
15 g	*de sel*
1 g	*de sel conservateur (facultatif)*
5 g	*de sucre*
1	*oeuf*
50 g	*d'oignons frits*
10 ml	*d'armagnac*
2 g	*de poivre gris moulu*
	bardes fines
	coiffes de crépine

Découper la viande en petits morceaux, ajouter le sel, le sel conservateur et le sucre, puis laisser reposer le tout 48 heures au réfrigérateur.

Passer ensuite les matières premières au hache-viande muni du gros disque, puis les mélanger avec l'oeuf, les oignons frits, l'armagnac et le poivre;

Foncer une terrine de bardes, ajouter le pâté et recouvrir de crépine;

Cuire au four (voir *Cuisson des pâtés et des terrines*).

Pâté de campagne à l'échalote[9]

300 g	*de foie de porc*
400 g	*de gras de porc (bajoue/gorge)*
300 g	*de porc maigre à 80 %*
2 g	*d'ail frais*
1	*petit oignon*
4	*branches de persil frais*
4	*échalotes grises*
14 g	*de sel*
7 g	*de poivre noir moulu*
1 g	*de muscade*
1 g	*de sel conservateur*
2 g	*de sucre*
2	*oeufs*
50 ml	*de vin blanc sec*
	bardes ou coiffe

Parer les foies et les passer à deux reprises au hachoir muni du disque à petits trous;

Hacher l'ail, l'oignon, le persil et les échalotes; les mêler au foie haché.

Passer le gras et la viande une fois au hachoir muni du disque à petits trous. Ajouter tous les assaisonnements.

Mélanger ensemble le foie, la viande et le gras;

Ajouter les oeufs un à un au mélange puis le vin et bien mêler.

Foncer un moule et y verser le mélange. Cuire au four (voir *Cuisson des pâtés et des terrines*).

Pâté de campagne au poivre vert[10]

Le goût du poivre vert, plus doux que celui du poivre noir, se marie particulièrement bien à celui du reste des ingrédients du pâté et lui confère toute sa finesse. De plus, comme les grains sont laissés entiers au moment de la fabrication, les tranches de ce pâté se caractérisent par des points verts qui réjouissent l'oeil.

300 g	*de foie de porc*
500 g	*de gras de porc (bajoue/gorge)*
200 g	*de porc maigre à 80 %*
2 g	*d'ail frais*
4	*branches de persil frais*
1	*petit oignon*
4	*échalotes grises*
14 g	*de sel*
2 g	*de poivre noir moulu*
20 g	*de farine (facultatif)*
1 g	*de muscade*
2 g	*de sucre*
1 g	*de sel conservateur*
50 ml	*de vin blanc sec*
2	*oeufs*
7 g	*de poivre vert*
	bardes ou coiffe

Parer les foies et les passer à deux reprises au hachoir muni du disque à petits trous;

Hacher très finement l'ail, le persil, l'oignon et les échalotes; les mêler au foie haché.

---

9. Recette communiquée par André Gignac.

10. Recette communiquée par André Gignac.

Hacher une fois la viande et le gras au disque à petits trous;

Ajouter à la viande et au gras hachés tous les assaisonnements, sauf le poivre vert, le vin et les oeufs; mélanger aussi le foie.

Ajouter au nouveau mélange le vin et les oeufs un à un; bien mélanger;

Ajouter les grains de poivre vert en prenant soin de ne pas les écraser.

Foncer un moule et y verser le mélange; cuire au four (voir *Cuisson des pâtés et des terrines*).

Terrine de foie à la parisienne

Cette délicieuse terrine de qualité supérieure, facile à réaliser, sera très appréciée pour la finesse de son parfum, son originalité tient à la présence de lait infusé avec des aromates.

300 g	*de flanc/poitrine de porc*
300 g	*de bajoue/gorge de porc*
200 g	*de foie de porc*
200 ml	*de lait*
	bouquet garni
	persil, ail, oignon
1	*oeuf*
30 g	*de farine ou de fécule*
20 ml	*de vin blanc* OU
10 ml	*de porto*
15 g	*de sel*
1 g	*de sel conservateur (facultatif)*
5 g	*de sucre*
5 g	*d'épices pour pâtés*
	bardes fines
	coiffes de crépine

Découper le foie en petites lanières, le flanc et les bajoues de porc en morceaux réguliers; mariner le tout avec le sel, le sel conservateur, le sucre et le vin blanc pendant 24 ou 48 heures au réfrigérateur;

Laisser cuire et réduire à petit feu le lait avec les aromates; lorsqu'il est bien infusé, le passer et le laisser refroidir.

Faire pocher le flanc et la bajoue durant 15 minutes dans du lait ou du bouillon maintenu à légers frémissements, puis les passer au hache-viande muni du gros disque;

Figure 7.3
Pâté de foie glacé au brandy

Bien mélanger le hachis avec le foie, l'oeuf, la fécule, les épices et le lait infusé.

Foncer la terrine de bardes, ajouter le pâté, recouvrir de crépine et cuire au four (voir *Cuisson des pâtés et des terrines*).

Pâté de foie au brandy[11]

Le brandy confère au pâté de foie un goût très fin; de plus, la richesse de ses ingrédients fait de cette préparation un mets de choix.

350 g	*de foie de porc*
650 g	*de gras de porc (fesse ou mouille)*
1	*oignon coupé grossièrement*
350 ml	*de lait*
60 ml	*de brandy*
1 g	*d'ail frais*
14 g	*de sel*
4 g	*de poivre gris moulu*
1 g	*de muscade*
2 g	*de sucre*
10 g	*de farine*
1 g	*de sel conservateur*
30 ml	*de brandy*
2	*oeufs*
	bardes ou coiffe

11. Recette communiquée par André Gignac.

Couper le gras en petits morceaux et le faire pocher dans le lait, avec l'oignon coupé grossièrement, jusqu'à ce qu'il raidisse;

Couler le lait à l'aide d'un chinois ou d'une passoire.

Nettoyer les foies, les couper en morceaux et les faire mariner 1 heure dans 60 ml de brandy;

Mélanger le gras poché et les oignons au foie, et passer à deux reprises au hachoir muni du disque à petits trous;

Hacher l'ail très finement.

Incorporer la farine, les assaisonnements et le lait au foie et au gras. Mélanger soigneusement;

Ajouter 30 ml de brandy et les oeufs l'un après l'autre;

Foncer un moule et y verser le mélange. Cuire au four (voir *Cuisson des pâtés et des terrines*).

Laisser reposer environ 2 jours au réfrigérateur avant de le consommer.

Pour améliorer la présentation, démouler et glacer.

Terrine de foie de volaille à l'ancienne

Très savoureuse, cette préparation permet d'utiliser les restes de foie de poulet, de canard ou d'autres volailles

350 g	*de foie de volaille*
350 g	*de soc/échine de porc*
350 g	*de gras de porc (dos/bardière)*
1	*oeuf*
15 g	*de sel*
1 g	*de sel conservateur*
5 g	*de sucre*
2 g	*de poivre blanc moulu*
2 g	*de toute-épice*
20 ml	*de Cointreau*
3	*branches de persil*
	bardes fines
	coiffes de crépine

Parer les foies et les rincer soigneusement; les mélanger avec le sel, le sel conservateur et le sucre; ajouter le Cointreau et laisser le tout de 24 à 48 heures au réfrigérateur.

Passer les matières premières au hache-viande équipé du disque à gros trous;

Mélanger l'élément haché avec le reste des ingrédients;

Remplir la terrine bardée, recouvrir d'une coiffe de crépine et cuire au four (voir *Cuisson des pâtés et des terrines*).

Terrine de foie persillée

Le persil confère à cette variété de terrine de foie une fraîcheur et une saveur particulières que rehausse encore la présence de l'échalote et du vin blanc.

600 g	*de bajoue/gorge de porc*
300 g	*de foie de porc*
15 g	*de sel*
1 g	*de sel conservateur*
5 g	*de sucre*
	bouquet garni
30 ml	*de vin blanc sec*
50 ml	*de lait entier frais*
1	*oeuf*
20 g	*de farine ou de fécule*
2 g	*de poivre gris moulu*
0,5 g	*de muscade râpée*
5 g	*d'ail frais pilé*
15 g	*d'échalote hachée*
	graisse (oie ou canard) ou saindoux
10 g	*de persil frais haché*
	bardes fines
	coiffes de crépine

Découper le foie et la bajoue en petits morceaux, ajouter le sel, le sel conservateur, le sucre et le vin; placer les viandes de 24 à 48 heures au réfrigérateur (ajouter un bouquet garni qui sera retiré au moment du travail).

Prélever le quart du mélange de bajoue et de foie; en faire une farce fine au robot de cuisine avec l'oeuf, le lait, la farine, les épices, l'ail et l'échalote.

Dans une sauteuse, faire rissoler légèrement le restant de bajoue et de foie dans la graisse;

Laisser tiédir puis passer au hache-viande muni du gros disque;

Réunir tous les ingrédients et travailler le mélange avec le persil;

Remplir la terrine préalablement foncée de bardes et recouvrir de coiffe de crépine.

Après cuisson, éliminer la graisse superflue et couler une gelée aromatisée au porto (voir *Cuisson des pâtés et des terrines*).

Pâtés de viande

Pâté de viande à l'armagnac

Simple à réaliser, le pâté à l'armagnac est fait à base de viandes et de farce à gratin.

300 g	*de soc/échine de porc*
300 g	*de flanc/poitrine de porc*
200 g	*de bajoue/gorge de porc*
15 g	*de sel*
1 g	*de sel conservateur*
5 g	*de sucre*
100 g	*de farce à gratin aromatisée à l'armagnac (15 ml) et non au cognac*
	bouillon de boeuf
1	*oeuf*
20 g	*de fécule*
5 g	*d'épices pour pâtés*
3 g	*d'ail frais pilé*
	bardes fines
	coiffes de crépine

Découper la viande en petits morceaux, ajouter le sel, le sel conservateur et le sucre, et laisser reposer le tout au réfrigérateur environ 12 heures.

Plonger la bajoue et le flanc dans le bouillon de boeuf déjà chaud et laisser frémir 5 à 10 minutes; laisser égoutter et tiédir la viande puis la passer au hache-viande muni du gros disque;

Mélanger le soc salé avec la farce à gratin et passer le tout au hachoir.

Réunir tous les éléments dans un récipient sans oublier l'assaisonnement, l'oeuf et la fécule, et pétrir jusqu'à l'obtention d'un mélange homogène;

Remplir la terrine préalablement bardée; recouvrir d'une coiffe de crépine puis mettre au four (voir *Cuisson des pâtés et des terrines*).

Pâté de viande persillé aux morilles

Le pâté persillé se compose de gros morceaux de viande maigre, agglomérés par une farce fine persillée; l'ajout de morilles hachées confère une finesse particulière à cette terrine.

500 g	*de porc maigre (picnic frais/épaule)*
300 g	*de bajoue/gorge de porc*
15 g	*de sel*
1 g	*de sel conservateur*
5 g	*de sucre*
50 ml	*de lait froid*
50 ml	*de vin blanc sec*
5 ml	*de vinaigre*
50 g	*de morilles hachées grossièrement*
20 g	*de fécule*
3 g	*de poivre blanc moulu*
0,5 g	*de muscade râpée*
5 g	*d'ail frais pilé*
10 g	*de persil haché*
	bardes fines
	coiffes de crépine

Découper le maigre de porc en morceaux de 3 à 4 cm et la bajoue en morceaux plus petits; mélanger la viande avec le sel, le sel conservateur, le sucre, le vin blanc, le vinaigre et le persil; laisser mariner environ 12 heures au réfrigérateur.

Confectionner une farce fine au robot de cuisine avec le quart du mélange de viande, le lait, la fécule et l'assaisonnement;

Hacher grossièrement le reste de la bajoue;

Réunir et mélanger la farce fine, la bajoue hachée et le reste des morceaux de porc; ajouter enfin les morilles.

Remplir la terrine préalablement bardée, recouvrir d'une coiffe de crépine et cuire au four (voir *Cuisson des pâtés et des terrines*).

Terrines de gibier et de volaille

Terrine campagnarde de lapin au vin blanc

La fabrication de la terrine campagnarde de lapin est simple dans sa réalisation et conduit à l'obtention d'un produit rustique de bonne qualité; il convient toutefois de se procurer un lapin bien en chair, fraîchement abattu, et de lui faire subir une bonne marinade pour en rehausser la saveur.

1	*lapin de 1,5 à 1,8 kg*
150 g	*de soc/échine de porc*
400 g	*de bajoue/gorge de porc*
30 g	*de sel*
2 g	*de sel conservateur (facultatif)*
8 g	*de sucre*
100 ml	*de lait*
40 ml	*de vin blanc*
2	*oeufs*
50 g	*de fécule*
4 g	*de toute-épice*
4 g	*de poivre blanc moulu*
6	*branches de persil*
	bouquet garni
10 g	*d'échalote émincée*
	bardes fines
	coiffes de crépine

Découper la chair et le foie de lapin ainsi que la viande de porc en petits morceaux; bien malaxer l'ensemble avec le sel, le sel conservateur, le sucre et le vin blanc; ajouter l'échalote et le bouquet garni et laisser mariner au réfrigérateur à couvert pendant 48 heures.

Retirer le bouquet garni et passer l'ensemble des matières premières au hache-viande muni du disque à gros trous;

Pétrir le hachis au mélangeur ou à la main, en introduisant successivement les oeufs, le lait, les épices, le persil haché et la fécule.

Garnir la terrine préalablement foncée de bardes fines, recouvrir d'une coiffe de crépine et mettre au four (voir *Cuisson des pâtés et des terrines*).

Terrine de canard aux pistaches

Généralement présentée en terrine, cette préparation gagne à être enfermée dans une abaisse de pâte car la croûte permet de préserver tout le parfum subtil du canard.

1	*canard de Barbarie d'environ 2 kg*
350 g	*de bajoue/gorge de porc*
400 g	*de veau maigre (épaule)*
	sel (15 g/kg)
	sel conservateur (1 g/kg)
	sucre (5 g/kg)
	poivre blanc moulu (2 g/kg)
	toute-épice (2 g/kg)
2	*oeufs*
100 g	*de pistaches*
20 ml	*de liqueur d'orange*
	bardes fines
	gélatine

Retirer la peau du canard et couper la chair en minces lanières; mettre le foie de côté;

À l'aide d'un petit couteau pointu, détacher des os le reste de viande.

Avec les os, préparer un fumet qui servira, après avoir été renforcé de gélatine, de gelée de remplissage;

Découper le maigre de veau en lanières;

Peser la viande, puis préparer le mélange sel, sel conservateur, sucre, poivre, toute-épice.

Plonger les pistaches dans l'eau bouillante, les égoutter, les rouler dans un linge propre, puis retirer le tégument qui les enveloppe;

Passer au hache-viande équipé du disque fin, la chair de canard qui n'est pas en lanières, le foie, le porc et environ la moitié du maigre de veau (ce travail peut être fait également au robot de cuisine);

Mélanger l'ensemble ainsi haché avec les oeufs, les pistaches, le sel et la liqueur d'orange.

Tapisser le fond de la terrine de bardes avec la peau du canard, ajouter la farce, puis les lanières de viande en alternant;

Recouvrir de bardes fines ou d'une coiffe de crépine;

Cuire au four (voir *Cuisson des pâtés et des terrines*) et servir recouvert de gelée.

Terrine de dinde au poivre vert

La viande de dinde se prête bien à la confection de terrines, galantines et autres gourmandises charcutières. Il convient toutefois, compte tenu de la relative fadeur de cette viande, de l'accommoder avec des condiments susceptibles d'en rehausser la saveur; la terrine de dinde au poivre vert s'inscrit parfaitement dans ce concept.

250 g	*de viande de dinde blanche*
300 g	*de bajoue/gorge de porc*
300 g	*de viande de dinde brune*
18 g	*de sel*
1 g	*de sel conservateur*
5 g	*de sucre*
1	*oeuf*
30 g	*de fécule*
20 g	*de poivre vert*
100 g	*de champignons émincés cuits*
100 g	*de farce à gratin*
100 ml	*d'armagnac*
3 g	*de poivre blanc moulu*
2 g	*de toute-épice ou d'épices pour pâtés*
	bardes fines

Découper en lanières la viande de dinde blanche; parer soigneusement le porc et le couper en petits morceaux réguliers; procéder de la même manière pour la chair de volaille non utilisable pour les lèches (brune).

Mélanger le sel, le sel conservateur et le sucre, en saupoudrer les matières premières sans toutefois les mélanger; verser l'armagnac sur les lanières de dinde et laisser le tout en marinade de 36 à 48 heures au réfrigérateur.

Passer les cubes de dinde et de porc au hache-viande équipé du disque fin; mélanger ensuite le hachis avec l'oeuf, la farce à gratin, les épices, le poivre vert, la fécule et les champignons;

Remplir la terrine préalablement bardée en faisant alterner des rangs de farce et de dinde;

Cuire au four (voir *Cuisson des pâtés et des terrines*).

Terrine de lièvre

Classé comme gibier de petite vénerie, le lièvre peut subir de nombreux modes d'accommodement, dont plusieurs sont identiques à ceux que l'on recommande pour le chevreuil. Terrines, pâtés, ballottines, entre autres, constituent des modes d'apprêt agréables pour apprécier l'arôme et le goût sauvage de ce gibier. La technique décrite ci-dessous peut s'appliquer au lapin de garenne, au faisan, au marcassin et à d'autres espèces animales. La truffe est facultative et on ajoute parfois du poivre vert, du genièvre, des pignons et des pistaches.

1	*lièvre de 2,5 à 3 kg*
300 g	*de gras de porc (dos/bardière)*
100 g	*d'échalote*
2	*truffes*
	thym, laurier
100 ml	*de cognac*
	bardes fines
	coiffe de crépine

Farce

1 kg	*de bajoue/gorge de porc*
300 g	*de picnic frais/épaule de porc*
200 g	*de veau maigre (épaule)*
	foie et chair de lièvre
4	*oeufs*
100 ml	*de cognac*
	sel (18 g/kg)
	poivre blanc moulu (2 g/kg)
	toute-épice (2 g/kg)

Dépouiller, vider et désosser le lièvre entièrement;

Parer le foie et le mettre de côté;

Découper la chair du râble et des cuisses en lanières; tailler aussi le gras de porc;

Ajouter au tout les échalotes ciselées et les truffes coupées de la taille d'un grain de poivre;

Saupoudrer de thym et de laurier, arroser de cognac et laisser mariner au frais quelques heures.

Passer au robot de cuisine ou au hache-viande muni du disque fin le reste de la chair de lièvre, le foie, le veau et le porc;

Peser l'ensemble, puis ajouter les oeufs, le jus de la marinade, le cognac, le sel, le poivre et la toute-épice;

Assaisonner aussi les lanières de lièvre et de gras retirées de la marinade.

Foncer les terrines de bardes et remplir les moules en faisant alterner les rangs de farce et de viande; distribuer les morceaux de truffe également;

Recouvrir la surface d'une fine épaisseur de barde et d'une coiffe de crépine; déposer une feuille de laurier et une branche de thym et refermer la terrine avec son couvercle;

Cuir au four (voir *Cuisson des pâtés et des terrines*).

Terrine de pintade aux marrons

2	*petites pintardes ou une de 1,5 kg*
250 g	*de foie de volaille*
250 g	*de soc/échine de porc*
250 g	*de viande maigre de veau*
250 g	*de gras de porc (dos/bardière)*
6	*marrons confits au cognac*
100 ml	*de cognac*
1	*oeuf*
	sel (15 g/kg)
	poivre blanc moulu (2 g/kg)
	toute-épice (2 g/kg)
1	*branche de thym émiettée*
3	*feuilles de laurier*
	bardes fines
	pâte à luter

Désosser et parer les pintades; peser la viande, ajouter le sel puis le cognac et laisser reposer au réfrigérateur environ 12 heures.

Parer le foie de volaille, le rincer, l'essuyer et le découper en petites lamelles;

Mettre les filets de pintade de côté et, à l'aide du robot de cuisine, confectionner une farce avec le porc, le veau, le gras, le reste de la viande de pintade et l'oeuf.

D'autre part, mélanger le foie de volaille, le thym, le poivre, et la toute-épice;

Ajouter un peu de sel;

Remplir la terrine bardée en faisant alterner des rangs de farce, de filets de pintade et de marrons; terminer par une couche de farce.

Décorer la surface en plaçant quelques bardes en croix; ajouter les feuilles de laurier;

Préparer la pâte à luter, souder le couvercle de la terrine et mettre au four (voir *Cuisson des pâtés et des terrines*).

Pâté à l'orignal[12]

Pour les chasseurs et leurs amis, voici un pâté qui ne saurait laisser personne indifférent. Le goût particulier du gibier fait de cette préparation un mets recherché.

500 g	*d'orignal*
1	*oignon*
1	*gousse d'ail*
500 g	*de bajoue/gorge de porc*
15 g	*de sel*
1 g	*de sel conservateur*
28 ml	*de cognac*
85 ml	*de vin rouge*
	bardes

Passer la viande d'orignal au hachoir muni du disque à gros trous;

Hacher l'oignon et l'ail au disque à petits trous; les incorporer à la bajoue de porc et repasser le tout au hachoir muni du disque à petits trous.

Mélanger la viande d'orignal à la bajoue; ajouter tous les assaisonnements, puis le cognac et le vin;

Bien mêler pour obtenir une pâte homogène et verser dans un moule foncé de bardes. Cuire au four (voir *Cuisson des pâtés et des terrines*).

12. Recette communiquée par soeur Monique Chevrier.

Terrines de légumes

Terrine de légumes

La terrine de légumes peut constituer une entrée agréable au palais et flatteuse à l'oeil en raison de la mosaïque de couleurs qui la compose; elle se sert en tranches assez épaisses et généralement accompagnée d'une sauce froide (vinaigrette, mayonnaise ou autre).

250 g	*de carottes*
250 g	*de haricots verts*
5	*fonds d'artichauts cuits*
400 g	*de porc (flanc/poitrine ou bajoue/gorge)*
4	*oeufs*
3	*blancs d'oeufs*
100 ml	*de crème fouettée*
15 g	*de sel*
3 g	*de poivre blanc moulu*

Préparer les carottes et les haricots, les cuire à la vapeur environ 10 minutes et les égoutter soigneusement;

Mélanger au robot de cuisine le porc, les oeufs, le sel, le poivre et les fonds d'artichauts;

Une fois le mélange bien homogène, ajouter la crème fouettée.

Retirer la farce du robot et incorporer les blancs d'oeufs battus en neige;

Dans une terrine simplement graissée, répartir harmonieusement la farce, les carottes et les haricots en couches successives;

Cuire au four (voir *Cuisson des pâtés et des terrines*).

Terrine de ris de veau aux légumes[13]

Étonnante par sa légèreté et son onctuosité, la terrine de ris de veau aux légumes réjouit aussi l'oeil puisqu'il est possible de réussir une alternance de couleurs des plus harmonieuses.

250 g	*de ris de veau*
150 g	*de maigre de veau*
250 g	*de carottes*
200 g	*d'épinards*
3	*blancs d'oeufs*
80 ml	*de crème fouettée*
200 ml	*de porto*
15 g	*de sel*
2 g	*de poivre blanc moulu*
1 g	*d'épices fines*
1 g	*de muscade râpée*

Faire blanchir les ris de veau et les laisser bouillir 4 à 5 minutes, bien les égoutter, puis les éplucher;

Faire cuire les carottes (20 à 25 minutes) et les épinards (5 minutes) dans de l'eau salée;

Bien égoutter les légumes, puis les presser fortement pour en extraire au maximum l'eau de cuisson;

Réduire séparément les légumes en fine purée.

Au robot de cuisine, préparer une farce avec le maigre de veau, le deux tiers des ris de veau, le sel et les épices; incorporer à ce mélange le blanc d'oeuf, la crème fouettée et enfin le porto;

Séparer la farce fine en trois parties; ajouter à l'une d'elles les carottes, à l'autre les épinards, et à la troisième le reste des ris de veau préalablement coupés en petites noix.

Remplir la terrine de farce en alternant harmonieusement les couleurs;

Cuire au four (voir *Cuisson des pâtés et des terrines*).

Terrines de poisson

Dans la gamme très vaste des terrines et pâtés, il semble qu'actuellement, les préparations à base de poisson connaissent un grand succès auprès des consommateurs. Les recettes, pour la plupart connues depuis fort longtemps, ont été remises au goût du jour par des chefs renommés.

Terrine de poisson

450 g	*de filets de sole*
150 g	*de filets de merlan*
75 ml	*de crème à 35 %*
4	*oeufs*
1	*jus de citron*

13. Recette de Guy Aubert, professeur à l'École supérieure des métiers de la viande à Paris.

125 g	*de mie de pain rassis*
50 ml	*de lait*
40 ml	*de marc*
12 g	*de sel*
2 g	*de toute-épice*
2 g	*de poivre blanc moulu*
1 g	*de piment fort*
5	*branches de persil*
6	*tiges de ciboulette*
5	*branches de cerfeuil*

Placer dans un plat creux les trois quarts des filets de sole, les arroser avec la moitié du jus de citron et la totalité du marc, et laisser reposer le tout environ 15 minutes;

Émietter le pain dans une casserole, mouiller de lait et chauffer sur feu doux en remuant jusqu'à ce que la préparation n'adhère plus aux parois;

Incorporer ensuite, hors du feu, deux oeufs ainsi que les herbes finement ciselées; ajouter un peu de poivre, de toute-épice et de piment fort, et laisser tiédir la panade avant de l'utiliser.

Au robot de cuisine, préparer une farce avec le merlan, le reste de sole, la crème, deux oeufs, le sel et les épices, et le reste du jus de citron; au besoin, épaissir un peu la farce en ajoutant 20 g de fécule;

Remplir une terrine préalablement graissée, en faisant alterner les couches de farce, de panade et de filets de sole marinés et coupés en lanières; terminer par la farce.

Procéder à la cuisson après avoir, de préférence, posé et luté le couvercle sur la terrine (voir *Cuisson des pâtés et des terrines*).

Terrine de saumon aux légumes[14]

Cette recette est originale par sa présentation et sa saveur; de plus, elle se démarque très nettement de la précédente par un mode de fabrication qui donne une texture très légère en bouche.

14. Recette de Guy Aubert, professeur à l'École supérieure des métiers de la viande à Paris.

Marinade

1 kg	*de saumon coupé en grosses escalopes (1 cm)*
15 g	*de sel*
100 ml	*de vin blanc sec*
2 g	*de poivre blanc moulu*
1	*c. à soupe d'huile d'olive*
1	*c. à café de Ricard (ou autre apéritif anisé)*
1	*bouquet garni*

Mousse

500 g	*de filets de merlan*
3	*blancs d'oeufs*
300 g	*de crème*
40 g	*d'échalote*
20 g	*de sel*
3 g	*de poivre blanc moulu*
50 g	*de carottes râpées*
100 g	*de bulbe de fenouil émincé en julienne*
100 g	*de champignons de Paris émincés en julienne*
100 ml	*de Noilly ou porto*
20 g	*d'estragon frais*
20 g	*de persil haché*
50 g	*de petits pois congelés (facultatif)*

Faire mariner une nuit le saumon escalopé avec le sel, le vin blanc sec, le poivre, l'huile, le Ricard, le bouquet garni; au moment du travail, retirer le bouquet garni et récupérer le jus de marinade qui sera ajouté dans la mousse.

Faire étuver au beurre dans une sauteuse mais sans colorer les carottes, le fenouil, les champignons; déglacer avec le Noilly et ajouter l'estragon sans oublier le persil; faire refroidir les légumes.

Préparer la mousse au robot de cuisine avec le merlan, le blanc d'oeuf, l'échalote, le sel, le poivre, la crème, le reste de marinade ainsi que les légumes étuvés; à la main, ajouter ensuite les petits pois encore congelés afin qu'ils restent bien fermes;

Beurrer une belle terrine et disposer en alternance une couche de farce, une couche de saumon, etc.

Procéder à la cuisson (voir *Cuisson des terrines et pâtés*); après cuisson, remplir d'un bon fumet de poisson renforcé à la gélatine.

Terrine de saumon et de truite fumés aux oeufs de lump[15]

Relativement facile à réaliser, ce plat est très raffiné tant par son goût que par le jeu de couleurs des ingrédients qui le composent.

200 g	*de saumon fumé*
1	*blanc d'oeuf*
330 ml	*de crème à 35 %*
	sel et poivre au goût
200 g	*de truite fumée (poids net)*
1	*blanc d'oeuf*
330 ml	*de crème à 35 %*
	oeufs de lump (petite boîte)

Déposer le saumon dans un robot de cuisine, faire tourner 20 secondes, ajouter le blanc d'oeuf puis la crème en petit filet;

Mettre ce premier appareil au réfrigérateur.

Couper les têtes des truites et, à l'aide d'un petit couteau, enlever la peau;

Détacher les filets, les déposer dans le robot et tourner 20 secondes;

Lorsque le mélange est homogène, incorporer le blanc d'oeuf et la crème; assaisonner au goût.

Dans un moule beurré, coucher la moitié du mélange de truite, puis la moitié du mélange à base de saumon;

Avec une cuillère à soupe, creuser au centre un sillon de un centimètre sur toute la longueur de la terrine et y déposer les oeufs de lump;

Recouvrir du reste de mélange au saumon et finir avec le mélange de truite;

Couvrir d'un papier aluminium et cuire au bain-marie dans un four préchauffé à 220°C, pendant une heure.

Servir en tranches d'épaisseur moyenne et napper d'un coulis.

15. Recette communiquée par le restaurant *Le Béarn*.

Figure 7.4

Terrine de saumon et de truite fumés aux oeufs de lump

Terrine d'anguille[16]

Cette délicieuse terrine d'anguille fera le régal de vos convives: vous la présenterez coupée en tranches épaisses disposées sur un lit de gelée, dans un plat rectangulaire.

150 g	*de filets de brochets*
500 g	*d'anguille fraîche*
200 g	*d'anguille fumée*
1	*échalote*
10 g	*de beurre*
60 g	*de mie de pain blanc fraîche*
½	*blanc d'oeuf*
40 ml	*de crème à 35 %*
150 ml	*de crème fouettée*
10 g	*sel*
	poivre blanc moulu
	noix de muscade râpée
	moutarde anglaise
40 g	*d'aneth haché*
	gelée aromatisée au vin blanc

16. Recette tirée de l'ouvrage *Le livre des terrines et pâtés*, Paris, ERTI-LECERF, 1981. *Au Québec, l'anguille est considérée comme non comestible depuis plusieurs années. On pourra cependant s'inspirer de la recette en utilisant un autre poisson.*

Faire suer l'échalote dans le beurre; couper le pain en lamelles puis l'arroser de blanc d'oeuf légèrement battu et de crème à 35 %;

Couper les filets de brochet en morceaux.

Aplatir l'anguille fraîche avec le plat d'un couperet et la découper aux dimensions du moule; saupoudrer le côté chair d'épices et d'aneth;

Retirer la peau de l'anguille fumée; prélever les filets et les couper en morceaux;

Passer au robot de cuisine le brochet, le pain arrosé d'oeuf et de crème, l'échalote, le sel et les épices;

Incorporer ensuite, à la main, la crème fouettée et 20 g d'aneth.

Beurrer un moule rectangulaire d'une contenance de un litre et le chemiser de papier d'aluminium ou d'un plastique spécial;

Foncer le moule de filets d'anguille en couvrant bien le fond et les côtés;

Couvrir la chair avec le tiers de la farce de brochet, puis remplir le moule en faisant alterner des rangs d'anguille fumée et de farce (terminer par une couche de farce);

Bien tasser le tout, rabattre le papier et fermer le moule.

Cuire au bain-marie durant 40 minutes en maintenant l'eau à 80°C;

Démouler la terrine refroidie et la couvrir d'aneth, puis de gelée et d'une deuxième couche d'aneth.

Les mousses et les mousselines

Mousse de jambon au porto

Fabriquée avec des éléments riches (béchamel, crème fraîche) et ne subissant pas de cuisson après fabrication, cette excellente mousse doit être faite avec un maximum de précautions d'hygiène et consommée rapidement.

500 g *de jambon cuit dégraissé*
120 g *de beurre doux*
120 ml *de crème à 35 %*
50 g *de pâte de tomates*
20 ml *de porto*
sel et poivre
gelée aromatisée au porto
truffe, blanc d'oeuf ou tomate

Béchamel

20 g *de beurre*
20 g *de farine*
200 g *de lait bouillant*

Préparer d'abord la béchamel: faire un roux avec le beurre et la farine, ajouter progressivement le lait bouillant, amener le tout à ébullition et cuire à feu doux pendant une dizaine de minutes en veillant à ce que la sauce n'attache pas au fond du récipient.

Travailler ensuite le jambon et le beurre au robot de cuisine jusqu'à l'obtention d'une pâte homogène;

Ajouter la crème, la pâte de tomates, puis la béchamel, le porto, le sel et le poivre.

Chemiser à plusieurs reprises un moule assez haut avec la gelée au porto et décorer le fond de truffe, de blanc d'oeuf cuit ou de tomate;

Remplir le moule avec la mousse de jambon, napper la surface de gelée et laisser refroidir au réfrigérateur;

Plonger le moule dans l'eau chaude, démouler la mousse et la servir sur un lit de gelée hachée.

Mousse de foies de volaille[17]

Malgré une dénomination semblable à celle de la recette suivante, cette préparation s'en distingue non seulement par ses ingrédients, mais aussi par son mode opératoire; en effet, ici les foies ne sont pas saisis mais plutôt cuits dans l'eau. Le restaurant

17. Recette communiquée par le restaurant *Le Béarn*.

Le Béarn accompagne cette mousse d'une compote d'oignons qui en rehausse la saveur.

1 kg	*de foies de poulet*
1	*carotte*
1	*branche de céleri*
1	*oignon*
1	*feuille de laurier*
	poivre en grains
4 l	*d'eau*
60 ml	*de madère*
60 ml	*de cognac*
200 g	*de beurre ramolli*
250 ml	*de crème à 35 %*
	sel et poivre
	gelée aromatisée

Déposer dans l'eau les foies, les légumes coupés grossièrement, le laurier et les grains de poivre;

Cuire à feu vif pendant 15 minutes et laisser refroidir.

À l'aide d'une écumoire, retirer les foies du bouillon, les rincer et les assécher avant de les parer;

Déposer les foies dans un mélangeur et battre; lorsqu'il sont en purée, ajouter la madère et le cognac puis mélanger;

Incorporer alors le beurre, la crème et l'assaisonnement.

Chemiser un moule avec de la gelée aromatisée et y verser le mélange;

Laisser reposer 12 heures au réfrigérateur.

Compote d'oignons[18]

4	*oignons*
100 g	*de sucre*
20 ml	*de vinaigre rouge*
20 ml	*de vin blanc*
30 g	*de beurre*

Émincer les oignons très fin; les faire revenir au beurre, ajouter le sucre, couvrir et laisser cuire lentement pendant 30 minutes;

Lorsque les oignons sont dorés, ajouter le vinaigre et le vin blanc;

Laisser cuire jusqu'à coloration;

Retirer du feu et laisser refroidir.

Mousseline de foies de volaille

Préparation d'excellente qualité, la mousseline de foie se présente en terrine. Elle doit être débitée très fraîche à l'aide d'un couteau dont la lame a été préalablement tiédie, comme pour le foie gras. L'inconvénient de cette préparation est que n'étant pas stabilisée par une cuisson après sa fabrication, son délai de conservation est relativement court.

600 g	*de foies de volaille*
15 g	*de sel*
1 g	*de sel conservateur (facultatif)*
5 g	*de sucre*
400 g	*de beurre doux*
5 ml	*de fine champagne*
30 g	*d'échalote hachée*
1 g	*de cerfeuil haché*
2 g	*de poivre blanc moulu*
1	*pincée de muscade*

Parer les foies puis les rincer soigneusement et les égoutter;

Ajouter le sel, le sel conservateur, la fine champagne et le sucre et laisser macérer le tout de 24 à 48 heures au réfrigérateur.

Faire saisir les foies dans un mélange de beurre et d'huile (cette opération est délicate car les foies doivent être saisis mais rester roses à l'intérieur);

Ajouter ensuite dans la sauteuse l'échalote et le cerfeuil, puis faire flamber à la fine champagne.

Préparer la mousseline à l'aide du robot de cuisine en incorporant aux foies de volaille encore tièdes le beurre légèrement ramolli, puis le jus de la marinade, le poivre et la muscade; travailler jusqu'à l'obtention d'une texture lisse, bien liée et onctueuse;

Verser et garder au réfrigérateur jusqu'à utilisation.

18. Recette communiquée par le restaurant *Le Béarn*.

Mousseline de jambon

La mousseline de jambon convient particulièrement pour la préparation des canapés, pains surprise, aspics, aiguillettes et cornets de jambon. Moulée et cuite en terrine ou en ramequins individuels, elle peut aussi être consommée chaude accompagnée d'une sauce.

400 g	*de jambon cuit dégraissé*
2	*jaunes d'oeufs*
2	*blancs d'oeufs*
150 ml	*de lait*
250 ml	*de crème fouettée*
100 g	*de farce à gratin*
30 g	*de farine ou de fécule*
2 g	*de poivre blanc moulu*
20 ml	*de madère*

Travailler le jambon au robot de cuisine avec la farce à gratin très froide; ajouter les jaunes d'oeufs, puis progressivement le lait tiède (40-45 °C);

Introduire ensuite la farine, le poivre, le sel et le madère, puis la crème fouettée et les blancs d'oeufs montés en neige;

Mouler en terrines légèrement graissées et cuire au four (voir *Cuisson des pâtés et des terrines*).

Mousseline de lapin aux petits légumes[19]

D'un goût particulièrement fin, cette mousseline de lapin est légère et fort agréable pour l'oeil. Naturellement, sa richesse, due à la présence de la crème, la rend difficile à conserver; il vaut donc mieux procéder à sa fabrication peu de temps avant de la consommer.

400 g	*de lapin (1 lapin)*
50 g	*de carottes*
50 g	*de haricots verts*
50 g	*de fonds d'artichauts en boîte*
4	*blancs d'oeufs*
750 ml	*de crème à 35 %*
	sel et poivre au goût

Figure 7.5

Mousseline de lapin aux petits légumes

Préparer les carottes en bâtonnets et équeuter les haricots, les blanchir à l'eau salée, puis les faire refroidir;

Égoutter les fonds d'artichauts.

Désosser le lapin et en passer la chair au hachoir muni du disque à petits trous;

Passer ensuite la chair hachée au robot de cuisine pendant 30 secondes environ; incorporer les blancs d'oeufs en laissant tourner quelques secondes, saler et poivrer au goût;

Verser la crème à petit filet.

Dans un moule beurré, étaler une couche de farce de un centimètre d'épaisseur environ, y déposer les bâtonnets de carottes côte à côte dans le sens de la longueur;

Ajouter une couche de farce et y déposer des haricots puis une autre couche de farce et les coeurs d'artichauts (ce rang constitue le milieu de la terrine).

Continuer à alterner les rangs en inversant l'ordre des légumes;

Couvrir d'un papier d'aluminium et cuire au bain-marie dans un four préchauffé à 200° C pendant 1 heure 15 minutes.

Servir en tranches d'épaisseur moyenne.

---

19. Recette communiquée par le restaurant *Le Béarn*.

Mousseline de Saint-Jacques

Délicieuse, la mousseline de Saint-Jacques se présente le plus souvent en terrine dont la surface est décorée à la gelée de poisson blanche. La préparation peut être consommée froide, accompagnée d'une mayonnaise, ou réchauffée à four doux en papier d'aluminium et présentée avec une sauce béarnaise ou hollandaise.

400 à 500 g	*de noix de coquille Saint-Jacques avec corail*
	vin blanc sec
200 g	*de beurre doux*
200 g	*de pâte à choux*
4	*oeufs*
10 g	*de sel*
1 g	*de poivre blanc moulu*
1	*pincée de muscade râpée*

Faire mariner les noix de Saint-Jacques dans le vin environ une nuit au réfrigérateur.

Mettre le corail de côté et, à l'aide du robot de cuisine, réduire le reste des ingrédients en pâte lisse et onctueuse; ajouter à la chair de coquille Saint-Jacques le beurre ramolli, puis la pâte à choux, les oeufs, le sel et les épices.

Disposer en terrine en alternant les couches de pâte et de corail;

Cuire au four (voir *Cuisson des pâtés et des terrines).*

Les produits en gelée

Fromage de tête français

Simple à réaliser, le fromage de tête est généralement préparé à l'aide de têtes de porc saumurées afin d'obtenir une viande rose à la coupe; il faut compter au moins 4 à 6 jours d'immersion dans une saumure à base de sel, de sel conservateur et de sucre (voir la composition de la saumure du jambon au torchon). Le saumurage n'est toutefois pas essentiel.

1	*tête de porc, sans cervelle*
	quelques couennes de porc
1	*pied de veau*
200 g	*d'oignons*
200 g	*d'échalote*
4	*branches de thym*
2	*feuilles de laurier*
2	*clous de girofle*
1	*petit bouquet de persil*
20	*grains de poivre*
1	*bouteille de vin blanc sec*
	sel
	gélatine en poudre

(Demander au charcutier de fendre la tête en deux, ou même en quatre, de manière à pouvoir utiliser un récipient de dimension normale.)

Laver soigneusement la tête de porc et les couennes à l'eau tiède; plonger l'ensemble dans un récipient contenant de l'eau bouillante et porter le tout à ébullition; jeter ensuite l'eau de blanchiment et bien rincer la viande;

Remettre la tête et les couennes dans la marmite, ajouter le pied de veau, les oignons, l'échalote, les herbes, les épices et le vin;

Ajouter de l'eau à égalité, saler et laisser cuire à légers frémissements durant 4 à 5 heures.

Récupérer la tête du porc, filtrer le jus de cuisson et jeter le reste des ingrédients;

Couper les oreilles, retirer les os de la tête, et éliminer la muqueuse blanche qui se trouve sous la langue et toute partie grasse indésirable.

Couper la viande jugée bonne en cubes et remplir jusqu'aux trois quarts des bols ou saladiers en pyrex, par exemple.

Couvrir de jus de cuisson et, au besoin, ajouter un peu de gélatine en poudre;

Mettre au réfrigérateur et laisser refroidir.

Tête en fromage[20]

D'origine semblable à celle du fromage de tête, cette préparation est pourtant plus riche parce qu'on y ajoute du jarret de porc et de veau. La présence de cette viande donne aussi une consistance plus gélatineuse à la tête en fromage.

1	*tête de porc*
2	*jarrets de porc*
2	*jarrets de veau*
9	*oignons moyens*
10 g	*de gros sel*
5 g	*de poivre noir*
5 g	*de toute-épice*
8	*clous de girofle*
3	*feuilles de laurier*
	clou de girofle moulu (au goût)

Déposer dans un chaudron la tête et les jarrets et juste assez d'eau pour couvrir;

Ajouter 4 oignons piqués de 2 clous de girofle chacun, les feuilles de laurier, le sel, le poivre et la toute-épice;

Amener à ébullition et laisser bouillir pendant 2 heures; après ce temps, laisser mijoter environ 2 heures;

Couler le bouillon et désosser la viande.

Couper les oignons qui restent en morceaux grossiers, les ajouter à la viande désossée et passer le tout au hachoir muni du disque à gros trous.

Ajouter au bouillon cette viande hachée ainsi que le clou moulu; saler au goût et laisser mijoter le tout environ 30 minutes;

Verser dans un moule et laisser refroidir au réfrigérateur en brassant régulièrement au début pour rendre le mélange homogène.

20. Recette communiquée par André Gignac.

Figure 7.6
Jambon persillé

Jambon persillé

Préparation classique de charcuterie, le jambon persillé trouve son origine en Bourgogne. La recette ci-dessous est extrêmement simplifiée car elle utilise du jambon acheté déjà cuit chez le charcutier. Les recettes authentiques partent d'une cuisse de porc salée lentement par saumurage et cuite spécialement dans un bouillon aromatisé au vin blanc et au marc de Bourgogne.

Un jambon persillé est présenté en terrine. On coupe en général des tranches assez épaisses, servies en entrée.

800 g	*de jambon cuit*
200 g	*de gelée assez ferme*
10 g	*d'échalote fraîche*
20 g	*de persil*
5 g	*d'ail frais*
25 ml	*de vin blanc*
5 ml	*de marc de Bourgogne*
8 ml	*de vinaigre de vin*
2 g	*de poivre blanc moulu*
	gelée additionnée de persil hachée pour le nappage

Faire réchauffer la gelée avec le vin, le vinaigre de vin, le marc, le persil, l'échalote, l'ail et le poivre;

Ajouter le jambon en morceaux et laisser cuire le tout 10 à 15 minutes pour que la gelée puisse nourrir la fibre et la rendre moelleuse.

Verser le mélange dans un saladier en pyrex ou une terrine et le laisser refroidir à température ambiante avant de l'entreposer au réfrigérateur;

Lorsque le jambon persillé est bien pris, verser en surface une couche de gelée persillée d'environ un centimètre.

Chapitre 8

LES PRODUITS FABRIQUÉS SOUS BOYAU ET AU TORCHON

◆ ◆ ◆ ◆ ◆ ◆ ◆ ◆ ◆ ◆

Les produits fabriqués sous boyau

Boudin blanc

Le boudin blanc est un produit de fête qui, au même titre que la dinde, symbolise les joyeuses agapes familiales des réveillons de fin d'année.

Confection

350 g	*de viande blanche (picnic frais/épaule de porc, dinde ou poulet)*
180 g	*de gras de porc (soc/bardière)*
150 g	*de bajoue/gorge de porc*
350 ml	*de lait*
1	*oeuf ou 2 blancs d'oeufs*
20 g	*de fécule ou de farine*
16 g	*de sel*
2 g	*de poivre blanc moulu*
15 ml	*de porto ou 1 ml de kirsch (particulièrement avec la volaille)*
40 g	*de truffes*
1	*petit oignon*
2	*carottes*
	bouquet garni
	boyaux menus de porc

Mettre l'oignon, les carottes et le bouquet garni dans le lait et laisser l'ensemble cuire lentement afin que le liquide s'imprègne bien des principes aromatiques des légumes; récupérer le lait par filtration (il doit en rester au moins un quart de litre; si, pour des raisons diverses, la quantité n'est pas suffisante, ajouter du lait bouilli).

Découper la viande bien parée et le gras en petits morceaux;

Hacher les truffes et les faire macérer dans l'alcool;

Mettre les boyaux de porc dans de l'eau tiède légèrement vinaigrée pour les dessaler et les assouplir; au besoin, les couler (c'est-à-dire faire passer de l'eau à l'intérieur).

Préparer ensuite la mêlée à l'aide du robot de cuisine: introduire dans le bol la viande, le gras et l'oeuf; donner quelques tours; ajouter le sel, le poivre, puis battre le tout en versant progressivement le lait maintenu à 60-70°C; introduire la fécule et, lorsque la mêlée est bien fine et lisse, ajouter l'alcool et les truffes; bien mélanger ensemble; au besoin, laisser le robot tourner encore quelques tours.

Figure 8.1
Boudin blanc

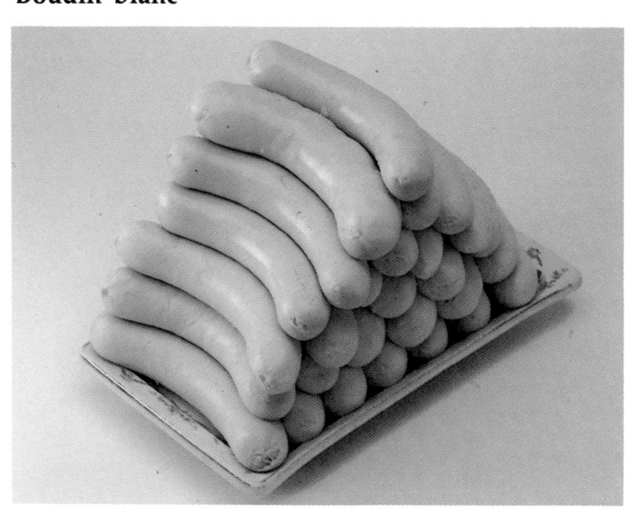

Pousser la mêlée sous le boyau et former des portions d'environ 100 g;

Introduire les boudins dans de l'eau légèrement frémissante, puis retirer du feu; les laisser tremper environ 25 minutes en veillant à ce que la température ne soit jamais inférieure à 70°C.

Pour s'assurer que le boudin reste bien blanc, le mettre à refroidir dans l'eau une dizaine de minutes, puis le conserver au réfrigérateur entouré d'un linge légèrement humide.

Cuisson à la poêle

On peut faire cuire le boudin directement dans la poêle ou, après l'avoir blanchi, à l'eau salée.

- Débarrasser le boudin de son boyau en essayant autant que possible de ne pas l'abîmer;
- Faire chauffer le beurre dans la poêle et quand il est très chaud, mais à peine coloré, y faire glisser les boudins;
- Les laisser dorer à température moyenne en les retournant de temps à autre afin qu'ils dorent uniformément;
- Les servir très chauds.

Variante originale

- Réchauffer les boudins dans de l'eau légèrement salée maintenue à 40-50°C;
- Les faire ensuite rissoler doucement dans la poêle avec du beurre ou une autre matière grasse. Cette opération terminée, les disposer dans le plat de service réchauffé; couvrir et maintenir en température;
- Dans la poêle, faire revenir des oignons finement hachés et une pointe d'ail. Colorer, puis flamber copieusement à l'armagnac;
- Ajouter de la crème et un peu de lait pour assouplir; assaisonner avec sel, poivre et coriandre;
- Verser la sauce sur le boudin.

Avec un boudin blanc, on boit de préférence un meursault ou un champagne brut. Quant aux légumes qui l'accompagnent, on sert soit de la purée de pommes de terre ou de marrons, soit encore de la compote de pommes.

Cuisson au four ou au gril

La cuisson au four se fait de la manière suivante:

- Piquer les boudins sur toute leur surface, afin qu'ils n'éclatent pas;
- Enduire d'une fine pellicule de beurre des feuilles de papier d'aluminium et y envelopper les boudins;
- Mettre à four chaud ou à gril pas trop vif;
- Pour les servir, les extraire du papier et les faire glisser sur le plat très chaud.

Boudin noir

Préparation de charcuterie cuite, le boudin noir trouve ses origines dans la plus haute Antiquité. C'est un aliment énergétique qui se consomme, en principe, pendant la saison froide, grillé à la poêle ou au four; on le sert généralement avec de la purée de pommes de terre, ou à la normande avec des lamelles de pommes dorées au beurre.

Figure 8.2
Boudin noir

400 g	*d'oignon émincé*
400 g	*de sang frais de porc*
400 g	*de gras de porc*
	OU
300 g	*de gras de porc* ET *100 g de crème fraîche*
15 g	*de sel*
2 g	*de poivre gris moulu*
2 g	*d'épices à boudin*
	boyaux menus de porc

Faire tremper les boyaux dans de l'eau tiède, légèrement vinaigrée pour les ramollir;

Passer le gras de porc au hache-viande muni du disque à gros trous.

Dans une cocotte, faire blondir les oignons environ 30 minutes sans les brûler (au besoin, ajouter un peu d'eau);

Dans une casserole contenant de l'eau frémissante, réchauffer le gras de 5 à 10 minutes, puis l'égoutter.

Mélanger les oignons cuits au gras tiède, ajouter le sang froid, le sel, le poivre, les épices et la crème;

Goûter la mêlée et rectifier l'assaisonnement s'il y a lieu.

Enfiler le boyau sur un entonnoir muni d'un embout long, puis obturer l'extrémité par un noeud;

À l'aide d'une louche, introduire la pâte à boudin dans l'entonnoir et, tout en remuant le mélange pour qu'il reste homogène, remplir le boyau;

Lorsqu'une longueur est pleine, la retirer, nouer l'autre bout et la séparer en petites portions en exerçant une torsion sur le boyau.

Introduire les boudins dans l'eau frémissante et éteindre le feu;

Les laisser tremper de 20 à 30 minutes;

Vérifier la cuisson en piquant le boudin à l'aide d'une aiguille; si le jus qui en sort est translucide, le boudin est cuit;

Retirer le boudin de l'eau et le laisser refroidir sur une surface plane.

Boudin noir antillais

Spécialité antillaise, ce boudin au goût relevé est servi après avoir été réchauffé pendant quelques minutes dans de l'eau à 70-80°C. On le déguste en aspirant le contenu par un des orifices.

350 g	*de sang de porc*
70 g	*de mie de pain*
225 ml	*de lait*
250 g	*de chair à saucisse*
1	*oeuf*
60 g	*de cives*
15 g	*de persil haché*
25 g	*de piment frais des Antilles*
15 g	*de sel*
1 g	*de poivre blanc moulu*
1	*pincée de muscade râpée, de thym et de cannelle*
10 ml	*de rhum*
5 g	*de sucre de canne*
	boyaux menus de porc

Faire tremper la mie de pain dans le lait tiède (panade);

Faire cuire la chair à saucisse avec les cives hachées finement.

Au robot de cuisine, mélanger et réduire en farce la panade, la chair à saucisse et le piment haché finement;

Mélanger l'ensemble avec le sang, l'oeuf, le persil, le sel et les épices, le rhum et le sucre (il est préférable de faire cette opération au bain-marie car la température du mélange doit être maintenue à environ 40°C;

Pousser la mêlée sous boyau, puis faire cuire le boudin (voir *Boudin noir*).

Saucisses crues (à rôtir ou à cuire)

Merguez

La merguez est une saucisse fraîche, fortement pimentée, consommée à l'origine presque exclusivement en Afrique du Nord. Durant la dernière décennie, la recette s'est propagée dans de nombreux pays; elle fait, à la belle saison, les délices des repas-barbecue et elle constitue un des éléments importants de la garniture pour le couscous.

Traditionnellement, et encore maintenant pour les consommateurs musulmans et israélites, cette saucisse piquante est faite de pur boeuf ou encore de boeuf et de mouton.

500 g	*de boeuf (flanc/flanchet ou poitrine désossée)*
400 g	*de mouton (poitrine désossée)*
70 ml	*d'eau fraîche*
20 g	*de sel*
20 g	*de piment rouge ou paprika doux*
3 g	*de piment fort*
2 g	*de poivre blanc moulu*
1	*petite gousse d'ail, pilée*
2 g	*d'anis étoilé*
2 g	*d'origan*
20 ml	*d'huile d'olive*
	boyaux menus de mouton

Dissoudre le sel et l'ensemble des épices dans l'eau fraîche de façon à obtenir un mélange de la consistance d'une purée fluide (au besoin augmenter légèrement la quantité d'eau);

Faire tremper les boyaux dans de l'eau tiède vinaigrée pour les ramollir.

Couper la viande en petits cubes et la passer au hachoir équipé d'un disque à trous moyens;

Mélanger la viande hachée avec la purée d'épices et ajouter l'huile;

À l'aide du poussoir, pousser la pâte sous le boyau puis former des saucisses de 10 à 15 cm de longueur.

À défaut de pouvoir confectionner des saucisses, façonner des boulettes de 50 à 80 g, les envelopper dans une petite coiffe de crépine bien rincée à l'eau vinaigrée et aplatir le tout en forme de crépinette.

Saucisse au champagne

Préparée avec de la viande de porc très fraîche pour qu'elle puisse bien absorber le champagne, la saucisse au champagne constitue un mets de fête. Sa qualité, hors du commun, est encore rehaussée par la présence de truffes. Elle se consomme après avoir été grillée à la poêle avec du beurre frais.

400 g	*de porc (picnic frais/épaule)*
350 g	*de gras de porc (dos/bardière)*
190 ml	*de champagne*
18 g	*de sel*
2 g	*de poivre blanc moulu*
2 g	*de toute-épice*
60 g	*de truffes, émincées*
1	*oeuf*
	boyaux menus de mouton

Faire tremper les boyaux de 15 à 30 minutes dans de l'eau tiède légèrement vinaigrée pour les assouplir;

Passer les matières premières deux fois au hache-viande équipé du disque à gros trous, afin d'obtenir une mêlée onctueuse.

Faire absorber le champagne à la viande et assaisonner le tout;

Introduire les truffes et l'oeuf et bien mélanger.

Pousser la pâte sous les boyaux et former des saucisses d'environ 15 cm;

Laisser reposer les saucisses au frais de 24 à 48 heures afin que la viande prenne tout le fumet des truffes et du champagne.

Saucisse au vin rouge

Cette spécialité trouve ses origines dans les vignobles renommés du Bordelais (région du Médoc). Elle est consommée frite ou grillée au barbecue.

700 g	*de porc maigre (picnic frais/épaule)*
18 g	*de sel*
3 g	*d'ail frais pilé*
75 ml	*de bordeaux rouge (Médoc)*
1 g	*d'herbes de Provence*
250 g	*de gras de porc (dos/bardière)*
2 g	*de poivre blanc moulu*
1	*pincée de muscade râpée*
5 ml	*d'eau-de-vie de vin*
	boyaux menus de porc

Faire chauffer le vin avec l'ail, puis le flamber; introduire les herbes de Provence et l'eau-de-vie et laisser infuser le tout; filtrer le vin et le garder au froid.

Dessaler les boyaux de porc et les laisser tremper 30 minutes dans de l'eau tiède légèrement vinaigrée pour les assouplir;

Découper les matières premières en petits morceaux et les passer au hache-viande équipé du gros disque;

Ajouter le sel, les épices et le vin très froid; bien mélanger.

Pousser la pâte sous boyau et former des saucisses de 12 à 15 cm de longueur.

Saucisse italienne[21]

L'importance de la présence italienne au Québec est probablement à l'origine de la dénomination de cette saucisse au goût relevé qui se consomme grillée.

1 kg	*de porc maigre à 75 %*
	ou
700 g	*de porc*
300 g	*de boeuf*
1	*oignon moyen*
3	*branches de persil*
2 g	*d'ail frais*
1 g	*de muscade*
5 g	*de paprika*
0,5 g	*d'origan*
14 g	*de sel*
2 g	*de poivre noir*
1	*oeuf*
75 ml	*d'eau froide*
100 ml	*de vin rouge (facultatif)*
	boyaux menus de porc

Passer la viande une fois au hachoir muni du disque à gros trous.

21. Recette communiquée par André Gignac.

Couper finement l'oignon, le persil et l'ail;

Incorporer les assaisonnements, l'oeuf, l'eau et le vin; bien mélanger;

Embosser et laisser reposer environ 12 heures au réfrigérateur.

Saucisse chinoise

La saucisse chinoise est susceptible d'apporter une note exotique à un repas à base de riz. Pour l'accommoder, il suffit de faire revenir la saucisse dans de la matière grasse puis d'en terminer la cuisson après l'avoir mélangée au riz.

650 g	*de maigre de porc (picnic frais/épaule)*
25 g	*de sel*
80 g	*de sucre*
20 ml	*d'alcool de riz blanc*
	cannelle, muscade, gingembre
250 g	*de gras de porc (dos/bardière)*
1 g	*de sel conservateur*
50 ml	*d'eau glacée*
	quelques pétales de rose
	boyaux menus de porc

Faire macérer quelques heures dans l'acool les pétales de rose, la cannelle, la muscade râpée et le gingembre; filtrer la décoction et garder l'alcool.

Découper les matières premières en petits morceaux et les passer au hache-viande muni du disque à gros trous;

Mélanger le hachis avec le sucre et le sel conservateur, et laisser reposer le tout une heure au réfrigérateur.

Rincer les boyaux et les mettre à tremper dans de l'eau tiède légèrement vinaigrée;

Sortir la viande du réfrigérateur et ajouter le reste des ingrédients soit le sel, l'eau et l'alcool;

Mélanger soigneusement le tout.

Pousser la mêlée sous le boyau et former des portions individuelles;

Laisser sécher les saucisses dans un endroit frais et aéré jusqu'au moment de leur consommation.

Saucisse de foie

Originaire de Corse, la saucisse de foie est très parfumée; elles se mange grillée, de préférence sur une braise de sarments de vigne.

200 g	*de porc (picnic frais/épaule)*
200 g	*de bajoue/gorge de porc*
25 g	*de sel*
5 g	*de sucre*
1	*pincée de muscade râpée*
200 g	*de gras de porc (dos/bardière)*
300 g	*de foie de porc*
1 g	*de sel conservateur*
2 g	*de poivre blanc moulu*
50 ml	*de vin rouge*
	quelques baies de genièvre
1	*feuille de laurier*
1	*branche de thym*
1	*gousse d'ail écrasée*
	boyaux menus de porc

Chauffer le vin rouge et y faire infuser le genièvre, le thym, le laurier et l'ail; laisser refroidir et filtrer;

Faire tremper les boyaux environ 30 minutes dans l'eau vinaigrée pour les assouplir et les dessaler.

Découper les matières premières en petits cubes, les mélanger, puis les passer au hache-viande équipé du gros disque;

Ajouter le sel, le sel conservateur, les épices et le sucre.

Pousser la pâte sous boyau et former des saucisses d'environ 20 cm de longueur;

Les suspendre dans un endroit tempéré (20 à 25°C) durant environ 48 heures, puis les laisser sécher dans un endroit plus frais (12 à 15°C) pendant 6 à 8 jours; on conseille aussi de fumer la saucisse à froid, environ 12 heures.

Saucisse fraîche (à frire ou à rôtir)

La saucisse fraîche ne présente pas de particularité notable en dehors du fait qu'elle est fabriquée à partir d'une chair à saucisse et qu'on peut employer, pour sa présentation, des boyaux menus de porc ou de mouton. Les charcutiers français font une distinction très nette suivant qu'il s'agit d'une saucisse poussée sous petit ou gros boyau (mouton ou porc). Les dénominations utilisées sont alors respectivement; chipolata, saucisse à rôtir ou saucisse longue et saucisse de Toulouse.

Bien entendu, les charcutiers personnalisent leur production en mettant en oeuvre des formules d'assaisonnement dont ils gardent jalousement la composition.

La saucisse fraîche est un produit de charcuterie d'excellente qualité qui ne souffre pas la médiocrité; elle doit donc être fabriquée avec de la viande de porc très fraîche.

Présentée sous petit ou gros boyau, elle constitue un plat de résistance toujours apprécié par les grands et les petits; il convient également de signaler que la saucisse de Toulouse accompagne traditionnellement le cassoulet renommé du sud-ouest de la France.

chair à saucisse
boyaux menus de porc ou de mouton

Faire tremper les boyaux menus dans de l'eau tiède légèrement vinaigrée; au besoin, couler de l'eau à l'intérieur pour les dessaler correctement;

Pousser la chair à saucisse sous boyau menu de porc ou de mouton;

A.

Avec le menu de mouton, former des portions de 5 à 6 cm de longueur (chipolata) ou de 12 à 15 cm (saucisse longue ou saucisses à rôtir).

B.

Avec le menu de porc, former des portions d'environ 12 cm ou laisser la saucisse en brasse, c'est-à-dire non portionnée et simplement enroulée sur elle-même en escargot.

Figure 8.3
Crépinettes

Saucisse en coiffe (crépinette)

Les Français appellent cette préparation, au demeurant très simple à réaliser, « crépinette »; au Québec, certaines appellations dialectales la dénomment « prâline » ou « plarine ».

chair à saucisse
coiffe de crépine

Faire tremper la crépine dans de l'eau tiède légèrement vinaigrée, la rincer soigneusement à l'eau froide (surtout s'il s'agit d'une crépine salée), puis l'égoutter;

Séparer la chair à saucisse en portions d'environ 120 g; abaisser chacune à 2 cm d'épaisseur.

Étaler la crépine sur le plan de travail et la couvrir de chair à saucisse;

Découper chaque portion et refermer la crépine sur la chair à saucisse; garder la préparation au réfrigérateur jusqu'à son utilisation.

Servir les saucisses frites ou rissolées.

Figure 8.4
Saucisse fraîche

A. type chipolata

B. type merguez

C. type de Toulouse

Saucisse de campagne en coiffe

Variante de la saucisse en coiffe traditionnelle, la saucisse de campagne en coiffe se prépare de la même façon mais la composition et l'assaisonnement sont légèrement différents.

700 g	*de porc (picnic frais/épaule)*
100 g	*de foie de porc*
200 g	*de gras de porc (dos/bardière)*
16 g	*de sel*
2 g	*de poivre gris moulu*
1	*pincée de muscade râpée*
	persil haché
10 ml	*de vin blanc sec*
	coiffe de crépine

Passer la viande et le gras très froids deux fois au hachoir muni du disque à gros trous;

Ajouter au mélange le sel, le poivre, la muscade, le persil et le vin;

Préparer des portions individuelles et envelopper chacune de crépine.

Saucisson lyonnais à cuire

Il s'agit du saucisson décrit à la section suivante sous le titre « saucisson cuit à mettre en brioche »; lorsque le saucisson est fabriqué et n'a pas encore subi de cuisson, on peut le laisser 1 à 2 jours au réfrigérateur avant de l'utiliser. Au moment de le consommer, on effectue la cuisson dans un court-bouillon de légumes non salé, maintenu à une température de 90°C pendant 45 minutes à 1 heure.

Le saucisson est conservé au chaud jusqu'au moment du service. Il peut de même être cuit directement avec une potée de légumes à laquelle il confère sa saveur.

Saucisse de Francfort

Petite saucisse qui entre dans la garniture de la choucroute à l'alsacienne, la saucisse de Francfort est aussi susceptible de servir à la préparation du hot-dog. Lorsqu'elle est vendue en charcuterie, elle doit sa couleur jaune-brun caractéristique au long fumage qui lui donne également son bon goût. Les Alsaciens fabriquent une variante avec la viande de boeuf et, dans ce cas, ils la dénomment familièrement

« knack », onomatopée qui traduit le bruit sympathique produit par la saucisse lorsqu'elle croque sous la dent.

420 g	*de porc (picnic frais/épaule)*
400 g	*de bajoue/gorge de porc*
150 g	*de glace concassée (ou eau glacée)*
50 g	*de blanc d'oeuf*
18 g	*de sel*
1 g	*de sel conservateur*
2,5 g	*de poivre blanc moulu*
1	*pincée de muscade râpée*
1	*pincée de cumin moulu*
5 g	*de sucre*
	boyaux menus de mouton

Découper le maigre et la bajoue en petits morceaux et les mélanger avec le sel, le sel conservateur et le sucre, puis entreposer l'ensemble, recouvert d'une feuille de polyéthylène, 12 heures au réfrigérateur.

Quelques heures avant de préparer les saucissons, rincer les boyaux à l'eau tiède légèrement vinaigrée puis couler de l'eau tiède à l'intérieur pour les assouplir.

Passer les matières premières au hache-viande équipé du disque fin.

Au robot de cuisine, faire une farce très fine avec la viande hachée, la glace, le blanc d'oeuf et les épices; au besoin ajouter 20 à 30 g de fécule ou de farine pour raffermir un peu la pâte;

Pousser la farce sous le boyau et former des portions de 12 cm de longueur ou plus.

Laisser sécher les saucisses suspendues sur un crochet dans un endroit tiède, puis les cuire dans de l'eau légèrement frémissante au départ et maintenue 15 minutes au moins à 70°C (pour donner une couleur agréable à la saucisse, mettre quelques pelures d'oignon dans l'eau de cuisson).

Lorsqu'elles sont cuites, mettre les saucisses à refroidir 5 à 10 minutes dans l'eau froide.

Saucisson cuit de Paris

Le saucisson est une charcuterie traditionnelle que l'on consomme toujours avec plaisir.

Le saucisson cuit de Paris est un saucisson pur porc de haute qualité aromatisé à l'ail et qui est particulièrement apprécié. Il se consomme froid coupé en tranches et peut se servir en hors-d'oeuvre.

550 g	*de maigre de porc (picnic frais/épaule)*
400 g	*de bajoue/gorge de porc)*
2	*blancs d'oeufs*
50 g	*de glace concassée (ou eau glacée)*
18 g	*de sel*
1 g	*de sel conservateur*
5 g	*de sucre*
2,5 g	*de poivre blanc moulu*
2 g	*de toute-épice*
1	*pincée de muscade râpée*
5 g	*d'ail frais dégermé et écrasé*
	boyaux droits de boeuf

Découper le maigre et la bajoue soigneusement parés en petits morceaux. Les mélanger avec le sel, le sel conservateur et le sucre, et entreposer le tout 48 heures au réfrigérateur dans un récipient recouvert d'une feuille de polyéthylène (on peut prolonger cette période de salage jusqu'à 3 à 4 jours sans inconvénient, si la viande utilisée est très fraîche);

Quelques heures avant de préparer le saucisson, rincer les boyaux à l'eau tiède légèrement vinaigrée, les couper en longueurs de 25 à 30 cm et les obturer à une extrémité à l'aide d'une ficelle non coupante.

Réserver environ 100 g de maigre salé et passer le reste de la viande et la bajoue au hache-viande muni du gros ou moyen disque;

Au robot de cuisine, faire une farce fine avec les 100 g de maigre et la glace.

Mélanger soigneusement la viande hachée, la farce fine, les blancs d'oeufs, les épices et l'ail;

Laisser reposer la mêlée environ 12 heures, puis pousser la pâte sous boyau et faire cuire le saucisson (voir la recette précédente).

Pepperoni cuit[22]

La première utilisation de ce saucisson au goût très relevé est sans doute la garniture de pizza. C'est en tout cas celle qui viendra d'abord à l'esprit du consommateur nord-américain. On peut toutefois le servir, comme bien d'autres, en hors-d'oeuvre ou pour accompagner un plat de riz.

400 g	*de boeuf*
200 g	*de gras de porc (dos/bardière ou bajoue/gorge)*
300 g	*de boeuf*
100 g	*d'eau glacée*
14 g	*de sel*
1 g	*de sel conservateur*
2 g	*de poivre noir*
2 g	*de paprika*
1 g	*de coriandre*
2 g	*de piment de Cayenne*
3 g	*d'ail frais*
5 g	*de fenouil en grains*
3 g	*d'anis moulu*
	boyaux menus de porc

Mélanger les 400 grammes de boeuf et le gras puis hacher le tout une fois au disque à gros trous de façon à obtenir une pâte grossière;

Hacher le reste du boeuf deux fois au disque à petits trous et par la suite y incorporer l'eau. Ajouter à cette pâte fine tous les assaisonnements et bien mélanger.

Mélanger les deux pâtes jusqu'à ce que le tout soit homogène;

Embosser et suspendre les saucissons dans un endroit tiède de la cuisine;

Laisser étuver pendant 12 heures.

Bien immerger et cuire en bouillon ou dans l'eau à 76°C pendant 20 à 25 minutes;

Retirer et refroidir à l'eau courante pendant 5 minutes puis conserver au réfrigérateur.

22. Recette communiquée par André Gignac.

Saucisses et saucissons cuits

Saucisson cuit à mettre en brioche

450 g	*de porc maigre (picnic frais/épaule)*
500 g	*de flanc (poitrine de porc)*
1	*blanc d'oeuf*
10 ml	*de vin blanc sec*
10 ml	*de cognac*
	vin blanc
1	*petite truffe hachée finement*
30 g	*de pistaches*
18 g	*de sel*
1 g	*de sel conservateur*
5 g	*de sucre*
2 g	*de poivre blanc moulu*
2 g	*de toute-épice*
	boyaux droits de boeuf de 40 à 50 mm de diamètre
	bouillon

Découper la viande de porc en petits morceaux, ajouter le sel, le sel conservateur, le sucre, le vin blanc et le cognac et laisser macérer au réfrigérateur environ 48 heures;

Découper les boyaux à la longueur du moule destiné à recevoir le saucisson (prévoir 1 cm au moins de part et d'autre, pour obturer les bouts avec la ficelle), les rincer à l'eau tiède et laisser tremper de 1 à 2 heures dans du vin blanc.

Passer le porc au hache-viande muni du disque à gros ou moyens trous;

Ajouter le poivre et la toute-épice, puis le blanc d'oeuf, les pistaches et la truffe;

Bien tasser la mêlée dans un récipient et la remettre une douzaine d'heures au réfrigérateur.

Pousser la pâte sous boyau; fermer le saucisson et le piquer avec une aiguille fine pour permettre à l'air entré lors du poussage de s'échapper;

Suspendre les saucissons dans un endroit tiède (12 heures devraient suffire à sécher le boyau et révéler la couleur rose de l'intérieur).

Plonger les saucissons dans un bouillon maintenu à 75-80°C et les laisser cuire environ une heure ou jusqu'à ce que le thermomètre-sonde indique une température de 68 à 70°C à coeur;

Après cuisson, tremper les saucissons 30 minutes dans froide pour accélérer le refroidissement; puis, les protéger dans un linge jusqu'à leur utilisation.

(Cuite dans un court-bouillon de légumes non salé ou avec une potée de légumes, cette préparation prend le nom de saucisson lyonnais.)

Salami cuit[23]

Comme la plupart de ces préparations, le salami se mange froid, en tranches minces, comme hors-d'oeuvre ou pour un repas léger. On se rappellera que les viandes cuites se conservent plus longtemps que les viandes crues.

300 g *de boeuf*
300 g *de gras de porc (bajoue ou flanc)*
300 g *de boeuf*
100 g *d'eau glacée*
14 g *de sel*
1 g *de sel conservateur*
2 g *de poivre noir moulu*
1 g *de paprika*
1 g *de coriandre*
1 g *de piment de Cayenne*
2 g *d'ail frais*
5 g *de fécule de pommes de terre*
boyaux menus de boeuf

Mélanger le boeuf et le gras de porc et hacher une fois au disque à gros trous pour obtenir une pâte grossière;

Hacher le reste du boeuf deux fois au disque fin;

Ajouter l'eau et les assaisonnements à cette pâte fine et bien mélanger;

Mélanger les deux pâtes jusqu'à ce que le mélange soit homogène.

Embosser très serré sous le boyau;

Suspendre dans un endroit tiède de la cuisine et laisser étuver pendant 12 heures.

23. Recette communiquée par André Gignac.

Immerger conplètement et cuire en bouillon ou dans l'eau à 76°C pendant 35 à 40 minutes;

Retirer et refroidir à l'eau courante pendant 5 à 10 minutes, puis conserver au réfrigérateur.

Les produits fabriqués au torchon

Ballottines et galantines

L'étymologie du mot *galantine* reste encore obscure à ce jour. Certains auteurs pensent qu'il dérive de *géline* ou *galine* qui, en vieux français, signifie poule. En effet, la galantine est traditionnellement une volaille — poulet, dinde ou canard — désossée, farcie, puis cuite dans son bouillon gélatineux. À l'heure actuelle, cette dénomination s'applique aussi à des produits qui peuvent être confectionnés avec des viandes d'animaux de boucherie (veau) ou de charcuterie (porc), voire même du gibier.

Le terme galantine, souvent confondu avec ballottine, semble devoir son origine au fait que la préparation se présente sous la forme d'un petit ballot.

La garniture des galantines et des ballottines est souvent très proche de celle mise en oeuvre dans la confection des terrines et des pâtés en croûte. Le mode de cuisson toutefois est différent. En effet, les galantines et les ballottines sont directement immergées dans l'élément de cuisson, après avoir été simplement entourées d'un mousseline ou d'un torchon qui assure leur bonne tenue pendant le traitement thermique.

Ballottine de porc ou de porc et de volaille

600 g *de maigre de porc (picnic frais/épaule* OU *cuisse de porc)*
OU
600 g *de volaille (dinde ou poulet)*
150 g *de picnic frais/épaule de porc*
150 g *de bajoue/gorge de porc*
2 *oeufs*
100 ml *de lait*
18 g *de sel*
1 g *de sel conservateur*
5 g *de sucre*

2 g	*de poivre blanc moulu*
1	*pincée de muscade râpée*
	OU
2 g	*de toute-épice*
20 à 30 ml	*de cognac*
	OU
20 à 30 ml	*de fine champagne*
30 g	*de truffes*
	barde fine
	torchon
	bouillon
	gelée

Pour la fabrication, voir les photos de la figure 8.5.

Découper la viande maigre (blanche) en lèches et la mélanger avec les ⅔ du sel, le sel conservateur, le sucre et l'alcool; laisser ensemble au réfrigérateur pendant environ 48 heures;

Découper le picnic et la bajoue en petits morceaux et les mélanger avec le reste du sel; les mettre au réfrigérateur en attente de fabrication.

Hacher la truffe assez finement;

Au robot de cuisine, confectionner une farce fine avec le picnic et la bajoue salés, les oeufs et le lait très froid ajoutés progressivement; disperser le poivre et la muscade;

Mélanger d'une manière homogène la farce fine avec les lèches de viande maigre ainsi que les truffes.

Découper une barde aux dimensions voulues (voir le tableau ci-dessous), puis à l'aide de l'envers de la lame d'un couteau, gratter la barde pour éliminer le gras fondant qui l'empêche d'adhérer correctement à la garniture; poser la barde sur un papier sulfurisé;

Répartir la garniture sur la barde en procédant de telle façon que les lèches soient orientées dans le sens de la longueur; pour la suite, se référer aux illustrations de la figure 8.5.

Faire chauffer un bouillon et l'écumer; y plonger la ballotine et la faire cuire en maintenant la température de l'élément liquide autour de 80°C. (Il faut compter environ 1 h 10 par kilogramme de préparation; la ballottine est cuite lorsque la température à coeur est de 75°C).

Laisser tiédir la ballottine et la mettre au réfrigérateur pendant une douzaine d'heures, voire plus,

Tableau 8 - 1

Dimensions des bardes par rapport aux différentes masses de ballottines

Masse de la ballottine (kg)	Longueur de la barde (cm)	Largeur de la barde (cm)	Longueur de la ballottine (cm)	Diamètre approximatif (cm)
0,250	17	13,5	15	5
0,500	22	18,5	20	6
0,750	28	23,5	25	8
1	31	26	28	8
1,200	33	27	29	9
1,500	36	30	31	10
2	39	33	33	11,5
2,500	46	33	40	12

Note: Les bardes se chevauchent d'environ 2 cm sur la longueur de la pièce et les extrémités sont en partie fermées (selon la grosseur).
La longueur et le diamètre sont mesurés sur la pièce crue avant ficelage.
La forme des ballottines est étudiée pour que le rapport entre le diamètre et la longueur des pièces soit équilibré.

Figure 8.5
Fabrication d'une ballottine

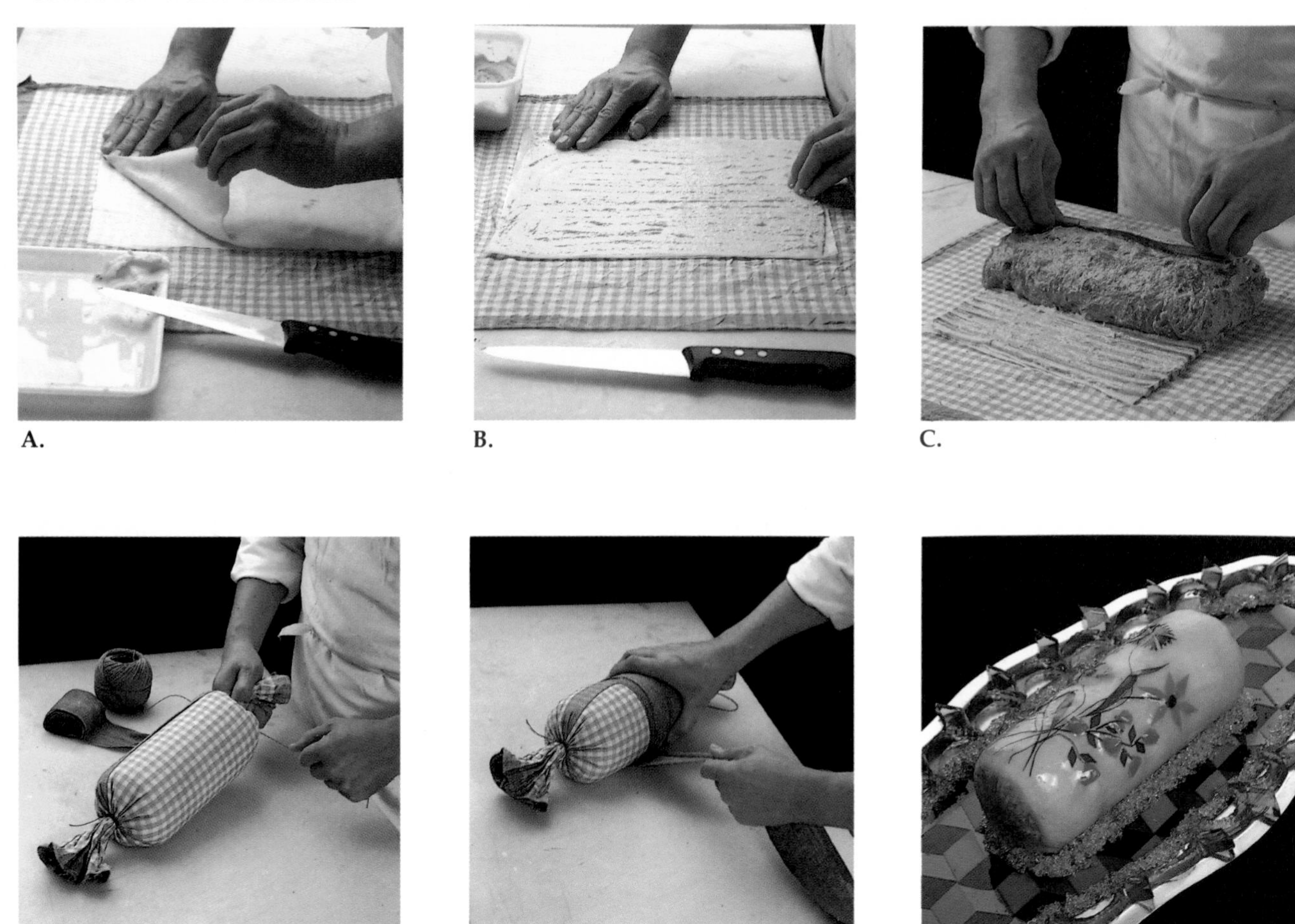

A. B. C.

D. E. F.

avant de la déballer; la glacer à la gelée afin d'améliorer sa présentation (voir *Décoration à la gelée*).

Variante

Au lieu de cuire la ballottine dans l'élément de cuisson, garnir une terrine ou un moule de bardes fines et la remplir de garniture; cuire le tout au four comme un pâté (voir *Cuisson des pâtés et des terrines*); après cuisson, mettre à refroidir, puis procéder au démoulage et à la décoration.

Jambon au torchon[24]

6 kg	*de jambon frais*
	OU
3 kg	*de soc/échine désossé ou de picnic frais/ épaule*
	gélatine en poudre (quantité déterminée par la forme et les coupures de la viande)
	torchon

Saumure

850 g	*de sel*
35 g	*de sel conservateur*
40 g	*de sucre*
50 g	*de sucre brun*
5	*oignons piqués de trois*
3	*clous de girofle chacun*
5 l	*d'eau très froide*

Bouillon

6 l	*d'eau*
	couenne
	os de porc ou de veau
4	*oignons dont un piqué de*
3	*clous de girofle*
6	*carottes*
1	*poireau*
1	*bouquet de persil*

Pour la fabrication, voir les photos de la figure 8.6.

Verser l'eau dans un contenant très propre. Ajouter tous les ingrédients de la saumure et mélanger jusqu'à ce que tous les sels et sucres soient dilués;

Immerger le jambon 3 jours dans la saumure en laissant le contenant soit au réfrigérateur, soit dans un endroit très frais;

Retirer le jambon de la saumure, l'immerger dans l'eau froide et le remettre au froid 12 à 24 heures. Cette opération a pour but de dessaler la viande.

Mélanger tous les ingrédients du bouillon et laisser mijoter de 8 à 10 heures.

Préparer une pièce de coton ou de toile suffisamment grande pour enrouler le jambon et fermer les extrémités;

Égoutter le jambon et le déposer bien ouvert au centre du morceau de tissu; le sauproudrer de gélatine;

Bien refermer le jambon et, à l'aide du tissu, le rouler le plus fermement possible.

Avec une corde, attacher solidement une extrémité, puis l'autre, en ayant bien soin de resserrer;

Fixer ensuite une première corde au centre du jambon et une à 4 cm de chaque extrémité;

Par la suite, nouer des cordes de centre en centre, d'un côté, puis de l'autre afin que la pièce soit équilibrée. (Tendre les cordes suffisamment car la pièce s'amenuise en cours de cuisson.)

Immerger le jambon dans le bouillon chaud et cuire à feu doux pendant 2 heures 30;

Laisser reposer 12 à 24 heures au froid dans son bouillon puis démouler;

Décorer si désiré.

24. Recette communiquée par André Gignac.

Figure 8.6

Préparation du jambon au torchon

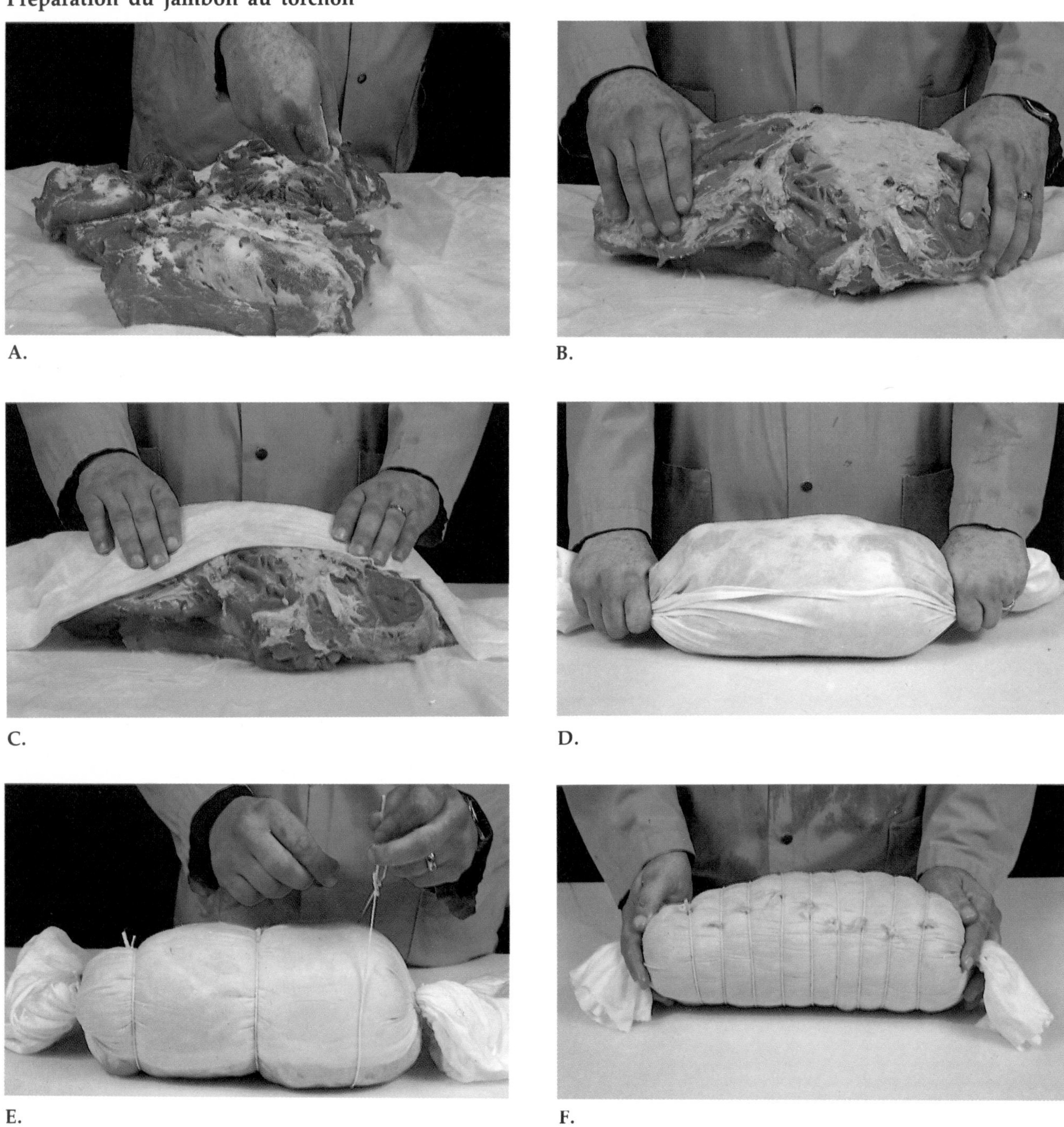

A. B. C. D. E. F.

Le foie gras

La façon de le cuisiner, le degré de température et le temps de cuisson sont autant de facteurs qui permettront d'obtenir un foie gras onctueux, fondant, parfumé et sublime. Jusqu'au moment de le consommer, chaque pièce garde en elle son mystère et la prochaine que vous dégusterez pourra encore, à votre étonnement, vous procurer d'autres sensations organoleptiques fameuses car chaque foie gras est à nul autre pareil.

Foie gras de canard mi-cuit

Comme tous les foies gras que l'on déguste froid, le foie gras mi-cuit doit être sorti de la graisse et de son enveloppe 20 minutes environ avant le service; le délai de conservation au réfrigérateur est de un mois.

1	*foie gras de canard de 450 g*
2 kg	*de graisse d'oie fondue*
7 g	*de sel*
2 g	*de poivre blanc moulu*
10 ml	*d'armagnac*

Parer le foie (éliminer la partie verte du fiel et, à l'aide d'un petit couteau, enlever le départ des grosses veines), et l'assaisonner de sel, de poivre et d'armagnac.

Enrouler le foie gras dans un linge ou dans une étamine en serrant bien afin de lui donner la forme d'un saucisson, et ficeler les deux extrémités.

Dans une petite cocotte, faire fondre la graisse et, lorsqu'elle est à 70° C, y plonger le foie; le laisser cuire pendant 35 minutes en maintenant la température constante;

Lorsqu'il est refroidi, ranger le foie gras au réfrigérateur.

Foie gras d'oie en conserve

Pour savourer le foie gras, il faut le sortir de son récipient une vingtaine de minutes avant le service — on dit qu'il se « réveille ». Pour l'apprécier, éviter les toasts, le beurre, le pain de mie; du bon pain frais croustillant ira à merveille.

1	*foie gras d'oie*
	sel (13 g / kg)
	poivre blanc moulu (3 g/kg)

Parer le foie, le peser, puis l'assaisonner;

Le mettre ensuite en boîte ou dans un bocal en essayant de laisser les lobes entiers; bien tasser le foie pour emprisonner le moins d'air possible;

Fermer les boîtes et procéder à la stérilisation: déposer les récipients dans une marmite, les couvrir d'eau froide, puis amener l'eau à ébullition; laisser ensuite bouillir le tout assez longtemps pour le stériliser (voir *Stérilisation* au chapitre 10).

Entreposer la conserve dans un endroit frais ou mieux au réfrigérateur.

Produits divers

Boulette de foie

En cuisine, pratiquement tout ce qui revêt la forme cylindrique ou sphérique porte le nom de « boulette ».

La boulette de foie est fabriquée à base de porc et de boeuf; c'est une délicieuse spécialité alsacienne qui accompagne très bien des pâtes ou de la choucroute. On trouve dans la cuisine hongroise un potage aux boulettes de foie dont la recette est similaire; les boulettes sont alors cuites dans un bouillon de pot-au-feu très maigre.

300 g	*de foie (porc et boeuf)*
200 g	*de bacon fumé*
125 g	*d'oignons crus émincés*
125 g	*de mie de pain trempée dans du lait (panade)*
60 g	*de semoule*
4	*oeufs*
15 g	*de sel*
2 g	*de poivre gris moulu*
1	*pincée de muscade râpée*
10 g	*de persil haché*
10 g	*de cerfeuil haché*
5 g	*d'ail frais pilé*

Passer l'ensemble des matières premières — bacon, foie, panade, oignons — au hache-viande muni du disque fin.

Ajouter le sel, les épices, l'ail, la semoule, les oeufs, le persil et le cerfeuil haché.

Remplir une poche munie d'une douille assez grosse et façonner des boulettes au-dessus d'une casserole remplie d'eau frémissante (découper les boulettes à l'aide d'un couteau).

Cuire les boulettes jusqu'à ce qu'elles remontent à la surface. Si la pâte manque de liaison, rajouter de la farine et 1 oeuf. (Pour que les boulettes ne se défassent pas à la cuisson, l'eau ne doit pas bouillir à gros bouillons.)

Foie de porc piqué

Le foie de porc piqué est une préparation ancienne de charcuterie cuite très populaire dans certains pays européens (en Belgique notamment); son mode de préparation est excessivement simple.

1	*foie de porc bien frais*
	gras de porc (dos/bardière)
	bouillon aromatisé
	gelée

À l'aide d'une lardoire, introduire dans le foie des lardons de gras en les disposant de façon symétrique dans le sens opposé à la coupe;

Placer le foie sur une planche, lui donner une forme ronde et le fixer à l'aide d'un cordon de cuisson ou d'une ficelle épaisse.

Cuire le foie dans le bouillon durant 45 à 50 minutes, l'élément liquide étant maintenu à léger frémissement;

Après refroidissement, nettoyer la surface du foie et la glacer de gelée forte à l'aide d'un pinceau en vue d'améliorer la présentation.

Quenelle de brochet

Excellente spécialité d'origine lyonnaise, consommée et appréciée par tous les gourmets, la quenelle de brochet se présente sous forme de grosse boulette de forme ovoïdale. Elle se caractérise par sa saveur, communiquée par la chair de brochet, par le beurre qui entre dans sa composition ainsi que par son aptitude au gonflement apportée par la grande quantité d'oeufs. Accompagnée d'une sauce Nantua ou d'une sauce veloutée crémeuse, c'est un régal qui peut se servir en entrée ou en plat de résistance avec des pommes vapeur ou du riz.

220 g	*de chair de brochet**
600 g	*de panade*
130 g	*de beurre*
15 g	*de sel*
2 g	*de poivre blanc moulu*
	un peu de muscade râpée

Panade

130 ml	*de fumet de poisson*
20 g	*de beurre*
160 g	*de farine*
6	*oeufs*

Préparer d'abord la panade:
Dans une casserole, faire chauffer le fumet de poisson et le beurre; porter le tout à ébullition, ajouter la farine et continuer à chauffer en remuant;

Laisser dessécher cette panade quelques minutes;

La passer au robot de cuisine en ajoutant les oeufs deux par deux;

Mettre la préparation au réfrigérateur dans un récipient couvert d'une feuille plastique.

Préparer ensuite les quenelles:
Au robot de cuisine, travailler en farce fine le brochet et la panade froide, puis ajouter le beurre, le sel et les épices;

Laisser reposer la pâte au réfrigérateur pour la raffermir, ce qui permettra d'effectuer plus facilement le façonnage à la cuillère;

* Le même recette peut être réalisée avec du saumon.

Lorsqu'elle est refroidie, transvaser la pâte dans une calotte ou dans un récipient rond à bord haut, et façonner les quenelles avec un jeu de cuillères spéciales dites « lyonnaises » dont l'une est plus creuse que l'autre; à défaut, utiliser deux cuillères à potage;

Remplir la cuillère la plus creuse, et façonner la pâte contre le bord du récipient pour lui donner une forme ovoïde;

Tremper l'autre cuillère dans l'eau bouillante et lisser le dessus de la quenelle afin de parfaire sa forme.

Ce travail terminé, utiliser cette même cuillère pour couper et déposer la quenelle dans le bain de pochage (eau salée maintenue à ébullition):
Cuire les quenelles pendant 25 à 30 minutes;

Refroidir les quenelles dans l'eau froide pendant 15 à 20 minutes, les égoutter, puis les stocker au réfrigérateur, en les disposant par couches superposées et séparées par un papier sulfurisé huilé jusqu'au moment de la consommation.

Quenelle de volaille

La recette proposée ci-dessous est basée sur un principe de fabrication un peu différent que celui décrit précédemment; à partir de celle-ci, il est possible d'extrapoler pour réaliser une quenelle de poisson. Il suffit de remplacer respectivement chair et fond de volaille par du poisson et du fumet préparé avec les arêtes et les parures.

120 ml de lait
120 ml de fond de volaille
1 g de marjolaine
300 g de farine
200 g de margarine
6 oeufs
250 g de chair de volaille finement hachée
20 g de sel
3 g de poivre blanc moulu
une pincée de muscade râpée

Mélanger intimement le lait, le fond de volaille, la marjolaine, la margarine, le sel, le poivre et la muscade;

Porter l'ensemble à ébullition dans un récipient adéquat.

Retirer du feu puis à l'aide d'une spatule ajouter la farine tamisée;

Remettre sur le feu et dessécher comme cela est pratiqué sur la pâte à chou;

Terminer au batteur-mélangeur équipé de la feuille de manière à obtenir une pâte lisse et homogène, en introduisant successivement les oeufs et la chair de volaille.

Former des petites quenelles à la cuillère ou à l'aide d'une poche à douille; les pocher environ 10 minutes dans l'eau légèrement salée maintenue à 90°C;

Rafraîchir les quenelles à l'eau froide et les réserver au réfrigérateur.

Chapitre 9

LES PRODUITS SÉCHÉS ET FUMÉS

◆ ◆ ◆ ◆ ◆ ◆ ◆ ◆ ◆ ◆

Les produits séchés

Le jambon sec est certainement un des produits de salaison les plus anciens.

« La préparation des jambons salés à sec dans le Béarn et le versant français des Pyrénées remonte aux temps les plus reculés, avant même l'invasion de la Gaule par les Romains; il existe une légende sur son origine, qui mérite d'être contée:

« Par un hiver fort rigoureux, les paysans de Salies de Béarn, armés de massues, d'arcs et de flèches, blessèrent un sanglier qui ne put être retrouvé, malgré leurs efforts. L'été qui suivit fut particulièrement sec et les chasseurs retrouvèrent au fond du lit asséché d'un ruisseau, le sanglier qu'ils avaient tué l'hiver précédent. L'animal, recouvert d'efflorescences blanchâtres par la source salée tarie, se trouvait en parfait état de conservation et certains se hasardèrent à en goûter la viande, qu'ils trouvèrent délicieuse. L'hiver suivant, les habitants de la région conservèrent leur viande de sanglier et de porc dans le sel de Salies. Tels furent, sans doute, le début de la salaison à sec dans le pays Basque, l'origine de la célébrité des fameux jambons de Bayonne, du sel et des thermes de Salies et aussi le point de départ du développement de l'élevage du porc dans cette région montagneuse[25]. »

Pièces entières

Jambon sec

1	*jambon frais de très bonne qualité*
	sel de frottage
	gros sel

Sel de frottage (1 kg)

890 g	*de sel grené*
10 g	*de sel conservateur*
50 g	*de sucre*
50 g	*de poivre en grains et de baies de genièvre*

Bien parer le jambon, puis casser l'articulation du jarret et exercer une pression sur l'artère fémorale pour libérer le sang résiduel (voir illustration). Le pied doit être déjointé au niveau de l'articulation de la cheville ou scié légèrement au-dessous. Ceci permet de suspendre le jambon par la crosse. Si le pied est scié au-dessus de l'articulation, la suspension est difficile et il peut se produire des infiltrations de microbes putréfiants entre les muscles du jarret.

La coupe du jambon frais est en général arrondie, elle passe à 4 cm de la tête de l'os du fémur. La moitié du quasi (celle formant l'articulation) est enlevée. Le parage des petits bouts de muscles résultant de cette opération permet:

- de faciliter la dessiccation autour du fémur;
- de limiter les risques de crevasse;
- de limiter les pertes par parage ultérieur des aspérites.

Les parures ainsi obtenues peuvent être valorisées dans des fabrications de saucisses et saucissons secs. La partie profonde de l'os du quasi est laissée en place afin d'éviter une contamination du jambon (entailles du couteau, zone creuse de séchage difficile).

Figure 9.1

« Cassage » du jambon et « pressage » de l'artère

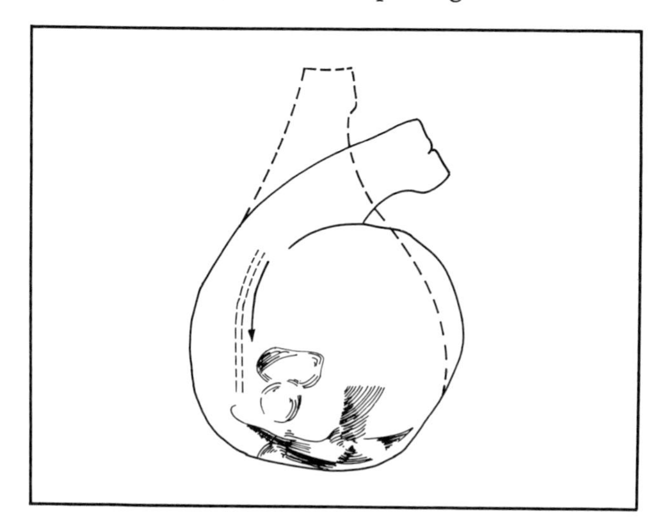

25. René Pallu, La charcuterie en France, Tome 1. Généralités — Charcuterie crue, Paris, 1956.

Le parage de la partie supérieure du jambon peut être plus ou moins poussé: un parage important incluant l'ablation de la couenne vers la crosse permet une dessiccation plus rapide et plus régulière du jarret.

Un parage très léger ne peut convenir qu'à une fabrication longue, supérieure à 6 mois afin que la dessiccation du jarret puisse être correcte. D'autre part, la présence de gras de couverture non enlevé peut concourir à l'obtention d'un goût très développé.

Frotter énergiquement la pièce de viande bien refroidie (0-2°C) avec le sel de frottage (utiliser environ 300 g);

Couvrir le jambon de gros sel et laisser reposer le tout au frais (6°C) pendant une semaine;

Frotter à nouveau la viande avec le sel de frottage, replonger le jambon dans le sel et remettre au froid (si le jambon est gros, recommencer l'opération une semaine plus tard). Le temps de salaison varie en fonction de la masse; on compte normalement 3 jours par kilogramme de viande;

Mettre la viande à tremper pendant 12 ou 24 heures dans de l'eau froide fréquemment renouvelée;

Après dessalage, suspendre le jambon par la crosse et la laisser égoutter 12 ou 24 heures.

Le placer ensuite dans un endroit frais (12-15°C), légèrement humide (75-80 %) où l'air est suffisamment renouvelé, et le laisser sécher durant 4 à 6 mois: le jambon peut être suspendu par la crosse, déposé dans un filet de plastique ou rangé dans un sac, ce qui lui donne une forme arrondie et le protège des mouches.

Viande de boeuf séchée

La Suisse est le berceau de cette préparation. Il s'agit de morceaux de boeuf salés au sel sec et séchés d'une façon assez poussée.

C'est un aliment énergétique qui est servi généralement comme entrée, en tranches très fines pour retrouver l'arôme délicat de la viande; servie avec une raclette, elle sera également très appréciée.

1	*morceau de boeuf (intérieur de ronde/ rond de gîte)*
1 kg	*de gros sel*
30 g	*de sel conservateur*
50 g	*de sucre*
30 g	*de poivre blanc écrasé*
10 g	*d'ail frais écrasé*
10	*feuilles de laurier*
40 g	*de baies de genièvre*
40 ml	*de vin rouge dont la teneur en alcool est de 13°*

Parer soigneusement le morceau de boeuf, puis le frotter avec le mélange de sel et d'éléments aromatiques;

Déposer la viande dans un récipient, la couvrir de sel, et laisser reposer le tout dans un endroit frais (6-8°C) et aéré.

Une fois la période de salaison terminée (3 semaines pour l'intérieur de ronde, 4 semaines pour un morceau plus gros), rincer la pièce de viande à fond, puis la suspendre et la mettre à sécher dans un endroit frais (12-15°C) pas trop humide (75 à 80 %) et aéré, pendant environ 4 mois; durant cette période, la viande devrait perdre 40 % de sa masse.

Pour donner au boeuf séché sa forme rectangulaire caractéristique, presser la viande entre deux planches de bois bien lestées durant une journée (répéter l'opération deux fois au cours du séchage).

Figure 9.2
Prosciutto

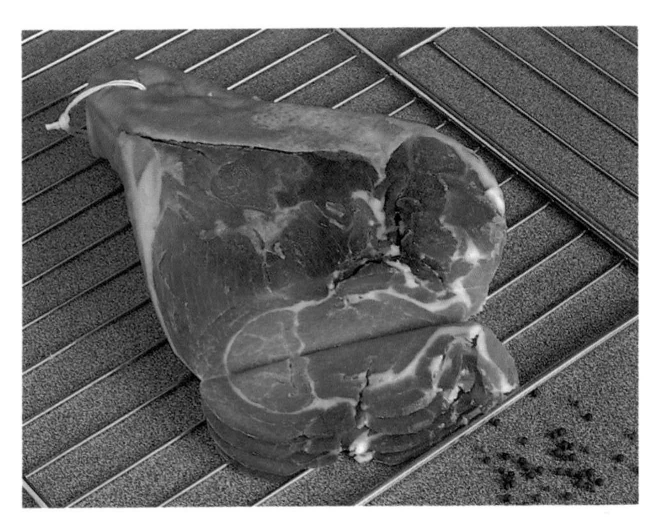

Petit salé

Quand, autrefois, le porc était sacrifié pour la consommation familiale, un grand nombre de morceaux étaient frottés au sel sec — terme utilisé par opposition au salage dans une saumure — et placés dans des saloirs en grès appelés familièrement « charniers ». Cette salaison traditionnelle a presque disparu de nos jours; par ce procédé, on obtenait des produits très salés, d'aspect grisâtre mais d'excellente conservation.

Cette gamme de salaisons est obtenue avec des petits morceaux ou des parures diverses issues du flanc/poitrine, du soc/échine, du jambonneau, du picnic frais, de la queue, du pied, de l'oreille, etc.

Tous ces produits salés accompagnent généralement la choucroute, la potée ou les légumes secs.

Saucisses et saucissons

Saucisson sec

La réussite d'un saucisson sec tient à de nombreux facteurs dont la qualité de la viande mise en oeuvre. Il s'agit d'un produit fermenté où la maturation est sous la dépendance d'une activité microbienne intense; les matières premières à utiliser doivent être très fraîches et d'excellente qualité technologique. De plus, après la mise sous boyau, le saucisson doit subir une dessiccation importante (environ 30 %) dont l'issue ne sera valable qu'à condition de respecter des paramètres assez précis de température et d'humidité pendant le séchage.

400 g *de picnic frais/épaule de porc*
600 g *de flanc/poitrine de porc sans couenne*
30 g *de sel fin*
1 g *de sel conservateur*
3 g *de sucre*
2 g *de poivre gris moulu*
un peu de muscade râpée
5 ml *de rhum ou de curaçao*
gros boyaux de porc (appelés suivant ou chaudin)

Bien parer la viande (il est surtout important d'éliminer tout le gras mou du flanc), puis la découper en petits morceaux, ajouter le sel, le sucre et le sel conservateur et laisser macérer le tout 2 à 3 jours au réfrigérateur.

Couper les boyaux de porc à la bonne longueur (20 à 25 cm) et obturer une extrémité à l'aide de ficelle non coupante;

Mélanger les matières premières très froides avec les épices et l'alcool; passer l'ensemble au hache-viande équipé du gros ou moyen disque.

Tremper les boyaux dans de l'eau tiède vinaigrée pour les assouplir et enlever le limon qui les rend gluants;

Figure 9.3

Bridage du saucisson sec

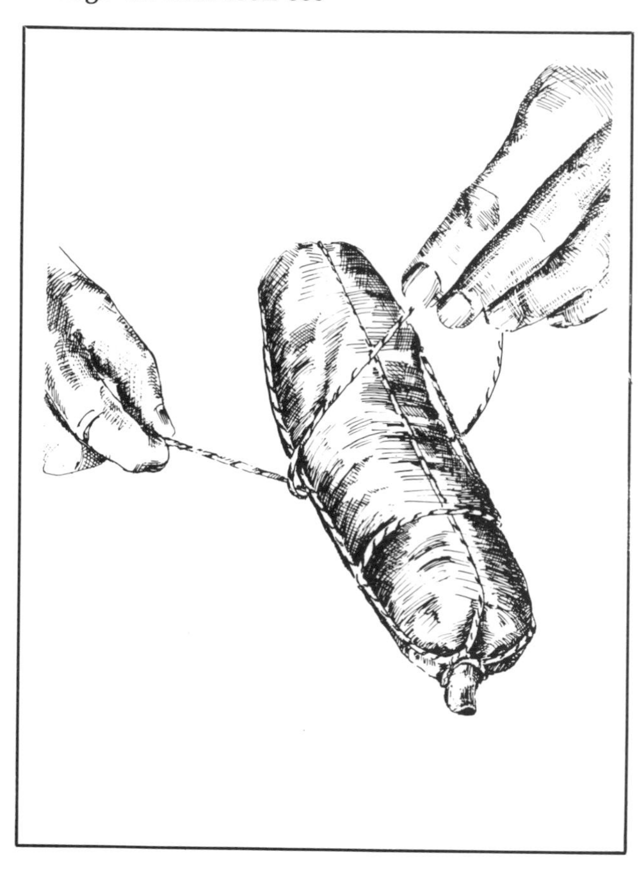

Pousser la mêlée sous boyau et fermer le saucisson avec une ficelle en formant une boucle qui servira de crochet.

À l'aide d'un piqueur (aiguilles fines placées sur un bouchon), percer le boyau à intervalles réguliers pour éliminer l'air emprisonné dans la pâte;
Brider le saucisson, si désiré.

Enfiler les saucissons sur un bâton et les laisser reposer dans un endroit tiède (20 à 25 °C) durant 1 ou 2 journées (c'est durant cette période d'étuvage que commencera l'activité microbienne);

Mettre ensuite les saucissons à sécher pendant 3 ou 4 semaines dans un local frais (14 °C) suffisamment aéré et légèrement humide (75 à 80 %);

Laver les saucissons à l'eau froide salée pour éliminer toutes les moisissures.

- Il est important que l'activité microbienne se manifeste dans les premiers jours car l'apparition de moisissures blanches (que les charcutiers appellent « fleur ») signifie que la maturation se déroule bien.
- La fleur apparaît normalement en fin d'étuvage ou au début du séchage. Son absence indique que le local est trop sec: il faut alors diminuer l'aération ou augmenter le taux d'humidité en arrosant les murs ou en ajoutant des récipients d'eau. Si les conditions de maturation ne sont pas modifiées rapidement, le boyau durcira et, faute d'échanges gazeux, les saucissons pourriront au lieu de sécher.
- Il faut aussi s'assurer que la fleur reste bien blanche. Si elle verdit, augmenter l'aération du local ou diminuer le taux d'humidité pour empêcher le produit de moisir.

Saucisse au piment

La saucisse au piment est un produit bien connu en Europe et plus particulièrement en Espagne, où elle porte le nom de *chorizo*. Très relevé, ce saucisson est apprécié à l'heure de l'apéritif. Il sert aussi à la garniture de certaines pizzas.

300 g	*de maigre de boeuf*
300 g	*de porc (soc/échine)*
350 g	*de gras de porc (dos/bardière)*
5 ml	*de vin blanc*
5 ml	*de vin rouge*
40 ml	*d'eau froide*
27 g	*de sel*
1 g	*de sel conservateur (facultatif)*
5 g	*de sucre*
10 g	*de piment rouge doux*
10 g	*de piment fort*
10 g	*de paprika*
2 g	*de poivre blanc moulu*
	boyaux menus de porc

Découper les matières premières en petits morceaux, ajouter le sel, le sel conservateur et le sucre et laisser reposer le tout au réfrigérateur pendant 24 heures;

Faire tremper les boyaux dans de l'eau tiède vinaigrée;

Préparer une sorte de purée avec les épices, le vin et l'eau.

Passer les viandes très froides au hachoir muni du gros disque;

Ajouter la purée d'épices;
Pousser le tout sous boyau et former un collier de saucisses;

Figure 9.4

Saucisse au piment

À l'aide d'une aiguille, percer le boyau pour permettre à l'air emprisonné de s'échapper.

Mettre les saucisses à sécher dans un endroit tiède pour 12 à 24 heures;

Terminer le séchage au frais dans un endroit légèrement humide (température: 12°C à 15°C, humidité moyenne: 75 % à 80 %);

Y laisser reposer les saucisses pendant 1 ou 2 semaines avant de les consommer.

On peut aussi fumer les saucisses pendant 2 heures avant de les mettre au frais.

Les produits fumés

Pièces entières

Magret de canard fumé

Le magret de canard est la partie la plus charnue qui se trouve sous les ailes. Dans le canard maigre, on l'appelle aiguillette. Chaque pièce pèse en moyenne environ 400 g et on les prélève plutôt sur des canards « bien en viande » de type Barbarie, qui ont été engraissés pour le foie gras.

Le succès de ce produit que l'on appelle aussi jambon de canard est assez récent; il est dû au développement important de l'élevage et à l'utilisation du canard pour le foie gras. La magret se déguste de différentes façons:

- en tranches très fines, sur des rôties de pain de seigle beurré;
- en salade composée (salade, tranches de magret fumé et cerneaux de noix);
- en amuse-gueule (pruneaux entourés de tranches fines de magret, piqués sur des bâtonnets en bois et grillés au barbecue environ 2 minutes).

magret de canard
gros sel
thym
laurier

Parer les magrets mais garder la peau; désosser chacun, puis le couvrir d'un peu de gros sel;

Placer la viande dans un récipient en ayant soin de couvrir chaque rang d'aromates;

Laisser reposer le tout 48 heures dans un endroit frais (12°C à 15°C) ou au réfrigérateur.

Laver les magrets, les sécher, puis les retourner au frais pendant 48 heures pour égouttage (suspendue à une ficelle, la viande s'égouttera encore mieux).

Fumer très légèrement les magrets, et les laisser sécher encore un dizaine de jours avant de les consommer.

(Idéalement, la température de séchage ne doit pas excéder 15°C et le taux d'humidité doit être modéré.)

Poisson fumé

Par nature, la chair des poissons est spécialement pauvre en sel; cette particularité associée à une teneur élevée en eau explique en partie sa mauvaise aptitude à la conservation.

Grâce à la conjugaison du salage et du fumage, on arrive à conserver les poissons assez longtemps sans qu'ils se détériorent. D'ailleurs à une époque encore assez proche, ce procédé était le seul moyen sûr de se constituer des réserves peu dispendieuses en protéines de bonne qualité. Naturellement, la durée de stockage des poissons fumés est fonction du taux de sel et du degré de déshydratation, lui-même dépendant de la durée de fumage.

Salage des poissons

On peut différencier deux procédés de salage des poissons:

Salage à sec

Selon la méthode du salage à sec, après vidage et nettoyage, les poissons sont salés intérieurement et extérieurement avec du sel assez fin qui n'endommagera pas leur chair délicate; ensuite, ils sont disposés en rangées dans un récipient non poreux fait d'un matériau anticorrosion (plastique ou grès par exemple) sur une couche de sel. S'il y a plusieurs épaisseurs, les poissons sont rangés tête-bêche et recouverts d'une couche de sel. Dans ces conditions, la durée de salage est courte : 1 heure à 1 heure 30 suivant l'épaisseur.

Cette méthode, au demeurant simple et rapide, présente toutefois l'inconvénient de provoquer un salage irrégulier ; les parties fines centrales risquent d'être plus salées que les muscles dorsaux épais — de plus, à cause de différences dans la teneur en humidité, le sel peut même croûter à certains endroits.

Salage par immersion

Le salage par immersion nécessite moins de manipulation et assure un salage plus complet et plus homogène ; il peut se faire selon deux principes.

◆ Salage doux avec une saumure confectionnée avec 50 à 80 g de sel au litre d'eau.

– Immerger corrrectement les poissons pour que le salage soit uniforme ; en général, un rapport de 1 partie de poisson pour 1,5 de saumure est correct ;
– Laisser les poissons en saumure environ 12 heures dans un endroit frais ;
– Employer de préférence des récipients plats et longs pour ne pas écraser les poissons ;
– Jeter la saumure après emploi car elle s'est chargée en sang et en glaires.

◆ Salage fort avec une saumure presque saturée (c'est-à-dire contenant entre 27 et 33 % de sel suivant la température). Dans ce cas, le temps de salage est ramené à 2 heures.

En règle générale, les poissons d'eau douce subissent un salage comparable aux poissons d'eau de mer.

Après le salage, les poissons sont rincés puis mis à égoutter et délicatement essuyés à l'aide d'un papier absorbant;ils sont ensuite suspendus dans un endroit frais à l'abri de la lumière et des insectes environ 12 à 18 heures avant le fumage. Le séchage est jugé suffisant lorsqu'une mince efflorescence saline se forme en surface ; avec l'habitude, l'appréciation est autant tactile que visuelle.

Poulet fumé

Le poulet fumé est un plat savoureux et très apprécié, à condition d'être réalisé avec des poulets d'excellente qualité pesant entre 1 et 1,4 kg éviscérés ; il est consommé aussi bien chaud que froid.

Une manière originale de le présenter consiste à le servir avec une choucroute accompagnée de saucisses et de poitrine fumée.

1 poulet d'environ 1 kg éviscéré

Saumure

1 l d'eau
120 g de sel
2 feuilles de laurier
1 branche de thym
2 clous de girofle

Brider la volaille de manière que les membres ne se disloquent pas pendant la cuisson ;

Préparer la saumure et y plonger la volaille qui doit être complètement recouverte ;
Laisser reposer le tout au réfrigérateur durant 48 heures au maximum.

Retirer le poulet de la saumure, le sécher correctement, puis le suspendre quelques heures ou jusqu'à ce qu'il soit bien égoutté ;

Le fumer jusqu'à l'obtention d'une belle couleur dorée ;

Cuire le poulet dans l'eau maintenue à 75-80° C durant 1 heure 30 environ, puis le sortir du liquide et le laisser refroidir.

Boeuf fumé

Cette spécialité, très populaire en Belgique où elle est dénommée « filet d'Anvers », se consomme en tranches fines ; on la prépare avec le morceau prélevé dans la cuisse de boeuf appelée « intérieur de ronde » (« rond de gîte à la noix » en France et « plein filet » en Belgique).

1 morceau de boeuf (intérieur de ronde / rond de gîte)
gros sel
baies de genièvre

Saumure

5	*litres d'eau*
800 à 1 000 g	*de sel*
50 g	*de sucre*
50 g	*de sel conservateur*
	quelques grains de poivre
	baies de genièvre

Parer soigneusement la viande;

Préparer la saumure: faire chauffer l'eau à 40°C, faire dissoudre tous les ingrédients, puis laisser refroidir;

Mélanger à du gros sel quelques baies de genièvre et en frotter vigoureusement la viande; la laisser reposer, recouverte de sel, environ 24 heures au réfrigérateur;

Rincer le morceau de boeuf puis l'immerger dans la saumure froide; garder le tout au réfrigérateur une dizaine de jours ou, à défaut de place, dans un endroit frais (température n'excédant pas 10°C).

Retirer la viande de la saumure et la mettre à égoutter pendant 3 à 5 jours dans un endroit frais;

Rincer la pièce de boeuf en la plongeant une heure dans de l'eau froide fréquemment renouvelée;

Introduire une ficelle dans la partie la plus mince du morceau, suspendre la pièce et la laisser s'égoutter dans un endroit frais et ventilé.

Une fois la viande bien sèche, commencer le fumage qui, dans ce cas, doit se faire à froid (le temps de fumage dépend du degré de fumaison recherché);

Laisser reposer la viande encore quelques jours pour qu'elle s'affine.

Saucisses et saucissons

Saucisse fumée au chou

La saucisse au chou constitue un plat de résistance parfaitement indiqué durant la saison froide; pendant cette période, on consomme beaucoup de potée et de soupe de légumes. La saucisse au chou doit cuire environ 1 heure avec la garniture végétale.

200 g	*de picnic frais/épaule de porc*
250 g	*de bajoue/gorge de porc*
300 g	*de couenne*
200 g	*de foie ou de coeur de porc*
400 g	*de chou*
18 g	*de sel*
5 g	*de sucre*
2 g	*de poivre blanc moulu*
20 g	*d'oignons*
	boyaux menus de porc très larges

Cuire les choux puis les presser pour en extraire toute l'eau;

Faire cuire la couenne pendant environ une heure dans l'eau frémissante;

Découper le picnic et la bajoue de porc en petits morceaux et les mettre à refroidir;

Hacher menu les oignons et les faire blondir dans une poêle avec un minimum de graisse;
Faire tremper les boyaux dans l'eau tiède vinaigrée et les couler pour les assouplir.

Au robot du cuisine (ou au hache-viande équipé du disque à petits trous), réduire la couenne en fines particules;

Mélanger la couenne, le chou, le maigre, la bajoue et le foie de porc et passer l'ensemble au hache-viande muni du gros disque;

Au batteur-mélangeur ou à la main, homogénéiser cette mêlée avec le sel, le sucre, le poivre et les oignons frits;

Pousser la pâte sous les boyaux et former des portions d'environ 120 g.

Suspendre les saucisses sur des perches et les faire sécher pendant 24 ou 48 heures dans un endroit frais et ventilé;

Fumer les saucisses à froid durant 12 à 24 heures.

(Traditionnellement, les paysans des Alpes françaises, qui fabriquaient ces saucisses au chou, devaient les conserver longtemps pendant la période hivernale très rigoureuse dans cette région. La fumaison à froid durait alors de 3 à 5 jours.)

Saucisse fumée de Morteau

Depuis le XVIIe siècle, dans un secteur du Haut-Doubs bien délimité dont Morteau est le centre, les fermes étaient toutes construites sur un même plan. Au milieu de la maison, une cour carrée de 20 à 30 m^2 dont les murs en dur étaient surmontés d'une immense cheminée de bois en forme de pyramide, appelée « tué »; autour du tué étaient disposées les étables, les pièces d'habitation, les dépendances et remises. La gueule du four ainsi que tous les conduits de fumée de la ferme s'ouvraient sur le tué.

C'est dans le tué que les paysans prévoyants conservaient leur viande en la fumant; on tuait le « cochon » deux fois l'an, à la Saint-Martin, pour les réserves d'hiver, et avant le carême pour les réserves de printemps et d'été.

Avec une partie de la viande des porcs, on confectionnait des saucisses séchées et fumées dans le tué. Dans ces conditions est né le fameux « Jésus de Morteau ». C'était la plus belle saucisse fabriquée avec les meilleurs morceaux et logée dans le plus gros boyau que l'on réservait pour le repas de la nuit de Noël, d'où certainement son nom.

Cette saucisse, dont la stabilisation est assurée grâce à un fumage prolongé qui entraîne une certaine dessiccation, peut se conserver quelques semaines dans un endroit frais et aéré. On la fait cuire au moment de la consommation et elle sert de garniture à une choucroute ou à une potée de légumes.

700 g de porc maigre (picnic frais/épaule)
300 g de gras de porc (dos/bardière)
25 g de sel
5 g de sucre
1 g de sel conservateur
2 g de poivre blanc moulu
gros boyaux de porc
(appelés suivant ou chaudin)

Découper la viande et le gras en petits morceaux, ajouter le sel, le sucre et le sel conservateur, et laisser l'ensemble 1 ou 2 jours au réfrigérateur;

Dessaler les boyaux de porc dans de l'eau tiède légèrement vinaigrée; préparer des longueurs de 18 à 20 cm et obturer une extrémité à l'aide de ficelle non coupante en faisant une boucle qui servira de crochet.

Figure 9.5
Saucisses de Morteau et de Montbéliard

Passer la viande et le gras au hachoir équipé du gros ou moyen disque;

Ajouter le poivre et bien mélanger le tout;

Pousser la pâte sous boyau; obturer l'extrémité inférieure à l'aide d'une petite cheville de bois (cure-dent).

Suspendre les saucisses sur des perches et les laisser sécher environ 24 heures dans un endroit tiède;

Fumer les saucisses à froid jusqu'à ce qu'elles tournent au jaune-brun caractéristique (éviter de trop chauffer l'enceinte du fumoir pour ne pas altérer la qualité de la saucisse).

Saucisse fumée de Montbéliard

Très semblables aux saucisses de Morteau, les saucisses fumées de Montbéliard sont parfumées au cumin et présentées sous boyau menu en longueur de 12 à 15 centimètres.

700 g de porc maigre (pinic frais/épaule)
300 g de gras de porc (dos/bardière)
25 g de sel
5 g de sucre
1 g de sel conservateur
2 g de poivre blanc moulu
1 ou
2 g de cumin moulu
boyaux menus de porc

Pour la fabrication, voir la recette précédente.

Chapitre 10

LES MÉTHODES DE CONSERVATION DES ALIMENTS

Comme tous les aliments d'origine animale ou végétale, les produits de charcuterie laissés à l'air libre et à la température ambiante sans traitement se dégradent plus ou moins rapidement. Ce phénomène, appelé putréfaction, est dû à la prolifération de microorganismes tels que bactéries, moisissures et levures.

Pour que ces êtres infiniment petits puissent survivre et se multiplier, il faut qu'un certain nombre de conditions soient réunies:

- **Une humidité suffisante.** Dès que les aliments se déshydratent, la vie des microorganismes est ralentie et, si ces conditions sont maintenues, beaucoup d'entre eux meurent;
- **Une température favorable.** Les microorganismes voient leur activité diminuer voire s'arrêter si la température baisse sous 0°C et, si elle est portée au-dessus de 110°C à 115°C, la plupart d'entre eux sont détruits (voir la figure 10.1);
- **Une nourriture suffisante.** Les microorganismes ne peuvent se développer sans la présence de sucres et de protéines (pour les bactéries).

Certains traitements permettent de ralentir voire d'arrêter la prolifération des microorganismes alors que d'autres en assurent la destruction totale ou partielle; citons en particulier:

- **La mise dans la graisse.** Ce traitement permet de garder la préparation à l'abri de l'air. On trouve en charcuterie des applications intéressantes (confits) mais, dans tous les cas, les aliments doivent subir une cuisson préalable. Il est aussi conseillé de stocker les denrées confites dans un endroit frais;
- **La mise en conserve.** Le conditionnement des aliments dans un récipient parfaitement étanche à l'air, aux gaz et aux microorganismes, puis leur stérilisation détruit tous les microorganismes ainsi que leur forme sporulée (plus résistante) et les toxines qu'ils produisent;
- **La dessiccation.** La fabrication des saucissons et des jambons secs repose sur ce principe; il s'agit en fait d'éliminer l'eau indispensable au développement des microorganismes. Cette opération est toujours associée au salage;
- **Le salage.** Le sel est considéré comme un agent bactériostatique, c'est-à-dire un agent susceptible de freiner ou d'arrêter le développement de certains microorganismes dont la tolérance au sel est nulle ou faible;
- **Le fumage.** Le fumage est intéressant en raison des propriétés antiseptiques et bactéricides de la fumée. Il est toujours associé au salage;
- **L'acidification.** L'augmentation de l'acidité ralentit ou inhibe le développement des bactéries putréfiantes et l'activité enzymatique; par contre, elle peut favoriser le développement de certaines levures, moisissures et bactéries acidophiles.
- **La congélation et la surgélation.** Le froid bloque l'activité et le développement des agents responsables des altérations.

La mise en conserve

La conservation des aliments par la stérilisation a été découverte par Nicolas Appert au début du XIXe siècle mais ce n'est que cinquante ans plus tard que Louis Pasteur mit en évidence l'existence des microorganismes et donna une explication scientifique de la stérilisation.

Récipients utilisés pour les conserves

Le récipient le plus utilisé dans la fabrication de conserves est certainement la boîte métallique, mais son utilisation nécessite un matériel de fermeture (sertisseuse) qui la réserve généralement au domaine professionnel. La boîte est réalisée en fer blanc (tôle d'acier mince étamée) ou en aluminium. Le couvercle, du même métal, est muni d'un joint plastique qui assure l'étanchéité. (Certains sont pourvus d'un dispositif d'ouverture rapide du genre « tir-hop » ou « easy-open ».) Lors du sertissage, le bord du couvercle est roulé sur le bord de la boîte et le joint est comprimé entre les deux.

Dans la fabrication de conserves familiales ou ménagères, toutefois, on utilise généralement des bocaux de verre. Les uns, en verre recuit, nécessitent quelques précautions car ils ne supportent pas des écarts de température brusques de plus de 60°C. Les autres, en verre trempé, résistent à des écarts de plus de 120°C, ce qui permet un refroidissement très rapide après stérilisation.

Figure 10.1
Thermomètre de la viande

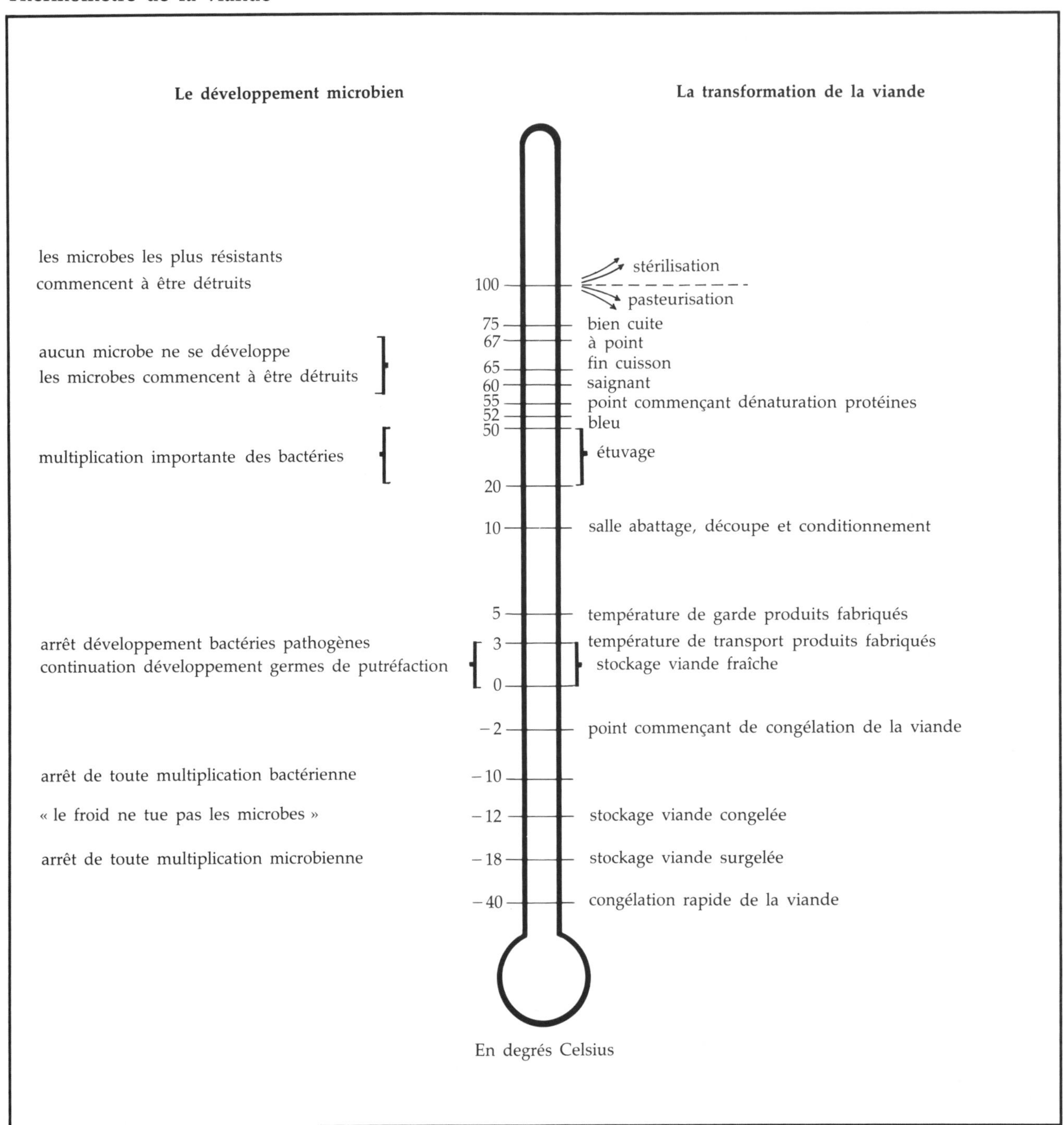

Source : D'après *L'encyclopédie de la charcuterie*, Orly, Éditions Soussana, 1982.

Figure 10.2

Bocal à couvercle de verre

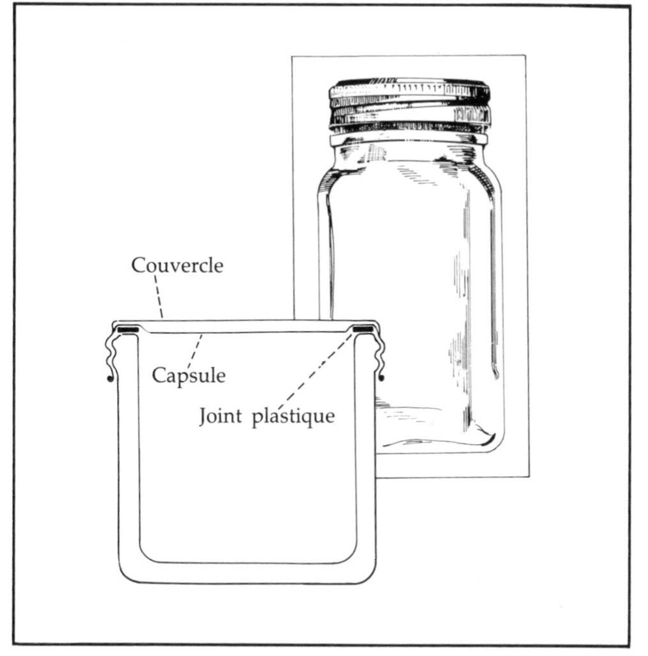

Le joint de caoutchouc comprimé entre le couvercle et le bocal assure l'étanchéité. Il doit être changé à chaque nouvelle utilisation.

Figure 10.3

Bocal à couvercle de métal

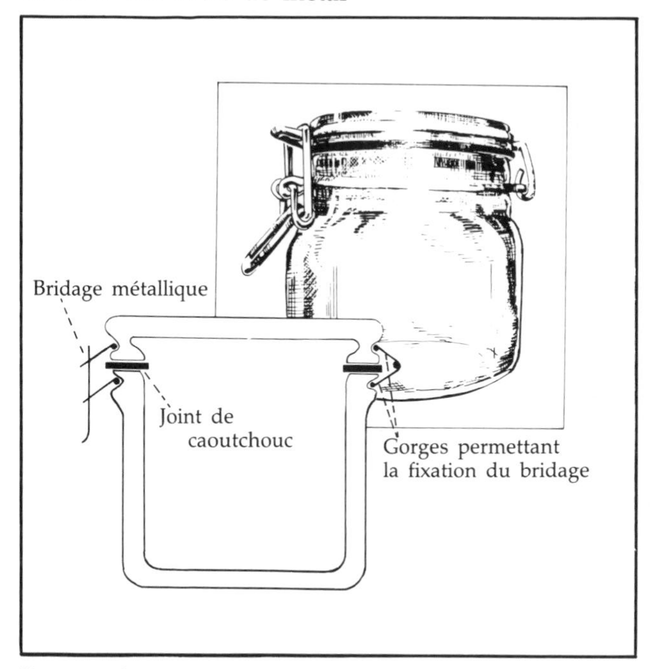

Pour une deuxième utilisation, la capsule est à changer car, pour ouvrir le pot, il faut la percer; par ailleurs, le joint perd sa souplesse après une stérilisation.
Il existe d'autres systèmes de fermeture (twist-off, press-on turn-off, Eurocap,...) mais, comme dans le cas des boîtes métalliques, leur mise en oeuvre demande un matériel tellement complexe que ces systèmes sont réservés aux professionnels.

Leur fermeture peut être assurée de deux façons:

- par un couvercle de verre maintenu en place sur le bocal par un bridage métallique (figure 10.2);
- par une capsule munie d'un joint plastique maintenue en place sur le bocal par un couvercle métallique vissé (figure 10.3).

Remplissage

Le format des contenants doit être adapté aux produits à conditionner: comme une conserve doit être consommée en une seule fois, sa contenance doit correspondre aux besoins d'une seule utilisation.

Avant de mettre les produits en conserve, il faut les trier, les parer et les nettoyer. Certains doivent même être blanchis (passés rapidement à l'eau bouillante), puis refroidis rapidement (ce qui permet de les raffermir). Les produits sont ensuite disposés dans les bocaux, jusqu'à environ 2 cm du bord, et enfin « jutés » c'est-à-dire recouverts:

- d'une saumure légère (solution de sel dans de l'eau) dans le cas des légumes;
- d'un sirop léger (solution de sucre dans de l'eau) dans le cas des fruits;
- d'une sauce, dans le cas des plats cuisinés.

Stérilisation

La stérilisation a pour but de détruire tous les microorganismes (figure 10.4) se trouvant dans le produit à conserver et, par conséquent, de permettre sa conservation. Elle peut être réalisée dans un autoclave ou dans un stérilisateur.

L'autoclave est un appareil basé sur le même principe que l'autocuiseur. Surtout utilisé pour des quantités importantes de conserves, il est remplacé, dans la fabrication domestique, par un autocuiseur ménager. La stérilisation à l'autoclave se fait à 110-115°C.

Le stérilisateur est une marmite à double fond (les bocaux ne sont donc pas en contact direct avec la source de chaleur). Sa contenance doit être adaptée aux quantités de conserves à traiter et, avec cet appareil, la température de stérilisation est de 100°C.

Comme cette température ne suffit pas en général pour obtenir une stérilisation complète sans prolonger à l'excès le temps de traitement, il est suggéré de saler l'eau à saturation (250 g de sel par litre d'eau) pour que le point d'ébullition de l'eau soit de 108°C. L'ajout de sel permettra de stériliser le produit sans nuire à ses qualités organoleptiques.

Quelques exemples de temps de stérilisation:

Les valeurs moyennes, ci-dessous, sont valables pour des récipients en verre ayant un rapport hauteur/diamètre compris entre 1,25 et 1,50. Si le rapport est plus important, on peut réduire légèrement les temps de stérilisation.

1) Pâté

Contenance du récipient (l*)	Durée de stérilisation (min)	
	à 100°C	à 115°C
0,250	120	100
0,500	170	125
0,750	190	140
1	210	160

* Pour les pâtés la masse de remplissage en kilogrammes est environ égale à 80 % de la contenance en litres (soit une masse de 200 g pour un récipient de 0,250 l).

2) Foie gras et dérivés

Contenance du récipient (l)	Durée de stérilisation (min)	
	à 100°C	à 108°C
0,125	110	90
0,250	130	125
0,500	150	145
0,750	180	170

3) Plat cuisiné (légumes et viande, ex.: cassoulet)

Contenance du récipient (l*)	Durée de stérilisation (min)	
	à 100°C	à 115°C
0,500	180	100
0,750	200	120
1,000	220	130

* Les produits doivent être couverts avec du liquide de cuisson (sauce) bouillant.

Le salage

Le salage est une opération qui consiste à ajouter du sel à de la viande ou à une préparation à base de viande dans le but:

- d'enrichir sa saveur: en charcuterie, l'apport de sel va généralement de pair avec l'ajout de substances aromatiques diverses (épices, aromates);
- d'améliorer sa conservation: l'action bactériostatique du sel est toutefois limitée car la dose d'incorporation doit être faible pour ne pas nuire au goût. La conservation des aliments doit donc être assurée par des moyens complémentaires tels le froid, le fumage, le séchage et la stérilisation.

Par définition, la pratique professionnelle différencie:

- *le salage*, où il n'est fait usage que du sel en combinaison éventuelle avec des substances aromatiques;
- *la salaison* où, en plus du sel, il est ajouté du salpêtre, du sucre et d'autres additifs autorisés par les règlements en vigueur.

On connaît deux modes de salage (ou salaison) pour la préparation des produits carnés: le salage au sel sec et le salage par saumurage.

Le salage (ou salaison) « au sel sec »

Le salage au sel sec demande que le sel soit ajouté directement à la viande. Comme il est très soluble dans l'eau, le sel se dissout dans le jus superficiel et forme une saumure très concentrée qui imprègne rapidement la viande.

Suivant le mode d'incorporation, on distingue:

- *le salage (ou salaison) par mélange*, où le sel est ajouté aux morceaux de viande prédécoupés ou parcellisés par passage au hache-viande ou au robot de cuisine (la plupart des produits de charcuterie décrits dans le présent ouvrage font appel à ce type de salage). Si le sel est ajouté à l'avance, on parle de présalage; si en plus on fait usage d'alcools, il s'agit alors de marinade.
- *le salage (ou salaison) par frottage*, qui consiste à frotter de façon plus ou moins énergique les pièces de viande, de volaille ou de poisson entières, afin de favoriser la pénétration du sel et des autres substance. Cette technique s'applique à des préparations comme le jambon sec ou la viande de boeuf séchée.

Le salage (ou salaison) par saumurage

Le salage par saumurage se fait en immergeant la pièce de viande dans une saumure composée d'eau, de sel et éventuellement d'autres substances. La saumure est généralement préparée à chaud, ce qui favorise la dissolution des ingrédients, puis refroidie. Le temps de saumurage varie en fonction de l'épaisseur de la viande.

Pour accélérer la pénétration du sel, les charcutiers disposent de systèmes d'injection permettant une diffusion plus rapide de la saumure dans la pièce de viande.

Le fumage (ou boucanage)

L'utilisation de la fumée fut certainement un des premiers moyens de conservation des viandes et des poissons.

Si, dans les temps reculés, le principal objectif était la conservation des produits, l'apparition de nouvelles techniques de conservation (froid - conserve...) n'a pas fait disparaître le fumage des traditions charcutières. Cependant, son rôle conservateur se trouve bien souvent repoussé au second plan; actuellement, le fumage est effectué essentiellement pour donner aux produits une saveur et une présentation typiques.

Le fumage est régi par deux paramètres principaux, soit la température et l'humidité régnant dans l'enceinte de fumage:

- Le fumage est dit « à froid » lorsque la température ne dépasse pas 30°C; ce type de fumage est surtout utilisé pour les produits fragiles et pour ceux qui doivent subir une conservation prolongée.
- Le fumage est dit « à chaud » lorsque la température varie de 30°C à 70°C; à ces températures, on assiste à une cuisson partielle voire totale des préparations.
- L'humidité favorise la pénétration de la fumée et règle les pertes par évaporation. Ce paramètre est toutefois très difficile à maîtriser avec les fumoirs domestiques.

Préparation des produits

Tous les produits — sans exception — doivent être salés avant fumage car l'élévation de température qui se produit inévitablement peut entraîner la dégradation de la préparation et même sa putréfaction, suite à un développement important des bactéries putréfiantes. Pour réduire ce risque au minimun, il faut donc absolument saler les produits. Il suffit, dans certains cas, d'ajouter du sel à la préparation lors de sa fabrication (c'est le cas notamment des saucisses et des saucissons); autrement, le salage doit se faire au sel sec ou par saumurage.

Temps de fumage

Il est difficile, sinon impossible, de donner des barèmes exacts pour le temps de fumage car il est fonction de plusieurs facteurs et notamment:

- du matériel de fumage et, corrélativement, du type de combustible utilisé (sciure de diverses origines à taux d'humidité variable);
- du produit à fumer: suivant la nature de la viande et la façon dont elle a été salée, la durée pourra varier assez considérablement;
- du degré de fumaison recherché.

Matériel de fumage

À l'heure actuelle, deux possibilités se présentent à celui qui désire fumer des denrées alimentaires.

- *Construire soi-même son fumoir.* Les bricoleurs peuvent transformer un ancien réfrigérateur voire un fût métallique en enceinte de fumage. Le schéma 10.4 définit assez aisément la manière de s'y prendre pour récupérer ces appareils et les transformer en « boîte à fumage ou à boucanage ».

Figure 10.4

Fumoir de fabrication domestique

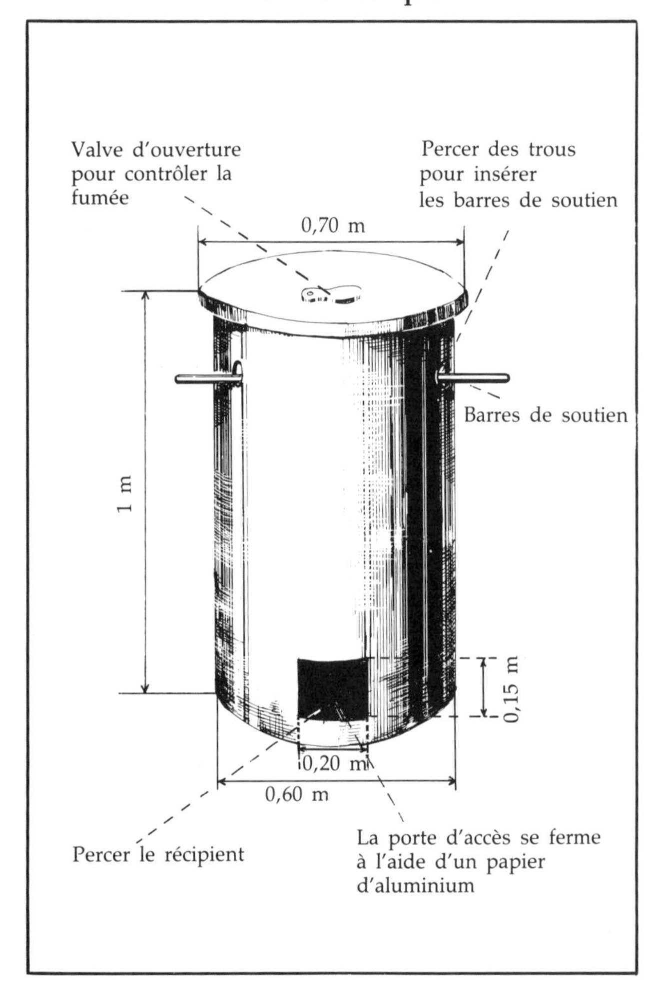

L'inconvénient, avec un tel système, est que souvent, le fumage à froid est difficile à maîtriser en raison de la proximité du foyer par rapport aux pièces à fumer et aussi à cause d'une certaine inertie thermique.

Tableau 10 - 1

Caractéristiques des bois utilisés pour le fumage

	Bois durs
Chêne	Très utilisé, couleur jaune foncé à brun, bonne saveur.
Hêtre	Très utilisé, couleur jaune clair, bonne saveur, employé souvent en mélange avec le chêne.
Noyer	Couleur jaune foncé, saveur agréable.
Acajou	Peut communiquer aux produits une couleur sombre et un goût amer, à n'utiliser qu'en mélange.
Charme, Châtaignier	Moins employés, couleur jaune pâle.
Frêne, arbres fruitier	Bonne saveur, à utiliser en mélange.
	Bois tendres
Aulne, érable	Couleur jaune foncé, saveur normale.
Tilleul	Couleur jaune, saveur normale.
Bouleau, peuplier, saule	Couleur et saveur quelconques.
	Conifères
Pin, sapin, autres	Couleur médiocre, saveur âcre.
	Arbustes et plantes aromatiques
Arbousier, bruyère, genêt, genévrier, laurier, lentisque, marjolaine, origan, romarin, sauge, sarriette, thym.	

Une autre méthode, plus astucieuse mais qui demande davantage de place, consiste à éloigner le foyer de la chambre de fumage de manière telle que la fumée se trouve refroidie lorsqu'elle arrive au contact des denrées à fumer (figure 10.5).

◆ *Acheter un fumoir.* Actuellement, il existe dans le commerce des appareils de fumage portatifs qui donnent satisfaction et dont le prix demeure raisonnable. Ils permettent, suivant les modèles, de fumer en une seule fois de 2 à 22 kg de poisson.

Ce modèle de fumoir comporte:

- Une plaque mobile calorifugée qui concentre la chaleur dans le foyer lors du fumage à froid;
- Une double tuyauterie qui fait le tour du fumoir et permet à la fumée de se refroidir avant de pénétrer dans la chambre de fumage. Un système de clés contrôle le passage de la fumée donnant ainsi un fumage à froid ou à chaud;
- Une rampe à gaz qui assure l'allumage de la sciure. Ce fumoir répond au travail à froid ou à chaud.

Figure 10.5

Fumoir à foyer éloigné

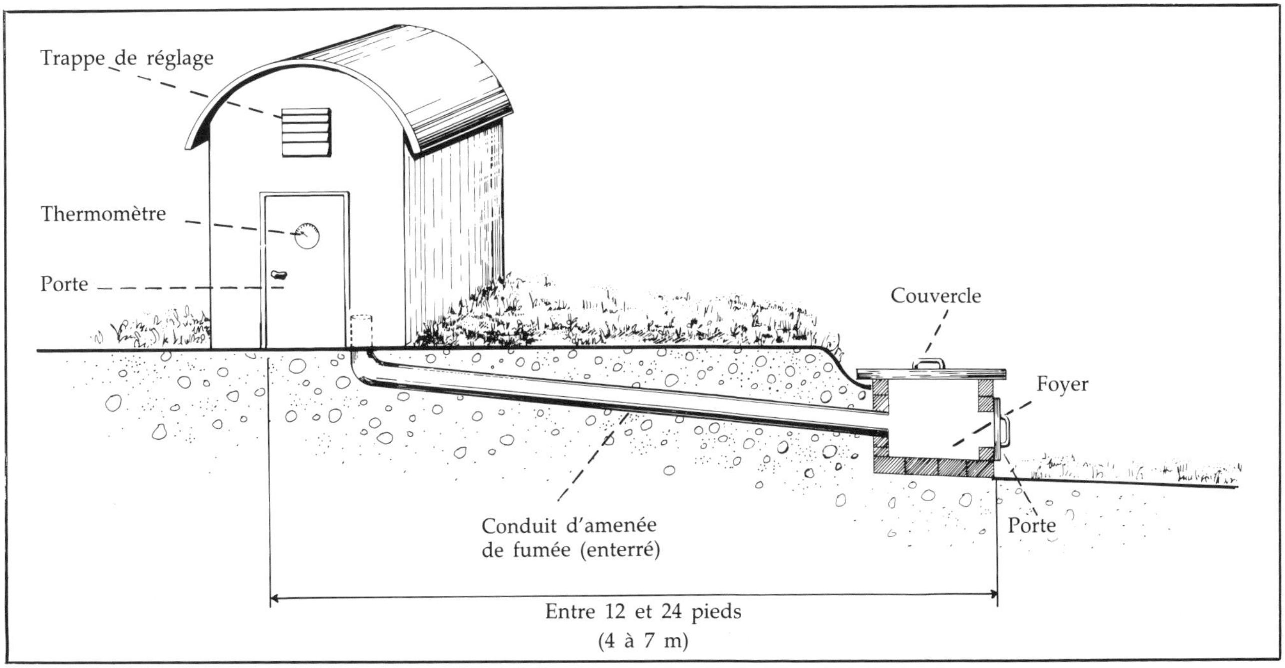

Type de combustible utilisé

L'utilisation de sciure et de copeaux de bois pour la fumaison des produits correspond à une pratique ancienne et courante.

Il est fréquent d'ajouter à la sciure et aux copeaux de bois, en cours de combustion, des éléments susceptibles de bonifier la saveur des préparations carnées; il s'agit en général de feuilles, de tiges, de baies voire d'écorces de plantes et d'arbustes odoriférants.

La mise en oeuvre de la sciure et des copeaux ne doit pas se faire de manière inconsidérée; il faut proscrire l'emploi de ces substances combustibles si elles sont issues:

- de bois fraîchement abattus. L'humidité du bois favorise la formation de composés carbonylés et d'acides — de ce fait, la sciure utilisée doit être sèche, c'est-à-dire contenir environ 10 % d'humidité;
- de bois pourris, moisis ou provenant de matériaux de démolition;
- de bois peints ou vernis qui peuvent donner lieu à des intoxications par suite d'émanations toxiques (plomb, arsenic, goudrons, etc.).

EN GUISE DE CONCLUSION

par Marcel Harvey

◆ ◆ ◆ ◆ ◆ ◆ ◆ ◆ ◆ ◆

Le mariage de la charcuterie et des vins

Les alléchantes préparations qui nous chavirent l'oeil dans les vitrines des charcutiers ravissent depuis longtemps un nombre incalculable de gourmets. L'assiette de cochonnaille, aux variétés presque infinies, est devenue un classique des bons petits bistros. Elle occupe aussi une place d'honneur dans certains repas gastronomiques où elle se présente en entrée sous des formes délicates. Pourtant elle ne s'embarrasse d'aucun préjugé et peut nonchalamment se prélasser sur l'herbe des repas champêtres. Il vaut vraiment la peine de l'honorer très galamment en l'accompagnant d'un bon vin. Le blanc est peut-être celui qui s'accorde le mieux avec la charcuterie mais, ici au Québec comme en d'autres endroits, on a pris l'habitude de la servir avec des vins rouges. Nous n'en portons d'ailleurs aucun ombrage car, effectivement, ils se montrent eux aussi d'excellents compagnons avec les viandes froides, mousses, pâtés ou certains apprêts chauds comme les saucissons et les boudins. Dans le domaine du possible, nous donnerons la nomenclature des vins blancs, rosés et rouges pouvant accompagner précisément chaque type de charcuterie ainsi que la règle d'or s'appliquant à leur service. Mais auparavant parlons un peu de son histoire : l'itinéraire qui fut le sien depuis l'Antiquité, pour arriver en habit d'apparat jusqu'à nos tables d'aujourd'hui.

Petite histoire

L'histoire de la charcuterie est intimement liée à la présentation de la viande de porc dans l'assiette de l'humanité, puisqu'elle fut la première à composer ses diverses préparations. Méprisé des Égyptiens, interdit par Moïse au peuple hébreu pour la prétendue impureté de sa chair, le porc fut réhabilité par les Grecs, qui l'offraient en victime privilégiée dans leurs sacrifices, et ils employaient d'ailleurs sa graisse en cuisine. C'est probablement d'eux que les Romains apprirent l'art de l'apprêter de maintes manières. Au temps de l'Empire, ils la conservaient en la mélangeant avec du sel, des épices et des aromates, et apportèrent à sa cuisson bien des raffinements. Les mortadelles, les salamis et toutes les spécialités italiennes étaient sûrement déjà préparés à cette époque, sous d'autres noms, mais à peu près comme de nos jours. Ces fabrications des Romains furent plus ou moins conservées au Moyen-Âge en France, où l'on trouvait à l'étal des bouchers toute une panoplie d'abats et de charcutailles comprenant les produits du porc autant que ceux du veau, du boeuf et du mouton. Puis une branche se détacha en 1475, celle des charcutiers qui prirent l'exclusivité des préparations à base de porc. Comme une loi leur interdisait de tuer eux-mêmes les animaux, ils durent en acheter la viande aux bouchers jusqu'au XVIe siècle et la vendre cuite. La tête de porc, le lard, le saindoux et le jambon gaulois étaient considérés comme de véritables spécialités gastronomiques et le chaudron dans lequel on les cuisait tenait même un rôle religieux et magique, symbolisant l'abondance et le vie. Notons que pendant le carême, évidemment, on la remplaçait pieusement par le poisson, surtout le hareng salé.

Les gens célèbres et les cochons

Histoire de s'amuser un peu, faisons maintenant une brève incursion dans quelques écrits d'époque traitant du sujet qui nous intéresse. Nous avons découvert une recette du plus réputé chef cuisinier de l'Antiquité romaine, le grand Apicius, qui ravira les cuisiniers aventureux : les vulves de truies farcies, dont voici la recette :

Pour la farce, broyer ensemble de la chair de porc haché, du poivre et du cumin, deux blancs de poireaux, de la rue et du garum, ajouter à ce mélange des grains de poivre et des pignons. En farcir des vulves bien nettoyées, les faire cuire à l'eau avec huile, garum, aneth et un petit bouquet de poireaux.

Le vin idéal à boire avec ce régal serait indéniablement le falerne, considéré comme le meilleur cru de l'Antiquité, à tel point qu'on appelait falerne tous les vins de l'époque qui semblaient bons. Choisir de préférence le millésime de l'an 121 av. J.-C.*.

La réputation de la viande de porc date de très loin! Pendant la Renaissance, à propos des charcuteries en général, Rabelais parle lui aussi abondamment des jambons, andouilles et diverses saucisses comme des mets de choix et note également que l'on usait de sang de porc, de veau et de chevreau, alors que celui de boeuf et de mouton était abandonné au bas peuple. Pour accompagner ces mets de prédilection il mettait au premier plan le bon pineau blanc de son clos natal de La Devinière (Val de Loire). D'autres grands crus de son temps, falerne (toujours!), anjou, arboys et malvoisie, mentionnés dans son *Tiers Livre,* auraient très bien pu honorer les chères victuailles. Rabelais avait une opinion assez particulière sur le vin, que je ne partage d'ailleurs pas du tout: il disait que c'était le meilleur moyen de réfréner les concupiscences charnelles...

Plus près de nous, au XIXe siècle, Alexandre Dumas fait remarquer que l'on pouvait trouver chez les charcutiers des mets froids à base de veau, de volaille et de gibier, dans lesquels la chair de porc était très accessoire.

En somme, ce fut donc chez les Romains que se développa l'art de la charcuterie. Et ce à un degré tel que même aujourd'hui l'Italie demeure la terre de prédilection des plus délectables charcutailles, qu'ils ont la chance de pouvoir déguster avec toute la merveilleuse variété de bons vins que nous leur connaissons.

Les charcuteries et les vins appropriés

Il est clair que le petit côté rustique de la charcuterie peut occasionner certains problèmes quant à son accompagnement. Comme elle se compose de mets souvent très forts, très épicés, parfois marinés, incluant autant poissons et gibiers que volailles, je crois le vin plus apte à se prêter au jeu de nuances qu'elle offre et à tenir avec elle un piquant dialogue. J'ai déjà dit que le vin blanc me paraît le plus approprié en ce sens. En effet, de par sa constitution et sa souplesse, il accepte mieux les goûts violents et acides des aliments épicés. Par contre un vin rouge léger, tels le beaujolais, le bourgueil, certains vins chaleureux du sud de la France, quelques bons petits vins italiens, entre autres, sont à mon avis susceptibles d'en faire autant. L'été, les rosés de Provence, d'Alsace, du Val de Loire ou d'Italie peuvent ajouter un petit air canaille à certaines célébrations. Il faut mentionner aussi la bière qui peut, en certaines occasions, être excellente avec la charcuterie. Dans le cas particulier de la choucroute, elle est bien la meilleure escorte, l'agressivité des saveurs contrastées et vinaigrées de ce mets rendant difficile le choix d'un vin pour l'accompagner. (Les amateurs pourraient cependant la servir avec des vins d'Alsace.) Mais, sans toutefois mépriser la bière, je trouve les vins dotés davantage de complexités et de subtilités dans ce rôle difficile d'accompagnement des charcuteries. Dans la nomenclature qui suit, j'ai indiqué les vins blancs, puis les rosés et les rouges, de provenances différentes, élus spécialement pour un type précis de charcuterie.

J'ai inscrit en caractères gras les vins que je préfère personnellement, même si parfois certains autres peuvent leur être supérieurs.

---

* Le millésime le plus fameux fut celui de l'an 121 av. J.-C. (622 de la fondation de Rome) sous le consulat d'Opimus; en cette année, où Tibérius Gracchus fut assassiné, la saison avait été si chaude que les raisins avaient été presque confits. Deux siècles plus tard, Pline put encore goûter de ce vin fameux mais, dit-il, il était réduit à l'état de miel âpre. [...] C'est à partir de cette année 121 que les vignobles italiens commencèrent à acquérir de la notoriété, car auparavant on ne cite que des vins grecs. (A. GOTTSCHALK, *Histoire de l'Alimentation et de la Gastronomie,* Paris, Hippocrate, 1948, Tome Premier, p. 212).

Tableau C-1

Les charcuteries et les vins appropriés

Mets	Blancs	Rosés	Rouges
Andouille	anjou, saumur, alsace, champagne, **muscadet**		**beaujolais,** mercurey
Boudin blanc ou noir	**muscadet, alsace,** graves, semillon (Aust.), pouilly-fumé	**pinot noir alsace**	**chinon,** bourgueil, beaujolais, zinfandel, cabernet-sauvignon (U.S.)
Choucroute (bière)	**alsace**		pinot noir alsace
Compote de thon	bourgogne, chardonney, alsace, sauvignon		
Confit d'oie et de canard	jurançon		saint-émilion, graves, madiran, chianti
Cretons	côtes-du-Rhône	provence	gamay de touraine
Foie d'oie	**champagne,** sauternes, alsace		médoc, graves
Galantine	mousseux, **graves,** anjou, saumur		
Gésier de canard ou d'oie confit	champagne, mousseux, **hermitage,** crozes-hermitage	tavel	madiran, minervois, saint-émilion, zinfandel, cabernet-sauvignon (U.S.)
Jambon	sancerre, soave	**pinot noir alsace,** tavel	medoc saint-émilion, chinon, valpolicella
Jambon de Bayonne	**mousseux brut,** jurançon, lachryma christi	tavel	
Merguez	rioja, vinho verde	maroc	shiraz (Aust.), dao (Portugal), **algérie, maroc,** zinfandel
Mousse de foie de volaille	**muscadet, alsace mousseux brut**		**merlot (Ital.), chianti classico, graves, touraine**
Pâté de campagne au poivre vert	**mâcon, sancerre**		bordeaux, dao, rioja, merlot italien, cabernet-sauvignon (U.S.)

Tableau C-1

Les charcuteries et les vins appropriés (suite)

Mets	Blancs	Rosés	Rouges
Pâté de foie	bourgogne, graves		bourgogne, bordeaux, corbières
Prosciutto	**vernaccia, mousseux brut,** alsace, saumur		
Quenelles de brochet	beaune, pouilly-fumé, vernaccia, anjou		
Rillettes	**anjou, saumur**	**alsace**	**vin léger**
Saucisse	**alsace, frascati,** graves, vinho verde sec		bordeaux léger, cabernet-sauvignon, merlot italien
Saucisse fumée de Montbéliard	**mousseux brut**		**garrafeirra,** zinfandel, **coteaux du tricastin**
Saucisson sec	alto adige, frascati, grave del friuli	provence, tavel	cabernet-sauvignon, merlot italien, bourgueil
Saumon en brioche	bourgogne, **beaune,** graves		
Saumon fumé	mousseux brut, entre-deux-mers, orvietto secco		
Terrine de chevreuil	**champagne, gewurztraminer, arbois**		**hermitage, côte-du-Rhône, chianti**
Terrine de lapin, de canard, de dinde, de lièvre	**bourgogne, pouilly-fuissé**		**gamay de touraine,** chinon, bourgueil
Tête fromagée	**anjou, saumur, sauvignon de touraine**	**alsace**	**vin léger**

Le service des vins

En ce qui a trait au service des vins, la toute première règle consiste à respecter entièrement votre goût personnel et celui de vos convives. Quant aux règles de base, elles sont simples et faciles à suivre. Leur existence se justifie évidemment par diverses raisons dont la plus importante demeure le bon goût.

La gradation des vins

Voici donc le protocole du service des vins.

La gradation doit se faire:

- des vins plus légers aux plus corsés;
- des vins plus jeunes aux vins plus vieux;
- des vins blancs au vins rouges;
- des vins blancs secs aux vins demi-secs, doux ou liquoreux.

Les vins blancs demi-secs, doux ou liquoreux sont parfois servis en apéritif mais plus généralement avec le dessert. Ceci semble contredire les règles citées plus haut mais l'apéritif n'est pas considéré comme un vin d'accompagnement. Pour ce qui touche le dessert, il est tout à fait convenable de le marier à un vin qui ne choquera pas les papilles. (Voir exemple page 162)

Conseils généraux: On ne doit jamais regretter le vin qui a précédé. On doit donc aller graduellement vers les meilleurs vins. De plus il faut remplir les verres aux deux tiers, jamais à ras bord.

Il existe des verres appropriés pour les vins de chaque région mais peu de gens peuvent se payer un tel luxe. On utilisera donc, en toute simplicité, les verres que l'on possède. Les plus agréables sont légers, minces et ont un corps moyennement ample; ils doivent être sur pied, supportés par une tige fine et bien équilibrée.
Une bouteille de 750 ml peut servir 8 verres d'environ 94 ml.

La température des vins

Il existe une certaine confusion quant à la température idéale pour le service de vins. La plupart du temps, les vins blancs sont servis trop frais et les rouges trop chauds. Plus un vin blanc est vieux, moins on le consommera froid. Quant aux vins rouges légers, il vaudrait mieux les servir frais pour en apprécier toute la saveur.

Lors d'un voyage en France, je commandai un beaujolais qui m'arriva sur la table aussi chaud que de la soupe. J'eus beau expliquer à la charmante jeune femme qui me servait pourquoi j'aimais mon beaujolais bien frais, elle me jeta un regard stupéfait et me dit avec condescendance: « Monsieur, nous aurions un mariage bien pénible; nous se serions jamais d'accord! »
Sans trop se formaliser et tout en évitant de semer la pagaille dans la famille, disons qu'il y a des températures de service idéales pour les différents types de vin. Les voici en degré Celsius:

	Blancs	**Rosés**	**Rouges**
Alsace	8-10°	6-8°	10-13°
Anjou	8°	6-7°	13°
Beaujolais	8-10°		10-14°
Bordeaux	7-10°		18-20°
Bourgogne	10-13°	8°	15-17°
Champagne et mousseux	5-7°	7°	
Côtes-du-rhône	8-11°	8°	15-17°
Vins d'Espagne	8-10°	6-8°	15-18°
Vins d'Italie	6-8°	7°	15-17°
Vins du Portugal	8-10°	6-8°	15-18°
Vins légers	6-7°		9-11°
Vins liquoreux	5-7°		

Tableau C-2

Exemple de bonne gradation des vins

	Vins recommandés	Vins à éviter ou remarques
Hors-d'oeuvre	blanc sec jeune ou mousseux	sauternes
Entrée	vin blanc sec	le goût persistant du sauternes nuirait au vin blanc sec, à ce stade
Charcuteries	vin rouge jeune et léger	vieux châteauneuf-du-pape
Salade de saison	eau	on ne sert pas de vin avec la salade; le vinaigre se chicanerait avec le vin
Fromage	vieux châteauneuf-du-pape	beaujolais
Dessert	vin doux, demi-sec ou liquoreux	vin blanc sec

GLOSSAIRE

♦ ♦ ♦ ♦ ♦ ♦ ♦ ♦ ♦ ♦ ♦ ♦ ♦ ♦

Abaisser
À l'aide d'un rouleau, aplatir la pâte à une hauteur déterminée; on obtient ainsi une abaisse de pâte.

Abats
Coeur, foie, langue, cervelle, rognons, ris, etc., des animaux de boucherie et de charcuterie.

Abattis
Cou, ailes, foie et gésier des volailles.

À coeur
Expression employée pour désigner le centre d'une préparation ou l'endroit précis où doit se faire le contrôle de la température.

Aiguillette
Fine tranche prélevée à l'aide d'un couteau bien tranchant, sur toute la longueur des filets d'une volaille ou d'un gibier à plumes.

Allonger
Ajouter du liquide à une sauce pour en augmenter la quantité.

Amourettes
Moelle épinière du veau, du boeuf ou du mouton.

Appareil
Mélange de plusieurs produits alimentaires entrant dans une préparation. En charcuterie, on emploie aussi le terme *garniture.*

Aromates
Végétaux ou parties végétales renfermant des substances utilisées pour aromatiser les aliments. Les aromates comprennent les fruits, les légumes aromatiques et les épices.

Attelet
Broche en métal de 20 à 25 cm de longueur, dont la partie supérieure est ornée d'un motif décoratif ou de figurines (volaille, gibier, lapin, porcelet). L'attelet est surtout utilisé pour la décoration des belles pièces de charcuterie.

Badigeonner
À l'aide d'un pinceau, enduire d'oeuf battu ou d'un corps gras.

Bain-marie (cuire au)
Cuire un mets dans un récipient placé au-dessus d'une eau maintenue à une température constante.

Barde
Tranche fine de lard, prélevée sur le gras de dos (bardière) et qui sert à tapisser les parois des moules ou des terrines pour éviter que le pâté ne dessèche en cours de cuisson ou n'adhère au récipient.

Beurre manié
Mélange d'une quantité égale de beurre et de farine, utilisé pour épaissir les sauces.

Blanchir
Mettre des couennes, des abats, des viandes ou des légumes dans l'eau, les porter à ébullition puis les rincer à l'eau froide.

Boucaner
Synonyme de **Fumer.**

Bouquet garni
Composition constituée d'herbes aromatiques attachées ensemble par quelques tours de ficelle. Classiquement, il est composé de branchettes de thym, de feuilles de laurier, de queues de persil et, parfois, de romarin, sauge, sarriette, etc.

Brider
Ficeler un produit afin de permettre sa suspension pour l'étuvage, le séchage et, le cas échéant, la cuisson.

Canneler
À l'aide d'un couteau spécial, faire de petites incisions parallèles peu profondes, en forme de sillons ou de cannelures, sur des légumes que l'on veut utiliser pour la décoration des plats.

Chapelure
Pain sec pulvérisé plus ou moins finement.

Chemiser
Enduire d'une mince couche de gelée les parois d'un moule ou recouvrir de gelée une substance quelconque.

Chinois
Ustensile conique muni d'une anse et perforé de petits trous, servant à tamiser les liquides et à passer les sauces.

Chiqueter
À l'aide de la pointe d'un couteau, faire de légères entailles sur les bords des vol-au-vent, des tomates, des tartes, etc.

Clarifier
Donner de la limpidité: au beurre, en le faisant fondre et en le passant à travers un chinois; à un bouillon ou une gelée, en le faisant chauffer avec un blanc d'oeuf avant de le passer au tamis fin.

Coucher
Disposer ou dresser un appareil (farce, pâte à choux, etc.) sur une plaque, en plusieurs parties de formes et de dimensions différentes, à l'aide d'une poche munie d'une douille.

Couler
Faire circuler de l'eau tiède dans un boyau pour le rincer et l'assouplir.

Court-bouillon
Élément liquide, aromatisé avec des légumes, condiments et aromates, dans lequel on fait cuire les poissons et les légumes.

Crépine
Péritoine du porc servant à la confection des crépinettes (saucissses en coiffe) et à la garniture des pâtés. On parle aussi de *coiffe* et de *toilette*

Décanter
Transvaser doucement un liquide qui a fait dépôt, en évitant d'agiter le dépôt ou la lie, pour n'en conserver que la partie limpide.

Décoction
Élément aromatique concentré obtenu par cuisson prolongée d'épices et d'aromates dans un liquide.

Déglacer
Dissoudre, avec un peu de liquide, les sucs de viande qui se sont caramélisés au fond du plat de cuisson.

Dégorger
Tremper un certain temps dans l'eau fraîche renouvelée des denrées diverses (abats, boyaux, etc.). Aussi, saupoudrer les légumes de sel pour qu'ils rendent leur eau.

Dégraisser
Enlever le gras, en tout ou en partie.

Dénerver
Enlever, à l'aide d'un couteau effilé, les tendons et aponévroses d'une viande.

Dépouiller
Enlever la peau d'un lapin, d'un lièvre, d'une anguille, etc.

Dorer
À l'aide d'un pinceau, badigeonner une pâte afin de favoriser sa coloration en cours de cuisson; on utilisera, selon la couleur désirée, de l'oeuf battu, du jaune d'oeuf délayé dans du lait ou du lait sucré.

Dresser
Disposer un mets sur un plat de service, de manière à lui donner une apparence agréable.

Eau dégourdie
Eau légèrement réchauffée ou à la température de la pièce.

Échauder
Tremper une substance (langue, couenne, légume, etc.) dans de l'eau bouillante pour la raidir ou éventuellement pouvoir la peler plus facilement.

Écumer
Éliminer à la louche ou à l'écumoire les impuretés (graisse, écume) qui remontent en surface pendant la cuisson d'un aliment. On dit aussi *dépouiller.*

Embosser
Introduire une préparation sous boyau.

Émincer
Couper en tranches plus ou moins fines des viandes ou des légumes.

Emporte-pièce
Ustensile de formes variées sevant à découper la pâte.

Éteindre
Ajouter un liquide à un roux pour l'empêcher de se colorer davantage.

Étuver
Mettre un produit dans une étuve ou un endroit tempéré pour le sécher et accentuer sa coloration.

Faire revenir
Action de faire dorer vivement un élément dans un corps gras très chaud.

Filtrer
Clarifier un liquide en le passant à travers une toile ou un papier.

Fleurer
Disperser une légère couche de farine sur un plan de travail et sur la pâte, dans le but d'empêcher celle-ci de coller.

Foncer
Garnir un cercle ou un moule de pâte brisée, feuilletée, etc. en la collant sur la paroi beurrée.

Fontaine
Creux fait dans un tas de farine, destiné à recevoir les divers éléments qui composent la pâte.

Fraiser
Mélanger les éléments d'une pâte à pâtisserie en travaillant avec la paume de la main.

Frémissement
Mouvement à peine perceptible d'un liquide qui frise l'ébullition.

Fumer
Exposer des aliments à la fumée que dégage la combustion d'un bois aromatique.

Glacer
Opération qui consiste à enduire d'une gelée, à l'aide d'un pinceau, la surface d'une terrine, d'une ballottine ou d'une galantine pour lui donner en bel aspect brillant. En cuisine, on n'utilise aussi le terme *lustrer*.

Inciser
Agrémenter la présentation des viandes et des croûtes à pâtisserie avec des entailles faites à l'aide de la pointe d'un couteau.

Lèche
Morceau de viande coupé long et assez fin (en forme de lanière).

Luter
Fermer hermétiquement un récipient de cuisson (en particulier une terrine) en disposant autour du couvercle un cordon de pâte composé uniquement d'eau et de farine. Cette opération à pour but de maintenir les parfums et d'éviter une évaporation excessive.

Mariner
Faire tremper une viande ou un poisson dans un liquide aromatisé pour l'attendrir ou lui donner du goût.

Mêlée
Mélange de viande, de gras et, éventuellement, d'abats, haché, assaisonné et prêt à l'emploi ou à une utilisation ultérieure (poussage, moulage).

Menu
Intestin grêle de certains animaux servant à la confection des saucisses.

Napper
Verser de la gelée presque prise sur une pièce de viande ou charcuterie, pour agrémenter sa présentation.

Paner
Enrober de chapelure ou de panure un aliment après l'avoir trempé dans l'oeuf ou le lait.

Parer
Enlever de la viande la peau, les nerfs, la graisse et les os inutiles.

Pâton
Morceau de pâte non encore abaissé.

Pincer
Décorer la crête d'une tarte, d'un pâté, d'une tourte ou quiche à l'aide d'une pince à tarte.

Pincer les sucs
Faire prendre couleur à un fond de cuisson avant de l'allonger.

Piquer
En parlant d'un oignon, y introduire des clous de girofle. Se dit aussi dans le sens de pratiquer des trous dans une abaisse de pâte pour éviter qu'elle se déforme en cuisant.

Pocher
Faire cuire certaines préparations de viande ou de poisson dans de l'eau très chaude ou au court-bouillon.

Pousser
Voir **Embosser.**

Rissoler
Donner aux viandes, par la cuisson, une couleur rousse et en rendre la surface croquante.

Roux
Mélange de farine et de beurre en proportions égales, cuit plus ou moins longtemps selon la couleur recherchée (blanc, blond, brun).

Saisir
Commencer une cuisson à feu ou à four vif.

Saumure
Solution contenant du sel, du sucre et du sel conservateur destinée à recevoir des viandes en vue de les saler pour une conservation ultérieure.

Sauter
Faire cuire un mets à feu vif, avec un corps gras, en remuant de temps à autre pour l'empêcher d'adhérer au récipient.

Suprême
Blancs de volaille et filets de gibier ou de poisson. Désigne aussi une préparation de volaille voisine de la galantine.

Trousser
Ficeler une volaille avant de la faire cuire.

Vanner
Remuer une sauce ou une crème en cours de refroidissement pour empêcher la formation d'une peau.

INDEX DES RECETTES

LISTE DES FIGURES

LISTE DES TABLEAUX

PROVENANCE DES PHOTOGRAPHIES

J.C. Frentz, Paris
Figure 8.4 B. – p. 123.

J.C. Frentz
Le compagnon charcutier, Tome 2
Figures: 5.6 – p. 77; 5.7 – p. 79; 9.5 – p. 144.

J.C. Frentz
Le compagnon charcutier, Tome 1
Figures: 7.2 – p. 98; 7.3 – p. 100; 8.1 – p. 117; 8.2 – p. 118; 8.3 – p. 122;
8.4 A. – p.123; 8.4 C. – p. 123; 9.4 – p. 140.

Le compagnon charcutier. Tome 2
Figures: 4.1 A. et B. – p. 55; 8.5 A.B.C.D. et E. – p. 128.

Le grand livre des métiers de bouche
Figures: 4.2 – pp. 62 – 63; 4.3 – pp. 64 – 65; 5.3 p. 71; 5.4 – p. 73;
5.5 pp. 74 – 75 – 76; 5.8 – p. 79; 5.9 – p. 80; 5.4 – p. 73.

John et Andrew Taylor, Boucherville.
Figures: 3.7 – p. 49; 6.1 – pp. 88 – 89; 6.3 pp. 91 – 92; 7.1 – p. 95;
7.4 p. 108; 7.5 – p. 111; 8.6 p. 130.

L'encyclopédie de la charcuterie
Figures: 4.1 C. et D. – p. 55; 8.5 F. – p. 127.

Christian Teubner Füssen (FRA)
Le livre des terrines et pâtés
Figures: 5.1 – p. 70; 5.2 – p. 70; 6.2 – p. 89.

Pierre Mc Cann, Montréal
Figure 9.2 – p. 138; page V; page couverture.

OUVRAGES AUXQUELS
A PARTICIPÉ JEAN-CLAUDE FRENTZ

L'art et la viande
J.C. Frentz, K. Nagel, B. Schlipf
(Éd. Erti 1984)

La charcuterie crue et les produits saumurés
M. Migaud, J.C. Frentz
(Éd. Soussana 1978)

La charcuterie cuite: généralités et techniques actuelles
J.C. Frentz, M. Migaud
(Éd. Soussana 1976)

Le compagnon charcutier
J.C. Frentz et collaborateurs
(Éd. Jérôme Villette 1985)
TOME 1
Généralités, charcuteries cuite et crue
TOME 2
Généralités, salaison cuite, charcuterie fine, plats cuisinés, pâtisserie et produits traiteurs

L'encyclopédie de la charcuterie
Ouvrage collectif dirigé par J.C. Frentz
(Éd. Soussana 1982)

Le grand livre des métiers de bouche
Ouvrage collectif dirigé par J.C. Frentz avec G. Aubert, M. Caillard, J. Charrette, M. Pinel
(Éd. Erti Lecerf 1980)

Le livre des terrines et pâtés
Traduction et adaptation J.C. Frentz
(Éd. Erti 1986)

Le traité de charcuterie ancienne et moderne
Réédition d'un ouvrage de L.F. Dronne, (1869) agrémenté de recettes contemporaines sous la direction de J.C. Frentz
(Éd. Erti 1987)

Tout est bon dans le cochon
Céline Vence — J.C. Frentz
(Éd. Soussana — Robert Laffont 1988)

En préparation

Charcuterie et produits dérivés: la nouvelle génération
J.C. Frentz, M. Pinel
(Éd. Jacques Lanore 1989)

Composition : Compélec inc.

Achevé d'imprimer sur les presses
de l'imprimerie L'Éclaireur ltée, division Québécor inc.
en mars 1989

Art of the American Indian Frontier

Art of the American

THE CHANDLER-POHRT COLLECTION

With essays by Richard A. Pohrt,

The Detroit Institute of Arts

Indian Frontier

DAVID W. PENNEY

Milford G. Chandler, and George P. Horse Capture

University of Washington Press *Seattle & London*

Composition by Typeworks, Vancouver, B.C.
Printed and bound in Japan by Toppan Printing Company, Tokyo
Color photography by Dirk Baker and Robert Hensleigh
Designed by Audrey Meyer

Published simultaneously in Canada by Douglas & McIntyre Ltd.,
1615 Venables Street, Vancouver, British Columbia V5L 2H1.

Published in conjunction with the exhibition Art of the American Indian Frontier, organized by The Detroit Institute of Arts in association with the Buffalo Bill Historical Center. Exhibition schedule:

The National Gallery of Art, Washington, D.C. *May 24, 1992 – January 24, 1993*
Seattle Art Museum *March 11 – May 9, 1993*
Buffalo Bill Historical Center, Cody, Wyoming *June 18 – September 12, 1993*
The Detroit Institute of Arts *October 15, 1993 – February 6, 1994*

The exhibition and catalogue were made possible by a generous grant from the National Endowment for the Humanities, a federal agency, and support from the Founders Society, Detroit Institute of Arts.

Library of Congress Cataloging-in-Publication Data
Art of the American Indian frontier: the Chandler-Pohrt Collection /
[edited by] David W. Penney : with essays by Richard A. Pohrt, Milford G. Chandler, and George Horse P. Capture.
p. cm.
Includes bibliographical references and index.
ISBN 0-295-97173-8 (cloth), 0-295-70675-9 (paperback)
1. Indians of North America—Art. 2. Indians of North America—Costume and adornment. 3. Pohrt, Richard A., 1911- —Art collections. 4. Chandler, Milford G. 1889-1981—Art collections. 5. Detroit Institute of Arts—Catalogs. I. Penney, David W. II. Pohrt, Richard A., 1911- . III. Chandler, Milford G., 1889-1981. IV. Horse Capture, George P. V. Detroit Institute of Arts. 91-37736
E98.A7A77 1992 704'.0397073'074—dc20 CIP

The paper used in this publication meets the minimum requirements of American National Standard for Information Sciences Permanence of Paper for Printed Library Materials, ANSI A39.48-1984.
98 97 96 95 94 93 92 5 4 3 2 1

Contents

Plains

Objects and Images

Great Lakes and Prairies

Plains

Illustrations

Note: The following abbreviations are used in the captions:

BBHC Buffalo Bill Historical Center
CIS Cranbrook Institute of Science
DHM Detroit Historical Museum
DIA Detroit Institute of Arts
FIA Flint Institute of Arts
FMNH Field Museum of Natural History
NMAI National Museum of the American Indian

Color plates

Black and white figures

Foreword

THE CHANDLER-POHRT COLLECTION HAS long been known to scholars in the field because of its exceptional quality and broad scope. Since the early 1970s, when art historical examination of Native American works began to be a serious field of study, individual objects from this collection have appeared frequently in books on the subject, but now for the first time the collection can be appreciated as a great accomplishment in its own right.

As visitors to the exhibition and readers of this catalogue will immediately appreciate, the beauty of many of the pieces in the collection is breathtaking. The colorful women's and men's garments, brilliant feathered headdresses and shields, intricate beadwork, powerfully abstract designs, and imaginative combination of natural and manufactured materials are instantly appealing. The powerful sculptural forms of wooden feasting bowls and stone pipes offer another kind of pleasure to the senses. The early Great Lakes clothing included here is exceptionally fragile and therefore rare and reveals heretofore unfamiliar areas of creative endeavor.

But beyond the immediate gratification of seeing so many magnificent objects gathered together, this catalogue provides a much-needed opportunity to place the art of Native Americans in its rightful position in the annals of scholarship by exploring the Indian side of experience on the American frontier.

In addition to consideration of the objects themselves, the activity of the two exceptional men who formed this collection, Milford Chandler and Richard Pohrt, is also examined, offering insight into both the social and historic uses of the works and the methods, insights, and dedication of these two sensitive amateur experts from Michigan.

Bringing all of this material together for a major traveling exhibition and catalogue has been an extensive operation, and would not have been possible without the dedicated efforts of project director David W. Penney, associate curator of African, Oceanic, and New World cultures at the Detroit Institute of

Arts. Michael Kan, curator of that department, was instrumental in acquiring the portion of the collection now owned by the Detroit Institute of Arts. The cooperation and insights of George P. Horse Capture, formerly of the Buffalo Bill Historical Center, Cody, Wyoming, and Richard A. Pohrt of Flint, Michigan, were invaluable. They deserve the most grateful acknowledgments for the success of this undertaking. The institutional cooperation offered by the Buffalo Bill Historical Center has been exemplary and essential. Without the generous financial support of the National Endowment for the Humanities, neither the exhibition nor this catalogue could have been realized, and that agency deserves our gratitude as well. For the National Gallery debut of the exhibition, Gaillard Ravenel and Mark Leithauser helped shape the selection and designed the installation, which was coordinated by D. Dodge Thompson and Elizabeth Driscoll Pochter of its Department of Exhibitions.

We hope and believe that this seminal exhibition will not only enhance the artistic reputation of all Native American peoples but also further the understanding of their traditions and creativity.

SAMUEL SACHS II
Director, The Detroit Institute of Arts
September 1991

PETER H. HASSRICK
Director, The Buffalo Bill Historical Center

J. CARTER BROWN
Director, The National Gallery of Art

JAY GATES
Director, Seattle Art Museum

Preface

IT IS WITH A CERTAIN DEGREE OF FOREBODing that I acknowledge that this exhibition and catalogue coincide with the nation's recognition of the Columbian Quincentennial. Some may argue that the Quincentennial is nothing to celebrate since the tragic consequences of Columbus' visit to the New World are still felt keenly by the descendants of America's indigenous peoples. But if the Quincentennial can justifiably be the occasion for anything, let it be cause to remember and to examine critically the historic record of relations between European Americans and American Indians, and to use that knowledge to better understand what has shaped our relations today. American Indian history is not simply something of America's "frontier" past, but continues to be made every day. This exhibition and publication, in a small way, are intended to spark interest in these cultural realities and memories. As art, the objects presented here give testimony to the dynamic creativity of the ancestors of America's Indians. As history, the exhibit and catalogue are intended to address the issue of visual expression as a part of nineteenth-century American Indian life. Moreover, the latter chapters of this publication attempt to deal with the vantage point of the present when considering the past, and how such intervening events as the formation of collections, the project of ethnography, and the institutionalization of aesthetic consideration have influenced the way we give meaning today to objects from the past. All this can be told, of course, only because the Chandler-Pohrt collection is here to help tell it. So this project begins and ends with Milford G. Chandler and Richard A. Pohrt.

The idea for an exhibit and publication of the Chandler-Pohrt collection was born in the imagination of George P. Horse Capture. Richard Pohrt told me of George's interest in the concept sometime during the year of 1986, but George and I first spoke of it together in late September 1987, at the Annual Plains Indian Art Seminar in Cody, Wyoming. George was then curator of the Plains Indian Museum at the Buffalo Bill Historical Center. It was there, in the lounge of the Irma Hotel, that George and I decided to combine the best pieces of the

Chandler-Pohrt collection and share them between our two institutions in a traveling exhibition. Thus began our collaboration as co-curators of the exhibition. Since then, George, his wife Kay-Karol, and his children George, Jr., Joe, Daylight, and Peter have all contributed considerable energy and support. I would like to thank Daylight in particular for her editorial assistance in the production of her father's essay.

The exhibition has been a family affair beyond the Horse Captures, however. Richard A. Pohrt has been the foundation upon which almost everything else has grown. His wife Marion and three sons, Karl, Richard, Jr., and Tom, have participated extensively in every phase of this project. I would like to mention particularly Marion's involvement with the Advisory Committee, and editing and assistance in the preparation of their father's essay on the part of Dick, Jr., and Karl.

The Flint family, Flint Ink Corporation, and Robert Flint and Marilyn Fischer in particular have sustained more than a decade of firm support for the DIA's acquisition of the Chandler-Pohrt collection. None of this would have been possible without them and I wish to take this opportunity to express my personal gratitude and thanks.

The project has benefited immeasurably from the work and commitment of its Advisory Committee, first convened May 15, 1989. Nancy Oestreich Lurie, Joseph Porter, and David Warren are all accomplished scholars and museum professionals. It was indeed a great privilege to work with them on the committee, which also included Richard Pohrt, George Horse Capture, and me. Through discussions of the many issues raised by the project, we were able to establish a direction and philosophy that I believe combined rigorous scholarship with unusual sensitivity to the material. This, at least, was our hope, although the other committee members cannot be held responsible for any failings of the result.

The strength of the collection could not be revealed to others on the scale now possible without the kind of photography visible in this volume. Dirk Bakker is not just an object photographer, but an active and intellectually engaged participant in every project he undertakes. This exhibition was no exception. A large amount of the actual photography was produced by his associate, my good friend Robert Hensleigh. Marianne Letasi, Eric Wheeler, Francesca Quasarno, and Gloria Parker all ably assisted.

Here in Detroit, many people played an important role or otherwise lent a hand. Tara Robinson, Exhibition Coordinator, was able to orchestrate this large cast of players into a unified group and she managed the professional relationships with our partners. In this endeavor, she was assisted by Steve Niemi, Ann Loshaw, and Jennifer Hill. Linda Margolin organized the educational component of the exhibition and has played a significant role in the thematic development of the exhibit from its very inception. Responsibility for the logistics involved with a traveling exhibition fell to Suzanne Quigley, Registrar, assisted by Jackie Bricker. The conservation work necessary to ensure the safety of these important objects was considerable, supervised by Barbara Heller, and accomplished by her staff and a team of consultants, Carol Forsythe, Jane Hutchins,

Lisa Mibach, Kay-Karol Horse Capture, Beverly Perkins, Laura Reutter, John Steele, Rita Dickerson, David Lateuche, and James Leacock. Special thanks to Julia Henshaw, head of publications, who provided invaluable support through the production of the catalogue manuscript, and assistant editor Cindy Jo Fogliatti. On the University of Washington Press side, I wish to mention Donald R. Ellegood, Julidta C. Tarver, Marilyn Trueblood, Audrey Meyer, and Leila Charbonneau. Gaillard Ravenel, Mark Leithauser, Gordon Anson, and Louis Gauci designed the exhibit installation. Sue Marx and Sue Marx Films, Inc., with Pamela Conn and Beth Winsten, produced the film that accompanied the exhibition. And there are those who find the financial resources to spend and those who monitor its spending: John McDonagh, Patricia Berdan, Don Jones, Leah McCollough, Maria Hildebrandt, William Neal, Phil Erenbach, Marilyn Sicklesteel, Linda Gubanche, and Faune Carter. Many thanks as well to Joseph Bianco, Jan van der Marck, and Michael Kan.

The project has benefited immeasurably by the assistance of several interns and research assistants: Lynne Spriggs, Tara Tuomaala, Kevin Stoddard, and Kimberly Kraimer. All contributed their substantial abilities and energy to the success of this project. Many additional individuals and institutions lent their generous support to the research necessary for such an ambitious project: Dennis Lessard, Benson Lanford, Joe Rivera, Gaylord Torrence, Evan Maurer, Elmer Main, Jonathan Batkin, Tom Hill, Cleo Koster, Eva Frank, Tim Thayer, and Carla Reczek.

Without exception, the staffs of the lending institutions have offered unqualified cooperation and encouragement for the project, in many cases extending the services of their institutions far beyond any reasonable expectations. I would like to mention in particular Richard Redding of the Cranbrook Institute of Science, William Phoenix of the Detroit Historical Museum, Christine Gross and Janice Klein at the Field Museum of Natural History, Gary Galante, Lee Calendar, and the late James Smith at the National Museum of the American Indian (formerly the Heye Foundation), John Mayhey and Christopher Young at the Flint Institute of Arts, and Elizabeth Holmes, Joanne Kudla, John Fees, Jay Wright, and Tina Stopka at the Buffalo Bill Historical Center.

And finally, when traveling to the Fort Belknap Indian Reservation, we benefited from the kind hospitality of many of Richard Pohrt's friends, notably Al Chandler, George and Marge Chandler, their children Raymond, Carol, and Penny, and other members of the family. Their warmth and enthusiasm served to remind us what the project was all about. I also wish to thank Donovan Archambault and the members of the Fort Belknap Community Council for their kindness.

DAVID W. PENNEY
Detroit, 1991

Art of the American Indian Frontier

Introduction: Art of the American Indian Frontier

THE WORD "FRONTIER," IN ONE SENSE, refers to the unknown realm beyond the edges of the known world; thus "outer space" is often called the "last frontier." This notion stems from the historical era when Europeans began to probe beyond the boundaries of their continent. The strange and (to them) exotic lands and peoples they encountered lay beyond not only familiar geographic boundaries but beyond the "frontiers" of their consciousness.

But the word has the additional meaning of a border between nations, between cultures. Instead of looking outward from the known to the unknown, those sharing a frontier look back and forth at one another. This second meaning is more familiar within the geographic context of the European continent, the frontier as the buffer between potentially contentious nation-states, a zone of defense in the protection of each nation's self-interest. This is not the kind of frontier generally understood when speaking of American "frontier" history, although it fits much better with recent reassessments of that historical narrative. In this second sense, the frontier represents the border between the cultures of European Americans and American Indians.

At the beginning of the nineteenth century, the frontier in this second sense had recently undergone drastic realignments as a result of efforts by the U.S. government and military to open the territories north of the Ohio River to immigration. The Shawnee, Delaware, "Mingo," Miami, and others of the southern Great Lakes region had held the line against the colonies at the Ohio River during the eighteenth century, at first with the support of the French, and then, after the fall of New France in 1760, with the British. These European allies offered assistance because of their economic interests in the fur trade, which required the undisturbed integrity of Indian hunting territories. After protracted diplomatic negotiations and military confrontations, the Treaty of Greenville of 1795 formally abolished the Ohio River frontier and created new territories that later became the states of Ohio, Michigan, Indiana, and Wisconsin.

Indian Tribal Locations, c. 1825

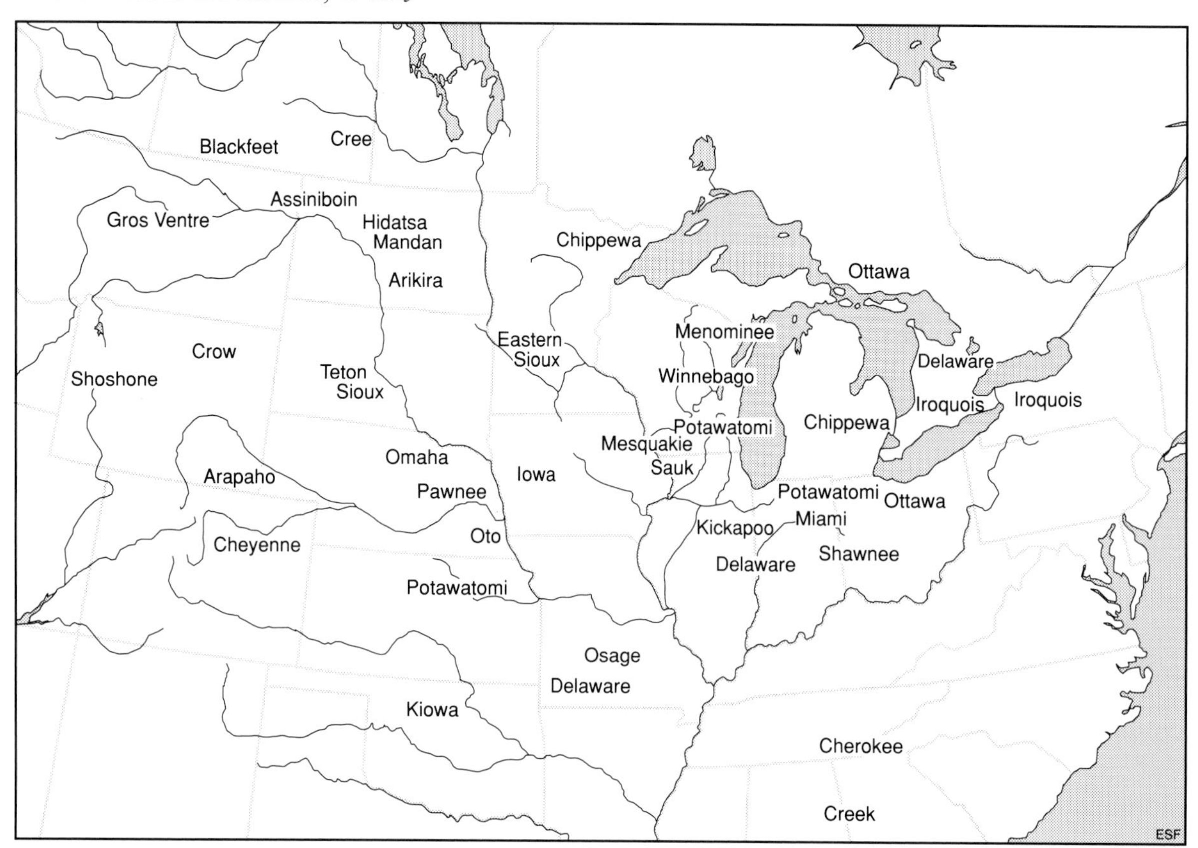

Indian Tribal Locations and Reservations, c. 1900

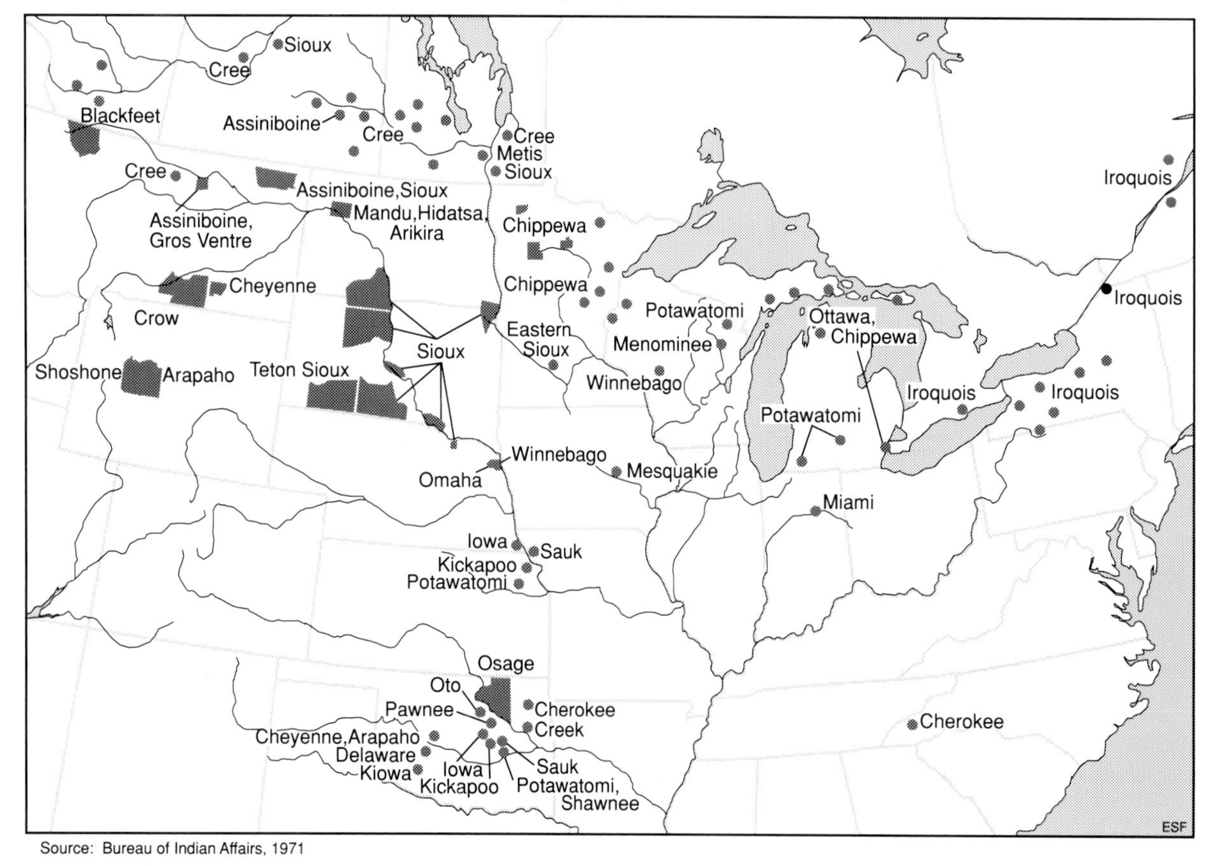

Source: Bureau of Indian Affairs, 1971

In 1830, President Andrew Jackson signed the Indian Removal Act and reestablished the frontier, so far as government policy was concerned, farther west at the Mississippi River. Land speculation, mineral exploration, transportation rights, and migration and settlement continued to shift the borders of the frontier and pressured its movement westward. One of the last frontiers between the United States and economically independent Indians lay in the region of northern Montana and southern Alberta until the buffalo gave out early in the 1880s. By the close of the nineteenth century, the frontier finally wrapped around the borders of government-administered reservations.

In their dealings with American Indians, nineteenth-century European Americans rarely recognized the conventions intended to protect the integrity of "frontiers" as they existed between the nation-states of Europe. They justified western expansion by adopting the first notion of frontier—the empty space beyond known geography. In so doing, however, they obscured from view the Indians on the other side of the frontier, and consequently the role of American Indians in American history. As a result, the "Indian side" of the frontier remains largely invisible in popular perception of American history even today.

To make "art of the American Indian frontier" visible, it is necessary to convert the notion of frontier to its second sense as "border" and restore the ability to see American Indians as active agents (and artists) in an American historical narrative. The dimensions of this task are so large because America's collective myth, based on the other meaning of "frontier," is so thoroughly ingrained in American cultural understanding. Before going any further, it may be useful to address the weighty role of "frontier" as it has been used to define the collective American character.

"Frontier" as the Edge of Civilization

THE STEREOTYPE OF AN AMERICAN AS A rugged individualist who eschews collectivism was spawned by the American ideal of the civilized man taming the "wilderness." From the frontier experience grew the primacy of the self-reliant nuclear family and the economy of entrepreneurial capitalism as fundamental American virtues. Frederick Jackson Turner first articulated the frontier basis of the American persona in an address delivered in 1893 at the World's Columbian Exposition in Chicago. The frontier Turner described lay beyond the boundaries of "civilization" and had offered the promise of unclaimed resources and wealth. When the American character was forged during the expansion of the United States westward, the process was represented in the epic terms of social evolution. As Turner wrote (1894): "in this advance, the frontier is the outer edge of the wave—the meeting point between savagery and civilization."

To Turner and other historians of the nineteenth century, "history" charted the "progress" of civilization, the growth of all mankind from humble simplicity toward, one hoped, divine perfection. "Savagery," a scientific term in nineteenth-century discourse, was seen as a stage of mankind's childhood experience. As the nineteenth-century British anthropologist E. B. Tylor wrote, "the savage and barbarous tribes often more or less fairly represent stages of culture through which our own ancestors passed long ago, and their customs and laws often explain to us in ways we should otherwise have hardly guessed, the sense and reason of our own" (quoted in McGrane 1989:93).

The progress of American civilization, then, measured itself against the decline of savagery, represented in the minds of nineteenth-century whites by Native North Americans. When European immigrants thought of American Indians as savages, they did so to justify their own aspirations in the New World, requiring that Indians either join with them to become "civilized" or be destroyed as obstacles to progress. Ironically, white Americans failed to realize that when North American civilization defined itself in contrast to "savagism," the ideal of the American was shaped by the savagery it rejected. Turner observed that it was in the "wilderness" of the "savage" that the American persona was born. In growing from child to adult, so Turner reasoned, American society matured from its primitive state to civilized urban life. The years of childhood had forged America's character. And like adults who pine for their youth, Americans of the early twentieth century mourned for the wilderness that had disappeared, and they began to romanticize the frontier along with the Indians who inhabited it.

Although white American society matured to modern nationhood, American Indians remained the infantile representation of savagery in the popular understanding of American history. The myth of the American Indian kept Indians who would not assimilate in a perpetual state of childhood. The myth ruled government policy of both military confrontation and humanitarian support; both policies were designed to compel Indians to give up their ethnic identity and join the American project of progressive civilization. By the close of the nineteenth century, the reservation system was aggressively pursuing the assimilation policies of the American government (Hoxie 1984). Unless willing to join the melting pot, American Indians remained remote, distant, and peripheral to national interests, except by way of posing the persistent "Indian problem."

The identification of Indian culture with a primitive stage of social evolution negated any historic development independent of the "progress" of social evolution. The result was the perception of "traditional" Indian culture as static, timeless, and separate from the fabric of American history. As participants in the events of American history, Indians were often cast in the passive role of simply offering resistance to inevitable progress, but doomed to failure because of their "primitive" and backward social aspirations.

While romanticizing the Indians during the early twentieth century contributed to a more sympathetic consideration of Indian rights and welfare, it did little to dispel the idea of Indians as representing an early chapter of human social development. Indeed, a growing consciousness of the unique qualities of Indian life tended to further polarize consideration of Indian culture in relation to progressive American history. Recognizing that Indian culture persisted only precariously amid the flow of mainstream American social progress, anthropologists began to practice "salvage" ethnography in earnest, with the hope of collecting the record of a way of life that many felt was destined to vanish. Ethnographers sought out elders to tell them of past lifeways that confinement to reservations had made obsolete. While the intention of salvaging details from the collective memories of elders was in itself an admirable project, the ethnographic representation of Indian culture based on such memories possessed a timeless quality, even though the informants' lives spanned the most significant years of culture change. When composing an ethnography, early twentieth-century anthropologists attempted to document a holistic cultural picture from the point of view of the local community or as a record of a collective tribal consciousness. This approach rarely allowed analysis in the context of the community's relation to the larger picture of socioeconomic change provoked by the dominant society. On the contrary, anthropologists often attempted to efface the cumulative effect of such historic events to reveal more clearly a substratum of indigenous, traditional practice "as it was before." They refer to this ahistorical ethnographic description as the "ethnographic present." The term conjures up images of Indians "as they had always been," before or with only marginal contact with whites, unchanging, and idealized in their timelessness.

American History and American Indian Art

THE NOTION OF A CULTURE WITHOUT HISTORY contributes to an art without history, or at least the lack of history outside the evolutionary model of Western art history. In turn, the notion of a "traditional" Indian art is often enlisted to illustrate timeless representations of American Indians. Over the past half century, Indian art has been particularly potent in its ability to convey an idealized image of American Indians without much by way of historical reference.

To nineteenth-century whites, art was an attribute of civilization, while the "rude" (childlike) creations of American Indians were understood as relics of a stage of fine arts history once experienced by Europeans in long-past, primitive times (Bradbury 1986:88; Catlin 1851,1:148; Squier and Davis 1848:242). Nineteenth-century "fine arts" included only sculpture and painting; decorative arts such as applied sculpture or embroidery were considered a lower order of endeavor. Emphasis on these practices among American Indian societies confirmed, in nineteenth-century thinking, the primitive stage of Indian art development (see Fraser 1962:13). From the standpoint of social evolution, American Indian creations represented the origins of mankind's innate creativity—uncultivated, yet endowed with certain "natural" mastery over line, pattern, and color.

The romantic view of American Indian art meshed well with the progressive concerns of contemporary art. John Sloan and Oliver La Farge, for example, in their catalogue essay for the Tribal Arts Exposition of 1931, characterized Indian art as "modern" and Indian artists as innate modernists whose traditional artistic expressions reflected a modern sense of creativity (Sloan and La Farge 1930:7). Their evaluation of Indian creations was far more dependent on twentieth-century reconsiderations of the meanings and purposes of art than on any intrinsic qualities of the material objects. The growing appreciation of ethnic, folk, and "primitive" arts during the 1920s and 1930s stemmed from the promotion of communal values and a unique sense of vision over formal training and academic conventions. American Indians were enlisted in the project of creating an American art as part of a growing, nationalistic consciousness that stressed the uniqueness of the American experience (see Klein 1989).

The romantic regard for the "primitive" attained truly international dimensions during the twentieth century. Building on the work of Sigmund Freud and the French anthropologist Lucien Lévy-Bruhl, the Surrealists and allied intellectuals sought out the unique qualities of the "primitive" world view—qualities that Western culture had lost as the price of its civilization, but that might be reclaimed if the powers of the subconscious, dreams, and collective myth could be reinstated in modern life. As such, Surrealist thought grew out of the tradition of social evolution as a kind of "psychological Darwinism," wherein the psychology of primitives represented a stage close to that of original man (Jonaitis 1988:239). Thus the intellectual foundations of "primitive" art were considered timeless, even if the work was not. The degree of authenticity therefore can be measured as the extent to which the work reflects the "primitive" worldview as "myth-oriented, harmonious with nature, [and] one with the spiritual domain" (ibid., p. 238).

Similarly, sources for American Indian art are frequently situated within the context of a timeless "tradition" that the Indian artist brings forth into the present. The notion of a traditional art implies connections with time-honored values and practices. Innovation or change would tend to break with that cultural legacy, particularly when considered "nontraditional." As Herbert Spinden, the noted Pre-Columbian archaeologist, wrote (1931:6): "esthetic forms which are the outward and visible expressions of Indian philosophy are found almost intact among some tribes and in others nearly lost." The authenticity of Indian art depends on the artist's ability to retrieve the sources of tradition: "The Indian artist refers continually to the springs from which his art first emerged, he never turns from that source" (Coe 1977:15). Consideration of change in American Indian art, therefore, is often confined to movement along a single dimension, the extent to which the work may be considered a "continuance of an age-old tradition" (Henderson 1931:6) or a departure from tradition due to acculturation. With this viewpoint, Indian art has no history independent of the acculturative process.

An American Indian Art History

IF THE HISTORY OF NINETEENTH-CENTURY Indians is a long episode of cultural decline (as foil against progressive civilization) or the tenacious preservation of unchanging tradition (as represented in ethnographies of the "ethnographic present" and a romanticizing psychological Darwinism), how is it possible to approach a "history" of Indian art? By history we mean a responsive adaptability to the social, political, economic, and cultural concerns that faced nineteenth-century American Indians forced to contend with the conflicting aspirations of an expanding United States. The largely unknown American Indian art history of the nineteenth century must account for the great range of innovation visible in the material record, as found in museum collections, contemporary illustrations and photographs, and contemporary written accounts.

While the myth of the ahistorical Indian still pervades popular culture, it has been thoroughly dispelled by historians and anthropologists such as Francis Jennings and Bruce Trigger, among others, who have attempted to retell the perhaps all too familiar narratives of European expansion into the North American "new world." Trigger, a Canadian, has taken a new look at Canada's "heroic age" (from Cartier's exploration of the Gulf of St. Lawrence in 1534 to the establishment of the royal government of New France in 1663), a historical construct that has "suffered from the chronic failure of historians and anthropologists to regard native peoples as an integral part of Canadian society" (Trigger 1985:4). In a similar vein, the books and articles of historian Francis Jennings have confronted the Turner "progress of civilization" myth and its most potent and prolific storyteller, Francis Parkman. In concluding, Jennings could claim in justification of his efforts: "like myself, many scholars now see 'frontiers' as regions of mingling peoples rather than lines between myths of *savagery* and *civilization*" (Jennings 1988:481, emphasis his). Both Trigger and Jennings found that Indian nations were actively engaged in representing and defending their interests instead of behaving simply as the passive victims of European expansion.

The relevance of revisionist histories in considering American Indian art lies in the insight that Indian artists must have been more actively engaged in creating art than simply drawing it up from wellsprings of tradition. But what is "art" in this context? Since art as a category did not exist in American Indian languages, Indian art has been defined through resemblances to the artistic practices and aesthetic values of the European tradition. When the meaning of the term "art" expanded during the early twentieth century to include the creations of American Indians, it was for historically and economically contingent purposes. Is there any way to avoid imposing this European-based category on American Indian creations?

As art history rises to the challenge of expanding its focus to a multicultural approach, some tentative directions have emerged. It is now not so much the issue of defining American Indian creations to fit a European definition of "art," but of redefining "art" and consequently art history to include the artistic practices of American Indians, Africans, folk artists, and even the modern film industry, advertising, and popular illustrations. As a result, art history has become a history of visual expression. Some art historians have optimistically called this the "new art history" (Vastokas 1986–87:13). As we shall see, there is nothing especially new about it, as far as technique of analysis is concerned. It is just that these kinds of academic practices have only recently been applied to the "new art."

Fashion, for example, as a means of visual expression, has only recently come under sustained scrutiny by practitioners of art history. Issues of gender certainly contributed to its neglect in the past, since the creators of fashion have tended to be women (Berlo, n.d.). Formal "dress" (the term preferred to "costume"; George Horse Capture 1989:18) represents arguably the most intensive category of artistic practice among nineteenth-century Indians of the Great Lakes and Plains, hence its emphasis in the following pages. Exhibitions and publications of American Indian art in the past, however, at first neglected the category (Douglas and d'Harnoncourt 1941; Feder 1971) or focused almost exclusively on the design content of the decorative parts without addressing the significance of the dress ensemble (Hail 1980). Yet the consideration of the dress ensemble as "fashion," a kind of "artful" visual expression, raises many additional and intriguing issues.

The following chapter begins with some discussion of the social identities of the producers of this art form, and some description of the social network in which they operated: the artists' incentives and rewards, the conditions of production, relations between producers and consumers, and the technical elements of media and craft tradition. In this last area, the formal considerations of technical excellence or clumsiness, invention or repetition, design complexity or simplicity, clarity or muddiness, and so forth, evoke the polarities of aesthetic qualification. In traditional art history, these considerations relate to the issue of form. Formal polarities are culturally relative, their values grounded in the social network that defines and supports the aesthetically successful. The aesthetic dimension is thus closely linked to cultural values. When speaking of expressions of cultural values, the analysis shifts to content.

Content, or meaning, stems from the communicative capacity of art as a symbolic system. Art, like language, functions as a tool of thought and a system for its expression. Artistic expressions objectify the subjective experience so that it becomes cultural, and can be shared within the social network. The analysis of art as a symbolic system deals with the notion of "meaning." As a cultural formation, "meaning" does not derive exclusively from the intention of the artist, but also from the "readings" others give to the artist's work. The discourse of expression and interpretation is therefore reflexive, each informing the other.

Since the symbolic and formal means of visual expression in dress or any other medium are embedded in culture, they are extremely sensitive to culture change. When American Indian history ceases to be simply a record of cultural decline and becomes a record of active, though not always successful, efforts of confrontation or accommodation, innovation and change in Indian dress can be understood as expressions of those efforts. As the following chapter will show, the history of Woodlands and Plains "dress" was particularly sensitive to social and cultural issues that confronted American Indians during the nineteenth century.

The issues that confront the "new art history" when considering American Indian art, therefore, are familiar ones of form and content. If there is anything new, aside from subject matter, perhaps it is the methodological practice of avoiding the dichotomy between formal and iconological analysis by emphasizing the relations *between* form and content, and in so doing, bringing some new analytical tools to bear. Borrowing from the work of Russian formalist

Roman Jakobson, for example, the chapter below entitled "Metonym and Metaphor" examines some ways that visual symbols convey meaning in American Indian art.

If a "new" American Indian art history is possible, then the following pages are intended only as a few fledgling steps. This commentary has been written for a popular audience, and further mention of "method" will be kept to a minimum. In addition, the following chapters include a relatively large number of contemporary accounts and observations, on occasion quoted at some length. These are intended to open up the process of research so that the reader can sense the character of the sources, and, it is hoped, benefit from the opportunity of hearing many different voices.

Expressions of Ethnicity: Nineteenth-Century Dress

The Fabricators of Fashion

THROUGHOUT THE NINETEENTH CENTURY, Native American women of the Woodlands, Prairie, and Plains persisted in a long-standing tradition that required them to produce the clothing for their families. Men often knew the rudiments of sewing so that they could repair or replace their moccasins and fashion other basic garments if necessary. The Crow warrior Two Leggings, for example, poor when young, remembered how four older men had patched together an outfit for him after they discovered that he had been following their war party (Nabokov 1967:13). Men of some Plains tribes, such as the Pawnee and Oglala Sioux, made shirts of particular significance although often further embellished with quill or glass bead embroidery by women (Schneider 1983:106). Men also contributed to the design of their garments, and their expressive meaning, by painting on them images related to their war record or visionary experiences. But the greater share of the labor of making clothing fell to women.

Training for this task began early. Older female relatives taught girls under their care the innumerable steps involved in preparing materials, weaving, and doing needlework, and reminded them that their skills would become a measure of their success as women. Speaking (in 1918) of her mother, one Mesquakie woman said:

> She would be very proud after I had learned to make anything. "There, you will make things for yourself after you take care of yourself. That is why I constrain you to make anything, not to treat you meanly. I let you do things so that you may make something. If you happen to know how to make everything when you no longer see me, you will not have a hard time in any way. You will make your own possessions. My father's sister, the one who took care of me, treated me so. That is why I know how to make any little thing" (quoted in Michaelson 1925:301).

The cultural value that extolled the ability "to make" things was reinforced in this statement by the authority of three generations. This sense of a connection between a woman's worth and her creative abilities was shared by almost all Woodlands and Plains people. Elder men of the Omaha would lecture girls about the importance of their training: "If you are willing to remain in ignorance and not learn how to do the things a woman should know how to do, you will ask other women to cut your moccasins and fit them for you. You will go from bad to worse: you will leave your people, go into a strange tribe, fall into trouble, and die there friendless" (Fletcher and La Fleche 1972:333, quoted in Schneider 1983:109–10).

Some travelers in early nineteenth-century America noted that Indian women appeared to be engaged in some needle working project almost constantly. At the occasion of a treaty council attended by the Potawatomi of Indiana in 1837, George Winter observed: "the squaws formed no little interest in the animated and truly novel scene before us. Their occupation principally was in making moccasins and leggings" (1948:103). Winter may have underestimated the women's involvement in the proceedings, however.

Among some Plains tribes, the skills required to manufacture and decorate certain objects were controlled by women's societies or guilds. Members restricted the specialized knowledge needed for certain techniques, and instruction required payment (Schneider, 1983:111–13). The "quilling society" of the Northern Cheyenne, for example, was graded according to the rights and abilities to make different things: (1) moccasins, (2) baby carriers, (3) stars or rosettes for ornamenting lodges, (4) buffalo robes, and (5) tipi liners, back-rests, and storage bags (Grinnell 1923:161). The Cheyenne recognized that women's creative accomplishments were analogous to men's accomplishments in war. In other words, both gender-related responsibilities held equal status in Cheyenne esteem:

> Among the Northern [Cheyenne] section a woman who had ornamented a lodge—put stars [rosettes] on a lodge covering, decorated a door, lining, and backrests, and a robe for the owner—had done the most important work that a member of the quilling society can do. At all meetings of these quillers, before the food was served it was usual for one old woman after another to get up and tell of the robes she had quilled, just as a warrior would recount his brave deeds (Grinnell 1923:165–66).

The quilling societies of the Lakota were organized by women who had dreamed of Double Woman (fig. 1), a legendary figure who had first taught Lakota women how to die quills and perform quillwork, but who possessed two contrasting yet complementary attributes: "The two women are of opposite character. One is very industrious, neat, and virtuous; the other idle, extravagant and a prostitute" (George Sword quoted in Wissler 1912:92; and DeMallie 1983:246).

In dreams, Double Woman offered a choice between virtuous industry and special skills in craftwork, or the ability "to make lots of people unhappy by taking their men. You could look at a man and get him right away and that's bad" (Nellie Two Bulls, recalling the words of her mother; Theiz 1988:11). These two potentialities for women represented positive and negative models for their sexuality over which they could exercise choice. The quilling society encouraged women to direct their gifts to the benefit of the community: "Now you're going

Fig. 1 / **Double Woman dancers.** Sioux, ink and crayon on paper, from an autograph book collected at Rosebud, South Dakota, c. 1890. "In the olden times there was what they called 'Winyan nunpapika' or The Double Woman, consisting of two very tall females who were probably connected by a membrane. They wore horned headdresses decorated with feathers" (Dorsey 1894:480). Women who dreamed of Double Woman were either blessed with talent for quill embroidery or became lascivious and promiscuous. *Detroit Institute of Arts (see pl. 220)*

to have talent and going to love everyone and share whatever you have with others. Whatever you have, you have to learn to share with others, that's why this gift of talent" (Nellie Two Bulls, recalling her grandfather's words when discussing her dream of Double Woman; Theiz 1988:11).

Woman's Work: The Economic Incentive

WOMEN'S SKILLS WERE FUNDAMENTAL TO the economies of nineteenth-century Indians of the frontier in a very broad sense. Hides were not prepared simply for clothing; a much larger number went to non-Indian partners in the fur trade. The fur industry that regulated Indian and white relations for three hundred years—upon which the fortunes of the family, the band, the company middleman, and the continental stockholder rested—was an enterprise that depended in part on the abilities of Indian women to prepare the hides of animals (beaver, marten, badger, muskrat, and buffalo) for commercial export: "The duties of women is to skin the animals when brought home, to stretch the skins and prepare them for market" (Thomas Forsyth, U.S. Indian Agent, St. Louis, January 15, 1827, in his report on the Sauk and Fox [Mesquakie] to General William Clark; Blair 1911, 2:217). (See fig. 2.)

Apparently the trade in animal pelts with European Americans was built upon the ancient foundations of intertribal trade. In 1676, for example, on the occasion of his visit to villages of the Winnebago at Green Bay, Father Louis André, a Jesuit missionary, observed the arrival of a delegation of Iowa Indians from the prairies to the west who had brought with them "ox hides and red calumets" (buffalo hides and red catlinite pipe bowls) to trade (Mott 1938:241).

Success in the fur trade required a true partnership between men and women that drew upon their traditional roles: men as hunters and trappers; women who then prepared the hides. This became abundantly clear to Henry Boller

Fig. 2 / **"Spearing Muskrats in Winter."** Watercolor on paper, by Seth Eastman, 1851. In 1835, George Featherstonhaugh visited Fort Snelling, near present-day Saint Paul, Minnesota, and observed, "at present the fur trade of the American Indians appears limited to musk-rat and buffalo skins" (1970:408). To repay a year's debt to traders for goods and supplies, an Eastern Sioux hunter had to put "676 musk-rats to their last squeek" (p. 409). The fur trade dominated Indian and white economic relations for several centuries along the frontier until its decline and eventual demise during the nineteenth century. *Courtesy James Jerome Hill Reference Library, Saint Paul*

(1959:285): "The Indians had made an excellent hunt and we expected to have in consequence a very good trade. But the squaws were so busy repairing their dirt lodges in addition to their ordinary domestic duties, that they had as yet dressed but few robes except those which they traded to supply immediate wants."

Women's skills benefited the entire community. But beyond that, such skills made it possible for women to better their own economic and social circumstances. Among societies that measured worth in terms of individual accomplishment, women who excelled in productivity were remunerated for their efforts in addition to having high social standing. When manufacturing garments, they did not confine their work to "in-kind" donations to their families and relatives; more accomplished craftswomen produced items intended as gifts or for exchange or sale. They might be asked by less skillful women to make things or sought out by men for commissions. Those who possessed knowledge of specialized or otherwise restricted techniques were well paid for their creations. A quilled robe made by a member of a quilling society, for example, was worth a pony among the Arapaho or Mandan/Hidatsa (Schneider 1983:114).

The value of women's products in trade and gift exchange was reflected in extensive intertribal trade in prepared hides and finished garments. Trade was often conducted between peoples from contrasting resource areas who pursued different yet complementary ways of life. The Iowa trade with Green Bay inhabitants mentioned above is a good example. Hunters and agricultural communities also frequently conducted trade on the Plains. Eighteenth-century travelers observed active trade in decorated shirts, leggings, and robes made of animal hides brought by the Crow and Lakota to the agricultural villages of the Hidatsa, Mandan, and Arikara on the Upper Missouri River. In return, the Crow and Lakota received corn, beans, pumpkins, and tobacco, but also horses and guns (Ewers 1968:21). As John Ewers correctly pointed out, the potential for trade provided a strong incentive for productivity, hence the special status of a Cheyenne woman, for example, who had prepared thirty buffalo robes, obviously not for her own use, but for trade (Grinnell 1923:59; see also Schneider 1983:115).

Intertribal exchanges of garments and other products made by women continued into the twentieth century. Large, heavily beaded shoulder bags or "friendship" bags made by Ojibwa women on the Minnesota reservations in the 1890s, for example, were each worth a horse when brought out to exchange with the Mandan, Hidatsa, and Arikara at Fort Berthold or on the Lakota reservations in North and South Dakota (Lyford 1942:129; Hoffman 1895:269; Phillips 1990:8). For their part, the Fort Berthold women produced quantities of elaborate hide shirts with quilled arm and shoulder strips that proved especially popular among the Blackfeet to the west (Lessard, pers. comm.).

The nineteenth-century expansion of whites into Indian lands brought with it a cash economy. The fur trade had always been conducted by barter, but white settlers depended on cash transactions. Those Indians immersed in the economic environment imposed by whites found that women's creations offered a means of access to cash. John Long, fur trader and traveler in the upper Great Lakes region just after the American Revolution, noted that moccasins "made by the Mohawks at the Grand River near Niagara [now the Six Nations Reserve] are preferred for their superior workmanship and taste, and are sometimes sold so high as four dollars a pair [!], but in general they may be purchased without ornaments for one dollar" (Long 1922:47). This community had been established by Joseph Brant (see fig. 8), a literate and educated Loyalist who had traveled to England twice and met personally both King George III and George Washington. There is no doubt that his community understood the advantages of cash transactions within the changing economy of southern Ontario, and it is interesting to note that the traditional activities of women contributed substantially to the community's livelihood.

The cash value of women's craftwork expanded appreciably throughout the nineteenth century, benefiting from the European American penchant for possessing the curious and exotic. The Christian Huron who had settled just outside Quebec at Lorette after the Iroquois wars of the seventeenth century recognized early the economic potential of the handicrafts market. After 1800, the Huron of Lorette produced moccasins, snowshoes, sashes, Indian sleighs, fur caps and mittens, collars of porcupine quills, purses, bows, arrows, and paddles sold at market in Quebec, and at the entrance to their village at Lorette (Morissonneau 1978:390). This same cottage industry of moose hair and porcupine quill embroidery persisted into the early twentieth century, when it was investigated by anthropologist Frank Speck in 1909 and 1910 (Speck 1911a, 1911b). The appeal of these items to non-Indian buyers lay in their rustic materials and Indian associations. The Huron of Lorette capitalized on their ability to market their ethnicity. Christian Feest, in his recent survey of American Indian art, categorized such efforts as ethnic art: "they are first of all a source of income; in the long run they may become an important symbol of the maker's identity. Forms and decorations in ethnic art tend to be a mixture of native traditions and foreign expectations" (Feest 1980:15). The possibility of specialization in crafts production expanded during the nineteenth century to meet the challenges of commerce, and the concomitant requirement of liquidity, that followed the decline of the fur trade.

Individual entrepreneurs addressed demand within both Indian and white markets with the production of various kinds of objects. A glimpse of this distinctive life-style is visible in the memoir of Johann Georg Kohl, a German travel writer and self-made ethnographer who circulated about the Lake Superior region in 1855. While passing through the channel that connects Lake Superior to Lake Huron, near the present Sault Sainte Marie, he stopped to visit the cabin of a mixed-blood man named La Fleur and his Ojibwa wife:

> La Fleur was an Indian pipe-cutter, and his squaw busied herself with embroidering porcupine's quills, which work is so much admired by the Indians. . . . Red and black pipe-stones, half or quite finished pipe-bowls, with the little engraving tools, lay in one corner of the room, and in the other portion, reserved for the squaw, were clean birch bark and elegantly carved miniature canoes, and children's pouches covered with "toutes sortes de plumissages," or that fantastic and gay embroidery which the Indian women prepare so cleverly out of porcupine quills (Kohl 1985:314–15).

Kohl did not say whether he purchased anything there, but it is reasonable to assume that the location at this crossroads for travelers in the upper Great Lakes provided a modest traffic in potential customers.

During the reservation period, when many Indians survived largely on small fixed incomes based on annuity payments, craftwork sales became an important means of support. Thousands of objects were created in response to the small but significant market for Indian style craftwork. Trade in beadwork on the reservations was observed and recorded by Elaine Goodale Eastman, who taught school among the Lakota at Pine Ridge in the 1880s before meeting her husband of later years, Charles Eastman, the Dakota doctor, author, and lecturer. She noted that white store owners would accept beadwork for cash or in trade for "ammunition, tobacco and coffee" (Eastman 1978:98). There was also a lively market among the settlers south of the reservation in Nebraska (pp. 105–6):

> One gentlemanly youth was anxious to buy a pair of moccasins. "But fifty-five cents is all I have in the world," he naively declared, pulling a handful of silver out of his breeches pocket and looking at it with a comical air of concern.
>
> "Can't you make it up for me, fellows?"

One handed over a quarter, another a dime. "Thank you! Only ten cents more!" Somebody dug up three copper cents. It finally appeared that ninety-three cents was all they could get together among them and this the owner of the moccasins was persuaded to accept.

"Why, if that isn't my brand on them!" the young man exclaimed, scanning the beaded pattern with delight. "Evidently they were always meant for me!"

Elsewhere in her memoirs (p. 54), she remembered a pair of middle-aged women, Miss Bird and her widowed sister Dawn, who supported themselves in part by their industry in craftwork:

I can see them now, seated demurely with feet tucked under them . . . on a neatly folded robe under the "leafy shadow," or rustic veranda, their hands busy with choice embroidery of store-bought beads or the more primitive dyed quills of the porcupine. [Miss Bird would often] appear at our door with a piece of beadwork or a few eggs for sale, often carrying a pet raccoon like a baby on her back.

Women's skills in fabrication and decorative techniques were supported throughout the nineteenth century as strong cultural values because, among other reasons, of their economic necessity. The economies of Native American societies required revision during the nineteenth century as the opportunities to remain self-supporting from the environment and the fur trade were replaced by a growing dependence on the reservation and on the annuity-payment system. Since recompense for well-made goods and their value in trade represented a long-standing tradition among Great Lakes and Plains peoples, women who were skilled in craftwork were particularly well poised to participate in the new cash economy. In addition, women's craftwork evolved as a means to retain or reassert a sense of traditional values even while adjusting to the new economy. Craftwork as a vocation enjoyed the privileged position of economic viability as well as the sanction of time-honored values. The economic and cultural incentives for pursuing the production of decorated garments successfully made the transition into the changed economic circumstances of the reservation period.

Fig. 3 / **"Grandmother Decorating a Bag with Beadwork."** Brule Sioux, Rosebud, South Dakota. The cultural value that supported women "making things" persevered into the reservation period because craftwork provided access to the cash economy and because dress and decorative arts developed as part of a cultural strategy to assert solidarity and resistance to assimilation. Photograph by John Anderson, c. 1890

The economic question, however, is only part of the much larger issue of dress as a means of cultural expression during the late nineteenth century. A grasp of the larger picture requires the perspective of consumers, those who wore the decorated clothing that women made to express ethnic identity, and those who bought these and similar objects because they expressed ethnic authenticity.

The Meanings of Materials: The Transformation of Trade Goods

THE MORAVIAN MISSIONARY DAVID ZEISberger, writing about his experiences in Pennsylvania and Ohio in 1779–80, stated:

> For their skins the Indians get from the traders powder, lead, rifle-barreled guns—for other weapons they do not value—blankets, stroud, linen, shirts, cotton, callemanco [calico, printed cotton cloth], knives, needles, thread, woolen and silken ribbon, wire and kettles of brass, silver buckles—these are considered as valuable as gold and with them they can purchase almost anything—bracelets, thimbles, rings, combs, mirrors, axes, hatchets and other tools (Hulbert and Schwarze 1910:118).

The Indian family received a broad range of goods from traders. Some of them, such as powder, ammunition, firearms, iron or steel knives and axes, and brass kettles, became necessary to their economic and domestic life. Their practical utility contributed to the family's livelihood, security, and domestic efficiency. In addition, however, were items employed in the manufacture of dress: wool blankets, "strouds" or woolen cloth, printed cotton fabrics often called "calicoes," and ornamental items, such as glass beads, silk ribbon, brass hawk bells, and silver brooches or other ornaments. These, along with the needles, cotton thread, and fine woolen "worsted" yarns, became the media and tools employed in the many innovative textile techniques and dress styles that characterize the fur trade era.

In the early years of contact, the unfamiliar had to be reconciled with the familiar and Indian perceptions had to find a sensible frame of cultural reference. Trade goods were valuable because Indians recognized in them attributes corresponding to their ideas of value—social and religious values as well as economic ones. Wealth was understood traditionally as spiritual and social well-being and its material expression was valued only to the extent that it could be displayed in dress or dispersed through gift giving. The "practical" attributes of trade materials combined with their symbolic attributes, their relation to ideas.

The symbolic attributes of trade materials were derived to a degree from their color and luster. The symbolism of color can be illustrated by wampum belts, those woven belts of shell beads employed by Indians of the eastern and central Great Lakes to sanction agreements of peace, summon war parties, or mourn the dead:

"Neither the color nor the other qualities of wampum are a matter of indifference, but have immediate reference to those things which they are meant to confirm. The brown or deep violet, called black by the Indians, always means something of severe or doubtful import, but white is the color of peace" (George H. Loskiel in Beauchamp 1901:456).

The council fire of Mamtoulni has the emblem [on a wampum belt] of a beautiful white fish; this signifies purity, or a clean white heart—that all our hearts ought to be white towards each other (John S. Johnson, a Mohawk chief, when speaking at the Ojibwa/Iroquois Council conducted in southern Ontario in January of 1840; Jones 1861:121).

A black belt with the mark of a hatchet made on it with red paint is a war belt, which, when sent to a nation together with a twist or roll of tobacco, is an invitation to join in war (John Heckewelder in Beauchamp 1901:456).

In the case of the death of a son or daughter, the parents, with a black belt, hired a captain to procure a substitute. Collecting his band, this captain went out as for war, and took a prisoner (David Zeisberger in Beauchamp 1901:446).

White symbolized purity, peace, and the powers of the intellect; white was linked by analogy to sky blue and the qualities of transparency and reflective luster: "It is common to paint [pipe stems] a sky color to signify a clear sky or peace and tranquility" (Parker 1976:111). Red represented the "animate and emotive" aspect of life and spirituality. Red could symbolize both the destruction of armed conflict and the promise of spiritual benefit and protection. Black signified death, in contrast to the animating connotations of red, but also implied the inevitability of change, transition, and transformation (Hamell 1986–87:76). The symbolic potency of color is realized in the material object as in the wampum belt, but also in an ornament or garment worn on the body.

When European traders offered their Indian partners glass beads, silver brooches, silk ribbons, and colored cloth, these materials were interpreted in terms of their symbolic implications and potential for power. The most frequently encountered trade materials on early (eighteenth-century) dress include white glass beads, red and blue cloth, tin and copper cones with vermilion-dyed tassels of deer hair, brass hawk bells, and vermilion pigment. Glass beads and brass or silver pendants compared closely with ornaments made of white shell, copper, red jasper, and catlinite, that had been exchanged intertribally across the continent for thousands of years before European trade began. The "trinkets and baubles," dismissed as trivial when traded away by Europeans, were transformed into expressions of wealth and power when incorporated into Indian dress and worn on the body as ornament. European traders looked on in astonishment as Indians suspended iron axes around their necks, used house keys for ornaments, or hung papers of pins from their hair (Bailey 1969:60; Keating 1959:383) but without comprehension of how these had been evaluated by their new owners. As the fur trade formalized into patterns that dispersed quantities of ornamental trade goods across the continent, women began to develop techniques for incorporating these invaluable materials into the formal expressions of dress.

By the beginning of the nineteenth century, the fur trade and fur trade fashion had encompassed the entire Great Lakes region and had made significant inroads to the northern Plains. As Indian economies adjusted, access to "trade wealth" increased, visible primarily in dress. Within the context of fur trade economies, dress had become a means to express success, wealth, and well-being. Fur trade materials had been incorporated into every kind of garment. Wealth was measured by the extent of visible ornament, poverty by its absence:

Their dress is light: they do not hang much clothing on themselves. If an Indian has a Match-coat, that is a [wool] blanket of the smaller sort, a shirt and a birch clout [breech cloth] and a pair of leggings, he thinks himself well dressed. In place of a blanket, those who are in comfortable circumstances and wish to be well dressed wear a stroud, i.e.: two yards of blue, red, or black cloth which they throw lightly over themselves and arrange much as they would a Match-coat. Trousers they do not wear; but their hose [leggings], reaching considerably to the knee and extending only to the feet, to some extent supply the place of trousers. If they desire to go in state, they wear such hose with a silken stripe extending from top to bottom and bordered with small white coral [beads] (Zeisberger describing the Delaware of Pennsylvania of the late eighteenth century; Hulbert and Schwarze 1910:15).

Note that Zeisberger described a hierarchy of dress, first related to "comfortable circumstances," meaning wealth, then to the occasion, "in state." His Moravian junior colleague, John Heckewelder, is more explicit about the relation between ornament and wealth: "The wealthy adorn themselves besides with ribands or gartering of various colors, beads and silver brooches. These ornaments are arranged by the women, who, as well as the men, know how to dress themselves in style" (Wallace 1958:52).

Traders and travelers made similar observations regarding the display of trade wealth among Plains tribes a few decades later. In 1833, Charles Larpenteur accompanied a party of trappers ascending the Wind River in Wyoming when they encountered a Crow band of four hundred lodges in transit:

They looked splendid dressed in the best of Indian costumes and mounted on fat ponies. . . . The Crows at that time generally roamed together and on this particular occasion they looked richer than any other Indians for they had just made their trade at the fort, one day's march from where we were. . . . As they did not drink, the trade was all in substantial goods which kept them always well dressed and extremely rich in horses so it is really a beautiful sight to see that tribe on the move (Larpenteur 1933:37).

In the decades following the War of 1812 the ability of Indians to support themselves with the fur trade eroded steadily in the old Northwest Territory. With the influx of agricultural settlers and mineral speculators, Indians with fewer and fewer economic alternatives were pressured to sell land. It is worth noting that payments for land cessions followed the practice of fur trade disbursements: annuity payments in material goods including the fabrics and ornaments of dress. Indians of the Eastern Woodlands, forced west across the Mississippi into "Indian territory" or restricted within shrinking reservations during the middle decades of the nineteenth century, maintained fur trade era notions of wealth, but dress revealed a transformation. It was the artists, the female creators of dress, who subverted the symbols of dependence into celebrations of independence. During this period, between approximately 1830 and 1870, these women invented, adapted, and developed many techniques and styles using bead embroidery, bead weaving, and silk appliqué. They transformed the products of factories into Indian style leggings, breechcloths, shirts, and dresses (figs. 4 and 5). This distinctive ornamentation reflects purely Indian sensibilities. Later nineteenth-century dress style became increasingly elaborate and extensively decorated as the formal wear of the reservation period continued to express ethnic vitality.

Fig. 4 / **"A Group of Menominee Men."** Oil on canvas by Samuel M. Brookes, 1858. These men and the women in the mate to this painting (fig. 5) wear garments made almost entirely of trade materials but tailored into the distinctive dress fashions of Great Lakes Indians of the mid-nineteenth century: wool finger-woven sashes tied around their heads; shirts made of cotton fabric worn loose and tied around the waist with a sash; leggings; and, for the women, shawls and skirts of wool decorated with silk appliqué. *Courtesy Milwaukee Public Museum*

When Dress Was Worn

FORMAL AND PUBLIC DRESS, AS OPPOSED TO everyday wear, is a means by which individuals measure their self-image against the perceptions of others. The acknowledgment they receive empowers them to act, whether that means conducting themselves authoritatively, engaging in ritual, attracting the attention of the opposite sex, or simply basking in recognition and approval. Formal dress also acknowledges the importance of an occasion and honors the other participants. A Blackfeet chief, for example, complained to Prince Maximilian zu Weid in 1833 that he was "much surprised that the Whites always appeared in their common, everyday clothes, whereas they (the chiefs) always put on their handsomest dresses [to meet with them]" (Thomas and Ronnefeldt 1976:116). Much can be learned about the meaning of dress by observing what was worn for certain occasions and identifying the intentions of the wearers.

Fig. 5 / **"A Group of Menominee Women."** Oil on canvas by Samuel M. Brookes, 1858. *Courtesy Milwaukee Public Museum*

Father Louis Hennepin, a Jesuit who traveled in the western Great Lakes region during the mid-seventeenth century, noted a distinction between formal and everyday dress among the Minnesota Sioux: "the gowns they make thereof to appear splendidly at feasts and other solemn occasions. They make other gowns against the cold weather wherewith they cover themselves during the winter" (Hennepin 1903[1698]:150). Samuel Pond, a missionary active in the same region some 150 years later, could be a little more explicit: "Their ornaments and costly raiment are not worn everyday, but were carefully treasured up to be worn in some great assembly, as at a medicine dance or at some other great meeting" (Pond 1986:33–34).

Wealth had value only when it was acknowledged socially, when it was recognized at public events. But formal, elaborately decorated dress was not simply a display of material wealth, it was an expression of vitality and success that ultimately reflected spiritual blessings. Appropriately, formal dress was worn during many religious rituals. Joseph Nicollet wrote of the Ojibwa Midewiwin, or Grand Medicine Society, in 1837:

The candidate, man or woman, will make his appearance dressed in the richest, most beautiful and classical costume of his sex in line with the customs of his nation. A stranger cannot but admire the taste and artfulness revealed by the Chippewa in the way of reconciling elegance with customs and requisites of modesty and decency. . . . To the Chippewa, the celebrations are a matter of national pride for which man and woman prepare themselves long in advance (Bray 1970:209).

Formal dress was also worn at social dances. George Winter wrote the following description of a spontaneous Potawatomi dance he observed in 1837:

We-saw, a chief, was called upon to open the dance. . . . He commenced dancing around the stakes and fire to the tapping of the drum. . . . The squaws, who had been merely passive spectators to the dance, joined in, a dozen very superbly dressed, heightened the effect and beauty of the scene. . . . They wore red and black blankets, as their rich mantles are called, which are made of superfine broadcloth decorated with colored ribbons and silver ornaments, are very costly, and are worn over the head, covering the body very gracefully, reaching nearly to the ground. . . . Some of the squaws were encumbered with many rows of beads, that I verily believe would weigh ten pounds. . . . Their nether garments were also made of cloth, handsomely bordered with many colored ribbons shaped into singular forms" (Winter 1948: 109–10).

Charles Penney, a traveler on Lake Superior in 1840, witnessed a similar scene at La Pointe, Wisconsin:

July 19, Sunday. The younger portion of both sexes are dressed up in some kind of Sunday finery or other, the girls with bead patalettes [leggings], porcupine moccasins, new blue broadcloth shawls, plaited hair and clean faces. . . . We proceeded to a large Indian lodge where the beauty and chivalry of the forest were assembled in a great dance. The lodge was jammed full. . . . Here six girls were dancing to the music of the drum and their own sweet voices. Their feet kept firmly together, their shoulders covered with blankets and pressed against each other, and their only motion, that of springing three inches from the ground (Carter and Rankin 1970:62–63).

Young people wore the most elaborate finery on such occasions. As Samuel Pond (1986:35) explained: "showy decorations were prized only by the young and were discarded by the middle aged and old." David Zeisberger elaborated with regard to his knowledge of the Shawnee during the late eighteenth century:

The men clothe themselves rather meanly, regarding it as a disgrace to be better apparelled than their wives. . . . older women adorn themselves but rarely, usually appearing in cast off garments. Even if the husband of such a woman provides new clothing, she will rarely put it on, especially if she has a daughter to whom she gives the new clothing in exchange for old garments (Hulbert and Schwarze 1910:86–87).

But fine dress was not confined to young women. Young men also enjoyed elaborate dress on occasion, and in 1838 Father Pierre-Jean de Smet was offered an explanation:

We stopped several hours at the village of the Iowas. . . . I noticed among them certain young men well dressed with silk ribbons of all colors entwined in their hair, a profusion of porcelain beads hung around their necks, and wolf-tails and little bells attached to their heels, knees and arms. Their faces too were painted with great care, in red, black, green, grey, yellow, and brown, according to the taste of each. . . . All of these young men were playing on a sort of flageolet or flute. I addressed a young savage who spoke English well to learn the reason of this distinction. He laughed and told me, "Those gentlemen are in love. When anyone among us desires to wed, he makes his inclinations known by playing the flute" (Chittenden and Richardson 1905:153).

Dress, finery, and the cosmetic enhancement of appearance predictably played a role in relations between the sexes. Social dances were one occasion when the young could look each other over, and apparently those romantically inclined took every opportunity to improve their appearance. When described by outsiders, such young men were frequently called "dandies" (fig. 6). They rarely failed to be noticed by white visitors, though their intention was to catch the eyes of desirable young women:

We see three young Indian dandies dressed and painted at the height of fashion, with bunches of shells surmounted with small scarlet feathers fastened to a lock of hair on each side of their foreheads. They wear false hair ornamented with spots of red and white clay, and ingeniously glued to their own and sport bright scarlet blankets lavishly garnished with white and black, or white and blue beads. The long fringes of their deer skin leggings trail their whole length and a fox tail dragging from the heel of each moccasin completes the costume. The trio of worthies is mounted on a stout pony whose plaited tail is adorned with eagle feathers and impress of a hand stamped with white clay upon his flanks. In this style they wend their way slowly through the [Hidatsa] village, the first one guiding and urging on the steed, who by his sluggish gait, plainly shows his disapproval of this style of equitation. The middle one is singing at the top of his lungs, assisted by the third, whensoever he is not obliged to give his whole attention to avoid sliding off the horse's tail (Boller 1959:71).

Fig. 6 / **"Four Young Mesquakie Men: Ne-ni, Mec-ku-i-gue, Mec-ki-pwai, and O-no-a-toi-gun, Tama Iowa."** Four "dandies" dressed in their best, hoping to attract the attention of the opposite sex. Photograph by H. C. Eberhart, c. 1900, - *courtesy the Smithsonian Institution*

The community encouraged young men of appropriate age and promise to go off to war. Among Woodlands and Plains tribes, only proven, mature men led war expeditions, for the most part. Young men participated eagerly because warfare provided one of the best means for men to prove their worth and rise in social esteem. La Mothe Cadillac put it succinctly in his seventeenth-century memoir: "They have two tests of true men; the first is war and the second hunting. The best hunters and the best warriors are the men most valued, most important, and most praiseworthy among them" (Quaife 1947:20). Dress for warfare signified the importance of the occasion, its seriousness, its requirement of spiritual blessing, and presumably the ambition of the individual warrior. Joseph Nicollet described the war dress of the 1836 Chippewa in some detail:

Several pair [of moccasins] are attached to their belts or strapped around like cartridge boxes. The mitasses or leggings made of blue or red cloth or from deerskins, they are attached to the belt by strings and a tail composed of ribbons, bird feathers, and pieces of furry animal skins dangles from a belt behind. Garters contour the legs and the exterior signs of a man, which the leggings do not cover, are concealed by brief supports. Also attached to the belt, apart from knife sheaths, are a tobacco pouch, the *pakamagon,* or round headed club, a mirror with scissors, and a pocket containing red and other colorings and thousands of little knickknacks to which the natives are enslaved as Whites are to theirs. The rest of the body is naked though sometimes covered with a light and short calico shirt (Bray 1970:162).

White Bull, the Minniconjou warrior and nephew of Sitting Bull, recalled to Walter S. Campbell (Stanley Vestal) how he prepared to go out against General Crook at the Battle of the Rosebud in 1876:

[He] put on a pair of dark blue woolen leggings decorated with broad stripes of blue-and-white beads, and beaded moccasins to match. Before and behind he hung a long flannel breechcloth reaching to his ankles, tucked under his belt over his regular loincloth. He put on a shirt and over his right shoulder he hung the thong which supported the small rawhide hoop, to which was attached four small leather pouches of medicine (earth of different kinds), a buffalo tail, and an eagle feather. This was his war charm. It hung under his left arm. Around his waist, like a kilt, he placed his folded black blanket and belted it there with his cartridge-belt containing a hundred cartridges. He borrowed a fine war bonnet from his brother-in-law Bad Lake (Vestal 1934:186).

This splendid departure attire was later packed away. White Bull described, on another occasion, how, "soon after leaving the camp . . . [they] packed their fine war-clothes in their saddle bags, and, mounting saddle horses and wearing everyday clothes, jogged away, leading their best mounts in order to spare them for the war ahead" (Vestal 1934:40).

Warriors often preferred to fight unencumbered by elaborate garments. John Tanner, who was adopted as a captive by the Ojibwa, recalled in his memoirs how the war leader Black Duck had led him and others on a raid of an enemy village:

We arrived at very early dawn at the little hill which sheltered our approach from the village. Raising his head cautiously, the Black Duck saw two men walking at some distance before him. He then descended the hill a little, and tossing his blanket in a peculiar manner, made a signal to the Ojibways to rush on. Then followed tearing off of leggings, stripping off of blankets, and in an instant the whole band lept naked to the feet of the Black Duck. And now they moved silently, but swiftly over the crest of the hill (James 1956:128).

If elaborate dress proved a nuisance in combat, it was indispensable for the triumphant return of a war party to the home community. The celebration, which often included a "scalp dance," honored returning warriors for their brave deeds and war trophies. This was the public recognition of their dangerous efforts.

The Crow warrior Two Leggings, in his autobiography, recalled his return from a war expedition:

> I was eager to reach camp so we could dance another scalp dance while the women sang for us. . . . We stopped to put on the war shirts, medicines, warbonnets, and the leggings we had brought, and painted our faces to show we had been successful. I led six men galloping into camp. . . . Our wives and girl friends rushed out of their tipis. . . . As the women danced the scalp dance we fell in behind them. My name was praised by everyone . . . (Nabokov 1967:172).

With success in warfare, a man might, in time, become so influential as to be regarded a "chief," a leader of men. While many tribes of the Woodlands and Plains recognized hereditary chiefs, any man could rise to social prominence through his accomplishments and leadership in battle. The formal dress of successful warriors alluded to war honors by means of elaborate symbolism.

Waneta, or "The Charger" (fig. 7), a prominent band chief of the Yanktonai Sioux during the first half of the nineteenth century, often wore garments that displayed his military accomplishments. In 1823, Major Stephen Long was commissioned to travel through Minnesota to survey the lands ceded by British Canada after the War of 1812. He was accompanied by Samuel Keating, who recorded the appearance of Waneta's dress at a war dance staged for his party of dignitaries:

> He was dressed in full habit of an Indian chief. . . . The most prominent part of his apparel was a splendid cloak or mantle of buffalo skins dressed so as to be a fine white color. It was decorated with small tufts of owl feathers and others of various hues and it is probably a remnant of a dress once in general use among the aborigines. . . . A splendid necklace formed of about sixty claws of the grizzly bear imparted a manly character to his whole appearance. His leggings, jacket, and moccasins were in the real Dakota fashion being made of white skins profusely decorated with human hair. His moccasins were variegated with the plumage of several birds. In his hair he wore nine sticks neatly cut and smoothed and painted with vermilion. These designated the number of gunshot wounds which he had received (Keating 1959[1825]:455).

Joseph Nicollet, the geographer, met a similarly dressed Waneta in 1838. He wore "green glasses, a pipe and war club in his hand, his rich leggings and his embroidered tunic, his coat of buffalo skin telling of the story of his wars" (Bray and Bray 1976:106). The "coat" in question was probably a robe painted with pictographic images recording "coups," or brave acts of combat. These, like the painted sticks in his hair, drew attention to Waneta's public stature as a warrior. His acts of courage required deference and respect and no doubt contributed significantly to his recognition as leader. Such symbols ornamented the dress of worthy men during public events, since their accomplishments reinforced their authority.

Fig. 7 / **Waneta, the Yanktonai chief.** McKenney-Hall print based on a Charles Bird King painting, copied from a life portrait by Samuel Seymour, who accompanied the Stephen H. Long expedition through Minnesota in 1823

Wanata

Waneta's leadership also stemmed from his involvement in the fur trade. When Major Long and his party first arrived among the Yanktonai, they were greeted by Waneta at a feast, where he wore a very different style of dress that reflected his role in the trade:

Wanotan was seated at the back with his son, a lad of about eight years old, and eight or ten of the principal warriors. The chief's dress presented a mixture of European and aboriginal costume. He wore moccasins and leggings of splendid scarlet cloth, a blue breech cloth, a fine shirt of printed muslin, over this a frock coat made of fine blue cloth, with scarlet facings, somewhat similar to the underdress uniform coat of a Prussian officer. This was buttoned and secured around his waist by a belt. Upon his head, he wore a blue cloth cap made like a German fatigue cap. A handsome Mackinaw blanket, slightly ornamented with paint, was thrown over his person (Keating 1959[1825]:450).

Waneta's dress, particularly the frock coat, resembled a "captain's outfit," a set of garments routinely bestowed on band leaders by the British Canadian trading companies during the eighteenth century. Andrew Grahm, an employee of the Hudson's Bay Company between 1767 and 1791, provided more details:

A coarse cloth coat, either red or blue, lined with baize with regimental cuffs and collar. The waistcoat and breeches are of baize: the suit is ornamented with broad and narrow orris lace of different colours; a white or checked shirt; a pair of yarn stockings tied below the knee with worsted garters; a pair of English shoes. . . . The lieutenant is also presented with an inferior suit (quoted in Ray 1974:139).

Edwin Thompson Denig, an American trader, also recalled Waneta as characteristically "dressed in officer's clothing, top boots, green spectacles [common in his later years], sword and pistols, his strange appearance contrast[ing] greatly with that of his half clad followers" (Denig 1961:32). Denig emphasized that Waneta was recognized as one of the most powerful leaders in the northeastern prairies because of his control over the trade. Fur trade wealth strengthened his hold on the allegiance of his followers. Waneta's captain's outfit distinguished him to both the traders and his followers as the intermediary by which trade could be conducted and through whom wealth flowed.

The "captain's outfit" retained its authority only while the fur trade remained successful. When it became clear that European Americans were shifting from fur trading to acquiring land, symbols of authority derived from European American support began to lose their potency. In the years before the War of 1812, the Shawnee Tecumseh and his brother, the Prophet Tenskawatawa, organized one last confederacy in an attempt to stem the tide of American settlement in Ohio and Indiana. The Prophet's teachings lent spiritual sanction to the confederacy. Among the many strictures imposed on his followers was the requirement to give up all European style clothing. The symbols of support from British traders had lost their currency for the beleaguered tribes of the East.

Joseph Brant (fig. 8), the Loyalist Mohawk, who had brought his band to the Grand River of southern Ontario after the American Revolution, customarily wore European style clothing while conducting business with European Americans. He would carefully change into Indian clothing and paint his face when journeying back to his community. He also shaved off his colonial style ponytail during the 1790s and assumed the Mohawk warrior's scalp lock (Kelsay 1984:536).

While Indian leaders were still compelled to manage relations between their

Fig. 8 / **Portrait of Joseph Brant** on the bank of the Grand River, Ontario, 1797 (?). Oil painting by William Berczey. *Courtesy the National Gallery of Canada, Ottawa*

bands and European Americans, their followers tended to suspect the motives of those perceived too dependent on whites. There was too much to lose and little enough to gain when whites sought to buy land instead of furs. Dress of authority shifted accordingly to express identification with Indian interests when dealing with whites. This is made explicit by the experience of Henry Schoolcraft, the U.S. Indian agent engaged in treaty negotiations with Minnesota Ojibwa in 1832, when meeting with the chief of the Leech Lake band:

At dinner to which I invited him at my tent, and also during the public council following it, he appeared in his native costume. But at the close of the council and before we embarked, he came down to the lake shore to bid us farewell dressed in a military frock coat with red collar and cuffs, with white underclothes, a linen ruffled shirt, shoes, and stockings, and a neat citizens' hat. To have uttered his speeches in this foreign costume would have been associated in the minds of his people with the idea of servility. But he was willing afterwards to let us observe by assuming it that he knew we would consider it a mark of respect (Mason 1958:56).

The "captain's outfit" was indeed foreign, but more important, it had become obsolete. The power relations between Indians of the frontier and whites had polarized. The mutual benefit of fur trade commerce no longer provided common ground. Dress symbolized this growing cultural dichotomy from the point of view of both whites and Indians.

Dress as a Symbol of Ethnicity

THE "PROGRESS OF CIVILIZATION" AIMED not only to transform the North American landscape into an agrarian and industrial utopia, but indeed required the transformation of its indigenous inhabitants as well. Humanitarian concern for the plight of American Indians during the nineteenth century focused on converting them to "civilized" values. The substantive part of this program sought to shift the Indian economy to agriculture as practiced by whites and to impose the notion of personal rather than tribal ownership of land. The program possessed a considerable symbolic component. The trappings of "civilization" would symbolize a successful transition from "savagery." Clothing played a leading role in this symbolic process. Nineteenth-century humanitarians urged Indians to "give up the blanket" and dress like their white neighbors.

Missionaries at work among North American Indians represented the frontline in the humanitarian effort at assimilation. William Kirk, a missionary working in northern Indiana at the beginning of the nineteenth century, reported that his Shawnee had built cabins, a sawmill, and a grist mill, erected fences to keep cattle and pigs, and wore white styles of clothing (Edmuns 1984:67–68). The appearance of such Indian converts often impressed visitors with the extent of their "progress." George Featherstonhaugh, the geologist and travel writer, described witnessing the services at an Ojibwa mission located at the mouth of the St. Clair River, south of Lake Huron, in 1835: "The congregation was entirely composed of Indians—men, women, and children—all decently dressed, and conducting themselves in a manner that would have been creditable to any class of Christians" (Featherstonhaugh 1970:130–31).

Schools often separated the young from elders and enforced strict dress codes. The Carlisle Industrial Training School, established by Richard Pratt in 1879, was probably the best known proponent of this strategy. The school was located in eastern Pennsylvania and drew Indian youths from reservations all over the country. Pratt publicized its progress by means of photographs of newly arrived students dressed in their "wild and barbarous things" juxtaposed with later photographs of those same students with trimmed hair and school uniforms

(Hoxie 1984:56). Pratt believed that the success of the American Indian lay in leaving behind any semblance of Indian culture, and he sought to "raise" impressionable youngsters "to the plane of white people" (pp. 61–62). White standards of dress became an important symbol of this process.

To missionaries, educators, agents, and others, Indian dress represented the inferior and backward cultural practices of American Indians. As they sought to assimilate Indians, they advocated adoption of white styles of dress to symbolize "progress." As the nineteenth century drew to a close, the pressure to conform to white dress was reinforced both ideologically and economically. By the early twentieth century, the transformation of everyday wear, at least, was largely complete.

On the other hand, as Indian people adjusted to the changes forced on them during the later nineteenth century—confinement to reservations, administration under government institutions, and the thorough transformation of their economic life—formal dress and formal occasions to wear it became means of asserting a sense of cultural integrity. Dress, in this sense, symbolized both ethnic solidarity and difference from the dominant culture. It is interesting to note that the decorative signifiers of ethnicity—the beadwork, silk appliqué, and other applied ornament—grew larger and more exaggerated on dress clothing of the later nineteenth century (figs. 9 and 10). Because the techniques represented the traditional values of women's industry, their application to dress clothing created in turn increasingly assertive symbols of cultural identity and resilience when worn for celebratory occasions.

The increasing elaboration of formal dress was accompanied in the late nineteenth century by revitalization movements that emphasized the ritual occasion for wearing and the display of formal dress. The Midewiwin Society, or Grand Medicine Dance, remained strong into the twentieth century among Ojibwa, where it probably originated, and also among the Potawatomi, Menominee, Winnebago, Sauk, Mesquakie, and Eastern Sioux. Elaborate dress, and extensive gift exchanges of blankets, yard goods, and ornamental materials, reflected connections to traditions and lifeways of the fur trade era (fig.11). Mide priests wore particularly elaborate garments and decorative accessories, such as woven beadwork sashes, bandoliers, and shoulder bags, as symbols of their office and power.

Dancing in Indian dress also characterized the Dream Drum religion, which stemmed from the vision of an Eastern Sioux woman during the 1870s and spread to many western Great Lakes and Prairie tribes through formal rituals of transfer (Venum 1982). The Dream Drum religion may be connected historically to the Plains Grass Dance, whose variations could be found among most all of the Plains and Prairie tribes during the closing decades of the nineteenth century, and whose performances recalled the male values of courage and accomplishment in battle (Howard 1951). Grass dancers wore distinctive "bustles" or "crow belts" derived from earlier warriors' garb and "roach" headdresses that replicated earlier styles of eastern and Prairie warriors' headgear.

Dress also played an overt role in the later Ghost Dance religion, inspired by the Paiute Prophet Wovoka in 1888. As interpreted by devotees among the Plains

Fig. 9 / **Potawatomi couple, c. 1890.** Photographer unknown, Mayetta, Kansas, *photograph courtesy Richard A. Pohrt*

tribes, the Ghost Dance promised the return to traditional ways before contact with whites. Arapaho, Kiowa, and Lakota Ghost Dancers performed in special dress, cut in traditional styles and painted with Ghost Dance symbols.

It is not surprising to find that missionaries and reservation agents had opposed these practices during the late nineteenth century, sometimes with disastrous consequences, as was the case in 1890 when the white fear of the Lakota Ghost Dance resulted in the Wounded Knee massacre. The Bureau of Indian Affairs worked actively to discourage Indian dances and rituals up through 1923, when the commissioner endorsed recommendations to limit dances to once a month, to one day in duration, and none at all to be permitted during planting season from March to August (Dippie 1982:280).

Fig. 10 / **Resting during a dance, Blackfeet Reservation, Montana, c. 1890.** Photograph by Walter McClintock, *courtesy the Cranbrook Institute of Science*

On the other hand, the close of the nineteenth century marked the beginning of a more nostalgic regard for the western frontier among whites. Since Indians populated the romanticized West, they were considered with a more romantic regard as well. Indian dress signified Indian identity in the minds of whites, just as white styles of dress had symbolized the Indian's assimilation. When whites regarded Indians as objects of historicizing contemplation, they envisioned them in Indian dress, bedecked with ribbons and feathers. Wild West shows, which reached a peak of popularity between the late 1880s and 1910, marketed this popular conceptualization of Indians as part of their presentation of the romanticized West as spectacle (fig. 12). Buffalo Bill Cody recruited heavily for his Wild West show among the Lakota, whose young men sought the opportunity to participate as a substitute for the activities of warfare and buffalo hunting that had been the measure of success for earlier generations. Women produced special regalia for Wild West participants, heavily decorated with beadwork (Bol 1985).

Fig. 11 / **Joniia gijig (Silver Star)**, a Mide (priest) photographed at a Midewiwin ceremony at Lac Courte Oreille, Wisconsin, in 1899. Note the elaborate nature of formal dress worn when conducting this important religious ceremony. *Courtesy the Smithsonian Institution*

These shows also provided Indians with a market of non-Indian buyers. Just as women marketed their ethnicity through handicrafts, men became involved in the dominant cash economy by marketing their "image" for public consumption.

Samuel Blowsnake, the Winnebago autobiographer, remembered his participation in the "shows":

> After a while I grew my hair very long. Then I went out among the whites with a show. They (the people) liked me very much because I had long hair and I was well paid. . . . After a while I learned to ride a bicycle and I also learned to ride wild horses. . . . (At one time) I took part in a bicycle race on a race track. I was in full Indian costume and wore long hair (Radin 1963:30).

The audience would find humor in Blowsnake's bicycle race because of the bizarre juxtaposition of Indian dress with the modern, mechanical conveyance. Perhaps if he had been dressed as a white man, he might have been applauded for his "progress" rather than laughed at. White Americans are still struggling to reconcile their idea of Indians with reality. As Vine Deloria said recently, "it is a schizophrenic society that demands of us that we put on warpaint and feathers to participate in presidential inaugural parades and the next day we don our business suits and go in to talk to Congress" (Deloria 1973:94). As the romantic imaging of America's frontier past grew during the early twentieth century, the

Fig. 12 / **Two Sioux performers at the circus,** c. 1900–20. Photographer unknown, *photograph courtesy Richard A. Pohrt*

Indian in native attire became part of the mythology of America's national identity. While Indian dress signified tradition and cultural independence among Indians, it came to be accepted by European Americans as part of America's western heritage.

By the close of the nineteenth century, then, elaborately decorated, formal dress had become the mutually acknowledged symbol of Indian solidarity and difference that represented in a highly visible manner the negotiated space that would remain between the worlds of white and Native Americans. Expressions of Indian cultural vitality in dance, song, and dress remain strong to this day, as manifested in the modern powwow. Historically, the powwow probably stems from the nineteenth-century Grass Dance and is today an amalgam of many different social dances, practiced slightly differently from one part of the country to the next, but all united in celebration of "Indianness." As George Horse Capture wrote from personal experience:

> My body leans forward, tensing, and my descending moccasin sets the bells ringing, my knee comes up higher, and then I am in the arena, dancing in rhythm with all the others, "shaking the earth". . . . I am part of the widening circle of dancers, each a living part of the tradition that is Indian. . . . My fellow dancers are a part of me and I a part of them. I realize that life could not get much better than this moment and it is a gift from the creator. As the countless eagle feathers flutter before my eyes, I realize that this is Indian—this is powwow (Horse Capture 1990:38).

Metonym and Metaphor: Public and Private Meanings in Sculpture, Engraving, and Painting

Pictographic War Records

WHILE JOSEPH NICOLLET, THE FRENCH geologist, was en route to the source of the Mississippi River during his expedition of the summer of 1836, he noted in his journal a discussion between the Ojibwa guide Chagobay and his ten-year-old son Brunia over the meaning of markings in red chalk on an elevated rock they had passed on the upper Mississippi:

> Brunia volunteered first to give an interpretation of the hieroglyphic escutcheon: there were two bars more or less vertically parallel, followed by a circle under which was drawn a closed hand seizing something. Brunia believed this meant a party of Chippewa were descending the river to negotiate some important matter either with the Indian agent who represents the American government at St. Peter [Minneapolis] or with the Sioux. . . . In which case, the circle represented the sun, the bars indicated two suns, hence two days, and the hand completed the statement which was that in two suns, hence two days, and the hand completed the statement which was that in two days the party descending the river would shake hands with the people they were going to see. This discourse from Brunia brought an ironical smile to Chagobay's lips. He could not conceive of Brunia's inattentiveness and assailed him severely. . . . The two bars, insisted Chagobay, represented two nights; the Chippewa count time by the number of nights and not by the number of days.
>
> "Furthermore, your sun is no other than the bare head of a man, don't you see?" he told Brunia. "The circle shows nothing suggesting light as it does when we use this sign begging it to be favorable to us, to give us good weather on our voyages. . . . [T]his circle symbolizes a shaven head, a 'scalped' head. As far as the hand is concerned it is closed, suggesting that it holds something. It is not extended as a hand when we present it to white people. Therefore the true construction of the meaning of these signs is as follows: after two nights, or on the third day, a head of hair was taken from a Sioux. I say Sioux, because we wage war only on the Sioux" (Bray 1970:51–52).

The markings left by parties of Indians along trails or rivers were often noted in the writings of nineteenth-century memoirists and travel writers. Nineteenth-

Fig. 13 / **Billy Jones singing at the Grass Dance,** Fourth of July celebration at Fort Belknap Indian Reservation, 1905. The pictographic images on the horse's flank and the images painted on the shield Billy Jones holds at his shoulder are autobiographical, representing his military accomplishments and gifts of spiritual power. Photograph by Sumner W. Matteson, *courtesy Richard A. Pohrt*

century intellectuals tended to regard such signs as rudimentary written language, in keeping with their overall assessment of Indian culture as archaic and developmental. The use of this kind of pictograph represented a "stage" in the development of written language. The mistake of young Brunia would seem to illustrate the imperfections of the "primitive" written system, since it was easily misinterpreted and its nomenclature confused and inconsistent. Henry Schoolcraft, the Indian agent for the Michigan territory at the time of Nicollet's journey and a student of Ojibwa culture, articulated this line of thinking, but with some additional and interesting insights:

None of the tribes had proceeded farther than the first root steps in hieroglyphic writing and it is a practice in which the Chippewas are particularly expert. No part of their country can be visited without bringing this trait into prominent notice. Every path had its blazed and figured trees conveying intelligence to all who pass for all can read and understand these signs. They are taught to the young as carefully as our alphabet with the distinction, however, that hieroglyphic writing is the prerogative of males. These devices are often traced on sheets of birch bark, attached to poles. They are traced on war clubs, on canoe paddles, bows, or gunstocks (Mason 1958:94).

Brunia's unsuccessful deciphering was not a failure of the system but a result of his incomplete education. The dialogue between father and son was evidently part of the process of training mentioned by Schoolcraft. In that same discourse, Chagobay emphasized to his son that a correct reading required him to keep in mind the purpose of pictographic messages in general and the wider context of current events:

"Don't you recall," he added for Brunia's benefit, "that so and so (a Chippewa whose name I've forgotten) on his way back from St. Peter found abandoned on the shore of the river the body of a Sioux he recognized as Rainville's [a trader allied with the Sioux]; that he took its hair and drew these signs on the rock to tell the Sioux he only took it on the third day, and also to tell them what cowards they must be for not having rescued the body of their chief for so long a time?" (Bray 1970:52).

The inscription was left as a challenge to be read by the Sioux and as the publication, in a sense, of the military accomplishment of that fellow Chippewa who had taken the scalp of "their chief." The markings, two lines, a circle, and the image of a closed hand, represented a *coup,* a "blow" struck against the enemy. As Nicollet later observed in another manuscript:

They use this figurative language strictly for their needs as they travel or hunt or wage war in order to make known their whereabouts and the events they witnessed, to show where they came from, where they are heading, and what they saw, etc. They mark all these things at the confluence of rivers, on lake shores, on portage trails, always in the most conspicuous places (Bray 1970:266).

These markings were restricted to men because their content involved primarily the activities of men: warfare and hunting. Pictographic writing constituted a language of discourse confined to such matters. The structure of these messages can be considered by analyzing another example, an ephemeral marking noted by John Heckewelder in his journals during his travels through upstate New York in 1789:

Here was a peeled tree on which some great warrior during the last war had inscribed his exploits with charcoal and redstone. We got the Indians to interpret for us. On one side 7 muskets had been painted, one on top of the other. This meant that 7 warriors had gone to war from there. On the other side was a turkey to indicate that the leader was of the turkey tribe. Beside it were 8 thick diagonal lines one above the other. This meant that their chief had gone out on so many raids. In the lowest line were 4 arrows, in the 2nd two, in the 7th two. This means, each time the arrows were shown, that as many of them had been killed as there were arrows through the line. The first and seventh lines each had another arrow, which, however, did not go through the line. These indicate as many wounded as there are arrows. The 6th and 7th lines were connected at the ends with a mark. This means that the warrior after he had been out 6 times turned back from here and went out the 7th time without going home. Beside it lay 6 men one on top of another with their feet higher than their heads. This means that his party had killed so many white people (Wallace 1958:254).

Fig. 14 / **"Piegan Blackfeet Man."** Watercolor by Karl Bodmer, 1833. The pictographic images arranged across the robe represent several military exploits presented here as personal history and a record of accomplishment. *Courtesy the Joselyn Art Museum, Omaha*

The representational language in the account is pared to the essential successes (enemies killed) and failures (friends lost in battle) of the leader's previous expeditions. The markings are divided into meaningful groups distinguished by a representational shorthand: seven muskets for seven warriors of the present expedition; the turkey and eight lines (as in a "trail") to identify their leader and his eight previous expeditions; six corpses for six victims. The message consists only of subject and object, with the "verb" describing what in fact happened—the war party under the leader of the turkey tribe "killed" six victims—implied only by the juxtaposition of terms in a narrative sequence. The action of "kill" is also communicated by the social context of the message, that such messages customarily referenced *coups*.

The "semantic contiguity" of the images, in the sense that their meaning derives from the narrative implications of their sequence, reveals the metonymical nature of the pictographic language. Meaning in language, more generally speaking, derives from both "code" and "context." "Code" refers to the meaning of individual terms insofar as they are similar to (synonym) or different from (antonym) other terms. "Context" refers to the way terms are strung together and derive meanings from their relations to each other. Metonymy depends on this contextual side of language use: the contiguous and dependent relations between terms (Jakobson 1973:122–23). In the present example, the three "codes" signifying "seven warriors/an individual and his war record/six corpses" derive their meaning as a unified message from their sequence in the pictographic sign: "seven warriors and their (identified) leader killed six victims on their last expedition." Metonymy is also characterized by the use of synecdoche, wherein an attribute or a part stands for the whole (a crown representing a king, for example). But these meanings required a "contextualized" reading of the term (the king wears a crown, or warriors use muskets). Pictographic war records employ a complex metonymical system beginning with a fairly simple set of metonymic signs compounded by means of their position within a narrative string of images.

The successful warriors of many Plains tribes employed pictographic images to portray their war records. Pictographs were often painted directly on personal garments, identifying the owner in terms of his accomplishments (fig. 14). Thus in the pictograph described by Heckewelder the chief was identified by the eight diagonal lines indicating eight expeditions. Similarly, Plains shirts and leggings were painted with metonymical references to the corpses of the slain, the war pipes smoked before embarking in war, or simple bars of black—the color symbolic of death—as the cumulative "tally" of military accomplishments. On the other hand, pictographs on some Plains garments possess a far richer episodic quality by showing figures engaging in combat, and by illustrating in great detail the nature of the encounter, the weapons used, and the identity of adversaries. Through the stimulus of frontier artists, as John Ewers (1939) has demonstrated, Plains pictographic war records became increasingly rich in representational detail after midcentury, particularly when applied to the media of paper, pen, pencil, and watercolor in "ledger book art." Plains warriors filled the pages of bound books with pictographic autobiographies replete with narrative incident and descriptive imagery. As war records, however, these far more intricate pictures retained their dependence on metonymic contextualization of their narrative messages in a manner similar to the war record observed by John Heckewelder in 1789: "the subject (identified by an image/name or regalia)/"killed" (often referenced by the weapon and action)/the object (enemy)."

Metaphors of Power

IN ADDITION TO PICTOGRAPHIC RECORDS OF war honors, men painted images of another sort. Antoine de la Mothe Cadillac, the founder of Detroit in 1701, noted in his memoirs that when the Indians of the "western country" (Algonkian speakers, no doubt, from Michigan or Wisconsin) prepared for war, "their canoes are painted with various colors and are ornamented on the prow with figures or with the arms of the leader; you see on them the war-mat, the crow, the bear, or some other animal . . . —the guardian spirit which is to guide the enterprise" (Quaife 1947:24–25).

The term "war mat," as used by Cadillac, referred to the white deerskin wrapper of a "war bundle": an assemblage of objects having the spiritual power to deflect the weapons of enemies, foretell the events of battle, and cure wounds and injuries (see Keating 1959:235). The bundle owner about to lead a war party opened the bundle to pray over its contents. The deerskin wrapper then served as the "mat" upon which its contents rested. As Cadillac apparently observed, the interior face of the "mat," exposed only when opened, was customarily painted with the images of guardian spirits, "the crow, the bear." Alanson Skinner collected a war bundle with a wrapper or "mat" painted on the interior from the Wisconsin Menominee in 1910, although the bundle must have passed through many hands over several generations. The figures painted inside "represent the powers that appeared to the owner in his war dream and portray their promises of success" (Skinner 1913:104). The "powers," or guardian spirits, represented on the mat are the thunderers, the most powerful of the manitous recognized by the Menominee (fig. 15). William J. Hoffman had learned that the Menominee recognized two categories of manitous, each linked with the cosmological realm of either the "underground" or the sky:

When the Great Spirit made the earth he created also numerous beings termed Manidos or spirits, giving them the forms of animals and birds. Most of the former were malevolent "underground beings" *a-na-maq-kiu'*. The latter consisted of eagles and hawks, known as thunderers *a-na-maq-ki'*, chief of which was the invisible thunder, though represented by the *ki-ne-u*, the golden eagle (Hoffman 1890:243).

The images on the war mat represented the Chief Thunderer and his servants, mythic birds called *Nasewuk* and "eagles and other birds of lofty flight" (Skinner 1913:105). All are sky beings. Their categorization as such and their repetition on the mat would seem to indicate a general equality, although they are arranged in a hierarchy of ascending power and importance. The images of the Thunderers therefore become metaphors for powers derived from the cosmological realm of the sky and all its manitous. A metaphor, unlike a metonym, does not derive meaning from its contextual associations within a narrative sequence but from its equivalence with other terms. A metaphor substitutes for another term; it offers another way of stating the same thing (Jakobson 1973:123). In the painting on the Menominee war mat, images of thunderers, sky birds, and eagles, as they are

Fig. 15 / **Fragment of a painting on a war mat,** or covering for a war bundle, Menominee (Skinner 1913, fig. 12). The images represent the sources of the bundle's powers for warfare: the Chief Thunderer and his servants, mythic sky birds, eagles, and "other birds of lofty flight."

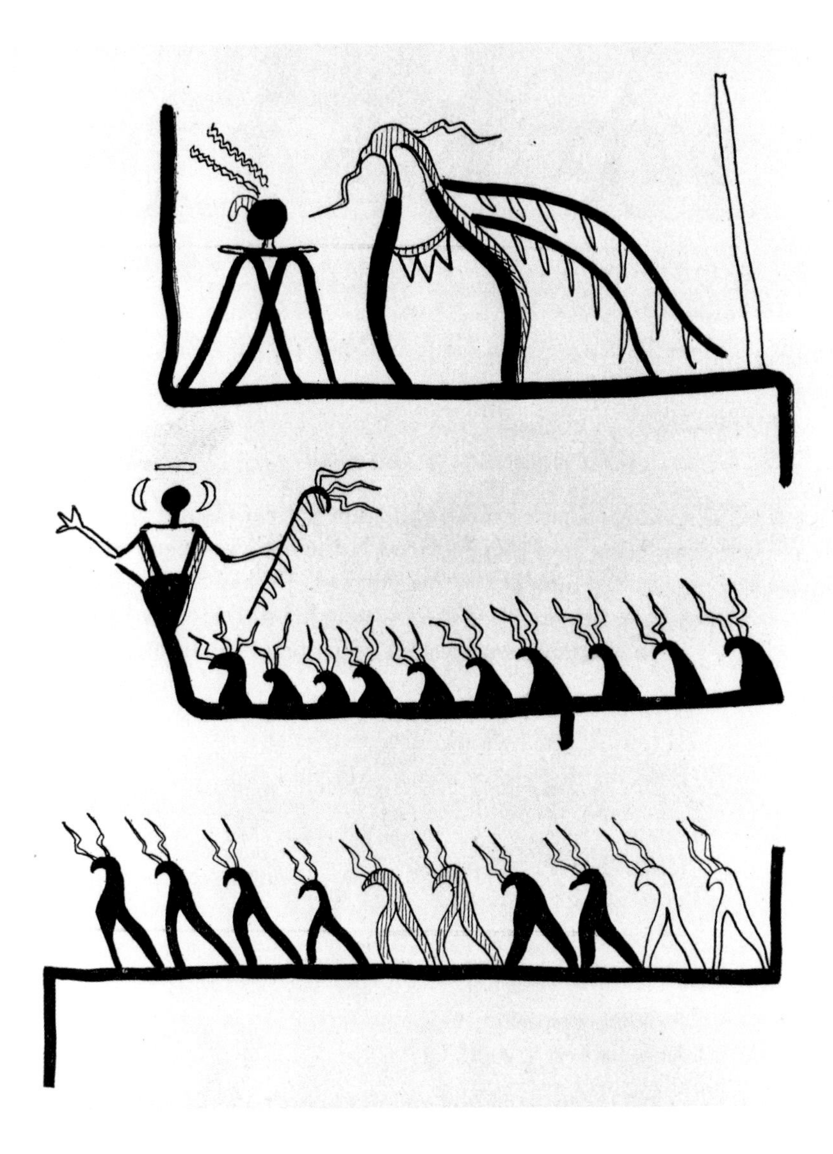

identified, all act as metaphors for the source of power made manifest in the bundle itself.

The use of visual metaphors to express power is made clear in a statement by the Crow warrior, Two Leggings, when questioned by William Wildschut about Crow cosmology:

> I have seen a shield on which there were pictures of the sun, rain, clouds, and an eagle with lightning striking from its claws. The dreamer who was told in his vision to make that medicine may have only had a vision of an eagle. But the sun, lightning, wind, and rain belonged to the eagle's Other Side Camp clan and he pictured them also (Nabokov 1967:25).

Like the Menominee, the Crow categorized sources of power in a way that corresponded to their understanding of the structure of the earth within a larger cosmos—albeit one different from that of the Menominee. Within that structure lay a number of equivalences which Two Leggings described in terms of social organization. As Two Leggings explained, "When we receive a medicine we join the Other Side Camp clan of our helper" (Nabokov 1967:25). The term "clan" here describes the correspondences that exist between a category of spirit beings, certain cosmological concepts, and the original vision. The vision itself is metaphorical, a microcosm of the greater truth that is often expanded upon by further visions and the thoughtful interpretations of elders whom the dreamer is encouraged to consult. As a result, visual metaphors of spiritual powers are often compounded into a dense arrangement of iconographic equivalences when employed on shields, garments, or other personal property, as Two Leggings said. This is particularly visible in the paintings on Arapaho Ghost Dance garments crowded with stars, crows, magpies, cedar trees, and turtles (pls. 217 and 218). All of these images can be read as metaphors for the traditional cosmos of the ancestors that the Ghost Dance hoped to revive.

Visionary paintings of Woodlands and Plains Indians are often as rich and expansive as pictographic "histories" are terse and reductive, partly because of the distinctive visual languages employed. While every metonymical component of a pictographic record simply extends the narrative, each metaphorical detail of a visionary painting amplifies its spiritual intensity. The opposite is also true. The metaphorical capacity of images referring to spiritual experiences permits their reduction to a spare code offering an almost limitless range of metaphorical associations. This is particularly important for images of personal and private visionary experiences and spiritual powers.

The Miami war pipe, a fairly simple sculptural object, is a good example (see pl. 156 and fig. 18). It had been one of the objects in a Miami war bundle. The pipe possessed an elaborate history passed down through generations of successive owners, including Milford Chandler (see Chandler's essay in this volume). The history is a narrative, a metonymic chain of events retold only partly (Chandler's version does not divulge the origin vision for the pipe), but corresponding to a familiar kind of text: the acquisition of spiritual powers by means of gifts from spirit beings and the formal transfer of these powers through instruction (see Michaelson 1928, 1930, 1937; Horse Capture 1980). While the text depends on a narrative sequence of metonymic incident, as a whole it references metaphorically the sources of power. Its narrative detail sanctioned possession of the pipe by the owner—his right to the powers it represents. But as a reference to the blessings themselves, the sculptural image of the pipe and text are positionally equivalent, one does not precede the other. Both are metaphors of the pipe's sacred identity—one reductive, the other metonymically expansive.

The relationships between metaphor and metonymy in visual language can be manipulated to reveal and conceal, to specify or generalize their referents. The song boards of the Ojibwa, for example, employed pictographs to represent the sequence of songs for the correct performance of Midewiwin rites. The Midewiwin is a body of religious lore given to mankind by sacred beings of the primordial past. The teachings of the Midewiwin are ordered in successive degrees, or grades, corresponding to ascending levels of knowledge. Priests of the advanced grades offered instruction to initiates who paid for it. Georg Kohl, who traveled among the Ojibwa in 1846, emphasized the mystery cloaking the meanings of pictographic song boards, and the great expense involved in learning their secrets (see Kohl 1985[1860]:160–66).

Later in the century, W. J. Hoffman learned that the recitation of songs cued by the pictographs engraved on song boards played a role in training initiates who paid to learn the songs and acquire the prerogative to reproduce the song board. As Hoffman explained (1891:202): "When the preparatory instruction [for the first degree] has come to an end and the day of the ceremony of initiation is at hand, the preceptor sings to his pupil a song, expatiating upon his own efforts and the high virtue of the knowledge imparted." The song is "tediously prolonged," and represented by the images engraved on a birch bark scroll that had been in the possession of Hoffman's teacher for many years, and had been "made in imitation of one in the possession of his father . . . one of the leading Mide [priest] at Mille Lacs, Minnesota." The birch bark scroll was engraved with a set of forty-six images, each referring to the lyric or "verse" of the song or a "rest," arranged in four horizontal rows reading from upper left to right and then down again to the left (fig. 16). Hoffman translated the lyrics for the first part as follows: "My arm is almost pulled out from digging medicine. It is full of medicine/ Almost crying because the medicine is lost/ Yes, there is much medicine you may cry for/ Yes, I see there is plenty of it/ Rest."

There is a clear visual correspondence between the pictographic image and the verse. "Yes, I see there is plenty of it," the fourth image from the left on the

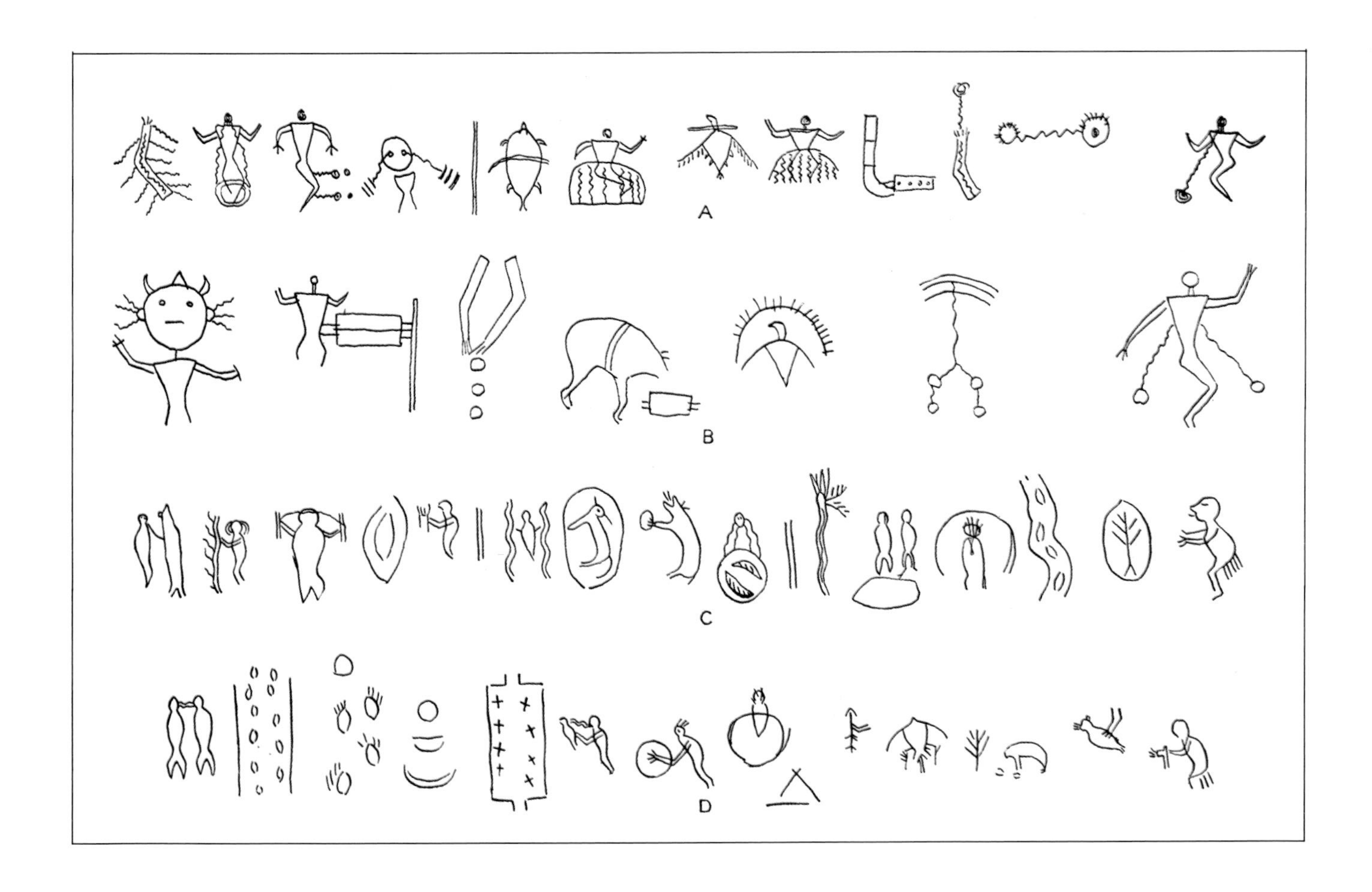

Fig. 16 / **Images from a birchbark scroll** owned by the Chippewa Mide (priest) Sikas'sige, of Mille Lacs, Minnesota, as copied by W. J. Hoffman (Mallery 1893, pl. 17).

top row, is represented by a circle atop an hourglass shape, like a head on a torso, with zigzag lines emitting from the eyes, both ending with three dashes. The head "sees" with zigzag lines "plenty of it"—many dashes. The shorthand of the representations employs synecdoche and metonym to signify the verse. But texts of the verses themselves are metonymic. "My arm is almost pulled out from digging medicine" is a fragment of an act made comprehensible only by its relation to the Midewiwin activity of procuring plant roots for the preparation of medicines, the difficulties of finding and acquiring these medicines, their powers, and their role in Mide cures.

Furthermore, if Hoffman's translations of the verses are followed to the end of the second line, the verses do not appear to be linked together in a sequential (metonymical) narrative:

I come out the sky becomes clear/ The spirit has given me power to see/ I brought the medicine to bring life/ I, too, see how much there is/ I am going to the medicine lodge/ I take life from the sky/ Let us talk to one another/ The spirit is in my body, my friend/ I hear the spirit talking to us/ I am going to the medicine lodge/ I am taking (gathering) medicine to make me live/ I give you medicine, and a lodge also/ I am flying to my lodge/ The spirit has dropped medicine from the sky where we can get it/ I have the medicine in my heart (Mallery 1893:237–39).

Instead, the redundancy of the verses suggests their equivalence. As such, they constitute an extended set of metaphors referencing that which the Midewiwin ultimately is all about: power as blessings from the manitous. Without metonymic links between the verses, the initiate must memorize the texts using the pictographs as a mnemonic key to their proper sequence. Each verse constitutes a metonymic fragment of a larger, extended metaphor. The meanings of both are dependent on their contextualization through the process of Mide instruction. Hoffman's translation of the song scroll means little outside the larger context of Midewiwin lore and ritual. Perhaps the layering of metonymical and metaphorical language between the initiate and the powers he or she seeks is a means of protecting access to Midewiwin secrets, of concealing Midewiwin teachings from those who do not have the right to know. The memorization of the verses and their signification through pictographic imagery represent but one step in the process of acquiring Midewiwin knowledge and power.

European Americans of the nineteenth century exhibited a high degree of interest and fascination with the Native American "pictographs," since they seemed to represent a kind of developmental stage in the history of literacy. As one of their first great students, Garrick Mallery, wrote, "the importance of the study of pictographs depends upon their examination as a phase in the evolution of human culture" (1886:13). The notion of literacy, of course, employs the structure and use of Indo-European written language as a measure; other visual representations of texts may be understood as literacy only to the extent that they resemble Indo-European written language. Consideration of pictographs as a step along an evolutionary path, however, obscures their significance as a complete and purposeful communicative system. When characterized simply as less than a written language, pictographs always fall short of their purpose. The "language" of pictographs can be revealed more accurately from the point of view of more general systems of signification. All languages employ metonym and metaphor to convey meaning. Great Lakes and Plains pictographs employ metonym and metaphor to reveal or conceal meanings, to amplify or extend, to specify or generalize, depending on the context and purpose of visual communication. This kind of analysis could be extended to many additional categories of Great Lakes and Plains painting, engraving, and sculpture—all imagery, in fact, where form is determined largely by communicative intent. All make use of imagery as "language," or more accurately, visual systems of signification—"language" as a tool of thought.

American Indian Dress

The Techniques of Ethnic Expression

WOODLANDS AND PRAIRIES

1 / **Eastern Sioux pouch**

Minnesota, 1800–25. H 10⅓ in (with pendants), W 5 in. Buckskin, mallard duck scalp, porcupine quills, tin cones, dyed deer hair

DIA 81.488, Founders Society Purchase with funds from the Flint Ink Corporation. *Provenance*: purchased by Milford Chandler from Mrs. Joseph Tesson at Tama, Iowa, 1922. Richard Pohrt (3022). *References*: Flint Institute of Arts 1973, no. 11, ill.; Feder 1965a, no. 4, ill. *Related works*: Beltrami 1828, pl. 1, fig. 2; Thompson 1977, nos. 60, 95, ill. (Berne Historical Museum N. A. 19 and PO 74.410.22, collected by L. A. Schoch 1837 and A. A. von Pourtales 1832)

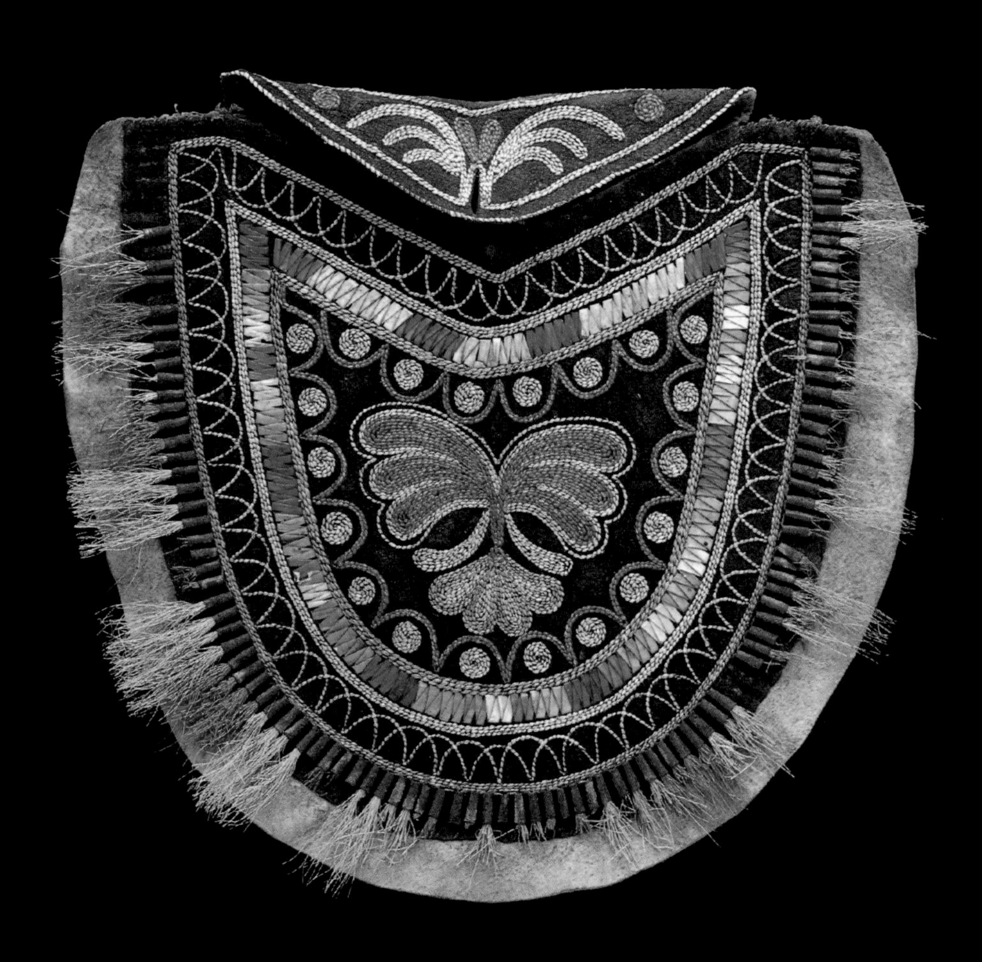

2 / **Ottawa pouch**

Cross Village, Michigan, c. 1800. H 7 in, W 6⅞ in. Blackened buckskin, porcupine quills, glass beads

CIS 3690. *Provenance*: collected at Cross Village, Michigan, by Albert Heath, Chicago; Milford Chandler. *Reference*: Dockstader 1973, no. 229, ill. *Related works*: Penney 1989, fig. 2 (DIA 81.487; also collected by Albert Heath); Brasser 1976, no. 60, ill. (Canadian Museum of Civilization NMM III-M-1, formerly Speyer collection, formerly Hooper collection). *Conservation note*: back below the opening restored with brown wool fabric

3 / **Huron pouch**

Lorette, Quebec, 1800–30. H 7⅜ in, W 8 in. Blackened buckskin, moose hair, dyed deer hair

CIS 2135. *Provenance*: Milford Chandler. *Related work*: Thompson 1977, no. 88, ill. (Berne Historical Museum PO 74.403.19, collected by A. A. von Pourtales 1832)

Clothing Accessories of the Early Nineteenth Century: Porcupine Quill and Buckskin

BY 1800, INDIANS OF THE GREAT LAKES region had been engaged in trade with Europeans for over two hundred years. Those with access to trade goods preferred wool and cotton fabrics for most types of garments, such as shirts, shawls, dresses, breechcloths, and leggings. Only bags, or pouches, and footwear (moccasins) were still manufactured regularly from deerskin and decorated with porcupine quills, an ancient technique that became increasingly rare through the first decades of the nineteenth century among Great Lakes people.

Of particular note are certain bags, apparently worn over the shoulder with a strap, decorated with porcupine quills in a great range of patterns and designs. Most intriguing are those made of deerskin darkened with dye from the inner bark of black walnut or red maple (Brasser 1984, unpaginated) and embroidered with images of powerful, mythic beings, such as thunderbirds and underwater panthers (pls. 1 and 2). It is difficult to determine what, if anything, these bags were supposed to hold.

A few contemporary illustrations show individuals wearing bags like these with powder horns, suggesting that they were ammunition pouches (see portrait of Joseph Brant, fig. 8 this volume; and Rudolph Frederick Kurz's drawing of Potawatomis, 1848, Boston Museum of Fine Arts, Clifton 1978:736, fig. 8). Even so, some bags seem too small and delicate for heavy lead ammunition. Ted Brasser posited that the illustrations of mythic beings on many of these bags indicated the existence of an as yet undocumented religious society, which he called the "Black Dance" (Brasser 1976:27–28). In fact, these images resemble those found on twined bags used as coverings for sacred bundles (see pls. 19–22). Identification of the function of the bags must reconcile the applied design. A clue to the significance of these little, delicate, and finely worked bags may lie in an early nineteenth-century description of the hunting and war gear of the Minnesota Chippewa. In addition to the rifle and spear, Joseph Nicollet described "a pretty little bag containing plants prepared as remedies for all ills [that] also hangs on the left, next to the shot pouch. It is called the *pinjigoossanens*, and contains the sacred relics of the native, tokens of his faith and instills courage, strength and life. This bag is not to be confused with the one they call *pinjigoosan* [sic], or *midaiwayan* [Mide otter bag]. . . . The *pinjigoossanens* is their little campaign pharmacy" (Bray 1970:162). The sacred designs applied to the exterior of pouches like these may allude to sacred materials customarily kept inside.

Otter bags (see pl. 6), called *pinjigosaun*, belonged to Midewiwin initiates and were used to store materials and objects employed for rites of healing and initiation (Harrison 1989). Early in the nineteenth century, however, otter bags were used by some as tobacco and pipe bags (Feest 1984:18; McKenney 1972:271 and frontispiece).

4 / **Menominee (?) shoulder bag**

Wisconsin, 1800–30. H 10½ in (without strap), W 7¼ in. Blackened buckskin, vegetal fiber, porcupine quills

DIA 1988.68, Founders Society Purchase, New Endowment Fund, General Endowment Fund, and J. Lawrence Buell, Jr., Fund. *Provenance*: Richard A. Pohrt. ***Related works***: Beltrami 1828, pl. 1, fig. 4 (called "A woman's apron-pouch"); Maurer 1977, no. 155, ill. (Peabody Museum, Salem, E53449, collected by the Andover Newton Theological School in Nebraska)

5 / **Menominee (?) knife case**

Wisconsin, 1800–30. L 11⅜ in, W 5⅛ in. Blackened buckskin, vegetal fiber, porcupine quills

Collection of Richard Manoogian. *Provenance*: Richard A. Pohrt

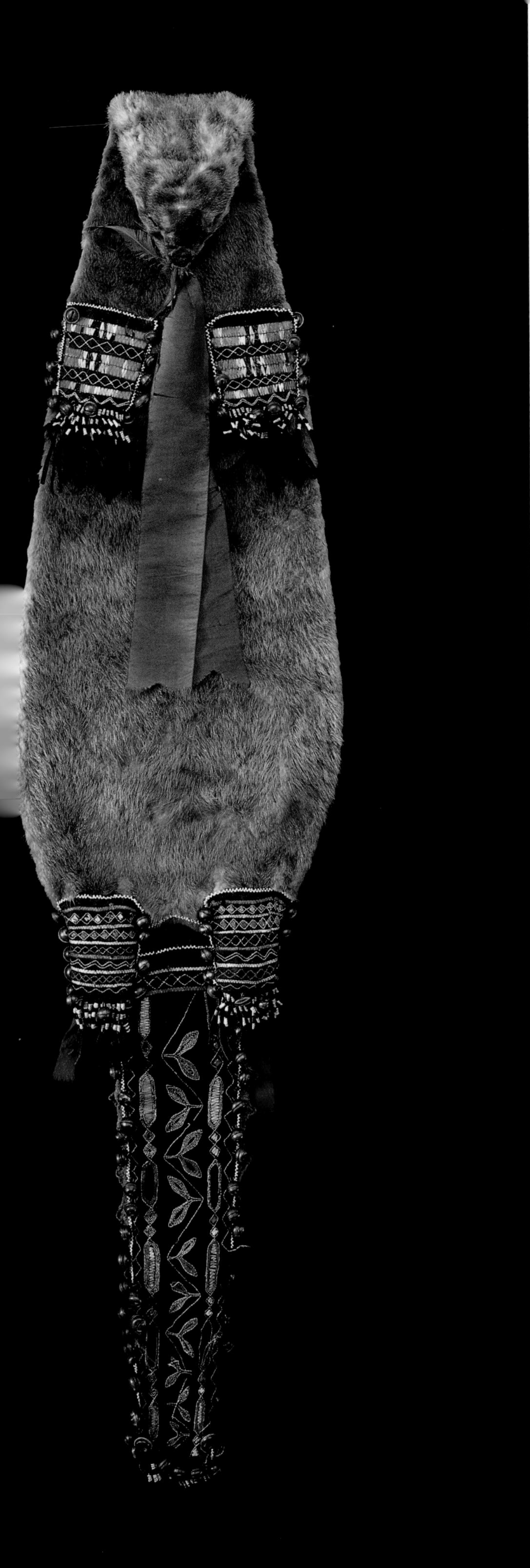

6 / **Winnebago otterskin bag**

Wisconsin, 1800–30. L 46 in, W 11 in. Otter pelt, blackened buckskin, porcupine quills, silk ribbon

CIS 2322. *Provenance*: purchased from Chief Carimonee on the Winnebago Reservation in Nebraska; Milford Chandler. *Reference*: Maurer 1977, no. 119, ill.

7 / **Iroquois moccasins**

New York State or Ontario, 1800–30. L 8¾ in. Buckskin, wool fabric, porcupine quills, glass beads

DIA 1988.32a-b, Founders Society Purchase with funds from the Flint Ink Corporation. *Provenance*: Benson Lanford; Richard Pohrt

8 / **Menominee moccasins**

Wisconsin, 1800–30. L 10 in. Smoked buckskin, porcupine quills, wool fabric (welt under the vamp)

DIA 81.318a-b, Museum Purchase with funds from the state of Michigan, the city of Detroit, and the Founders Society. *Provenance*: Milford Chandler; Richard A. Pohrt (2756). *References*: Flint Institute of Arts 1973, no. 28; Feder 1965a, no. 38b, ill.

Early Finger-Woven Textiles

THE SASHES, GARTERS, AND SHOULDER BAGS in this group were woven by a loomless technique that resembles braiding. Its proper name is "oblique interlace." An ancient technique in eastern North America, first accomplished with nettle fibers or the inner portions of various kinds of tree bark, it was adopted by early European residents of North America in the Hudson Valley, New England, and French Canada (Brasser 1982:25). By the eighteenth century, braided sashes from L'Assomption, Québec, made with worsted yarns were standard wear for French Canadian and Métis *engagés*, the laborers of the Great Lakes fur trade (Massicotte 1924; Barbeau 1972).

By 1800, Indians of the Eastern Woodlands also employed fine wool yarns, either bartered in trade or unraveled from trade blankets, for the manufacture of finger-woven articles. Unlike the Canadians, Indian women incorporated glass beads strung on independent yarns in their weavings, to create linear designs. These patterns often follow the diagonal direction of the braided fibers; there is no vertical warp or horizontal weft. Some women employed supplemental yarns to create particularly complex designs, or to enrich the texture of the patterns, as was the case with the Ottawa sash (pl. 10), which includes supplemental embroidery. Textiles from the central Great Lakes tend to employ tightly nested zigzag bands or diamonds arranged in linear rows as patterns.

The finger-woven shoulder bag (pl. 12) was an extremely ambitious project with few parallels. One like it from the National Museum of Natural History is incorrectly identified as Creek (Coe 1977:80, no. 59). Southeastern women made textiles using oblique interlace, but with a slightly different character. The Creek sash (pl. 13) is decorated with patterns of solid diamonds arranged in a regular grid. The sash itself is relatively short, while the ties, consisting of finger-width braided tabs, are extremely long yet uneven in length from left to right so that the loose ends will hang together when the sash is worn across the shoulder and tied just above the hip (Lessard, personal demonstration).

The massive Mesquakie sash (pl. 9) is woven with a pattern related to the *ceinture fléchée*, or arrow pattern, of Québec sashes, but with a much bolder style highlighted by large interwoven beads (pony beads). This garment was probably intended to be wrapped several times around the waist and tied so that the ends hang down from the hip. Sashes of various sizes were customarily worn across the shoulder, tied around the waist, or wrapped around the head as a turban.

9 / **Mesquakie sash**

Wisconsin or Iowa, 1800–30. L 51 in (89 with fringe), W 24 in. Wool yarn, glass beads
DIA 81.421, Museum Purchase with funds from the state of Michigan, the city of Detroit, and the Founders Society. *Provenance*: collected by Milford Chandler at Tama, Iowa; Richard A. Pohrt (2914). *References*: Flint Institute of Arts 1973, no. 166; Torrence and Hobbs 1989, no. 20, ill. *Related work*: Torrence and Hobbs 1989, no. 22, not ill. (Museum of the American Indian, Heye Foundation 2/7834, collected by M. R. Harrington)

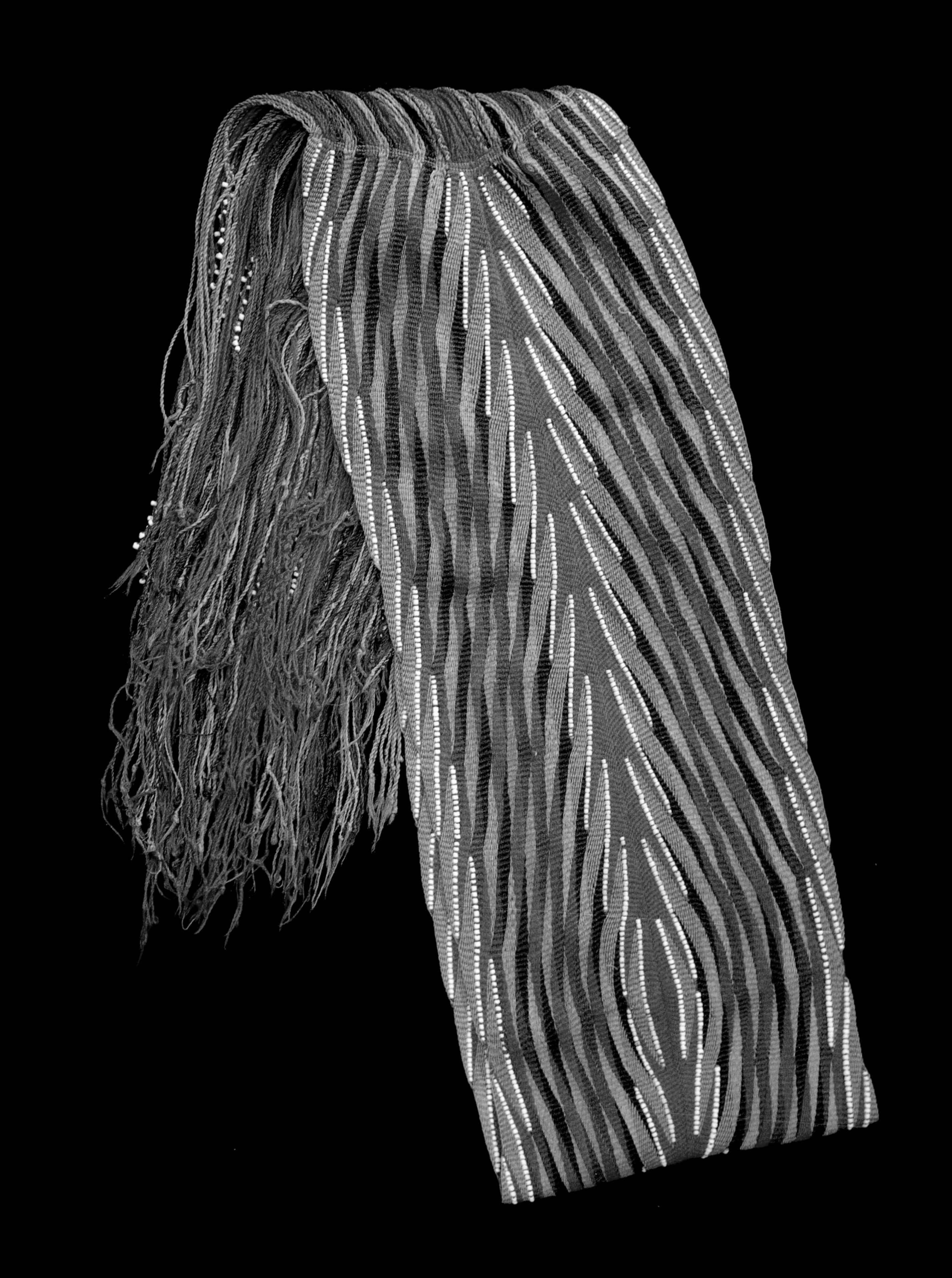

10 / **Ottawa sash**

Emmet County, Michigan, 1800–30. L 55¾ in (84¼ in with fringe), W 9⅝ in. Wool yarn, glass beads

DIA 81.65, Museum Purchase with funds from the state of Michigan, the city of Detroit, and the Founders Society. *Provenance*: Mary B. Shurtleff, Cross Village, Michigan; Richard A. Pohrt (495). *References*: Flint Institute of Arts 1973, no. 164, ill.; Harbor Springs Historical Commission 1984, no. 35, ill.; Penney 1989, fig. 4

11 / **Chippewa garters**

Bad River Reservation, Wisconsin, 1830–50. L 14 in (43 in with fringe), W 3⅞ in. Wool yarn, glass beads

DIA 81.281a-b, Museum Purchase with funds from the state of Michigan, the city of Detroit, and the Founders Society. *Provenance*: purchased by Milford Chandler at the Bad River Indian Reservation in Wisconsin; Richard A. Pohrt (2696). *Reference*: Flint Institute of Arts 1973, no. 230, ill.

12 / Ottawa or Chippewa shoulder bag

Michigan, 1830–50. L 37 in (without fringe), W 8½ in. Wool yarn, glass beads, silk ribbon
DIA 1988.28, Founders Society Purchase with funds from the Flint Ink Corporation. *Provenance*: David Wooley; Richard A. Pohrt. *Related work*: Coe 1977, no. 59, ill. (National Museum of Natural History 315090)

13 / Creek sash

Georgia or Alabama, 1830–50. L 26½ in (109 in with fringe), W 4½ in. Wool yarn, glass beads
DIA 81.530, Museum Purchase with funds from the state of Michigan, the city of Detroit, and the Founders Society. *Provenance*: Milford Chandler; Richard Pohrt (3109). *Conservation note*: several rewoven repairs and replaced tassels

Heddle-Woven Garters and Sashes

EARLY IN THE NINETEENTH CENTURY, women of the Great Lakes region began to experiment with the heddle, a mechanical aid to textile weaving drawn from European technology (see pls. 166 and 167). Unlike finger weaving, use of a heddle requires a conventional weaving technique with fixed warps held taut in some manner of loom. Great Lakes women may have employed a bow loom, a device used by the Ojibwa to produce woven strips with porcupine quills (Odle 1973:XXXV). The warps are strung through alternating slots and holes in the heddle, so that alternating sets of warps are easily separated by simply raising or lowering the heddle: the warps through the holes move while the others slide freely through the slots and thereby remain in place. The weaver then passes the weft back and forth between the separated warps, alternately raising and lowering the heddle to enclose the weft between the warps at each pass. Although adopted from European models, the heddles were carved from wood by the Indian men, and the women who used them produced fabrics of a uniquely Indian character in both style and dress function.

Using red, green, brown, and black worsted yarns like those employed in finger weaving, Michigan Chippewa and Ottawa women produced heddle-woven sashes and garters during the first decades of the nineteenth century (pls. 14–15). The resulting warp-faced woven pieces were composed of variegated stripes determined by the use of different color yarns for the warp. Further patterning was introduced by stringing white glass beads in a regular sequence on the wefts as they passed between the warps, creating designs of repetitive dashes.

A much more general technique of heddle weaving established early in the nineteenth century is called regular heddle work by Dennis Lessard (1986:59). During the earliest development, women arranged beads—generally white, black, or dark garnet faceted beads of pony bead size—along the wefts, with a single bead between each pair of warps. The result represents the earliest true woven beadwork with glass beads, creating a solid, weft-faced pattern (pls. 16–18). Simple geometric designs, black or garnet against a white field, characterize early examples. Alternating colors used among the warp yarns, such as red and green, show through between the beads, creating enhanced, coloristic effects.

Heddle work as a technique was employed by women of several western Great Lakes and Prairie tribes. It persisted into the later nineteenth century but with seed beads, and wefts and warps made of cotton twine. Close examination with a magnifying glass is necessary to distinguish heddle work from more popular two-thread or two-needle techniques after midcentury.

14 / **Ottawa garters**

Emmet County, Michigan, 1820–40. L 17 in (39 in with fringe), W 3⅝ in. Wool yarn, glass beads

DIA 81.77a-b, Museum Purchase with funds from the state of Michigan, the city of Detroit, and the Founders Society. *Provenance*: Mary B. Shurtleff, Cross Village, Michigan; Richard Pohrt (754). *Related work*: Harbor Springs Historical Commission 1984, no. 35, ill. (Museum für Völkerkunde, Vienna)

15 / **Chippewa or Ottawa garters**

Beaver Island, Michigan, 1820–40. L 26¼ in (45⅝ in with fringe), W 2¼ in. Wool yarn, glass beads

DIA 81.294a-b, Museum Purchase with funds from the state of Michigan, the city of Detroit, and the Founders Society. *Provenance*: purchased at Beaver Island, Michigan, by Milford Chandler; Richard Pohrt (2713). *Reference*: Flint Institute of Arts 1973, no. 342

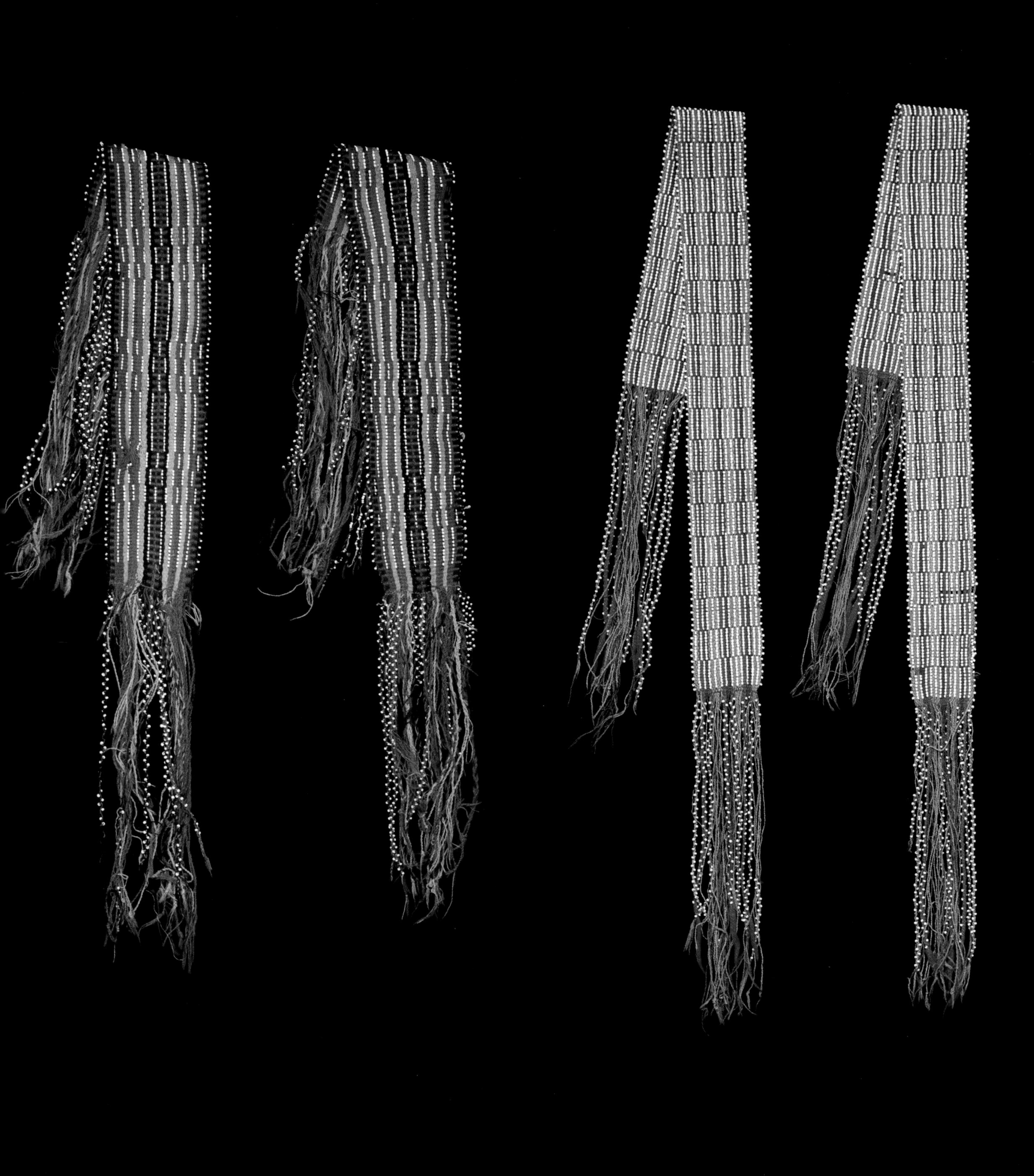

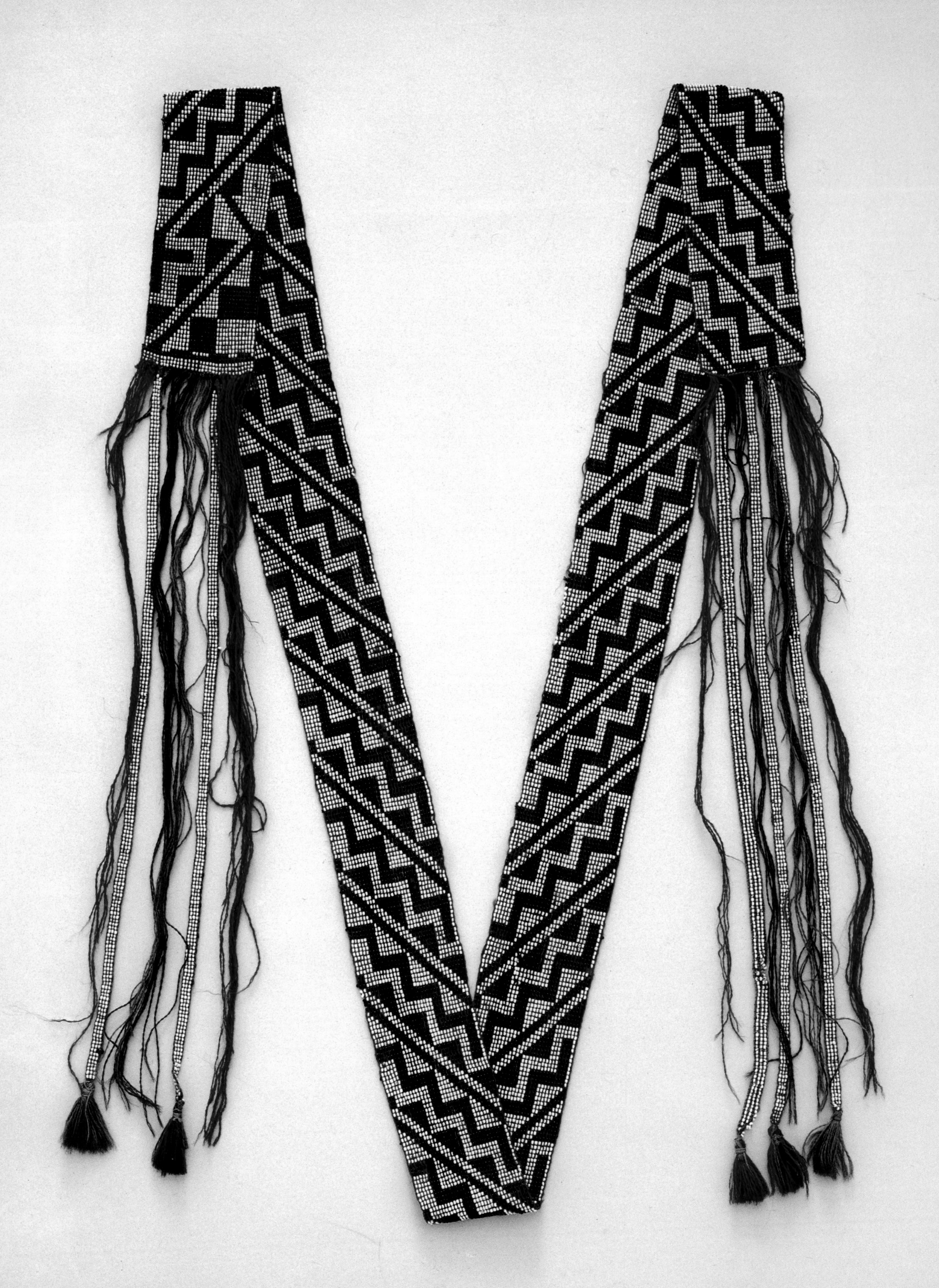

16 / **Sash**

Great Lakes region, 1820–40. L 103¼ in (overall), W 2⅞ in. Wool yarn, glass beads
DIA 81.132, Museum Purchase with funds from the state of Michigan, the city of Detroit, and the Founders Society. *Provenance*: Richard A. Pohrt (811). *Reference*: Plains Art Museum 1990, no. 148

17 / **Potawatomi garter**

Wisconsin, c. 1850. L 30¾ in (with fringe), W 3⅛ in. Wool yarn, glass beads
DIA 81.312, Museum Purchase with funds from the state of Michigan, the city of Detroit, and the Founders Society. *Provenance*: purchased from Moses Thomas, a Wisconsin Potawatomi who served in the Union Army during the Civil War, by Milford Chandler; Richard A. Pohrt (2748). *Reference*: Flint Institute of Arts 1973, no. 259. *Related work*: Torrence and Hobbs 1989, fig. 4 (Staatliche Museen, Berlin, collected by Maximilian zu Wied 1833)

18 / **Ottawa garter**

Cross Village, Michigan, 1820–40. L 16½ in (29¾ in with fringe), W 3 in. Wool yarn, glass beads
DIA 81.63, Museum Purchase with funds from the state of Michigan, the city of

Warp-Faced Twined Bags

Women of several Great Lakes tribes produced twined fiber bags intended as the outer coverings of sacred bundles. These are sometimes referred to as "panel bags," since two vertical borders frame a central panel containing images or patterns on either side. The designs on each side are generally different (Phillips 1989:54). The bags were woven whole, upside-down, with bottom and sides closed and the opening finished off with braiding after the bag was complete. Women employed a technique known technically as "spaced alternative-pair weft twining," which created a warp-faced design by alternating nettle fiber and buffalo wool warps from interior to exterior. These materials were later replaced by wool and cotton cord (Whiteford 1977:59–62; Feest 1984:14–15).

The images worked into the "panels" often illustrate powerful spirit beings with cosmological associations. Typically, one side of the bag will feature images of thunderbirds (pls. 20 and 22); the other, underwater panthers (pls. 19 and 21). Ruth Phillips observed that patterns found on such bags are not always explicit, but often employ fragments of images in abstract or otherwise obscure forms, such as an hourglass shape for the thunderbird's body or an elongated hexagon ("otter-tail") for the underwater panther. In other cases, these mythic beings might be referenced metaphorically; one example would be horizontal zigzags on one side for lightning and vertical zigzags on the opposite side for water (Phillips 1989).

Underwater panthers and thunderbirds are often paired together in Great Lakes Indian art and religious thought, linked to the cosmological realm of either sky or water, above and below the earth. Both beings possessed powers over the elements: the thunderbird generated thunder with its enormous, flapping wings and lightning with its eyes, while the underwater panther stirred up tempests or storms with its serpentine tail (L. A. Wilson 1982). The two beings are in perpetual conflict, one preying on the other, so that vision seekers might indeed witness a battle between them, and aid the one that would become a spirit guardian (Michaelson 1930:119–21). As such, the underwater panther and thunderbird together constitute a means of conceptualizing the structure of the universe, one personifying the sky above, the other the waters below, and both representing the notion of a cosmos beyond the terrestrial earth and the potential of the spirit powers residing there.

When images of thunderbirds and underwater panthers appear on twined bags on the opposite sides of the exterior wrappers of sacred bundles, they allude to the powerful objects hidden inside, but without revealing their identity. The bundle itself becomes a diagram of the cosmos, with the exterior images referring to the spiritual realms of upperworld and underworld enclosing the secret and personal contents of the sacred bundle within, which is intended for use by man on earth. They are also expressions of balance and harmony, one complementing the other. The balance of powers is often an important component of sacred bundle structure. The "white bear" of a Menominee bundle, for example,

Detroit, and the Founders Society. *Provenance*: Mary B. Shurtleff, Cross Village, Michigan; Richard A. Pohrt (493). *References*: Flint Institute of Arts 1973, no. 236; Harbor Springs Historical Commission 1984, no. 37, ill. *Related work*: Harbor Springs Historical Commission 1984, no. 30, ill. (Museum für Völkerkunde, Vienna)

19 / **Ottawa bag**

Goodhart, Emmet County, Michigan, 1820–50. H 6¾ in, W 8¼ in. Vegetal fiber, animal wool yarn

DIA 81.39, Museum Purchase with funds from the state of Michigan, the city of Detroit, and the Founders Society. *Provenance*: Angeline Kawegoma, Goodhart, Michigan, 1971; Richard A. Pohrt (250). *References*: Flint Institute of Arts 1973, no. 390, ill.; Coe 1977, no. 140a, ill. Harbor Springs Historical Commission 1984, no. 38, cover ill.; The Detroit Institute of Arts 1986:26, 27, figs. 1 and 2; Penney 1989:52, 53, figs. 1 and 2. *Related work*: Phillips 1984, no. 19, ill. (National Museum of Ireland 1902.328, collected by Jasper Grant, 1800–1809)

20 / **Mesquakie bag**

Tama, Iowa, c. 1850. H 7 in, W 10½ in. Vegetal fiber, wool yarn, buckskin tie

DIA 81.390, Museum Purchase with funds from the state of Michigan, the city of Detroit, and the Founders Society. *Provenance*: purchased at Tama, Iowa, by Milford Chandler; Richard Pohrt (2862). *References*: Flint Institute of Arts 1973, no. 388; Detroit Institute of Arts 1986:30, figs. 7 and 8; Penney 1989:57, figs. 7 and 8; Torrence and Hobbs 1989, no. 6, ill.

21 / **Potawatomi bag**

Wisconsin, 1840–80. H 17 in, W 25½ in.
Cotton twine, wool yarn
DIA 81.372, Museum Purchase with funds from the state of Michigan, the city of Detroit, and the Founders Society. *Provenance*: Charles Tecumseh; Milford Chandler; Richard A. Pohrt (2835). *References*: Flint Institute of Arts 1973, no. 403, ill.; Penney et al. 1983, no. 5; Detroit Institute of Arts 1986:29, figs. 5 and 6, ill.; Penney 1989:56, figs. 5 and 6

22 / **Winnebago bag**

Nebraska, 1840–60. H 15½ in, W 21 in.
Vegetal fiber, buffalo wool, wool yarn
CIS 2311. *Provenance*: collected at the Winnebago Reservation in Nebraska by Milford Chandler. *Reference*: Maurer 1977, no. 122, ill.

derived from "the powers below," is wrapped in a white cloth painted with a red sun, since it is "manipulated on earth under the auspices of the sun" or sky (Skinner 1913:161).

Great Lakes and Midwest Dress, 1830–1850

DURING THE EARLY DECADES OF THE NINEteenth century, most women of the Great Lakes region preferred to tailor and decorate garments with manufactured materials acquired through trade (initially trade in furs, and later trade in tribal lands purchased via annuity payments) because of their association with wealth and social prestige. Although the materials were imported (silk ribbon, wool and cotton fabrics, glass beads, silver brooches, etc.), they were combined and tailored into distinctively Indian garments that exploited the dramatic colors and textures of the materials. Women artists of the early nineteenth century laid the foundation for subsequent generations of needlework and craftwork with these media by exploring—and in many cases inventing—new techniques.

Miami ribbon appliqué of this period is visible on the skirt and pair of moccasins (pls. 24 and 30) collected by Milford Chandler among old families of northern Indiana. The ribbon appliqué is composed of tight, complex geometric patterns involving "shingled" technique, executed with great care and skill (Abbass 1980:31). The same technique, in a slightly bolder patterning, is visible on the pair of Potawatomi moccasins (pl. 33) collected by Chandler in Wisconsin.

Dress garments of approximately the same date were collected by Chandler from a Chippewa man of Walpole Island, Ontario. The pair of leggings (pl. 27) combines the simple "developmental" technique of silk ribbon appliqué with glass bead embroidery (Abbass 1980:31). Chippewa women cut silk ribbon into simple shapes, which were then sewn to the underlying cloth and outlined with white glass bead embroidery. On the Chippewa hood (pl. 28), juxtaposed rows of cut silk ribbon leave open areas between them, allowing the underlying cloth to become part of the patterning. Linear designs of embroidery in small white beads may flow freely across silk appliqué underneath, as on the cuffs of the Kickapoo moccasins (pl. 31), or the green stripes on two-color leggings (pl. 26). Design forms are highly structured and often employ familiar curvilinear elements, particularly the "double curve motif." Another common motif is a four-pointed, radial form like four-petaled flowers. More naturalistic floral patterns are rare.

The techniques of silk ribbon appliqué and glass bead embroidery illustrated among this group of garments represent the foundation for further development throughout the rest of the nineteenth century. Tight, highly organized designs and fastidious workmanship characterize this seminal chapter in Great Lakes textile arts. While the patterning of subsequent decades became increasingly bold and extravagant, few later achieved this generation's consummate technical ability and skill.

23 / **Delaware or Shawnee (?) coat**

Indiana or Kansas, 1820–50. L 39½ in. Buckskin, silk ribbon, glass beads

DIA 81.219, Museum Purchase with funds from the state of Michigan, the city of Detroit, and the Founders Society. *Provenance*: Rex Arrowsmith; Milford Chandler; Richard A. Pohrt (1126). *Related work*: Maurer 1977, no. 40, ill. (Minnesota Historical Society Museum 66.27.1)

24 / **Miami skirt**

Indiana, 1820–40. L 55½ in, W 53⅛ in. Wool fabric, silver brooches, silk ribbon

CIS 2221. *Provenance*: collected at Peoria, Indiana, by Milford Chandler. *Reference*: Flint Institute of Arts 1973, no. 131, ill.

25 / Potawatomi skirt

Wisconsin, 1840–60. L 34 in, W 14 in (at waist), 29 in (at hem). Wool fabric, silk ribbon
FMNH 155699, Julius and Augusta N. Rosenwald Expedition. *Provenance*: purchased by Milford Chandler during the summer of 1925. *Related work*: DIA 81.97 (formerly Mary Shurtleff collection); Conn 1979, no. 126, ill. (Denver Art Museum, pair of women's leggings, formerly Albert Heath collection)

26 / Chippewa man's leggings

Michigan, 1830–50. L 24¼ in, W 11¾ in.
Wool fabric, silk ribbon, glass beads
DIA 1990.266a-b, Founders Society Purchase with funds from the Founders Junior Council. *Provenance*: Richard A. Pohrt. *Related work*: Pohrt 1989, fig. 7 (Fort Wayne Military Museum, Detroit 66.14.60, collected by M. G. Chandler)

27 / Chippewa man's leggings

Walpole Island, Ontario, c. 1820. L 32 in, W 12 in. Wool fabric, silk ribbon, glass beads
CIS 4080. *Provenance*: collected on Walpole Island by Milford Chandler. *Reference*: Grand Rapids Public Museum 1977, no. 27, ill.

28 / Chippewa hood

Michigan, 1830–50. L 26 in, W 10½ in. Wool fabric, silk ribbon, glass beads
DHM 66.14.72. *Provenance*: Kohlberg, Denver; Milford Chandler. *Reference*: Flint Institute of Arts 1973, no. 125, ill.

29 / **Chippewa shoulder bag**

Walpole Island, Ontario, 1820–40. L 29 in, W 8 in. Wool fabric, cotton fabric, silk ribbon, glass beads

CIS 4079. *Provenance*: collected on Walpole Island by Milford Chandler. *Related work*: Pohrt 1989, fig. 8 (Fort Wayne Military Museum, Detroit 66.14.71, collected by M. G. Chandler at Walpole Island)

30 / **Miami moccasins**

Wabash, Indiana, 1820–40. L 9⅞ in. Buckskin, silk ribbon, glass beads, porcupine quills

CIS 2207. *Provenance*: purchased from a descendant of Meshinga Mezhas of Wabash, Indiana, by Milford G. Chandler. *References*: Walker Art Center and Minneapolis Institute of Arts 1972, cat. no. 326; Feder 1965b, pl. no. 53, ill.

31 / **Kickapoo moccasins**

Indiana, 1820–40. L 9½ in. Buckskin, silk ribbon, glass beads

DIA 81.463a-b, Museum Purchase with funds from the state of Michigan, the city of Detroit, and the Founders Society. *Provenance*: Milford Chandler; Richard Pohrt (2994). *Reference*: Flint Institute of Arts 1973, no. 140, ill.

32 / **Chippewa moccasins**

Cross Village, Michigan, c. 1835. L 11 in. Buckskin, silk ribbon, cotton fabric, glass beads

DIA 81.64a-b, Museum Purchase with funds from the state of Michigan, the city of Detroit, and the Founders Society. *Provenance*: Mary B. Shurtleff, Cross Village, Michigan; Richard A. Pohrt (494). *Reference*: Flint Institute of Arts 1973, cat. no. 143, ill.

33 / **Potawatomi moccasins**

Kansas, 1840–60. L 11½ in. Buckskin, silk ribbon, glass beads

FMNH 155681, Julius and Augusta N. Rosenwald Expedition. *Provenance*: purchased at Mayetta, Kansas, by Milford G. Chandler during the summer of 1925

Embroidery of the Southeast before 1850

SASHES AND SHOULDER BAGS PRODUCED BY Creek and Cherokee women prior to the Removal era of the 1830s exploited the creative possibilities of seed bead embroidery with a freedom and exuberance unmatched elsewhere in the East. Southeastern women made shoulder bags (as decorative accessories to dress clothing) with oversized, triangular flaps and extra-wide shoulder straps, all elegantly embroidered with colorful, curvilinear patterns (pls. 34 and 35).

The distinctive style of pouch with a triangular flap had been fabricated from yarn by finger weaving (oblique interlace) early in the nineteenth century (see Coe 1977, no. 58a-b). These pouches are illustrated in the portraits of certain Creek and Cherokee notables painted by Charles Bird King during the 1820s (Viola 1976:59, 61). But more common—if the number of surviving examples is any indication—are bags tailored from wool fabric or velvet backed with a calico cotton lining and embroidered with seed beads. Shoulder bags decorated with seed bead embroidery had developed in the Southeast prior to Removal, as evidenced by the one in the portrait of William MacIntosh painted by Washington Allston in 1820 (Galante 1989:2, Alabama Department of Archives and History) and several other good examples with firm collection histories (see Feder 1965a, no. 35). Later work of this kind produced in Oklahoma "Indian Territory" evidently had a profound effect on the development of "prairie style" bead embroidery among Prairie and Great Lakes people on nearby reservations.

The southeastern style of seed bead embroidery is characterized by a freewheeling sense of vitality often involving curvilinear design elements in wide-ranging, asymmetrical patterns. The embroidered designs are less ordered and controlled than those of contemporary embroidery work of the North (compare pls. 27 and 29), but no doubt these regional styles were technically and aesthetically related. The uniquely southern character of the Creek and Cherokee embroidery style is reflected in the fact that some design elements look backward to the ancient past. The motif of circle and cross surrounded by a radiant sun, seen on the Creek shoulder bag (pl. 34), has prehistoric antecedents in Mississippian art (A.D. 1100–1500). Like the seed bead embroidery of the North, this work suggests a period of experimentation with technique and media by extraordinarily capable and talented women artists.

34 / **Creek shoulder bag**

Georgia or Alabama, 1810–30. L 53¼ in, W 7⅜ in (strap), L 7⅝ in, W 4 in (bag). Wool fabric, cotton fabric and thread, silk ribbon, glass beads

DIA 1988.29, Founders Society Purchase with funds from the Flint Ink Corporation. *Provenance*: Richard A. Pohrt. *Related work*: Feder 1965a, no. 35. ill. (Ocmulgee National Monument, formerly John B. Lamar 1832)

35 / **Creek or Seminole shoulder bag**

Georgia or Florida, 1820–30. L 33 in, W 6½ in (bag). Wool, cotton fabric and thread, silk ribbon, felt, glass beads

DIA 81.657, Museum Purchase with funds from the state of Michigan, the city of Detroit, and the Founders Society. *Provenance*: Rex Arrowsmith; Milford Chandler; Richard A. Pohrt (4008). *Reference*: Maurer 1977, no. 44, ill.

CLEVELAND HIGH SCHOOL LIBRARY
5511 • 15TH SOUTH
SEATTLE WASHINGTON 98108-2823

36 / **Creek sash**

Georgia or Alabama, c. 1830. L 22½ in (128 in with fringe), W 3⅞ in. Wool fabric and yarn, cotton fabric and thread, silk ribbon, glass beads

DIA 81.423, Museum Purchase with funds from the state of Michigan, the city of Detroit, and the Founders Society. *Provenance*: purchased in Dubuque, Iowa, by Richard A. Pohrt (2916)

Early Loom-Woven Beadwork

AFTER HEDDLE WEAVING, THE NEXT MAJOR development in woven beadwork technique involved use of some kind of loom to hold the warps taut and either "two-needle" or "regular" loom technique-variants of the same idea (Lessard 1986:61, 68). With this method, beads are strung on the weft and laid across the warp with a warp thread between each bead. Then the weft thread is either passed back through the same row of beads underneath the warp ("regular" technique) or a second weft on another needle is used for the same purpose ("two-needle" technique). Apparently, this technique was first used among the northern Chippewa just before midcentury. It may have derived from loom-woven quillwork (Lanford 1986:65–666), which had been popular among the Chippewa and Cree of the upper Great Lakes for at least a century. It is interesting that "regular" bead weaving technique resembles the method, several centuries old, for assembling wampum belts (Feest 1984:22). The innovative aspects of these objects created at midcentury involved the use of small "seed" beads with a great array of colors, use of cotton warps and wefts, and a new complexity in geometric design.

The earliest documented objects made with this technique are shoulder bags with two woven strips for the bandolier (shoulder strap), and two shorter strips across the face of the bag. Two are included here, one collected by Milford Chandler, the other from Richard Pohrt's collection (pls. 37 and 38). There are two more of this type, probably made by the same woman (Whiteford 1986:33–35). The artist apparently worked her clients' names into the beadwork designs (Joseph Lantre, Basin Dasin, M. M. Samuel, Julie Denis—the artist's name, perhaps?) and, significantly, two dates, "Nov 11 1850" and "Mars 21 1851."

Whiteford pointed out that this kind of bag design resembled more common, smaller pouches of the Chippewa and Cree made from deerskin and decorated with two horizontal bands of woven quillwork, even to the extent of the quill-wrapped or beaded tassels hung from the bottom edge of horizontal strips (Whiteford 1986:37; see also Flint Institute of Arts 1973, no. 14, for this style of Cree pouch). The intricate, woven quillwork patterns of the Cree also relate to the geometric motifs visible in the woven beadwork, particularly the radial, cross-and-"X" motif and the checkered diamond. Like Cree woven quillwork patterns, two contrasting motifs alternate on early woven beadwork strips: A B A B.

The beaded bags are larger than the more common Cree style quillwork pouch, although smaller than later "friendship bags" (see pls. 54–56). Clearly they did not possess any utilitarian function but were intended as accessories to dress garments.

The distinctive and complex geometric patterning visible in the woven beadwork on the shoulder bags is also seen in a small number of garters and sashes (pls. 39–41), presumably close in date and made in the same upper Great Lakes region by Chippewa women. Using extremely small seed beads, the women in their designs display a precision of workmanship and intricacy of pattern never again found in woven beadwork.

JOSEPH LAHT
BE M.APC2 1851

37 / **Chippewa shoulder bag**

Michigan, 1851. L 31¼ in, W 7 in. Wool fabric and yarn, cotton fabric and thread, silk ribbon, glass and metallic beads

DHM 66.14.70. *Provenance*: Kohlberg, Denver; Milford Chandler. *References*: Flint Institute of Arts 1973, no. 207, ill.; Whiteford 1986:32–33, fig. 1, cover ill. *Discussion*: beaded inscription reads, JOSEPH LANT/RE MARS 21 1851. *Related works*: Whiteford 1986, figs. 2 and 3 (Nelson Atkins Museum of Art 77–26/1 and State Historical Society of Wisconsin 1954.2043/763)

38 / **Chippewa shoulder bag**

Michigan, c. 1850. L 29 in, W 7⅛ in. Wool fabric and yarn, cotton fabric and thread, silk ribbon, glass beads

DIA 81.78, Museum Purchase with funds from the state of Michigan, the city of Detroit, and the Founders Society. *Provenance*: Forrest Fenn, 1975; Richard Pohrt (755). *References*: Coe 1977, no. 135, ill.; Whiteford 1986:35, fig. 4; Penney 1989:15, fig. 5. *Discussion*: beaded inscription reads, BASIN DASIN. *Related works*: see pl. 37.

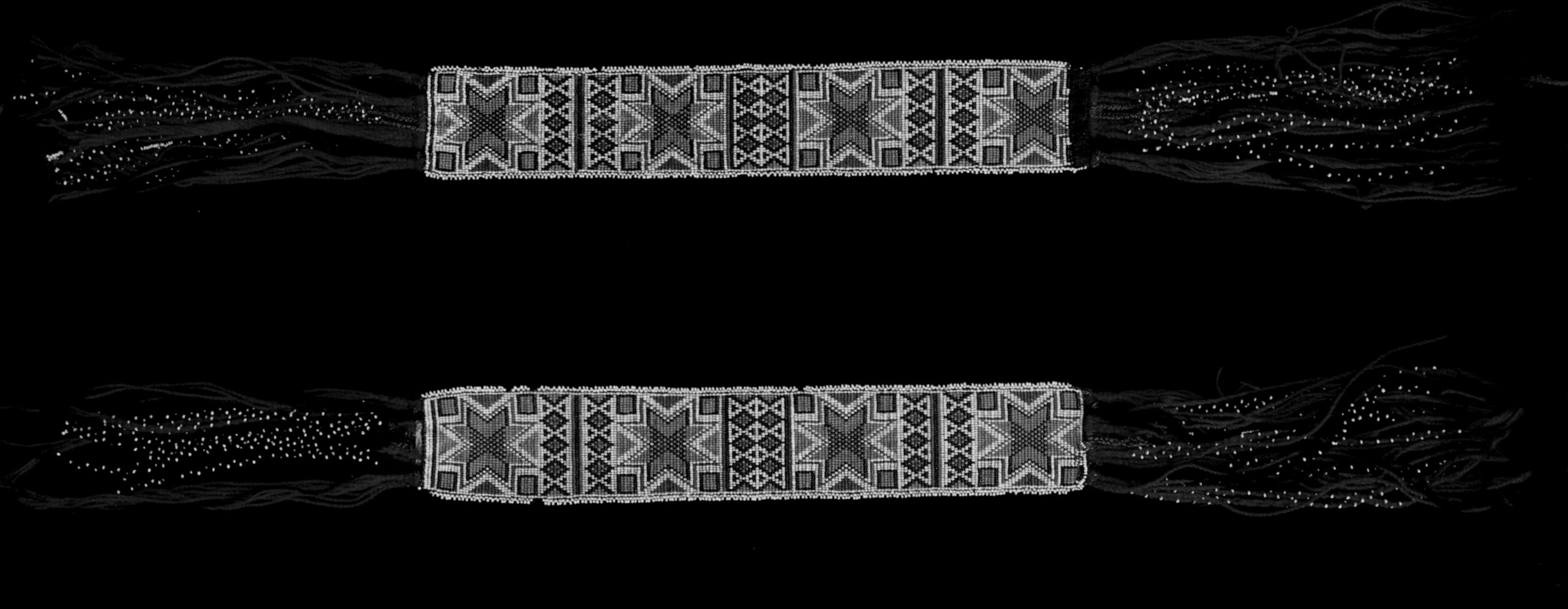

39 / **Chippewa sash**
Michigan, c. 1850. L 28½ in (70 in with fringe), W 1⅞ in. Glass beads, cotton thread, wool yarn
DHM 66.14.86. *Provenance*: Kohlberg, Denver; Milford G. Chandler. *Reference*: Flint Institute of Arts 1973, cat. no. 178, ill.

40 / **Chippewa garters**
Michigan, c. 1850. L 31½ in (with fringe), W 2¼ in. Glass beads, cotton fabric and twine, wool yarn, brass hook-eyes
DIA 81.76a-b, Museum Purchase with funds from the state of Michigan, the city of Detroit, and the Founders Society. *Provenance*: James May, Petoskey, Michigan; Richard A. Pohrt (753). *Conservation note*: backed with cotton fabric and adapted for fastening with brass hook-eyes

41 / **Chippewa garters**

Michigan, c. 1850. L 29 in (with fringe), W 2 in. Glass beads, cotton thread, wool yarn DHM 66.14.88. *Provenance*: Kohlberg, Denver; Milford Chandler. *Reference*: Flint Institute of Arts 1973, no. 229, ill.

Turbans and Bearclaw Necklaces

"The grizzly bear, alone," wrote Washington Irving, "of all the animals of our Western wilds, is prone to unprovoked hostility. His prodigious size and strength make him a formidable opponent; and his great tenacity of life often baffles the skill of the hunter. . . ." Irving also remarked that "his enormous claws are worn around the neck of an Indian brave, as a trophy more honorable than a human scalp. He is now [1832] scarcely seen below the upper prairies, and the skirts of the Rocky Mountains" (Irving 1956:158–59). The "prairie grizzly" had once roamed in greater numbers in the wooded valleys of Missouri, Arkansas, and Oklahoma. In this habitat, its foreclaws grew to great length in contrast to the short claws of bears inhabiting more rocky, mountainous regions. Particularly worthy men of the Prairie tribes collected these long foreclaws of the prairie grizzly with the desire of one day owning enough to fashion a full necklace.

Milford Chandler once helped a close Pawnee friend acquire a bearclaw necklace. Chandler recalled how they had collected all the necessary materials: a set of claws, an otter skin, the proper kinds of beads, and so on, and given them to members of the Pawnee clan who possessed the exclusive rights to assemble them into a necklace. To pay for the privilege, Chandler's friend hosted a large feast and gave away a wagon and a team of horses (Lanford, pers. comm.).

Among western Great Lakes and Prairie peoples, "turbans" made of otter fur were the headdress of distinction, equivalent in a way to the feather bonnet of the Plains people. Some turbans include a long, pendant "trailer" made from an otter tail intended to hang down one side of the wearer's head. On occasion, the turban is fashioned to resemble the form of an otter or other animal (pl. 43). This is an ancient style of North American headdress; engraved designs on marine shell cups from the Spiro site in eastern Oklahoma, dating between A.D. 1100 and 1350, show the same kinds of headdresses worn by Mississippian warriors (Phillips and Brown 1978, pl. 6).

42 / **Potawatomi turban**

Wisconsin, c. 1880. H 6¼ in. Otter pelt, silk ribbon, glass beads

CIS 3146. *Provenance*: purchased in Wisconsin by Milford G. Chandler

43 / **Mesquakie turban**

Tama, Iowa, c. 1880. L 17 in, H 16½ in (with pendant). Otter pelt, cotton fabric, silk ribbon, glass beads, bearclaw

DIA 81.465, Museum Purchase with funds from the state of Michigan, the city of Detroit, and the Founders Society. *Provenance*: Milford G. Chandler; Richard A. Pohrt (2996). *References*: Flint Institute of Arts 1973, no. 266, ill.; Maurer 1977, no. 118, ill.; Torrence and Hobbs 1989, no. 118, ill. *Conservation note*: restored from fragments

44 / **Winnebago turban**

Nebraska, c. 1880. H 8 in. Otter pelt, silk ribbon, glass beads
NMAI 14/893. *Provenance*: John Hill ("Rock Standing Up," a government scout); purchased on the Winnebago Reservation in Nebraska by Milford Chandler before 1925 (inventory list no. 76). *Discussion*: star dream design associated with Wabeno Society according to Chandler's notes

45 / **Mesquakie bearclaw necklace**

Tama, Iowa, c. 1870. L 17½ in (trailer: L 49 in). Otter pelt, grizzly bearclaws, glass beads, silk ribbon
DIA 81.644, Founders Society Purchase with funds from Flint Ink Corporation. *Provenance*: purchased at Tama, Iowa, by Milford G. Chandler; Richard A. Pohrt (3385). *References*: Flint Institute of Arts 1973, no. 65, ill. cover; Penney 1989:8, fig. 1. *Conservation note*: otter pelt and some claws replaced

46 / **Mesquakie bearclaw necklace**

Tama, Iowa, c. 1860. L 16¼ in, W 14¼ in, H 3⅛ in. Otter pelt, grizzly bearclaws, glass beads, silk ribbon

NMAI 14/1174. *Provenance*: purchased at Tama, Iowa, by Milford G. Chandler before 1925 (inventory list no. 161)

47 / **Iowa bearclaw necklace**

Nebraska, c. 1830. L 17 in. Otter pelt, grizzly bearclaws, glass beads

DIA 81.461, Museum Purchase with funds from the state of Michigan, the city of Detroit, and the Founders Society. *Provenance*: said to have belonged to White Cloud (Notch-ee-ming-a), the Iowa chief painted by George Catlin (Catlin 1851, vol. 2:22, pl. 129); Robert D. White Cloud, Rulo, Nebraska; Oklahoma dealer; Milford G. Chandler; Richard A. Pohrt (2990)

Synthesis and Innovation: The Prairie Style, 1860–1900

During the 1830s and 1840s, thousands of tribal people were forced to move west of the Mississippi as a result of the policies set in motion by the Indian Removal Act of 1830. They settled on designated reservations in Iowa, Nebraska, Kansas, and Oklahoma, known as the prairies. The original inhabitants of this region, the river people called Oto, Osage, Omaha, Iowa, Ponca, and Pawnee, were also negotiated into partitioned spaces, often adjacent to those of the eastern expatriates. New alliances and antagonisms resulted, but also the active flow of ideas. Apparently women were particularly attuned to the potential for new stylistic directions in fashion when observing the formal dress of their neighbors at intertribal events. By midcentury, a new look in embroidered beadwork emerged on the prairies, drawing on the recent innovations of northern and southern styles of Woodlands bead embroidery.

Delaware women may have led the way in the process of synthesis that led to a "Prairie style." Delaware shoulder bags (pl. 48) dating to midcentury retain the square format of northern shoulder pouches, but adapt the spot-stitch technique of southern bead embroidery employed to decorate the face of the bag and the wide, southern style shoulder strap. Instead of using design elements floating freely against the wool backing, Delaware women filled in the background with contrasting colors, creating active "negative" design elements in the intervening spaces. Color preferences tended toward the "hot" and vibrant, with pink and powder blue common in Delaware patterns. These dramatic dress accessories were displayed by men at public, often intertribal events, allowing opportunities for envious appreciation by others. Lewis Henry Morgan observed Delaware men wearing shoulder bags, presumably of this style, at the event of an annuity payment at the Baptiste Delaware Mission, Kansas, in 1859: "Many of the men wore leggings with a wide side projection ornamented, and the breech cloth, over which they wore a vest or shirt and perhaps, one of the frock coats of calico . . . with headbands of beadwork over the shoulder and meeting in a large beadwork pocket on the right hand side [shoulder bag and bandolier]" (White 1959:50).

The closely nested, curvilinear designs with bold shapes, the active "negative design" backgrounds, and the hot color combinations all executed with "spot stitch," seed bead embroidery became the hallmarks of an early Prairie style that emerged during the 1850s and 1860s among several tribes resident in newly established reservations, missions, and settlements in the territories just west of the Mississippi, particularly the Potawatomi, Winnebago, Sauk, and Mesquakie from the east and the Iowa, Oto, and later, the Osage. The densely packed design elements are inventive and abstract, often elaborating on the bilaterally symmetrical "double curve" and the radial structures of ancestral embroidery traditions from the East, but now overextended with multiple volutes and vague floral or other pictorial references (see Gilbert 1986 for a Sauk outfit documented to the 1850s). As the style became increasingly formalized during the later nineteenth

48 / **Delaware shoulder bag**

Kansas, c. 1860. L 23 in, W 7¾ in. Wool fabric, cotton fabric and thread, silk ribbon, glass beads

DIA 81.216, Museum Purchase with funds from the state of Michigan, the city of Detroit, and the Founders Society. *Provenance*: Louisville Museum of Science and History, Louisville, Kentucky; (by exchange) Richard A. Pohrt (1123)

49 / **Potawatomi shoulder bag**

Mayetta, Kansas, c. 1860. L 42¼ in, W 13½ in. Wool fabric and yarn, cotton fabric and thread, silk ribbon, glass beads

DIA 81.61, Museum Purchase with funds from the state of Michigan, the city of Detroit, and the Founders Society. *Provenance*: Dr. John Linscott; Lynn Munger, Indiana; Richard Pohrt (482). *Reference*: Flint Institute of Arts 1973, no. 212

50 / **Iowa moccasins**

Nebraska or Kansas, c. 1860. L 10¾ in. Buffalo hide, buckskin, glass beads

DIA 81.755a-b, Museum Purchase with funds from the state of Michigan, the city of Detroit, and the Founders Society. *Provenance*: Milford G. Chandler; Richard A. Pohrt (2933). *Reference*: Feder 1965b:37, ill.

century, design elements spread out in more spacious arrangements, outlined with white like the earlier silk appliqué of the southern Great Lakes, most often against the dark broadcloth preferred for skirts, shirts, breechcloths, and wearing blankets. The Prairie style is a true synthesis and the first expansive intertribal style of the nineteenth century. It illustrates how innovation in dress and its decoration continually revitalized Indian identity in the face of enforced culture change.

51 / **Iowa moccasins**

Nebraska or Kansas, c. 1875. L 10½ in, W 6½ in. Buckskin, glass beads

DIA 81.802a-b, Museum Purchase with funds from the state of Michigan, the city of Detroit, and the Founders Society. *Provenance*: Milford G. Chandler; Richard A. Pohrt (2942)

52 / **Potawatomi moccasins**

Mayetta, Kansas, c. 1880. L 11 in. Buckskin, glass beads, silk ribbon

DIA 81.440a-b, Museum Purchase with funds from the state of Michigan, the city of Detroit, and the Founders Society. *Provenance*: purchased at Mayetta, Kansas, by Milford G. Chandler; Richard A. Pohrt (2953). *Reference*: Flint Institute of Arts 1973, no. 155

53 / **Mesquakie moccasins**

Tama, Iowa, c. 1880. L 10¼ in. Buckskin, glass beads

BBHC NA.202.448 A/B, Gift of the Pilot Foundation. *Provenance*: purchased at Tama, Iowa, by Milford G. Chandler; Richard A. Pohrt (2993)

Later Woven Beadwork

THE TECHNIQUE OF BEAD WEAVING WITH either a box loom, loose warps, or heddles increased in popularity during the later decades of the nineteenth century among most central Algonkian peoples (see Lessard 1986). Among the most ambitious projects were the large, square panels and long bandolier straps of shoulder bags. Throughout the nineteenth century, shoulder bags increased in size and became more decorative than utilitarian. They no longer functioned as pouches, but were part of formal dress ensembles, sometimes with two worn at once, one on each hip with the straps crossing over the chest and back (Coleman 1947:35). Time-consuming and difficult beadwork projects, these bags testified to the skills of the women who made them, often the wives or female relatives of the men who wore them on formal occasions. Women created them as expressions of their love and esteem. As a Mesquakie woman said of her husband: "He has made me happy by treating me well. Then I began to make things for him, his finery, his moccasins, his leggings, his shirt, his garters, his cross-belt. . . . 'You must dance vigorously,' I thought. 'That is why I made them for you' "(Michaelson 1925:329).

The three bags illustrated here represent the form popular from the 1860s through the 1890s. These complex objects combine several manufacturing techniques. A roughly square, loom-woven or loose-warp panel is stitched to a backing of wool fabric often lined with cotton. Bead embroidery fills in the surrounding borders or may be used to add a curvilinear or floral design above the "pocket" opening. The Potawatomi shoulder bag (pl. 54) includes heddle-woven, fringelike tabs across the bottom. The shoulder strap, also backed with fabric, is woven separately, most often with loom technique, and attached to the upper corners of the bag. The Winnebago shoulder bag (pl. 56) can be recognized because of the slightly offset join between the straps and the bag, leaving room for small woven beadwork tabs on the outer edges (Lanford 1984:32). On all three examples here, the shoulder strap consists of a single piece, instead of the configuration seen in earlier bags of two strips sewn together at the top, leaving finger tabs and silk pendants to ornament the shoulder.

In the later examples of this style, Chippewa designs on the large pocket panel spread out boldly across the entire design field, often arranged in a large "X" pattern as seen in the Chippewa shoulder bag (pl. 55). The Potawatomi design of the same period (pl. 54) is composed of many small geometric elements arranged with bilateral symmetry so that the larger "X" format is fragmented into quadrants of intricate geometric design. The Winnebago bag (pl. 56) repeats a relatively basic geometric pattern ("otter tail") in alternating colors derived from ribbonwork.

Sashes and garters most often were made with a loom which allowed relatively quick production and more easily controlled patterning. Women experimented with designs drawn from several different sources. Late in the nineteenth century, many women adapted floral designs developed with quill and bead embroidery to woven beadwork technique, although the gridlike format

54 / **Potawatomi shoulder bag**

Wisconsin, c. 1890. L 42¼ in, W 13½ in. Wool fabric and yarn, cotton fabric and thread, glass beads

DIA 81.467, Museum Purchase with funds from the state of Michigan, the city of Detroit, and the Founders Society. *Provenance*: purchased in Wisconsin by Milford G. Chandler; Richard A. Pohrt (2998). *Reference*: Flint Institute of Arts 1973, no. 205, ill.

55 / **Chippewa shoulder bag**

Minnesota or Wisconsin, c. 1885. L 43 in, W 12 in. Wool fabric and yarn, cotton fabric and thread, glass beads, metal buttons
DIA 81.297, Museum Purchase with funds from the state of Michigan, the city of Detroit, and the Founders Society. *Provenance*: Milford G. Chandler; Richard A. Pohrt (2721). *Reference*: Flint Institute of Arts 1973, no. 225, ill.

56 / **Winnebago shoulder bag**

Wisconsin, c. 1890. L. 35¼ in, W 13½ in. Wool fabric and yarn, cotton fabric and thread, glass beads
DIA 81.429, Museum Purchase with funds from the state of Michigan, the city of Detroit, and the Founders Society. *Provenance*: purchased in Wisconsin by Milford G. Chandler; Richard A. Pohrt (2923). *References*: Flint Institute of Arts 1973, no. 220; Lanford 1984, ill. cover. *Conservation note*: cotton warps and wefts replaced

produced highly conventionalized results (pl. 58). They look something like computer generated images. Pictorial images received similar treatment (pl. 57). Apparently women drew inspiration from contemporary illustrative arts visible in popular publications and printed textile patterns, in some cases adapting pictorial conventions of European American culture for the decoration of items of traditional, yet updated, formal dress.

57 / **Potawatomi sash**

Mayetta, Kansas, c. 1885. L 41½ in (54¼ in with fringe), W 3¼ in. Wool yarn, cotton thread, glass beads

DIA 81.52, Museum Purchase with funds from the state of Michigan, the city of Detroit, and the Founders Society. *Provenance*: Dr. John Linscott; Lynn Munger, Indiana; Richard A. Pohrt (423). *Reference*: Flint Institute of Arts 1973, no. 187

58 / **Potawatomi sash**

Wisconsin, c. 1890. L. 32⅝ in (74 in with fringe), W 4⅜ in. Wool yarn, cotton thread, glass beads

DIA 81.474, Museum Purchase with funds from the state of Michigan, the city of Detroit, and the Founders Society. *Provenance*: purchased in Wisconsin by Milford G. Chandler; Richard A. Pohrt (3006). *Reference*: Flint Institute of Arts 1973, no. 190

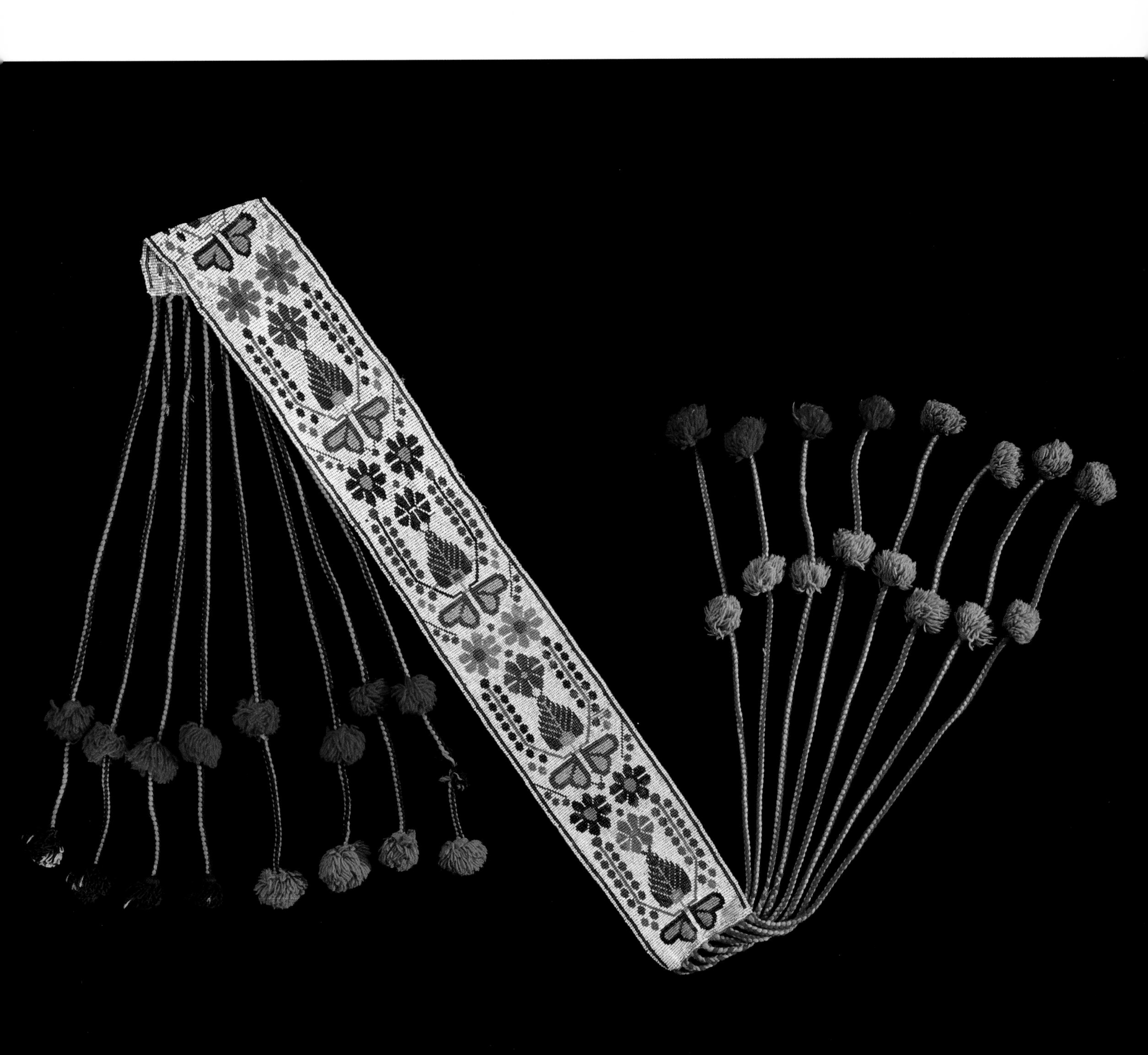

Later Twined and Finger-Woven Textiles

WITH THE INCREASING AVAILABILITY OF commercial yarns, twined storage bags made by Great Lakes women grew more colorful. Most yarn bags after 1880 were made with a twining technique that paired wefts of alternating colors to create the design instead of the paired warps of the earlier bags. The weaver introduced contrasting pairs of wefts as the bag progressed, resulting in the distinctive composition consisting of horizontal bands of repetitive, geometric patterns in two colors. Women rarely employed the images of mythic beings such as thunderbirds and underwater panthers common on earlier, warp-faced bags (see pls. 19–22). Instead, they referenced these beings and other cosmological concepts in fragmentary, geometric patterns. The diagonal, sawtooth band on the storage bag (pl. 64), for example, can be derived from the customary design for a thunderbird's wing (Phillips 1989:34).

At least two Mesquakie women at Tama, Iowa, persisted with the spaced alternate twining technique late in the nineteenth century, albeit with bright, commercial yarn: A Ski Ba Qua (Mrs. Joseph Tesson) and Sau Ke Ta Ne Qua (Mrs. Bill Leaf). The twined bag made by A Ski Ba Qua with the two underwater panthers in the design (pl. 65) derives from earlier traditions of twined bag making with nettle fiber and buffalo wool. Combining red wefts with an arrangement of black, brown, yellow, and blue warps created a distinctive coloristic effect (see Torrence and Hobbs 1989:9–10).

Women also made smaller "charm" bags (pls. 66–68) with twining technique; glass beads strung on the doubled weft between each warp substituted for the weft "twist" of twined yarn bags (Lurie 1989). Although resembling loom-woven beadwork, these small bags with minute, often exquisite designs and patterning, were produced without a loom, each bead strung individually between the warps on the doubled weft. They were employed as the inner wrappings of sacred bundles. Several might be included within a larger yarn bag, each filled with a variety of personal objects. Mesquakie sometimes wore these small bags on the hip with a beaded sash (Torrence and Hobbs 1989, nos. 51–57).

Women continued to make finger-woven (oblique interlace) sashes throughout the later nineteenth century (pls. 59–62); and indeed, they are still made today. Bulky, three- and four-ply commercial yarns available after the 1860s offered a great variety of color choices in keeping with the "hot," vibrant colors visible in Prairie style bead embroidery. Women resident in the Prairie reservations sought clashing, dramatic color contrasts when producing finger-woven sashes, drawing on the older traditions of design organization and technique. The women of the indigenous Prairie peoples, such as the Iowa, Osage, and Oto, adapted this typical eastern dress accessory into their own crafts inventory. The rare Iowa sash (pl. 60), for example, would have been worn by a man, twisted around the head, over the shoulder, or around the waist (Skinner 1926:262).

59 / **Osage sash**

Oklahoma, c. 1865. L 33⅞ in (68½ in with fringe), W 4⅞ in. Wool yarn, glass beads
DIA 81.418, Museum Purchase with funds from the state of Michigan, the city of Detroit, and the Founders Society. *Provenance*: Milford G. Chandler; Richard A. Pohrt (2910)

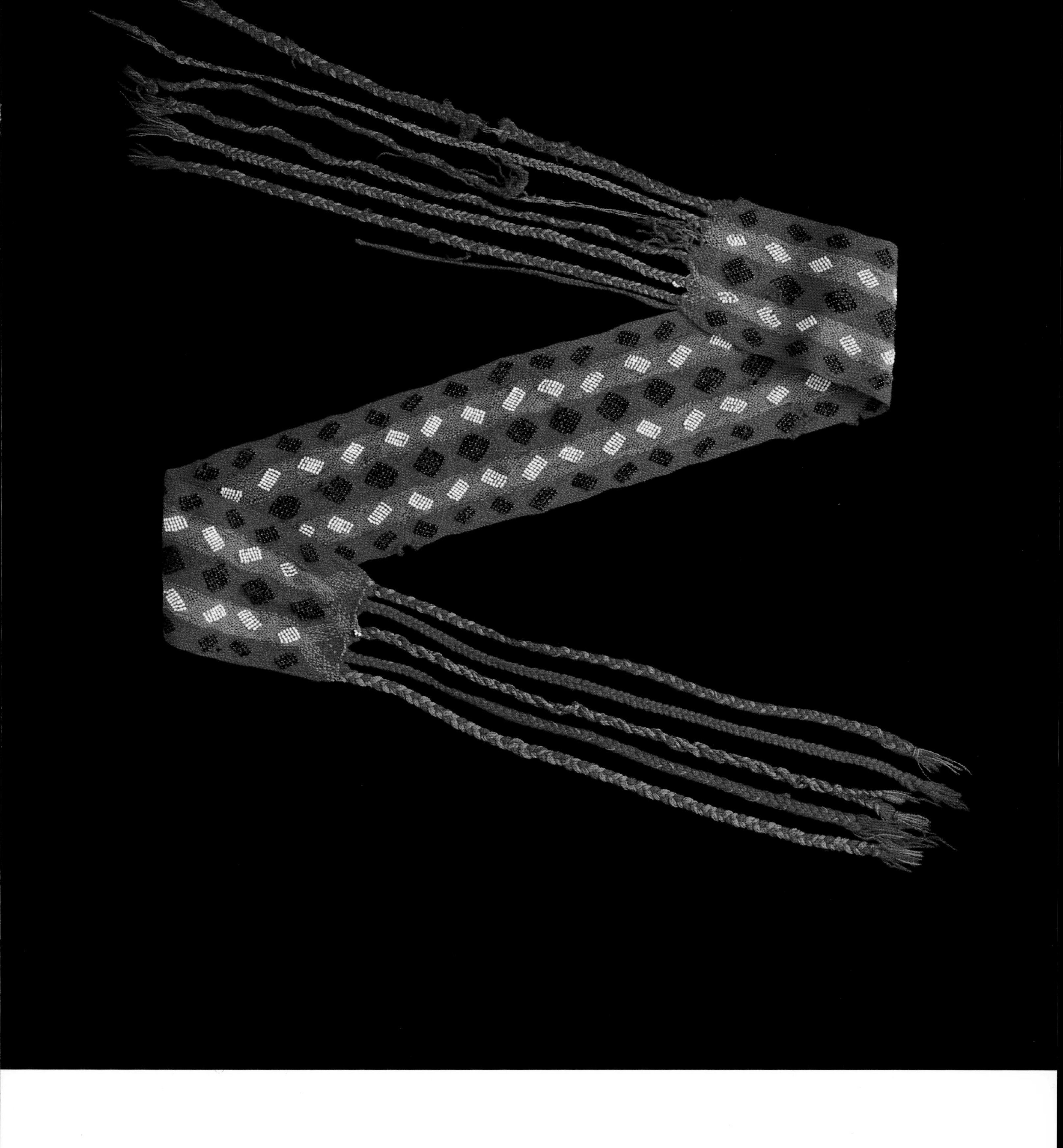

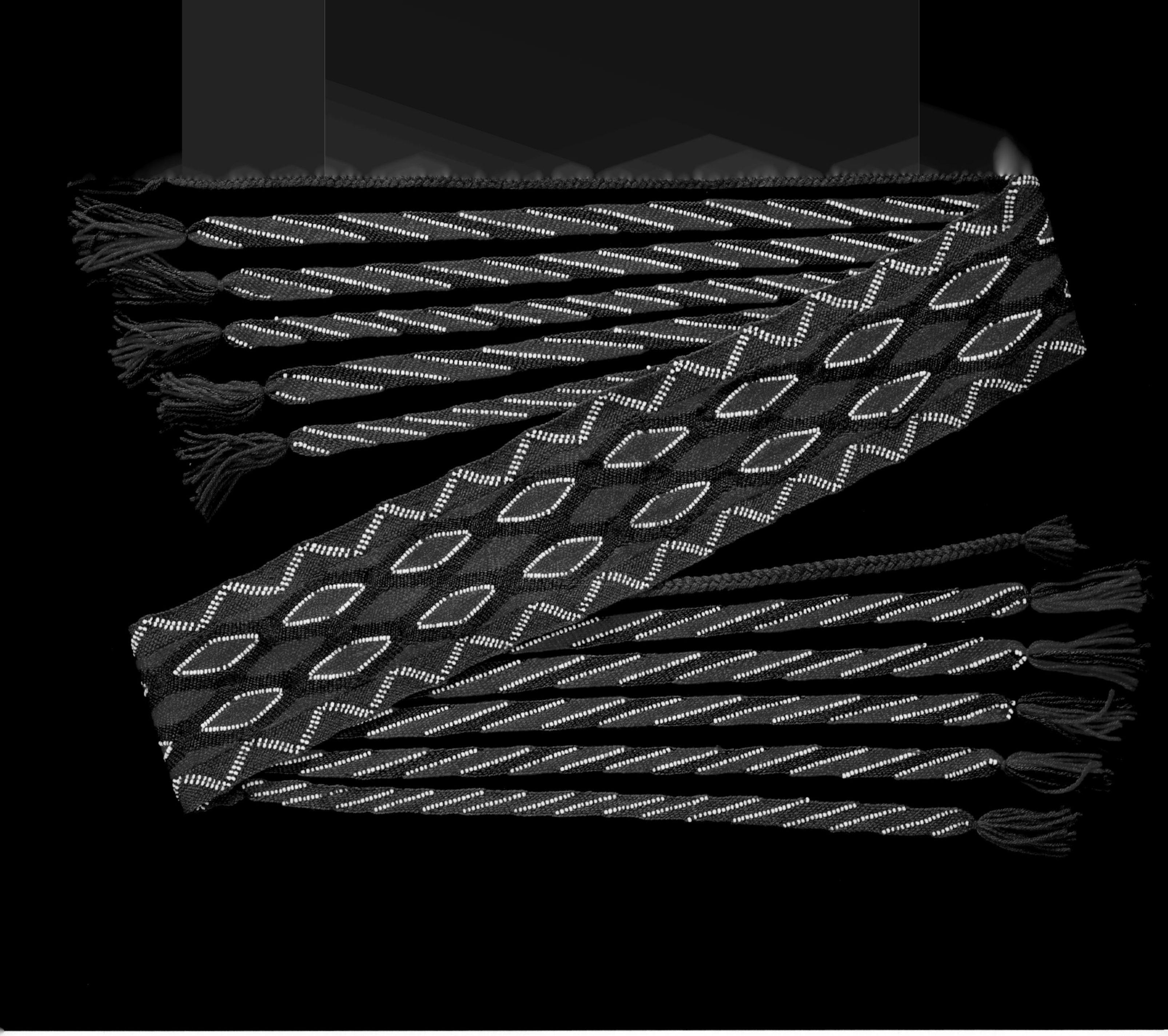

60 / **Iowa sash**

Nebraska, c. 1880. L 79 in (with fringe), W 6¼ in. Wool yarn
DIA 81.425, Museum Purchase with funds from the state of Michigan, the city of Detroit, and the Founders Society. *Provenance*: Milford G. Chandler; Richard A. Pohrt (2918). *References*: Skinner 1926:338, pl. XLVIII; Plains Art Museum 1990, no. H149

61 / **Osage sash**

Oklahoma, c. 1890. L 33⅜ in (84⅛ in with fringe), W 5 in. Wool yarn, glass beads
DIA 81.529, Museum Purchase with funds from the state of Michigan, the city of Detroit, and the Founders Society. *Provenance*: Milford G. Chandler; Richard A. Pohrt (3108)

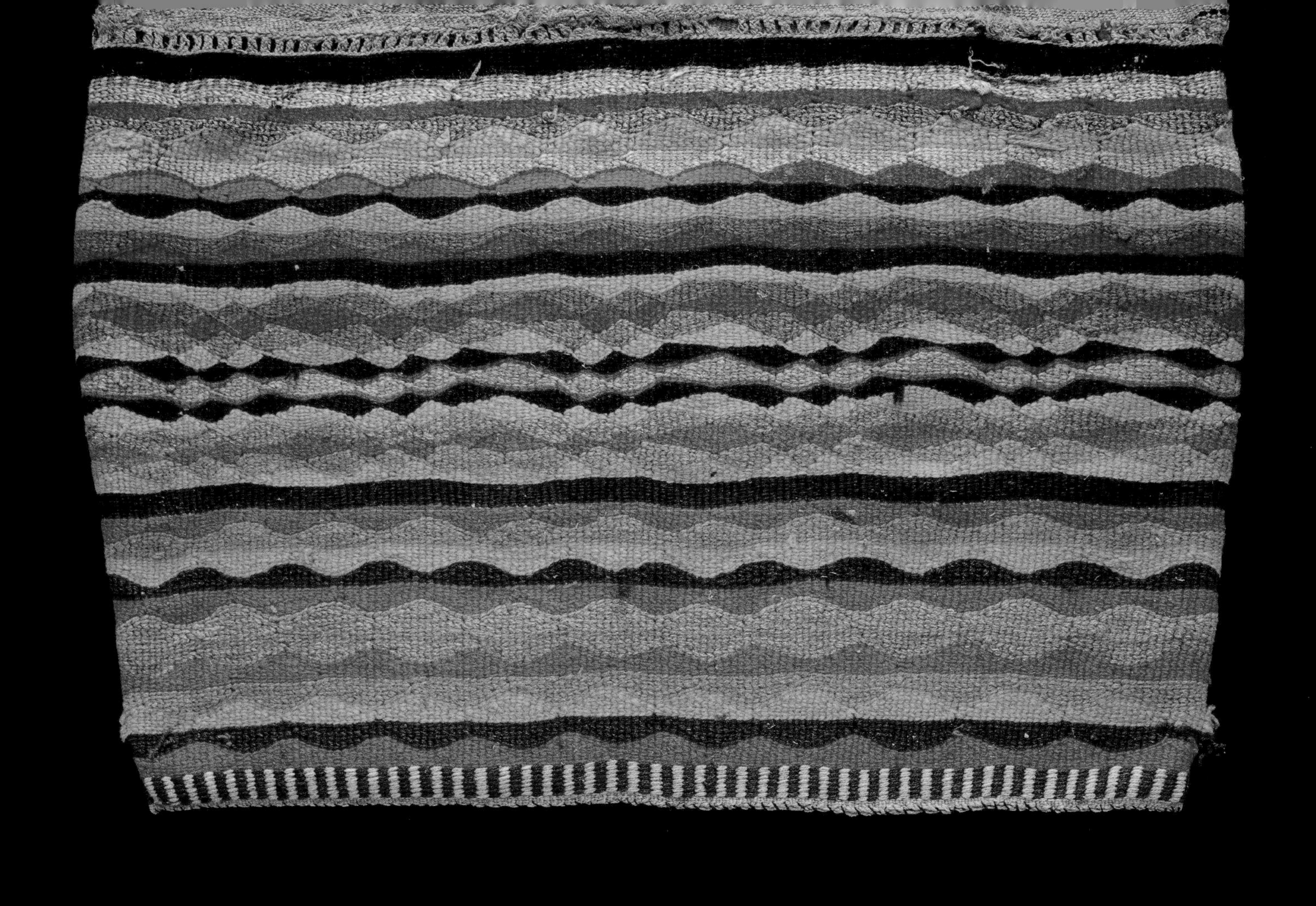

62 / **Mesquakie sash**
Tama, Iowa, c. 1890. L 30 in (68 in with fringe), W 9⅛ in. Wool yarn, glass beads
DIA 81.414, Museum Purchase with funds from the state of Michigan, the city of Detroit, and the Founders Society. *Provenance*: Milford G. Chandler; Richard A. Pohrt (2906). *Reference*: Torrence and Hobbs 1989, no. 26

63 / **Potawatomi storage bag**
Wisconsin, c. 1880. H 16¾, W 23½ in. Wool yarn, nettle fiber
DIA 81.376, Museum Purchase with funds from the state of Michigan, the city of Detroit, and the Founders Society. *Provenance*: purchased in Wisconsin by Milford G. Chandler; Richard A. Pohrt (2840). *Reference*: Flint Institute of Arts 1973, no. 404, ill.

64 / **Chippewa storage bag**

Wisconsin or Minnesota, c. 1900. H 18⅛ in, W 20⅛ in. Wool yarn

DIA 81.666, Museum Purchase with funds from the state of Michigan, the city of Detroit, and the Founders Society. *Provenance*: Dennis Walsh, Bloomfield Hills, Michigan, 1977; Richard A. Pohrt (4104). *References*: Detroit Institute of Arts 1986:35, figs. 17 and 18; Penney 1989:64, figs. 17 and 18

65 / **Mesquakie storage bag**

Tama, Iowa, c. 1890. H 11¼ in, W 15 in. Wool yarn, nettle fiber, buckskin tie

DIA 81.401, Museum Purchase with funds from the state of Michigan, the city of Detroit, and the Founders Society. *Provenance*: made by A Ski Ba Qua (Mrs. Joseph Tesson); purchased by Milford G. Chandler at Tama, Iowa; Richard A. Pohrt (2877). *References*: Flint Institute of Arts 1973, no. 402; Torrence and Hobbs 1989, no. 12

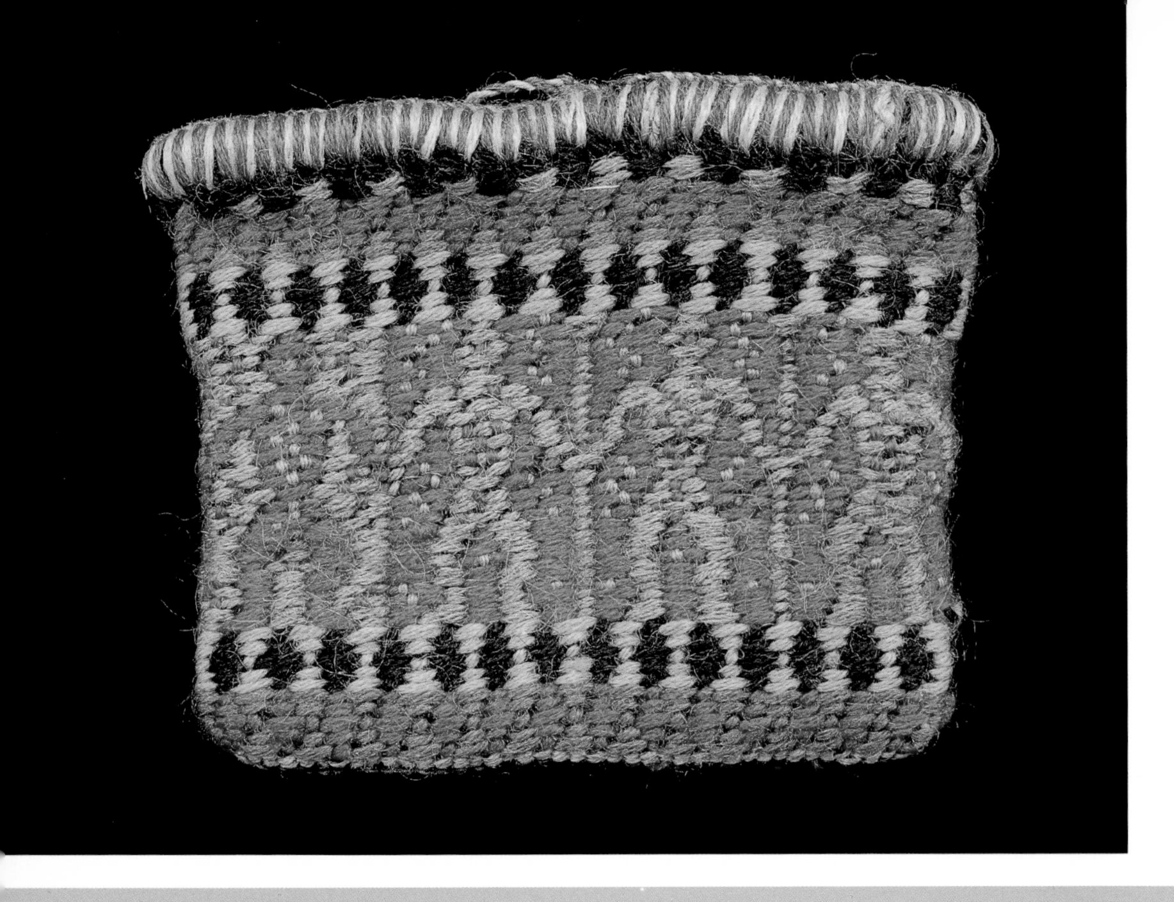

66 / **Mesquakie charm bag**

Tama, Iowa, c. 1875. H 3½ in, W 4½ in. Wool yarn

DIA 81.476, Museum Purchase with funds from the state of Michigan, the city of Detroit, and the Founders Society. *Provenance*: purchased at Tama, Iowa, by Milford G. Chandler; Richard A. Pohrt (3009). *References*: Flint Institute of Arts 1973, no. 395; Torrence and Hobbs 1989, no. 10

67 / **Kickapoo charm bag**

Kansas, c. 1880. H 5⅜ in, W 8¾ in. Wool yarn and cotton cord, glass beads

DIA 81.321, Museum Purchase with funds from the state of Michigan, the city of Detroit, and the Founders Society. *Provenance*: Milford G. Chandler; Richard A. Pohrt (2760). *References*: Flint Institute of Arts 1973, no. 435; Plains Art Museum 1990, no. H146, ill. p. 20

68 / **Mesquakie charm bag**

Tama, Iowa, c. 1880. H 3⅞ in, W 5⅜ in. Wool yarn, cotton cord, glass beads

DIA 81.352, Museum Purchase with funds from the state of Michigan, the city of Detroit, and the Founders Society. *Provenance*: purchased at Tama, Iowa, by Milford G. Chandler; Richard A. Pohrt (2806). *References*: Detroit Institute of Arts 1986:38–39, figs. 1 and 2; Penney 1989:70–71, figs. 1 and 2

Formal Dress at the Close of the Nineteenth Century

THE NINETEENTH CENTURY HAD WITNESSED thorough change in the material circumstances of Woodland Indians. From independent, tribal people engaged in a lucrative fur trade and supported by a bountiful environment, they had become like "wards" of the government, confined to reservations often located far from their homelands, and pressured to give up cultural practices and ways of thought. In this last consideration, many Indian people proved intractable. While many old ways were lost, Woodland Indians found means of sustaining and encouraging distinctive cultural values through innovation and synthesis. A sense of tradition was strengthened by adapting it to the here and now. In no other area of cultural life is this practice more evident than in the nineteenth-century elaboration of formal dress.

Dress clothing of the late nineteenth century built on the tradition of earlier formal "finery" made with trade fabrics and ornamental materials garnered through the fur trade, but expanded the extent of applied decoration. Women shifted to wool broadcloth and velveteen for shirts, breechcloths, and leggings, since the more substantial fabric provided better support for extensive, and heavy, embroidered beadwork (Coleman 1947:98). Navy or midnight blue material provided a dark field in contrast to colorful embroidery. The Winnebago man's shirt (pl. 72) was tailored of dark blue broadcloth, which served as the foundation of an elaborate Prairie style design of spot-stitch embroidery. The applied decoration harkens back to the floral prints of fur trade calicoes, but here more exaggerated and assertive. The Mesquakie skirt (pl. 73) was decorated with German silver (nickel alloy) brooches, silk ribbon appliqué around the hem, and two vertical rows of Prairie style embroidery that replicate the effect of earlier skirts wrapped around the waist with one vertical panel of ribbonwork sewn to the outer edge (see pl. 24).

Indian women "appropriated" floral imagery from European decorative arts in their later nineteenth-century work. Floral style decoration had been employed by Indian women early in the nineteenth century for the production of handicraft objects intended for sale to European Americans. The design patterns may have derived from cotton print textiles or by means of training in mission schools. Even so, flower forms were eventually incorporated into an inventory of "traditional" designs employed in the decoration of dress clothing, particularly with bead embroidery. Continued training in mission schools refined the floral style toward the close of the nineteenth century, particularly among the Minnesota Chippewa (Coleman 1947:96). Flower forms became more descriptive and were arranged artfully across the design field on serpentine stems as seen on the pair of man's leggings (pl. 75). Careful spot-stitching and a wide range of bead colors were employed to reproduce the petals on flower blossoms and the veins in leaves, among other details.

69 / **Potawatomi wearing blanket**
Wisconsin, 1860–80. L 46 in, W 32½ in.
Wool fabric, silk ribbon
FMNH 155768, Julius and Augusta N. Rosenwald Expedition. *Provenance*: collected in Wisconsin by Milford G. Chandler during the summer of 1925

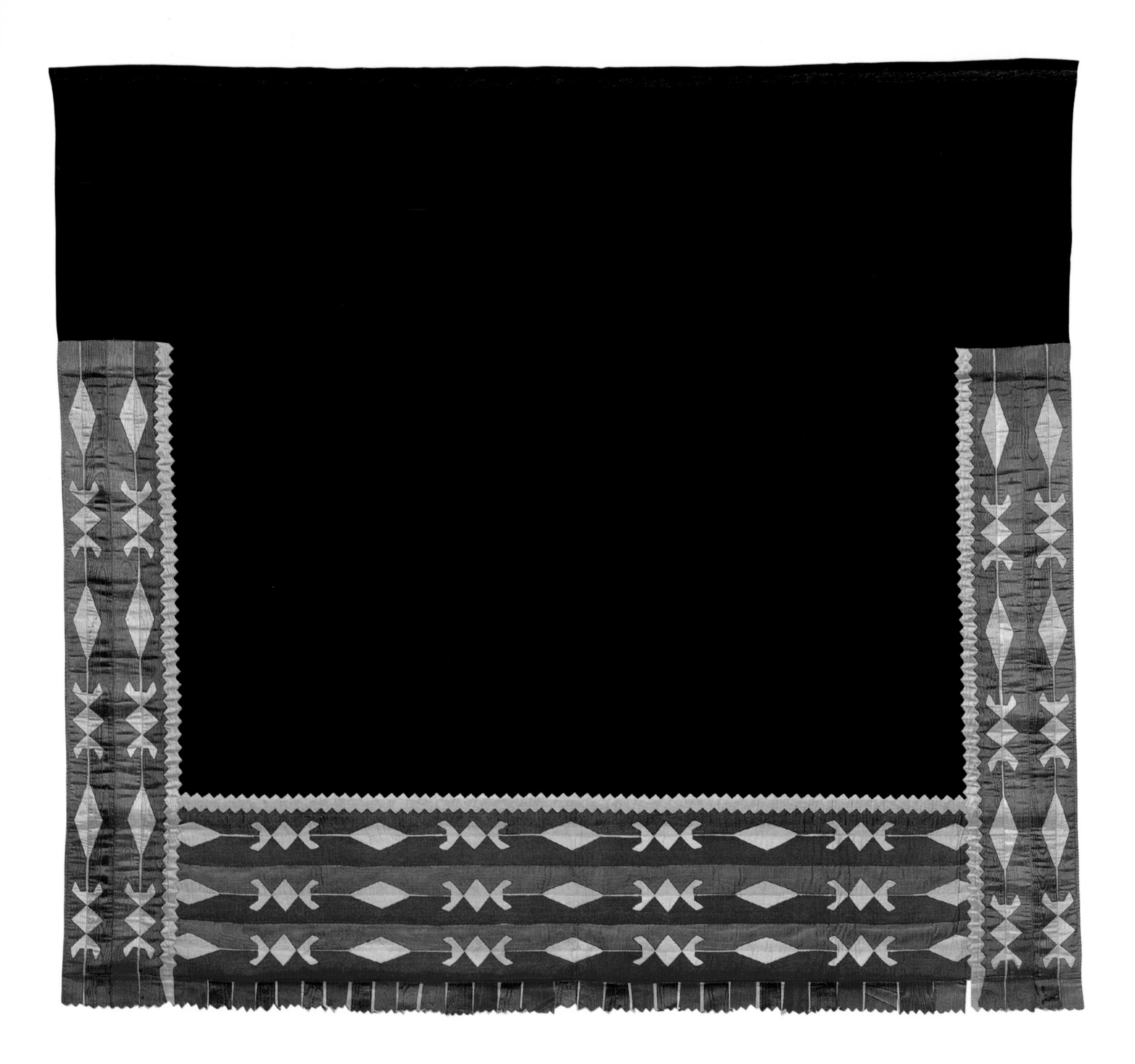

70 / **Osage wearing blanket**
Oklahoma, c. 1890. L 67¼ in, W 59¼ in. Wool fabric, silk ribbon
DIA 81.196, Museum Purchase with funds from the state of Michigan, the city of Detroit, and the Founders Society. *Provenance*: Milford G. Chandler; Richard A. Pohrt (1097)

71 / **Omaha wearing blanket**
Nebraska, c. 1885. L 76 in, H 54½ in. Wool fabric, silk ribbon, glass beads
DIA 81.579, Museum Purchase with funds from the state of Michigan, the city of Detroit, and the Founders Society. *Provenance*: Frances LaFleche; Milford G. Chandler; Richard A. Pohrt (3225)

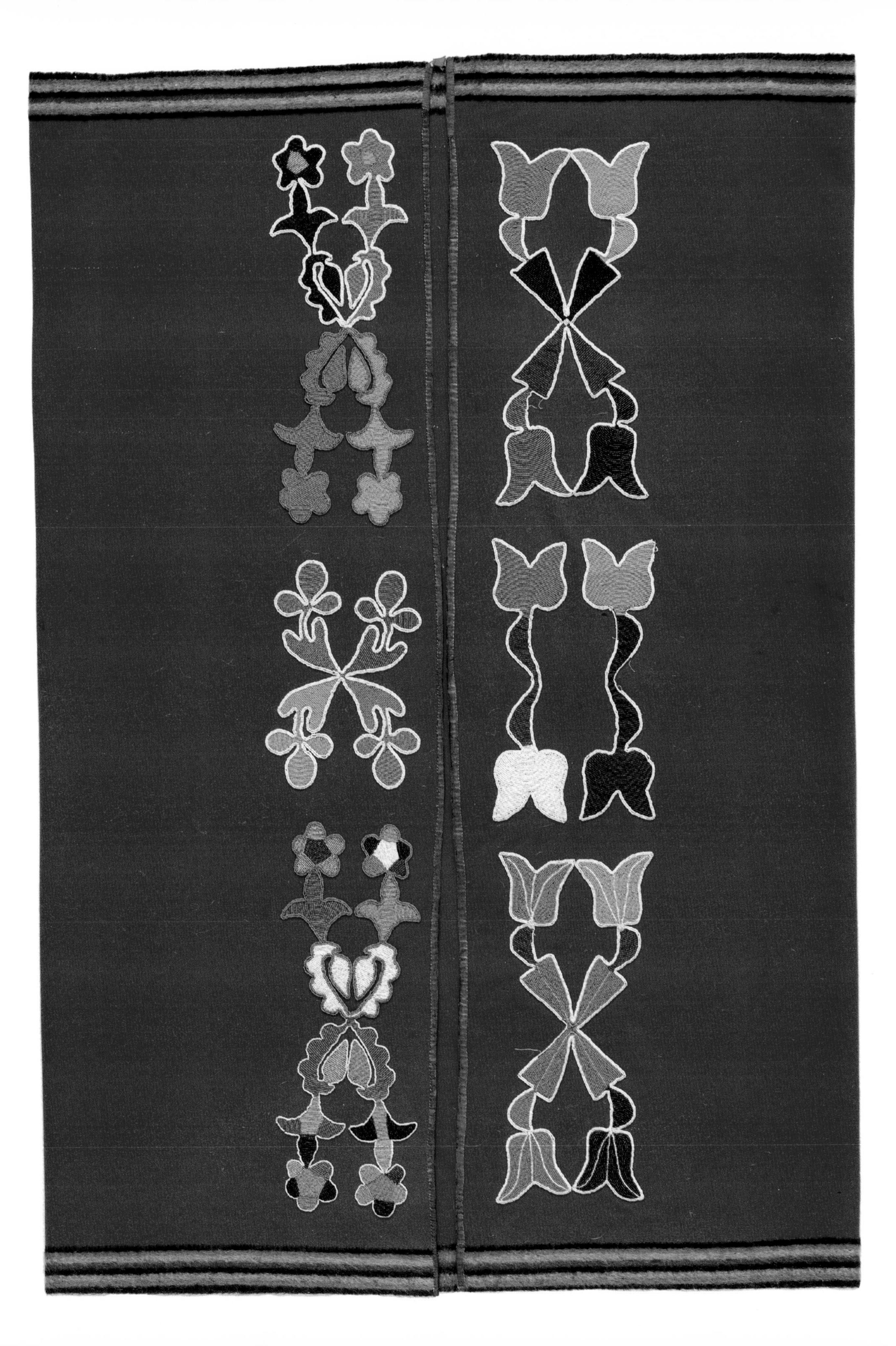

72 / **Winnebago man's shirt**

Wisconsin, c. 1880. H 27⅛, W 19¾ in (shoulder to shoulder). Wool fabric, silk ribbon, velvet ribbon, glass beads

DIA 81.435, Museum Purchase with funds from the state of Michigan, the city of Detroit, and the Founders Society. *Provenance*: Milford G. Chandler; Richard A. Pohrt (2930). *References*: Flint Institute of Arts 1973, no. 102, ill.; Maurer 1977, no. 126, ill.

73 / **Mesquakie skirt**

Tama, Iowa, c. 1890. H 32½ in, W 31½ in. Wool fabric, silk ribbon, glass beads, german silver brooches (nickel alloy)

DIA 81.314, Museum Purchase with funds from the state of Michigan, the city of Detroit, and the Founders Society. *Provenance*: Milford G. Chandler; Richard A. Pohrt (2751). *Reference*: Torrence and Hobbs 1989, no. 74, ill.

74 / **Osage breechcloth**

Oklahoma, c. 1885. L 54⅞ in, W 17¼ in.
Wool fabric, silk ribbon, glass beads
DIA 81.451, Museum Purchase with funds from the state of Michigan, the city of Detroit, and the Founders Society. *Provenance*: Milford G. Chandler; Richard A. Pohrt (2977)

Pls. 75 and 76 on following pages

75 / **Chippewa man's leggings**

Minnesota, c. 1890. L 29⅜ in, W 11 in.
Cotton velveteen, polished cotton, glass beads, wool twill
DIA 81.181a-b, Museum Purchase with funds from the state of Michigan, the city of Detroit, and the Founders Society. *Provenance*: Martin Geisin (theatrical costumes), St. Paul, Minnesota; Dennis Walsh, Detroit; Richard A. Pohrt (1002). *Reference*: Penney 1989:16, fig. 6

76 / **Potawatomi woman's leggings**

Wisconsin, c. 1885. H 14½ in, W 18½ in.
Wool fabric, cotton fabric, silk ribbon, sequins, glass beads
DIA 81.481a-b, Museum Purchase with funds from the state of Michigan, the city of Detroit, and the Founders Society. *Provenance*: purchased in Wisconsin by Milford G. Chandler before 1925; Richard A. Pohrt (3015)

PLAINS

77 / **Mandan man's shirt**

North Dakota, c. 1830. L 49 in, W 59 in (shoulder to shoulder). Buckskin, buffalo hide, porcupine quills, glass beads, pigment DIA 1988.44, Founders Society purchase with funds from Richard A. Manoogian. *Provenance*: collected by Stephen F. Gale; purchased by Milford G. Chandler c. 1920; Richard A. Pohrt (2506). *Reference*: Coe 1977, no. 408, ill.

78 / **Assiniboine (?) man's shirt**

Upper Missouri region, Montana or North Dakota, c. 1830–50. H 27½ in, W 21⅛ in.
Buckskin, buffalo hide, porcupine quills, bird quills, pigment, glass beads
BBHC NA.202.348. *Provenance*: Walter Hinsdale; University of Michigan Museum of Anthropology (24354); (by exchange) Milford G. Chandler; Richard A. Pohrt (2513)

Early Dress of the "Upper Missouri Style"

FEW PLAINS GARMENTS PRODUCED BEFORE 1800 have been preserved. Most of the earliest items date to the early decades of the nineteenth century, when the trade in furs and buffalo hides penetrated into the western frontier. The British Canadians were first by establishing a series of posts tied by trade routes to Lake Superior or Hudson's Bay. The U.S. conduit into the Plains interior lay along the route explored by Lewis and Clark: up the Missouri River from St. Louis. Throughout the early nineteenth century, a host of fur traders, scientists, explorers, artists, and even a small number of tourists, made the trip by riverboat up the Missouri to visit the trading posts that had sprouted up along the river as far as Montana. The "forts" were located to trade successfully with "river Indians" like the Arikara, Hidatsa, and Mandan, who lived in earth-lodge villages along the banks of the Missouri, and with the more mobile Cree, Assiniboine, Lakota, Crow, Blackfeet, and Gros Ventre, whose hunting territories included stretches of the Missouri and its tributaries, such as the Yellowstone. Some of these early visitors brought back with them the items of clothing found in museum collections today.

Those who traded along the Missouri River entered into an age-old pattern of intertribal trade. The villages of earth-lodge Indians served as distribution points for goods brought from every direction and then traded outward again among a host of different trading partners. By this means, horses brought from Spanish America to the south by Ute, Kiowa, and Commanche traders had been distributed throughout the northern Plains tribes by the early 1700s, while guns procured from Canadian traders had been traded southward. The volume of trade in manufactured goods picked up appreciably with the introduction of riverboat transport early in the nineteenth century, but mobile "horse culture" tribes still tended to trade through their traditional river village partners, while these latter tribes worked hard to maintain their lucrative middleman status.

Dressed hides and finished garments—shirts, leggings, and robes—had been exchanged between intertribal partners long before the introduction of the fur trade from the East. It is not surprising, therefore, to find that European American traders had little difficulty procuring them as well—when they were interested. Recognition of tribal styles among these early Plains garments is difficult for a number of reasons. One is the unreliable or incomplete collection history. Further, the exchange of these garments between different bands would undermine the usefulness of collection history even when available. The distribution of garments through trade would also tend to diffuse what might be considered telltale techniques of production or attributes of style. Finally, the introduction of trade materials, such as red stroud and glass "pony beads," initiated a period of experimentation, as women explored different ways of incorporating these materials as ornament. Therefore, it is easier to speak of a more generalized "upper Missouri style" before 1850 than to define any more particular tribal approach to formal garment design. Nevertheless, certain clues on these garments tentatively suggest more specific origins.

79 / **Man's shirt**

Upper Missouri region, Montana or North Dakota, c. 1830–50. L 41½ in (including tab), W 56¾ in (sleeve to sleeve). Buckskin, porcupine quills, human hair and horse hair, wool fabric, glass beads, pigment

BBHC NA.202.486. *Provenance*: Hester Browning, New York City; Richard A. Pohrt (485). *Reference*: Feder 1965a, cat. no. 21. *Conservation note*: rosette missing from front; beads and wool appliqué sewn directly on the shirt

The Mandan attribution for the man's shirt (pl. 77) stems from the elaborate plaited quillwork found on the arm and shoulder strips, each bordered by a single lane of blue pony beads. The cut hide fringe beneath the arms, instead of attached to the backside of the arm strips, is a unique attribute of this shirt's tailoring. The painted images of red and black figures issuing from the bowls of smoking pipes with stems probably refers to the number of war expeditions in which the shirt owner had participated, or some other such item of personal biography. The red ocher stain on one shoulder may signify a war wound.

Another man's shirt (pl. 78) resembles shirts attributed to the Assiniboine and the Blackfeet in other collections, both tribes of the northern Plains. The arm and shoulder strips were embroidered with glass beads in flatwork technique used by both tribes. A large "rosette" of dyed porcupine quills sewn to the breast contrasts with the dark brown pigment used to paint the upper portion of the shirt. This kind of ornamentation, along with the lack of any neck flap or "bib," is characteristic of shirts from the northwestern Plains.

The third man's shirt (pl. 79) combines flatwork embroidery of pony beads with red stroud appliqué on its arm and shoulder strips. A rosette once sewn to the breast is now missing. This shirt features tassels of human and horse hair attached to the arm and shoulder strips and the outline of the missing rosette. Painted horse track designs and the line of abbreviated figures on one shoulder signify war honors.

The woman's dress (pl. 80) is decorated with an extensively beaded yoke and hem, and the small stroud appliqué circles visible on the middle portion of the skirt. The simple, contrasting panels of white and blue pony beads that decorate the strips of the man's leggings (pl. 81) are typical of fairly generic, pony bead patterning of the "upper Missouri" region before 1850. Strong tribal styles emerge a few decades later.

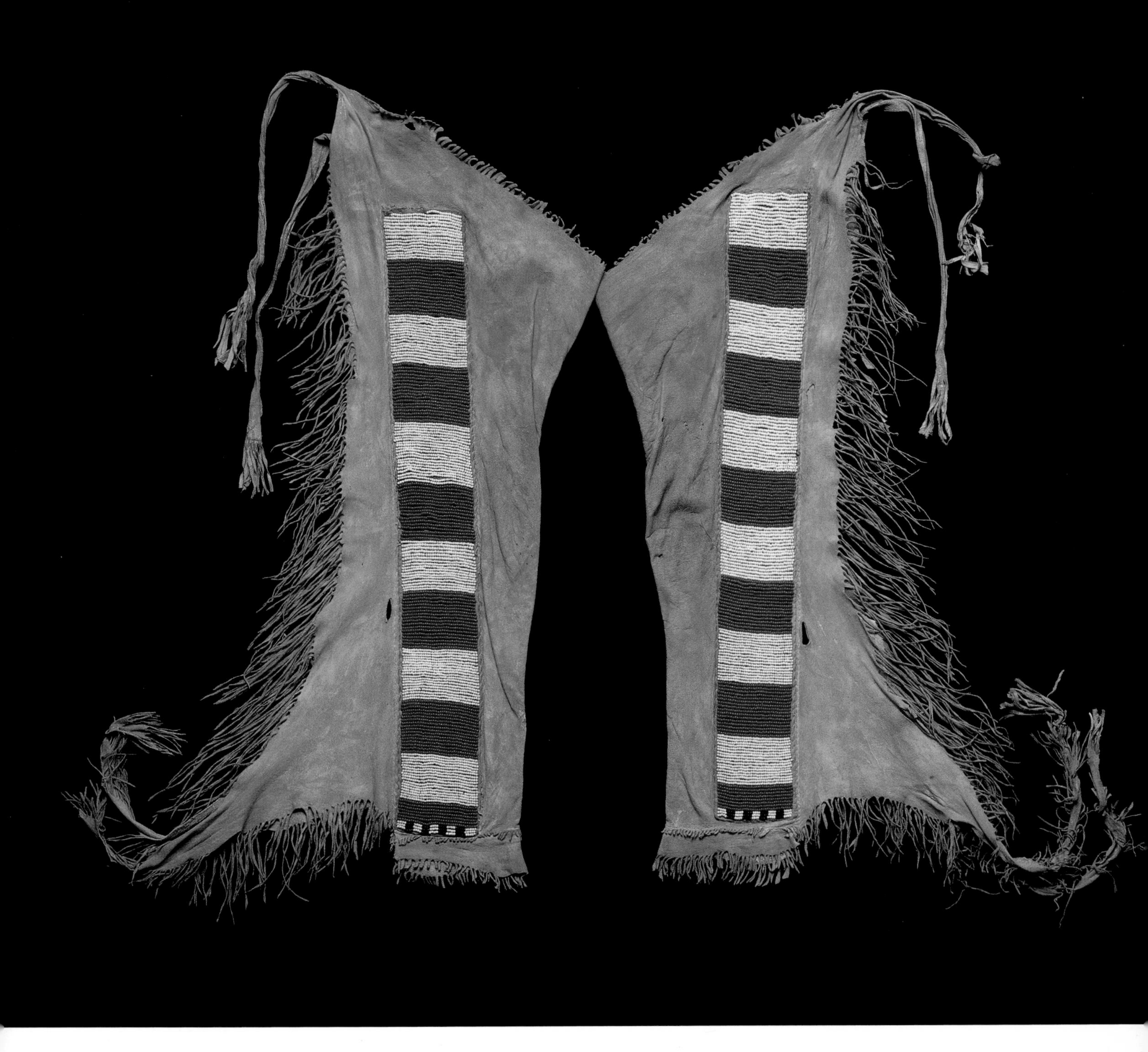

80 / **Dress**

Upper Missouri region, Montana or North Dakota, c. 1830–50. L 54¾ in, W 49 in. Buckskin, tin cones, glass beads, fabric

FIA 85.34. *Provenance*: Richard A. Pohrt (1296). *Reference*: Sotheby Parke Bernet 1983, no. 395, ill.

81 / **Man's leggings**

Upper Missouri region, Montana or North Dakota, c. 1830–50. L 50 in (including ties), W 12½ in. Buckskin, buffalo hide, glass beads, pigment

BBHC NA.202.440 A/B. *Provenance*: Hester Browning, New York City; Richard A. Pohrt (486). *Reference*: Pohrt 1989b, fig. 4

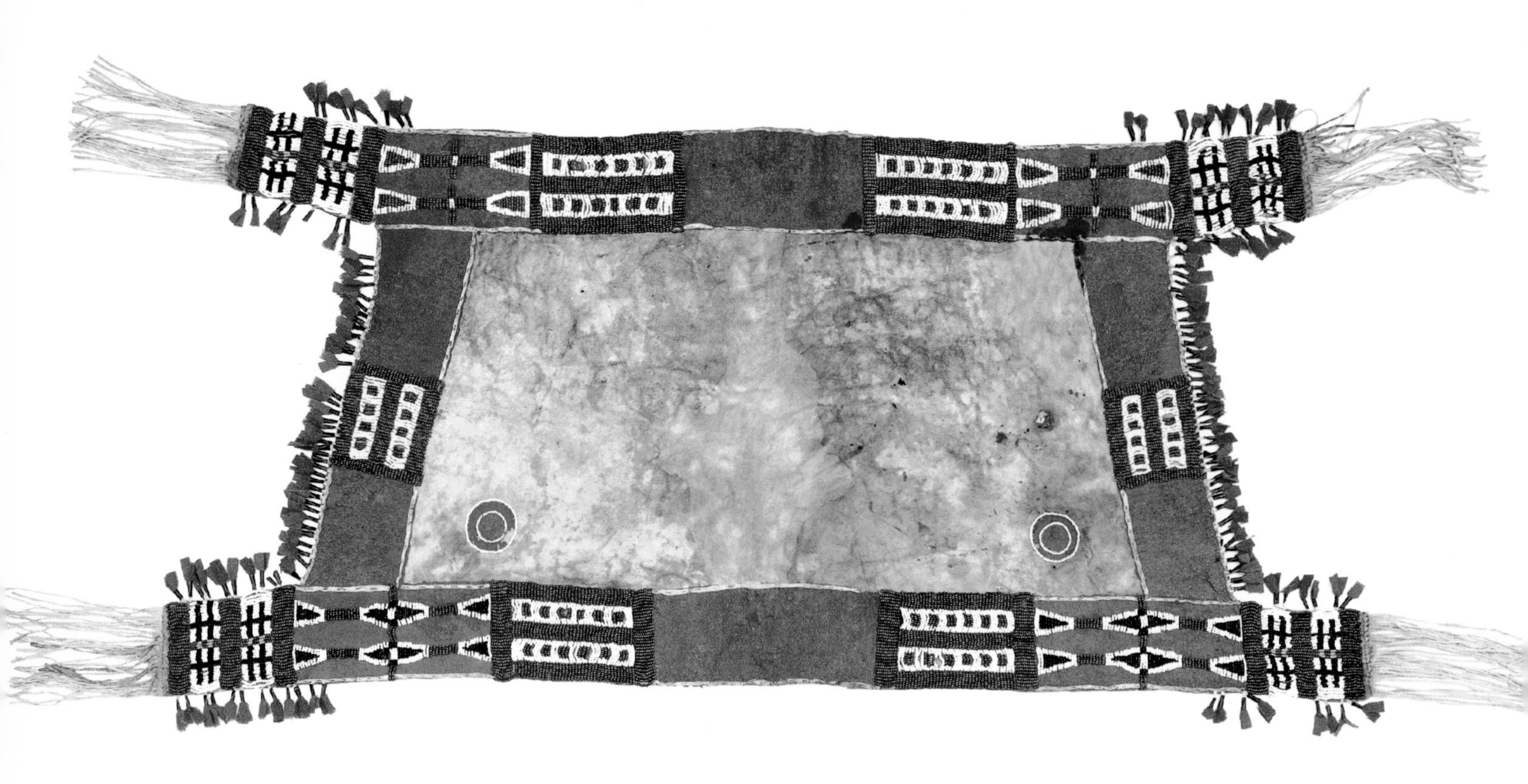

82 / Saddle blanket

Upper Missouri region, North Dakota or Montana, c. 1840. L 61 in, W 27¾ in. Buffalo hide, wool stroud, glass beads, tin cones

BBHC NA.403.164. *Provenance*: Richard A. Pohrt. *Reference*: Josephy et al. 1990, no. 10, ill. *Conservation note*: patched with new material; ornament extensively restored

83 / Northern Cheyenne moccasins

Montana, c. 1840–50. L 10½ in, H 5½ in. Buffalo hide, glass beads

Richard and Marion Pohrt (2027). *Provenance*: Milford G. Chandler (C-229)

Early Seed Bead Embroidery: The Emergence of Tribal Style

EMBROIDERED DECORATION USING SMALLER "seed beads" available in a wide range of colors became more common on Plains garments after 1850. With the more extensive palette of bead colors, tribal stylistic preferences become easier to discern. Early seed bead patterns of the 1860s developed from the relatively simple, geometric patterning of earlier pony bead designs in the direction of greater formal complexity and higher intensities of coloristic effect.

Comparison of the Crow man's shirt (pl. 86) with the Cheyenne man's shirt (pl. 84) illustrates relationships between emerging tribal styles and color preferences made possible by the broad range of seed bead colors. The arm and shoulder strips of the Cheyenne shirt are decorated with simple panels of alternating colors like the pony bead pattern of white and blue on the man's leggings (pl. 81), but here executed with a rich royal blue and yellow in parallel stitch, each panel separated by a thin black line. The embroidered hourglass patterns on the neck flaps introduce the subtle accent colors of powder blue, pink, and rose red. The organization of the embroidered design by establishing strong, dominant color contrasts with the addition of limited touches of accent color is in keeping with Cheyenne tendencies in seed bead embroidery in the following decades. In contrast, the Crow woman who produced the arm and shoulder strips for the Crow man's shirt chose to use powder blue in broad, oblong panels, with stripes of pink, navy, yellow, and red in equal weight intervening between them. Crow women would continue to develop patterning employing powder blue and pink as dominant colors later in the nineteenth century.

In all likelihood, all five blanket strips were produced in the northwestern Plains region between 1860 and 1880, but each illustrates the developmental stages of strong tribal styles of bead embroidery. The blanket strip (pl. 87) made by a Blackfeet woman, exhibits a preference for powder blue and pink as dominant colors reminiscent of Crow work, but the small diamonds, triangles, hourglass shapes, and crescents, all heavily outlined, tend to float freely against the broad background colors instead of being nested tightly together as is more characteristic of Crow patterns. The embroidery was done with simple flatwork instead of "laying in" each color separately, as is visible in the Crow blanket strip (pl. 88). The latter displays a much stronger sense of order in the regular partitioning, heavily articulated frames, and solidly anchored design elements. The third blanket strip (pl. 89) was probably made by a woman who belonged to a western Sioux band of present-day North Dakota. The bead embroidery is worked with parallel stitch. The limited color scheme of yellow, powder blue, navy, and white is reminiscent of pony bead designs, although the patterning is more animated. Note the resemblance between the design organization of this blanket strip and the more diminutive Cheyenne example (pl. 90), with its distinctive use of pink, white, black, and limited touches of yellow.

The Cheyenne tobacco bag and knife case (pls. 92 and 94), collected at the

84 / **Northern Cheyenne man's shirt**

Montana, c. 1860. L 46 in, W 62 in. Buckskin, buffalo hide, wool fabric, ermine skin, human hair, glass beads, pigment, porcupine quills

DIA 1988.27, Founders Society Purchase with funds from the Flint Ink Corporation. *Provenance*: Milford G. Chandler; Richard A. Pohrt (2512). *References*: Maurer 1977:172, no. 210, plate 18, ill.; Penney et al. 1983, no. 24. *Conservation note*: quill wrappings on hair fringe and some hair pendants replaced; red wool pendants and lining around neck replaced

85 / **Northern Cheyenne baby carrier**

Montana, c. 1870. L 41 in, W 11½ in. Buffalo hide, rawhide, glass beads

DIA 81.780, Museum Purchase with funds from the state of Michigan, the city of Detroit, and the Founders Society. *Provenance*: Milford G. Chandler; Richard A. Pohrt (2557)

86 / **Crow man's shirt**
Montana, c. 1860. L 27 in, W 63 in. Buckskin, buffalo hide, glass beads, wool yarn, porcupine quills, human hair, pigment
DIA 1988.47, Founders Society Purchase with funds from the Robert H. Tannahill Foundation Fund. *Provenance*: Milford G. Chandler; Richard A. Pohrt (2503). *See also pl. 146*

location of Fort C. F. Smith along the Bozeman Trail in Wyoming before 1867, illustrate the fastidious refinement of early parallel stitch embroidery with seed beads among the Cheyenne. The second Cheyenne tobacco bag (pl. 93) is embroidered with a characteristic pattern of alternating bands of color broken by the color shift in the central panel. The cradle with triangular hood (pl. 85) is a familiar Cheyenne type, with a strong design of contrasting lanes of yellow and forest green along the sides and powder blue and rose red within the panel in the center highlighted by additional color accents.

87 / **Blackfeet blanket strip**
Montana, c. 1870. L 67 in, W 7 in. Buffalo hide, glass beads
Richard and Marion Pohrt (4094). *Provenance*: Museum of Science and History, Louisville, Kentucky (by exchange)

88 / **Crow blanket strip**
Montana, c. 1870–75. L 63 in, W 5½ in. Buffalo hide, glass beads, wool stroud
Richard and Marion Pohrt (2053). *Provenance*: Milford G. Chandler

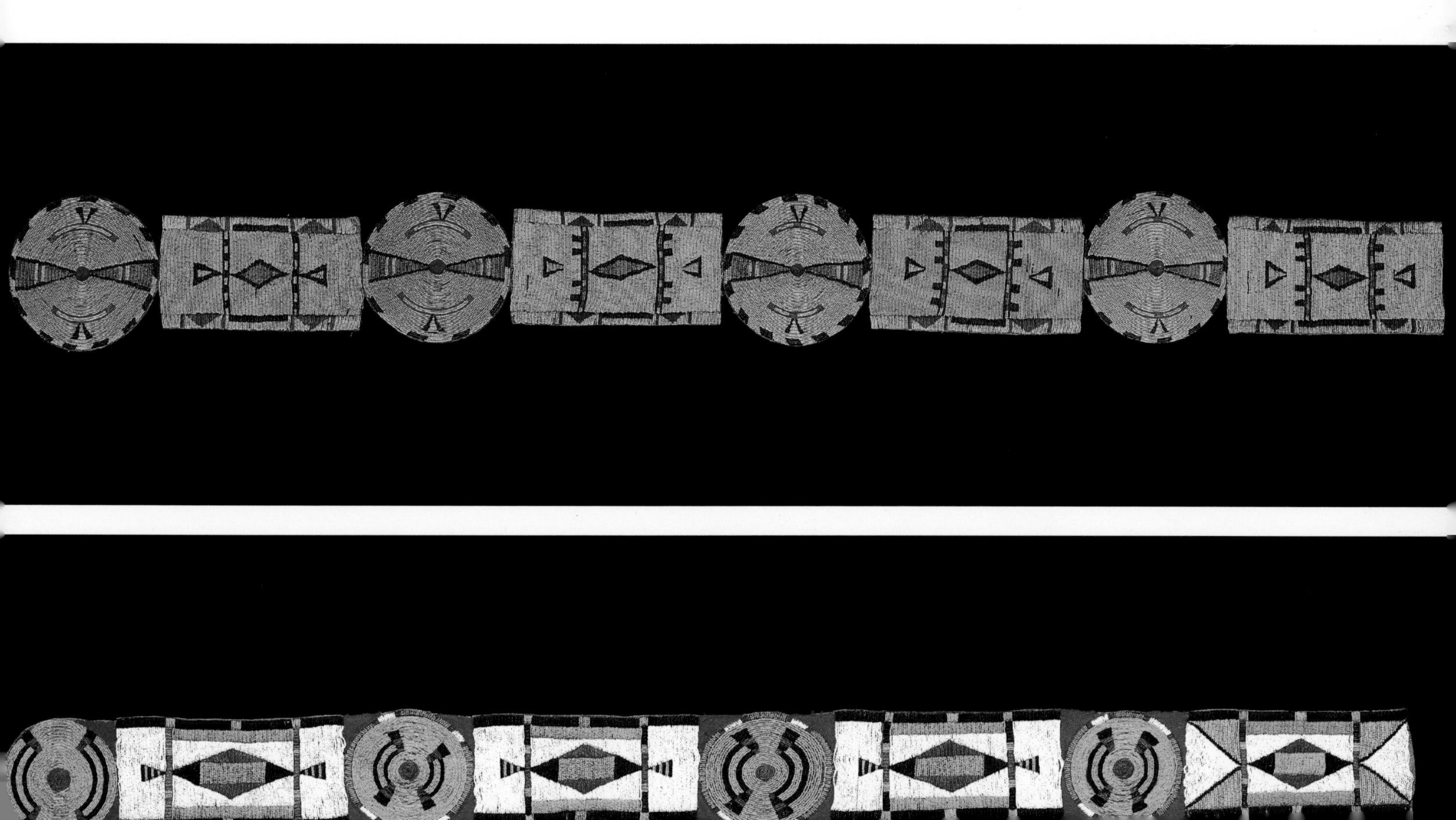

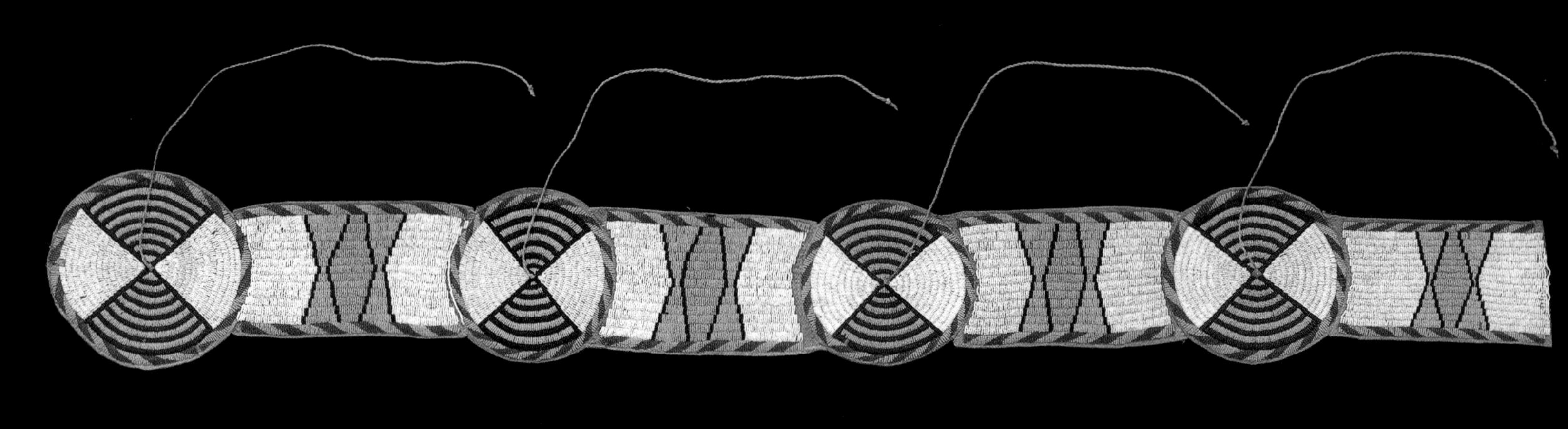

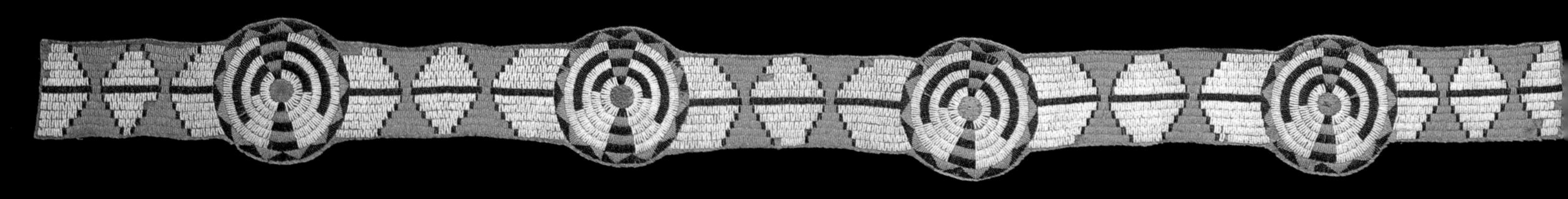

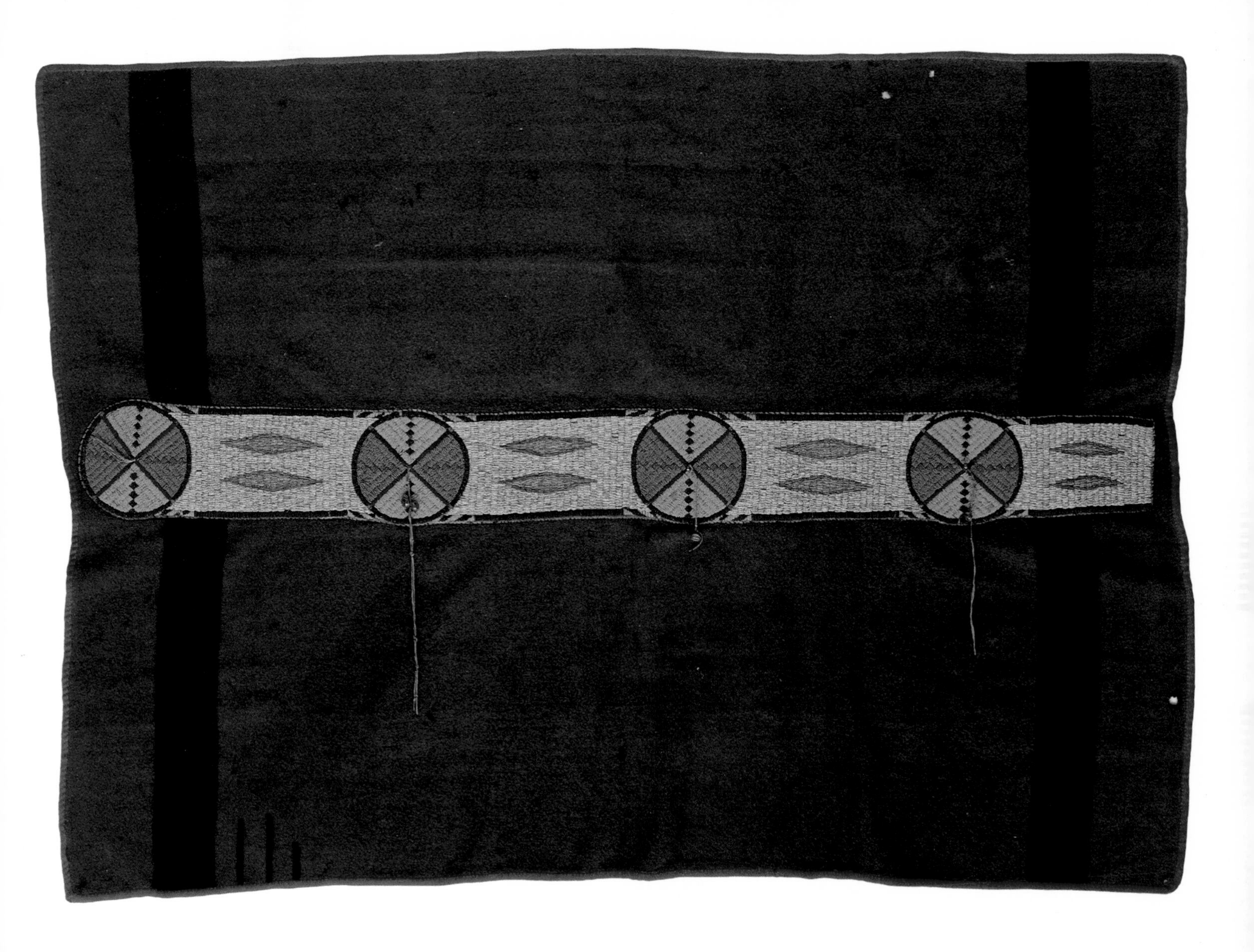

89 / **Sioux (?) blanket strip**
North Dakota or Montana, c. 1860–70.
L 67 in, W 7¼ in. Buffalo hide, glass beads
Richard and Marion Pohrt (5008). *Provenance*: Morning Star Gallery, Santa Fe

90 / **Cheyenne blanket strip**
Montana or Colorado, c. 1860. L 53⅛,
W 4¾ in. Buffalo hide, glass beads
BBHC NA.203.793, Gift of Roy J. Zuckerberg in honor of Margo Grant. *Provenance*: Milford G. Chandler; Richard A. Pohrt

91 / **Arikara (?) wearing blanket and strip**
North Dakota, c. 1870. L 68 in, W 47¾ in.
Wool fabric, buffalo hide, glass beads
DIA 1988.57, Founders Society Purchase, Benson and Edith Ford Fund. *Provenance*: James O'Donnell; Richard A. Pohrt

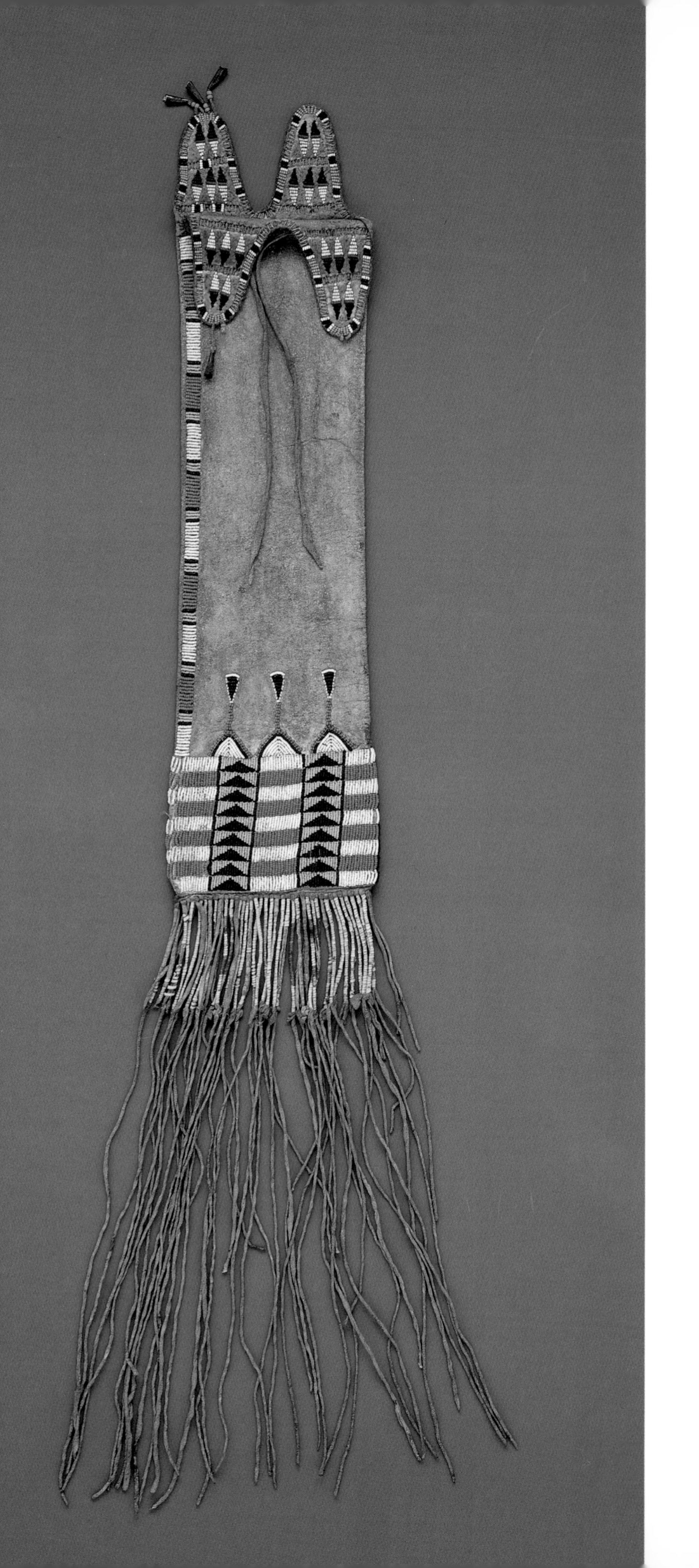

92 / **Northern Cheyenne tobacco bag**
Montana, c. 1860. L 28½ in (with fringe), W 5 in. Deerskin, glass beads, porcupine quills
DIA 1988.41, Founders Society Purchase with funds from the Flint Ink Corporation. *Provenance*: collected at Fort C. F. Smith, Montana Territory, in the 1860s by a member of the construction crew; Louise Stegner, Omaha, Nebraska; purchased by Richard A. Pohrt (271), August 1942

93 / **Northern Cheyenne tobacco bag**
Montana, c. 1860. L 20 in (with fringe), W 4⅜ in. Buckskin, glass beads, tin cones, horsehair, strips of wool stroud
Richard and Marion Pohrt. *Provenance*: Milford G. Chandler; Richard A. Pohrt

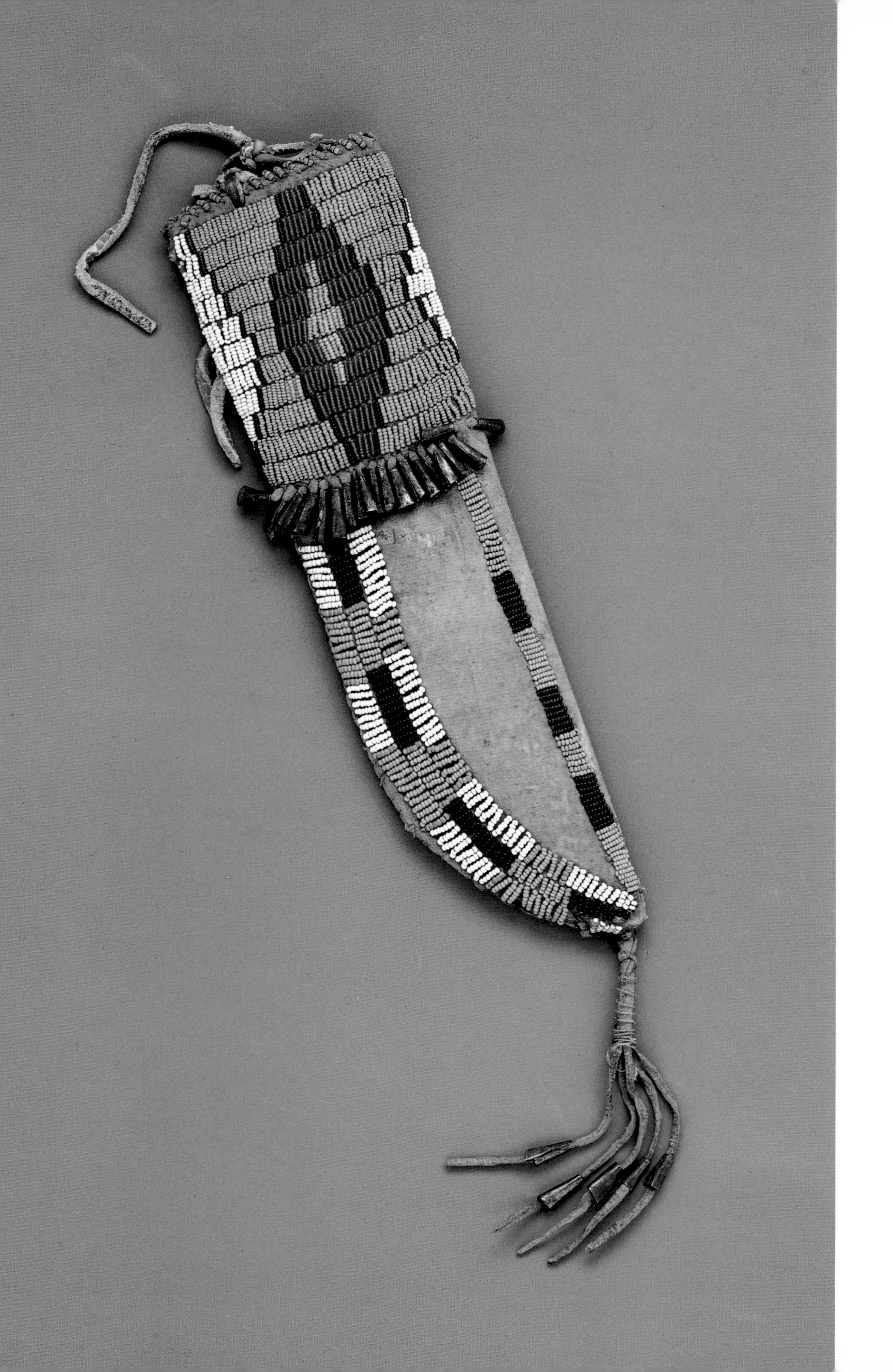

94 / **Northern Cheyenne knife case**

Montana, c. 1860. L 10 in, W 3 in. Buffalo rawhide, buckskin, glass beads

Richard and Marion Pohrt (271). *Provenance*: collected at Fort C. F. Smith, Montana Territory, in the 1860s, by a member of the construction crew; Louise Stegner, Omaha, Nebraska; purchased by Richard A. Pohrt (263), August 1942

95 / **Knife case**

Northern Plains, North Dakota or Montana, c. 1860. L 10 in, W 4 in. Buffalo hide, buckskin, glass beads, tin cones

Richard and Marion Pohrt (2069). *Provenance*: Milford G. Chandler (C-1036)

96 / **Mesquakie trunk**

Tama, Iowa, c. 1880. L 24⅜ in, H 11 in. Rawhide, pigment
DIA 81.125, Museum Purchase with funds from the state of Michigan, the city of Detroit, and the Founders Society. *Provenance*: Milford G. Chandler (C-743); Richard A. Pohrt (806). *Reference*: Torrence and Hobbs 1989, cat. no. 186

Parfleche: Rawhide Painting

THE WOMEN OF SEVERAL PLAINS TRIBES, and some Prairie tribes as well, fashioned rawhide containers for the storage of various kinds of goods. The term "parfleche" was adapted from the French of early fur traders. It refers to the rawhide material used to make the object: cleaned, dried, but otherwise untanned buffalo hide (later cowhide). Early visitors to the Plains found that this material was also used for shields and had the ability to "turn away" (*par*) "arrows" (*flèche*). In time, the term came to refer to these distinctive rawhide envelopes.

The customary Plains parfleche is a simple oblong shape cut of rawhide with the long sides folded inward and then the doubled short ends folded as well to meet in the middle. Leather ties bind the two ends together. Mesquakie (or Fox) women fashioned a more elaborate box form by folding the material into a proper trunk (pl. 96) with a flap for closing (see Boas 1955:26–27 for patterns). The simplest form of bag was made by folding an oblong length in half and sewing up the sides (pl. 97). These often functioned as receptacles for sacred materials, as did cylindrical containers made of rawhide although Cheyenne women often used these kinds of bags to collect berries.

Women painted designs on hides when they were staked out to dry and before the pattern was cut. For parfleche, they often painted only two rectangular panels that would meet together on the front exterior when the parfleche was folded shut. Early nineteenth-century parfleche (and presumably earlier ones as well) were decorated simply with incised patterns cut into the surface of the hide (pl. 99). Women used buffalo rib bones cut to expose the spongelike marrow at one end, which they dipped in pigment as "brushes." The designs consist of oblong, hourglass, and triangle shapes arranged with strong color contrasts. The basic repertoire of parfleche painted designs no doubt contributed heavily to the genesis of the various tribal styles of seed bead embroidery that emerged on the Plains after midcentury. While the more limited color schemes of earlier pony bead embroidery related more to the patterns of porcupine quill embroidery, particularly on shirt and legging strips, the wider palette of seed beads apparently inspired emulation of painted parfleche designs, with their solid blocks of color, contrasting outlines, and geometric motifs (see Lanford 1980; Lessard 1990).

97 / **Northern Cheyenne pouch**

Montana, c. 1860. H 16¾ in, W 14¼ in. Buffalo rawhide, pigment

DIA 1988.58, Founders Society Purchase with funds from the General Endowment Fund. *Provenance*: Milford G. Chandler; Richard A. Pohrt (2298)

98 / **Cheyenne parfleche**

Oklahoma or Montana, c. 1875. L 26½ in, W 15½ in. Rawhide, pigment

DIA 1988.39, Founders Society Purchase with funds from the Flint Ink Corporation. *Provenance*: possibly collected by George A. Dorsey; Field Museum of Natural History (67743); (by exchange) Milford G. Chandler; Richard A. Pohrt (1164)

99 / **Crow parfleche**

Montana c. 1850. L 29¾ in, W 16½ in.
Buffalo rawhide
BBHC NA.106.593. *Provenance*: Milford G. Chandler; Richard A. Pohrt (3211)

100 / **Crow parfleche**

Montana, c. 1880. L 23¾ in, W 15½ in.
Buffalo rawhide, pigment
DIA 1988.51, Founders Society Purchase with funds from the New Endowment Fund. *Provenance*: Milford G. Chandler; Richard A. Pohrt (2499)

Between Cultures: Dress of the Red River Metis

THE RED RIVER METIS ARE A COMMUNITY of mixed blood descendants of marriages between Canadian French and Scots involved in the fur trade and Ojibwa, Cree, Sioux, and Assiniboine women. Early in the nineteenth century the Metis established a homeland between Winnipeg and Pembina along the Red River in Manitoba. They became heavily involved in the trade in buffalo hides, their enormous hunting parties accompanied by wooden carts drawn by either an ox or a horse. Paul Kane, the Canadian artist, encountered a Metis band during one of their biannual hunts in 1846 and described the scene as follows: "The carts containing the women and children, each decorated with some flag, or other conspicuous emblem, on a pole, so that the hunters might recognize their own from a distance, wound off in one continuous line, extending for miles, accompanied by the hunters on horseback" (Kane 1925:53).

The formal dress of Metis men reflected their status between the worlds of Indians and whites. Instead of making the loose-fitting, poncholike shirts of Plains Indian tribes, Metis women tailored tight-fitting frock coats of tanned hide, with cuffs and collars, buttons, and buttonholes. Metis men wore buckskin trousers, not leggings. The distinctive "half-leggings" (pl. 104) worn over trousers by some Metis men may have derived from Mexican-style "chaps," which covered the lower leg. Some Metis men may have been involved with the trade along the Santa Fe Trail, which opened after Mexican independence from Spain in 1821, and become acquainted with this style of garment.

Many Metis women were full-blood Cree, Ojibwa, or Sioux. The ornament applied to Metis dress garments and accessories employed their traditional techniques of porcupine quill and glass bead embroidery or woven quillwork, although often with distinctive designs. The man's coat and trousers (pls. 101 and 102) are decorated with woven quillwork strips of geometric patterns on the shoulders, like epaulettes, and arranged on the back combined with embroidered rosettes. Small embroidered floral designs added to the cuffs and collar are of a style characteristic of the 1830s and 1840s, and this is supported by the collection history. Woven quillwork strips sewn to the trousers, along with additional rosettes, resemble military stripes. The cut and decoration overall appear to have been derived from the military officer's "captain's outfit" of the fur trade era (see p. 46). The techniques and woven quillwork patterns indicate that the women who produced them had been trained in Cree craft traditions. The octopus bag (pl. 105), named for the eight leglike tabs that hang as pendants from the bottom, is probably of the same vintage, with its delicately embroidered design of flowers in an urn.

The embroidered quillwork on the second man's coat (pl. 103) is of a type produced by Sioux women of eastern South Dakota during the 1860s-1880s, who were married either to Metis or to white traders. After midcentury, both Sioux and Metis women produced these kinds of highly decorated frock coats for sale to non-Indians. General Custer owned two of them. He liked to be photo-

101 / **Metis-Cree man's coat**

Manitoba, c. 1840–60. L 37 in, W 20 in (at shoulders). Tanned moose (?) and caribou hide, porcupine quills

DIA 81.231.1, Founders Society Purchase with funds from Flint Ink Corporation. *Provenance*: collected by Stephen F. Gale; purchased by Milford G. Chandler, c. 1920; Richard A. Pohrt (2522). *Reference*: Maurer 1977, no. 152, ill.

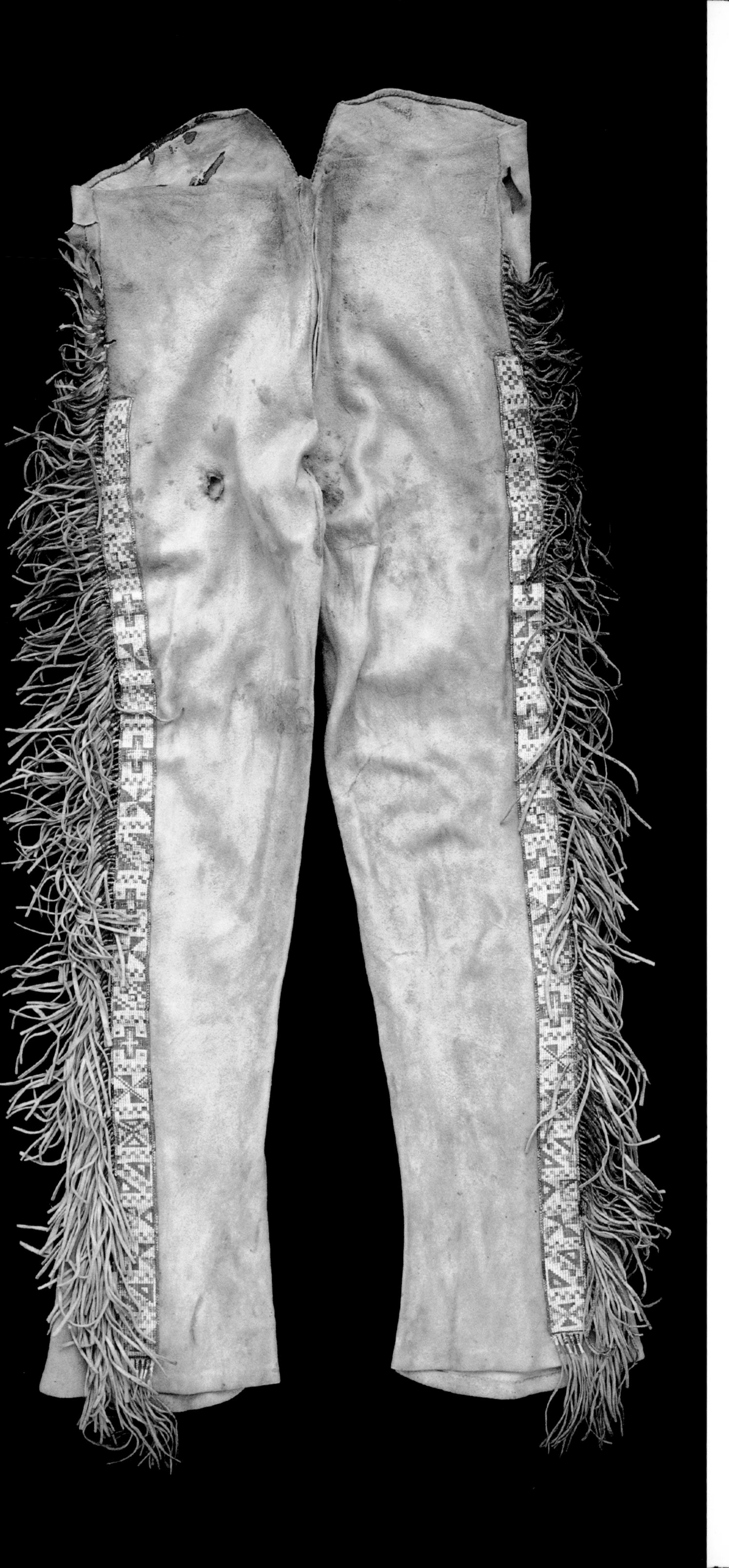

102 / **Metis-Cree trousers**

Manitoba, c. 1840–60. L 40 in, W 15 in (at waist). Tanned moose (?) and caribou hide, porcupine quills

DIA 81.231, Founders Society Purchase with funds from Flint Ink Corporation. *Provenance*: collected by Stephen Gale; Milford G. Chandler; Richard A. Pohrt (2522). *Reference*: Maurer 1977, no. 152, ill.

103 / **Metis-Sioux man's coat**

South Dakota, c. 1880. L 42 in, W 33 in. Buckskin, fabric, porcupine quills

DIA 1988.45, Founders Society Purchase with funds from Richard A. Manoogian. *Provenance*: collected by General John Cook, probably in South Dakota; Dr. Keith Thorne, Anaheim, California; Richard A. Pohrt (992). *Related work*: Harrison 1985, color pl. 2 (Glenbow Museum, Calgary, AR 243)

graphed in this type of garment because it reflected his image as a rugged, frontier individualist. William "Buffalo Bill" Cody liked to wear Metis frock coats in his Wild West performances for the same reason. This coat was worn with undecorated trousers and a pair of half-leggings (pl. 104) decorated with a distinctive style of bead embroidery also associated with the Eastern Sioux. The entire outfit was collected by John Cook, an army general appointed as agent of the Spotted Tail Agency in South Dakota during the late 1860s, where he very likely acquired it.

104 / **Metis-Sioux half-leggings**
South Dakota, c. 1880. L 20 in, W 12 in.
Buckskin, cotton fabric, glass beads
DIA 1988.46a-b, Founders Society Purchase with funds from Richard A. Manoogian.
Provenance: collected by General John Cook, probably in South Dakota; Dr. Keith Thorne, Anaheim, California; Richard A. Pohrt

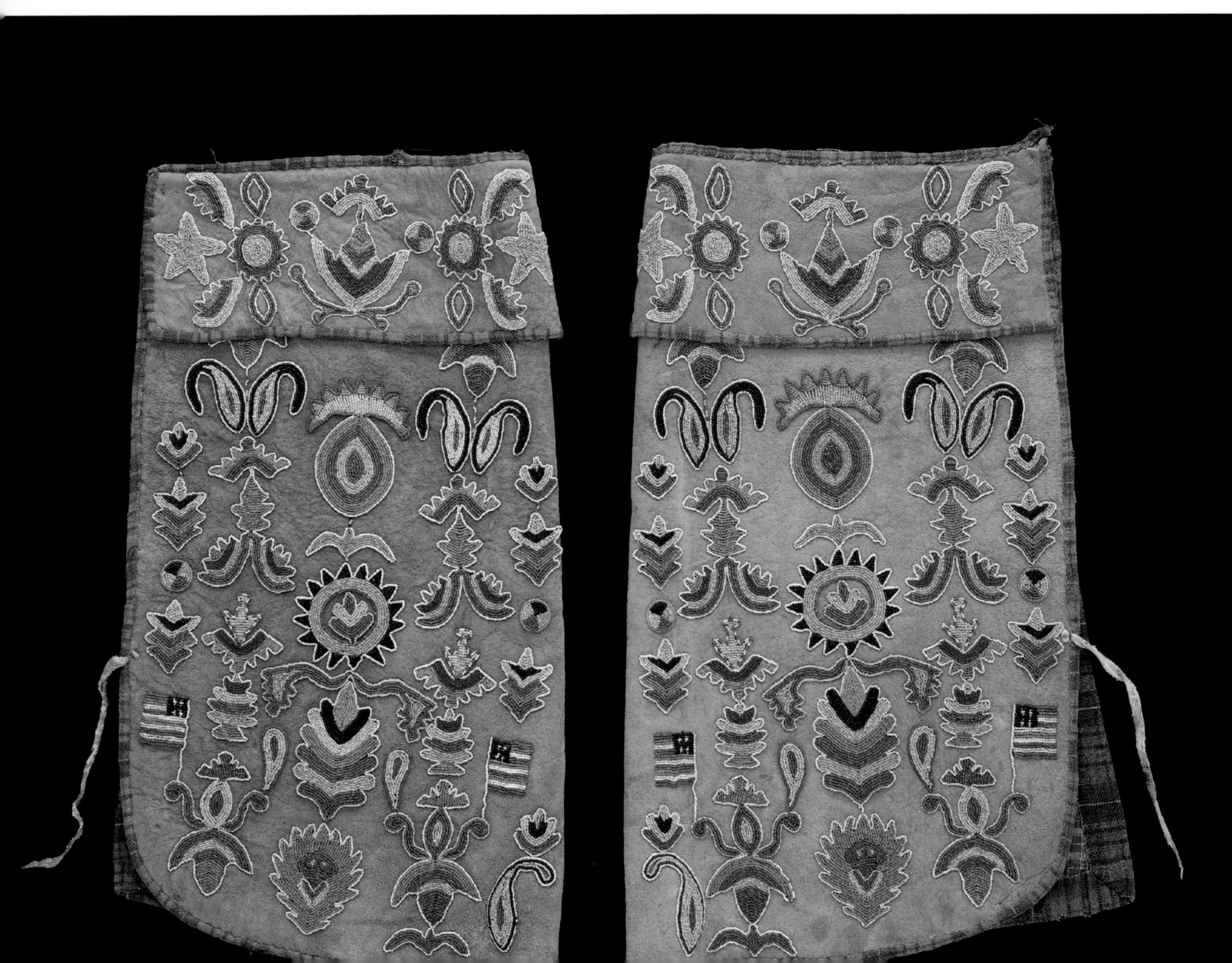

105 / **Metis-Cree octopus bag**

Red River region, Manitoba, c. 1840.

L 15½ in, W 7½ in. Buckskin, caribou hide, porcupine quills

DIA 81.59, Museum Purchase with funds from the state of Michigan, the city of Detroit, and the Founders Society. *Provenance*: Ian West and Colin Taylor, 1969; Richard A. Pohrt (466)

Later Dress and Decorative Arts of the Cheyenne, Arapaho, and Kiowa

THE CHEYENNE AND ARAPAHO REMAINED closely linked by alliances and kinship throughout the nineteenth century. After midcentury, both tribes had divided into northern bands allied with the western Lakota and southern bands linked to the Kiowa and Commanche in western Arkansas and Oklahoma. After cessation of the hostilities of the 1870s, the U.S. military attempted to enforce a single reservation for the combined Cheyenne bands in Oklahoma, but the northern band of Dull Knife and Little Wolf escaped during the winter of 1878–79 in a desperate attempt to flee north to their traditional homeland. Descendants of this band now live at the Lame Deer Reservation in Montana, while northern Arapaho share the Wind River Reservation in Wyoming with the Shoshoni. The Oklahoma reservation of the southern Cheyenne and southern Arapaho was allotted in severalty in 1891–92 and thereby opened to white settlement. During the reservation period, women of the Cheyenne, Arapaho, Kiowa, and other Plains tribes continued to produce a broad range of dress garments and other items extensively decorated with glass bead embroidery. The creations of these women share many attributes but regional and tribal tendencies can be observed.

Women's buckskin dresses ornamented with dozens of cowrie shells across the yoke were common formal garments of all three southern tribes during the last decades of the nineteenth century. The hides were stained yellow, as was customary among southern Plains groups. The southern Cheyenne woman's dress (pl. 106) includes, in addition, a band of parallel stitch bead embroidery across the shoulders, thin lanes of beading across the skirt, and more lanes of bead embroidery that create a scalloped pattern filled in with red pigment along the hem.

The bead embroidery on the Cheyenne baby carrier (pl. 107) compares more closely with the work of western Lakota women of the north, so perhaps these were produced by members of northern Cheyenne bands. The Arapaho tobacco bag (pl. 110) with quill wrapped fringe also possesses attributes of design more in keeping with an origin in the northern Plains.

In contrast, the tobacco bag (pl. 111) that had belonged to the Cheyenne leader and Fort Marion artist Cohoe and the large pipe bag (pl. 112) with pendants of flicker feathers illustrate several stylistic tendencies of the southern Plains bands. Both include sections of yellow stained buckskin and long buckskin fringes. The embroidered patterns of both bags are essentially equivalent: a pair of central diamonds anchored to the edges above and below with triangles against a white background, all executed with parallel stitching. The narrow proportions of the triangles on the Cohoe bag and the thunderbird images that ascend the beaded lanes on the sleeve are classic Cheyenne attributes. The equilateral triangles and diamonds with stepped sides visible in the design of the larger pipe bag are not in keeping with Cheyenne work but reflect the skill of a southern Arapaho woman (Conn 1986:30).

106 / **Southern Cheyenne dress**
Oklahoma, 1890. L 52 in, W 30½ in (sleeve to sleeve, no fringe). Buckskin, cowrie shells, glass beads, tin, pigment
BBHC NA.202.446. *Provenance*: Milford G. Chandler; Richard A. Pohrt (2028)

107 / **Cheyenne baby carrier**

Montana (?), c. 1885. L 41⅛ in, W 11½ in. Wood (walnut), cowhide, brass tacks, glass beads

DIA 81.778, Founders Society Purchase with funds from the Flint Ink Corporation. *Provenance*: Milford G. Chandler; Richard A. Pohrt (2257)

108 / **Kiowa baby carrier**

Oklahoma, c. 1880. L 41⅞ in, W 10⅞ in, H 13⅞ in. Wood, wool and cotton fabric, glass beads, rawhide, buckskin, brass or german silver studs, tin cones

FIA 85.27. *Provenance*: collected by Lieutenant Stephen Y. Seyburn; Wilfred Thompson, Davisburg, Michigan; Richard A. Pohrt (1316)

109 / **Northern Arapaho baby carrier**

Wind River Reservation, Wyoming, c. 1880. L 32 in, W 13 in, H 11 in. Flour or grain sack, cloth, rawhide, leather, porcupine quills, dewclaws

BBHC NA.111.47. *Provenance*: Milford G. Chandler; Richard A. Pohrt (2516)

A quilling society (guild) controlled the production of baby carriers (pl. 109) on the northern Arapaho reservation at Wind River (Gilmore 1990:65). They were produced by several women working together under the supervision of one of seven titled elders of the guild who possessed a sacred quillworker's workbag. Their conservatively reproduced designs include a large rosette on the top that symbolized the baby's head. In contrast, Kiowa women of Oklahoma created highly individualized baby carriers (pl. 108) with elaborately embroidered designs that looked to the curvilinear traditions of Prairie style bead embroidery as practiced by Oklahoma neighbors from the east.

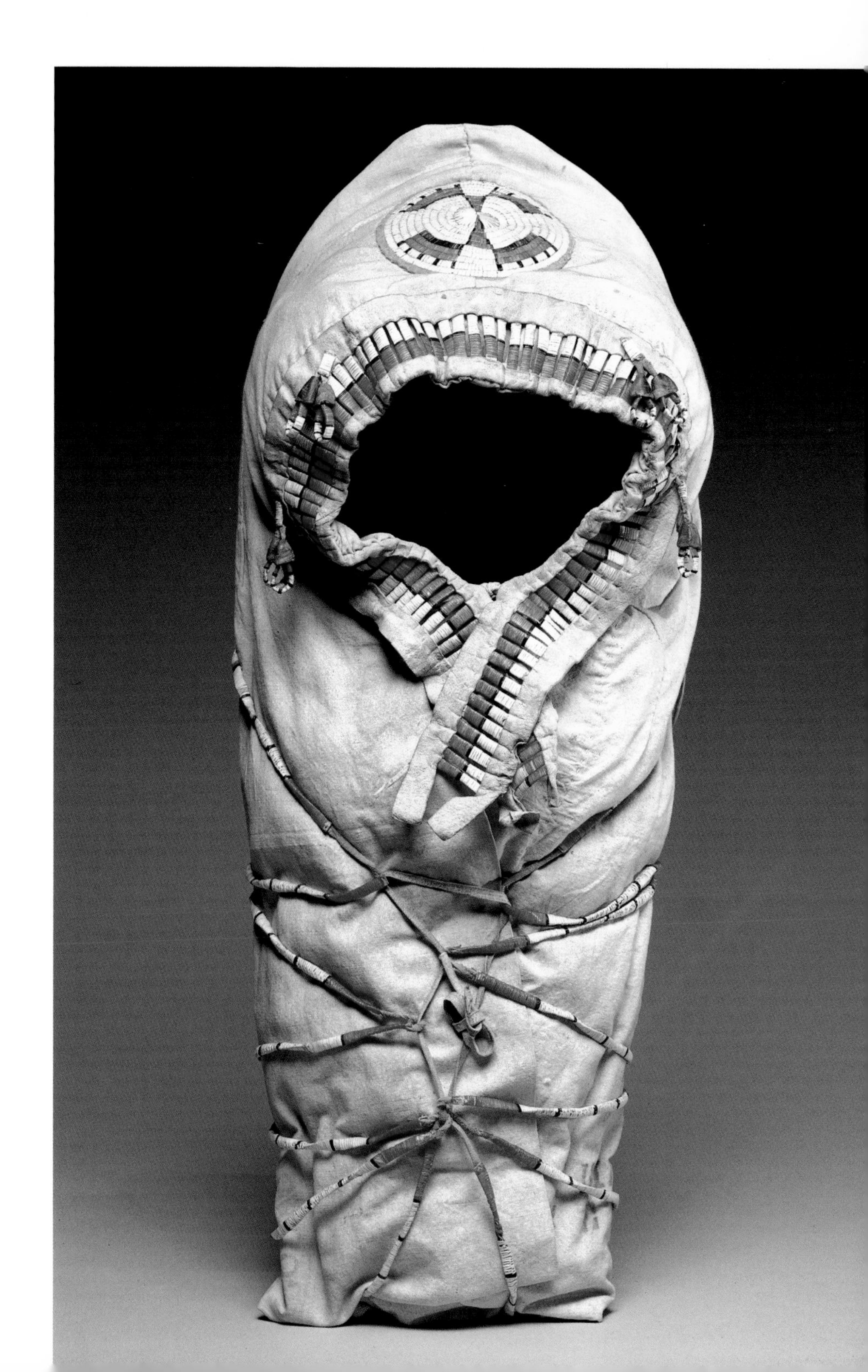

110 / **Northern Arapaho tobacco bag**
Wind River Reservation, Wyoming, c. 1885. L 41½ in, W 5⅜ in. Buckskin, porcupine quills, glass beads
BBHC NA.504.176. *Provenance*: purchased in 1948 from John Jennings, Fenton, Michigan, by Richard A. Pohrt (44)

111 / **Southern Cheyenne tobacco bag**
Oklahoma, c. 1890. L 34 in, W 5½ in. Buckskin, glass beads, tin cones, yellow dyed horsehair, brass hawk bells
DIA 1988.50, Founders Society Purchase with funds from the New Endowment Fund. *Provenance*: owned by Cohoe (Mohe, "Limpy," Nohnicas, William Cohoe); purchased by Milford G. Chandler in Mount Clemens, Michigan; Richard A. Pohrt (2577). *Reference*: Cohoe 1964, op. p. 16, ill. (Bureau of American Ethnology photograph, 1899)

112 / **Southern Arapaho tobacco bag**
Oklahoma, c. 1880. L 21⅛ in (with fringe). Buckskin, glass beads, flicker feathers, brass hawk bells
DIA 1988.49, Founders Society Purchase with funds from the New Endowment Fund. *Provenance*: Houston Doyle, Louisville, Kentucky; Richard A. Pohrt (1367)

113 / **Southern Arapaho tobacco bag**
Oklahoma, c. 1890. L 29 in (with fringe), W 7 in. Buckskin, glass beads
BBHC NA.204.6. *Provenance*: private collection, Saginaw, Michigan; Richard A. Pohrt (1450). *References*: Minneapolis Institute of Arts 1976:33, ill.; Josephy et al. 1990, no. 51, ill.

Later Dress and Decorative Arts of the Sioux

THE TERM "SIOUX" IN ITS GENERALIZED sense refers to a vast and very successful group of allied peoples comprising several independent tribes and bands whose territories, by the nineteenth century, spread from Minnesota across the Dakotas and into eastern Wyoming and Montana. The Eastern or Santee Sioux (Dakota) inhabited the forests and prairies of Minnesota. White reprisals in response to the Dakota uprising of 1862 forced many of them from their territory. The Middle Sioux (Nakota) composed of the Yankton to the south and Yanktonai to the north lived between the Missouri and the Red rivers of the eastern Dakotas during part of the early nineteenth century. The Western or Teton Sioux (Lakota) comprise seven tribes, the "seven fireplaces": Oglala, Brule, Two Kettles, Minniconjou, Sans Arcs, Black Feet (not the Algonkian-speaking Blackfeet of Montana and Alberta), and Hunkpapa. Through the episodes of negotiated treaties and armed conflict with the U.S. government between 1851 (the year of the Fort Laramie Treaty) and 1881 (the surrender of Sitting Bull), individual bands among these tribes chose either to settle near agencies established to administer their conversion to "civilization" or to move northwest into the valleys of the upper Missouri and its tributaries until the dwindling herds of buffalo forced them onto reservations. The Sioux are now scattered among seven reservations and countless communities in Nebraska, South and North Dakota, Montana, Canada, and elsewhere.

The emphasis on personal appearance and dress among the Lakota is evident in the observations of Henry Boller, a trader, who described members of the Yanktonai and Two Kettles bands on the occasion of his landing at Fort Pierre on the Middle Missouri during the late 1850s:

> Some of the squaws, especially those belonging to the Two Kettle band, were quite prepossessing in their appearance. One in particular excited universal admiration. She wore a dress made from the skin of a big horn, tanned soft and white, and lavishly embroidered with beads. . . .
>
> A long dark line of warriors riding abreast emerged from an intervening roll of the prairie with full pomp and panoply, advanced to meet us, headed by the famous chieftain, Big Head, in person. All were dressed in shirts of deerskin profusely decorated with porcupine quills and beads. War eagle feathers were fastened in their hair, and pendants of scarlet cloth fluttered from their lances (Boller 1959:23–24).

Formal dresses for Sioux women during the reservation period often included a "yoke" covered with glass bead embroidery in parallel stitch. This woman's dress (pl. 115), with its immaculately embroidered design including a pair of colorful diamond shapes floating amid a broad field of blue, resembles others collected from the Yanktonai or Hunkpapa of Fort Peck, Montana, during the 1880s (see Markoe 1986, no. 14). The double saddle bag and the tobacco bag (pls. 116 and 117), both with blue backgrounds and complex geometric patterns

114 / **Sioux man's shirt**

Rosebud Reservation, South Dakota, 1880. L 41⅜ in, W 63½ in. Buckskin, porcupine quills, human hair and horsehair, fabric, pigment

FIA 85.26. *Provenance*: said to have belonged to Spotted Tail; collected by General John Cook at Rosebud, South Dakota; Dr. Keith Thorne, Anaheim, California; Richard A. Pohrt (1295)

in primary colors, also are good examples of the style of bead embroidery developed by Sioux women who had lived in the Upper Missouri country during the 1870s before surrendering to reservation life.

The man's shirt (pl. 114), with sleeve and shoulder strips of porcupine quill, is characteristic of work produced in South Dakota. These Sioux women were particularly fond of using quills dyed with vermilion as a background color. Porcupine quill embroidery remains a viable crafts tradition on the Sioux reservations to the present day. During the last decade of the nineteenth century, women began to employ images in their embroidered work drawn from the traditions of men's pictographic war records, such as the warrior counting *coup*

worked in porcupine quill embroidery against a field of red on the storage bag (pl. 118). Some of these were made for individuals whose names are embroidered into the design, like "Kiyuka" above the head of the equestrian figure on the beaded tobacco bag (pl. 119). Although lacking pictographic images, the pair of moccasins (pl. 120) with beaded soles may fit within a style of pictographic beadwork that originated on the Cheyenne River or Standing Rock reservations. The remarkable floral pattern, amid a field of green faceted beads, resembles floral details visible on other items of this group (Lessard 1990, fig. 6).

115 / **Sioux dress**

Montana or North Dakota, c. 1880–85. L 53¼ in, W 66⅝ in. Buckskin, glass beads, tin

FIA 85.37. *Provenance*: Neil Smith, Denver, Colorado; Richard A. Pohrt (1405). *Related work*: Markoe 1986, no. 14, ill. (Robert Hull Flemming Museum, Burlington, Vermont, 1881.3.113, collected by O. B. Read at Poplar River, Montana, 1882)

116 / **Sioux double saddle bag**

North Dakota or Montana, c. 1880. L 44¾ in, W 13 in. Buckskin, canvas, glass beads, sinew, wool

DIA 81.779, Museum Purchase with funds from the state of Michigan, the city of Detroit, and the Founders Society. *Provenance*: Milford G. Chandler; Richard A. Pohrt (2475). *Related work*: Markoe 1986, no. 66 (Robert Hull Flemming Museum, Burlington, Vermont, collected by O. B. Read at Poplar River, Montana, 1881)

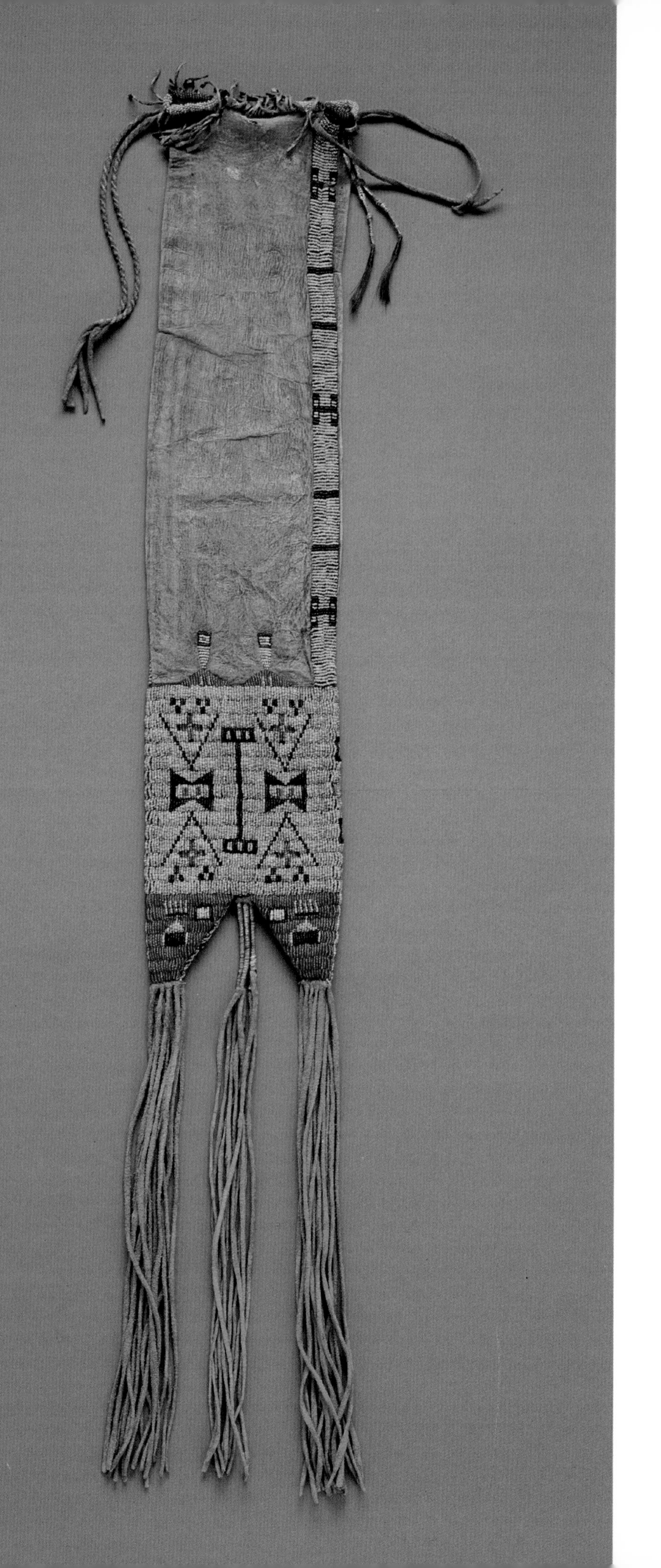

117 / **Sioux tobacco bag**

North Dakota or Montana, c. 1880. L 40 in, W 5½ in. Buckskin, glass beads, porcupine quills, yellow pigment

Richard and Marion Pohrt (441). *Provenance*: Port Huron Public Library, Port Huron, Michigan; (by exchange) Richard A. Pohrt

118 / **Sioux storage bag**

South Dakota, 1890. L 14⅜ in, W 24¼ in. Cowhide, porcupine quills, glass beads, tin, horsehair

BBHC NA.106.245. *Provenance*: Milford G. Chandler; Richard A. Pohrt (2302). *Related work*: Lyford 1940, pl. 17 (American Museum of Natural History)

119 / **Sioux tobacco bag**

Cheyenne River or Standing Rock Reservation (?), South Dakota, c. 1885. L 39⅛ in, W 5⅞ in. Buckskin, canvas, glass beads, porcupine quills

BBHC NA.504.227, Gift of Mr. and Mrs. Harold R. Tate. *Provenance*: Paul Gray; Richard A. Pohrt (1281)

120 / **Sioux moccasins**

Cheyenne River or Standing Rock Reservation (?), North Dakota, c. 1890. L 9⅞ in. Buffalo hide, buckskin, fabric, glass beads, metallic beads

DIA 1988.31a-b, Founders Society Purchase with funds from the Flint Ink Corporation. *Provenance*: James O'Donnell, South Dakota; Richard A. Pohrt. *References*: Pohrt 1977, 33, fig. 1 and cover ill.; Maurer 1977, no. 193, ill.

121 / **Sioux moccasins**

South Dakota, c. 1900. L 10¾ in. Cowhide, rawhide, porcupine quills, glass beads, metallic beads, cotton fabric, tin cones, dyed horsehair

DIA 1988.38a-b, Founders Society Purchase with funds from the Flint Ink Corporation. *Provenance*: Milford G. Chandler (C-189); Richard A. Pohrt (1165). *Reference*: Penney et al. 1983, no. 34, fig. 5

122 / **Sioux doll**

South Dakota, c. 1890. H 19⅞ in, W 14 in.
Native tanned cowhide, muslin, glass beads, dentalium shells
Richard and Marion Pohrt (1349). *Provenance*: collected by Lieutenant Hartwick in South Dakota; Detroit Historical Museum (by exchange)

Later Dress and Decorative Arts of the Crow and the "Transmontane Style"

THE ABSARAKA, OR "CROW," ARE RELATED to the Hidatsa of North Dakota. Their traditions recount a quarrel between families that caused them to separate so that the people called Crow moved westward to pursue the migratory life of buffalo hunting, leaving the village-dwelling Hidatsa behind. Thereafter they established hunting territories south of the Missouri in present-day Montana and Wyoming, but maintained close trade relations with the Hidatsa to the east. The Crow became extremely successful traders, wealthy in horses and trade goods. Margaret Irving Carrington, the wife of Colonel H. B. Carrington, wrote of the Crow in her memoirs of 1868: "The fertile basins of the Yellowstone, Big Horn, and Tongue Rivers were enlivened by the presence of their many villages; . . . the Crow Indians accumulated considerable wealth by a prolific trade in pelts and dressed furs, which . . . veteran trappers and frontiersmen delivered for them at St. Louis and other border depots of Indian commerce" (Carrington 1983[1868]:13).

The trade wealth of the Crow contributed to their high regard for personal appearance, particularly when enhanced by elaborate ornament and dress. Women's bead embroidery continued to develop through the fur trade era and into the reservation period, evolving a complex style of tightly nested geometric forms in hot, contrasting colors. Nearly every item of dress and accessory was elaborately decorated. In 1852 Rudolph Kurz described how a young man might appear bedecked with beadwork:

> [He] was richly appareled: Coat, leggings, and hood fashioned from a new Mackinaw [trade] blanket; another Mackinaw blanket he trailed negligently after him in such a manner to display its wealth of ornamentation. . . . He swung his rifle over his shoulder in a sheath, bow and quiver in two broad bandoliers, the straps of both entirely covered with coral [glass] beads in various designs. The sheath was decorated with fringe and scarlet cloth. He carried with him three pouches, all richly ornamented, absolutely covered with beads arranged in different patterns. . . . His knife sheath was just as elaborately embroidered. It was also trimmed with fringe and, like his knee bands, with falcon bells (from Leipzig) (Kurz 1937:279–80).

Several of the kinds of accessories mentioned in Kurz's statement continued to be produced up through the reservation period, as seen in some of the objects illustrated here (pls. 125, 128, and 129). Crow women developed patterns involving interlocking geometric forms in contrasting colors. The designs retained close affinities with the painted designs on parfleche. Color preferences often combine the "hot" pastels of pink, powder blue, and purple with the more primary red, navy, yellow, and forest green. Color areas were often embroidered independently from one another, sometimes with shifting of bead direction. After 1880 or so women outlined solid blocks of color with white. Design areas are frequently framed with finger-width lanes of darker color, tending to intensify the patterning (Powell 1988:9–11). This distinctive approach to bead embroidery developed simultaneously among many of the Crow's neighbors to the west: the Nez Perce and Salish prominent among them. The regional character of Crow style beadwork and its diffusion, inspired presumably by widespread admiration, resulted in what some have called the "transmontane style" (Conn 1986:128; see also Lessard 1980; Loeb 1984).

Elaborately decorated dress played an important role in Crow social relations. Marriages as alliances between families were cemented with exchange of garments made by both families for the bride and groom. The distinctive elk hide robe (pl. 124) is of a type often given to young brides by the groom's family (Merritt 1988:42). The thin rows of bead embroidery that decorate the elk skin robe derived from a pattern that employed dyed porcupine quills "used by the Crow long ago" (Wildschut and Ewers 1959:20).

Early descriptions of the Crow observed that moving camp was considered a formal occasion appropriate for the display of wealth and finery (see p. 37). Women would carry the shields and medicine bundles of their husbands or other male relatives over their saddle horns as a sign of honor. Later, reservation period equestrian parades and processions replicated the tradition of "moving camp" replete with elaborate regalia for riders and their mounts. On such an occasion,

123 / **Crow buffalo robe with beaded strip**

Montana, c. 1890. L 81 in, W 71½ in. Buffalo hide, glass beads, wool

DIA 1988.56, Founders Society Purchase with funds from the Henry Ford II Fund. *Provenance*: Manny Moore, Kalispell, Montana (robe); Milford G. Chandler (strip); Richard A. Pohrt (2063). *Conservation note*: strip and robe later joined together

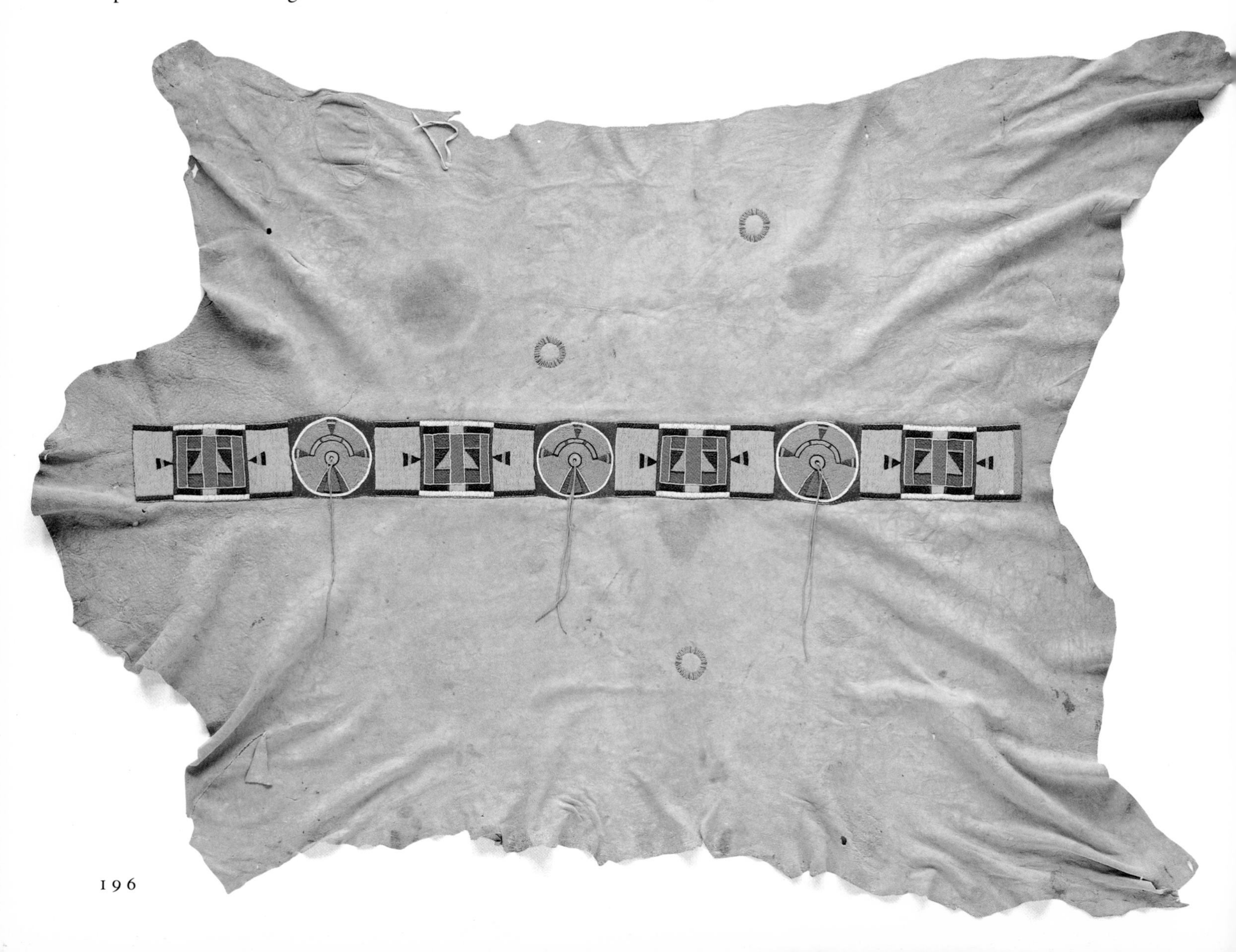

124 / **Crow elk hide robe**

Montana, c. 1880. L 75 in, W 79 in (at hind legs). Elk skin, glass beads, deer hooves, brass hawk bells, wool yarn

DIA 1988.34, Founders Society Purchase with funds from the Flint Ink Corporation. *Provenance*: Milford G. Chandler; Richard A. Pohrt (2079)

a woman might carry a lance case (pl. 126) attached to the right side of her saddle as a surrogate for male weaponry (Galante 1980:65–66). Such cases function as representations of old-style lances; there is never anything inside. The martingale (pl. 127) was intended to hang beneath the neck and across the chest of a horse when ridden in a formal parade or procession. Those who wished to go in style lavished as much beadwork on their horses on such occasions as they might upon themselves.

The "blanket strip" here is attached to a buffalo robe (pl. 123). Buffalo hides remained available to the Crow longer than to many other Plains groups. One of two buffalo herds still resident within the lower forty-eight states lives today on the Crow Reservation and the Custer National Monument park grounds in southwestern Montana.

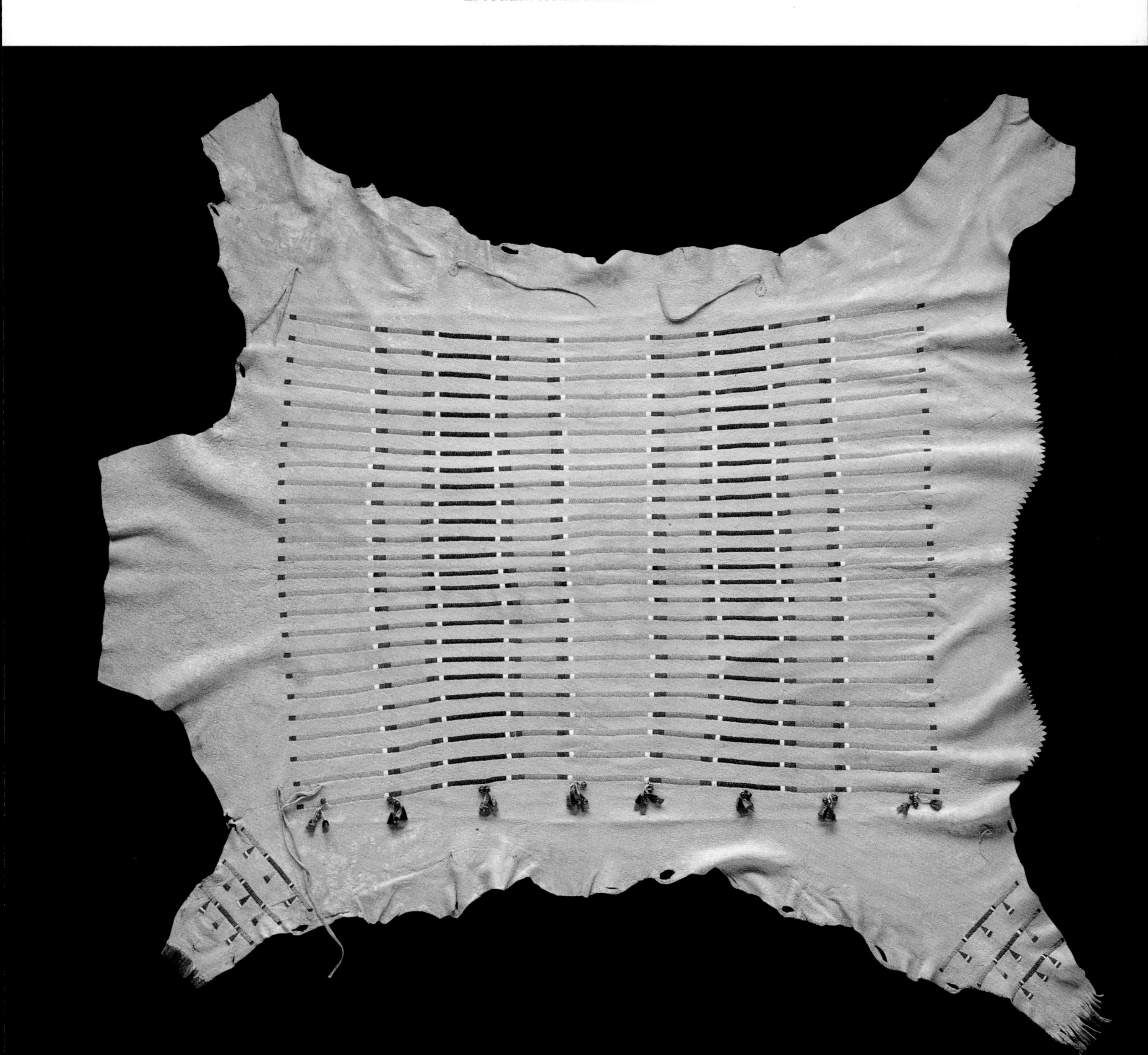

125 / **Crow gun case**

Montana, c. 1890. L 43⅜ in (without fringe), W 6¼ in. Buckskin, glass beads, wool stroud DIA 1988.40, Founders Society Purchase with funds from the Flint Ink Corporation. *Provenance*: Milford G. Chandler; Richard A. Pohrt

126 / **Crow lance case**

Montana, c. 1990. L 51½ in. Rawhide, buckskin, glass beads, wool stroud, porcupine quills

BBHC NA.108.95. *Provenance*: L. D. Bax Collection; Joseph Rivera; Richard A. Pohrt

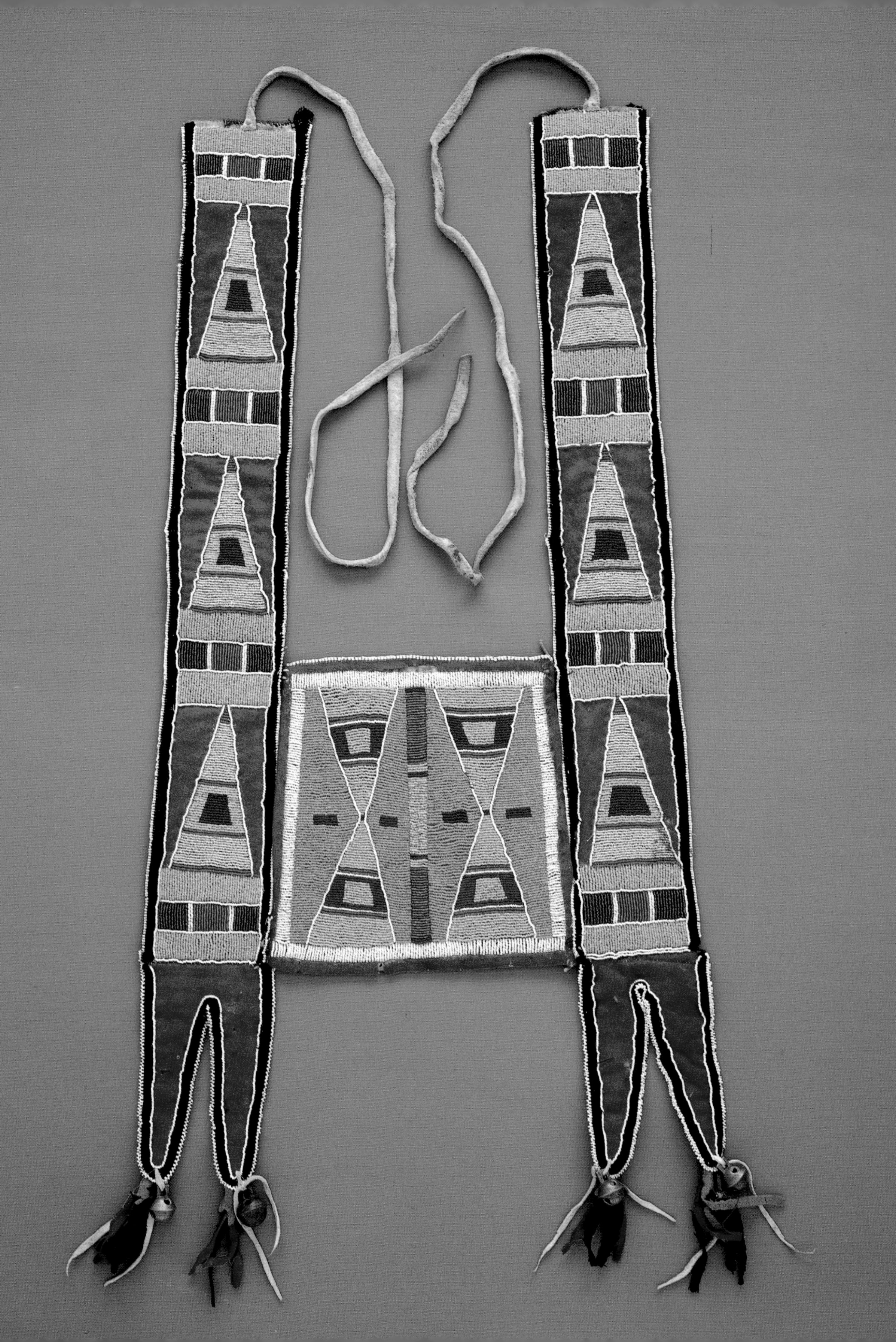

127 / **Crow martingale**

Montana, c. 1890. L 35½ in (with pendants), W 17⅜ in. Buckskin, wool stroud, wool fabric pendants, glass beads, brass sleigh bells

Richard and Marion Pohrt. *Provenance*: James Ritchie, Toledo, Ohio; Richard Pohrt, Jr., Ann Arbor, Michigan

128 / **Crow tobacco bag**

Montana, c. 1890. L 30 in (with fringe), W 7 in. Buckskin, glass beads

Richard and Marion Pohrt (202). *Provenance*: Arthur Abraham, Flint, Michigan, 1948

129 / **Crow knife case**

Montana, c. 1890. L 12½ in (18 in with fringe), W 4¼ in. Rawhide, buckskin, glass beads

Richard and Marion Pohrt (4070). *Provenance*: Michael Lyonais, Renton, California

130 / **Crow moccasins**

Montana, c. 1885. L 10 in. Buckskin, rawhide (cowhide), glass beads

DIA 1988.54a-b, Founders Society Purchase with funds from the New Endowment Fund. *Provenance*: Edward Gregor, Flint, Michigan, 1955; Richard A. Pohrt (405). *Reference*: Maurer 1977:182, no. 235, ill.

Later Dress and Decorative Arts of the Northwest Plains: Mandan, Blackfeet, and Gros Ventre

THE REGION WHERE THE MISSOURI RIVER passes through present-day North Dakota was the home of the Arikara, Hidatsa, and Mandan, all earth-lodge dwellers who combined agriculture with buffalo hunting. Devastating smallpox epidemics on the Middle Missouri during 1837 and 1838 hit these villages particularly hard. Hidatsa survivors left their old villages in 1845 and banded together at a new location to establish a village called Like-a-Fishhook. The Hidatsa were joined by Mandan who had been living at Fort Clark since 1837 and Arikara who moved upriver in 1862. These later became known as the Three Affiliated Tribes. Henry Boller, the trader, lived at Like-a-Fishhook village during the early 1860s. With the establishment of an agency in 1870, the location became known as the Fort Berthold Reservation. After 1880 the lands were allotted in severalty and the village dwellers scattered out among individual homesteads, and Like-a-Fishhook was eventually abandoned (Wood 1987:327).

This man's shirt with a matched pair of man's leggings (pls. 131 and 132) belonged to an individual with a significant number of war honors. Like the earlier Mandan man's shirt (pl. 77), this garment is painted with symbols that communicate several details about the wearer's military biography. Pairs of hands are painted on both the shirt and leggings; "striking a live enemy was considered a higher honor than striking one who had been killed. One could paint two hands on one side of the chest to show that a live enemy had been struck." Black stripes were painted on the leggings to denote *coup* counted on the last enemy killed (Bowers 1965:280). The red pipe bowls painted on the leggings, and hair pendants attached to the sleeve and shoulder strips of the shirt, may refer to war parties that the wearer of the outfit had led.

The garments are decorated with strips of porcupine quill embroidery in a style developed by the women of Fort Berthold during the last decades of the nineteenth century. The "finger" design on the shirt strips and stepped chevrons on the leggings are two patterns most frequent in Hidatsa/Mandan strips of this type. The designs have been composed of porcupine quills dyed pink, blue, and yellow with black and white. Men's formal outfits like these proved extremely popular off the reservation. Many were owned by prominent Blackfeet men in Montana and Canada, who presumably acquired them in trade.

The Blackfeet, Gros Ventre, Assiniboine, and Cree inhabited the northern Plains at the beginning of the nineteenth century, moving westward during the ensuing decades, and ranging across the border that would later divide Montana and Alberta. Alexander MacKenzie, the Scots fur trader for the Canadian Northwest Company, noted the Gros Ventre and Blackfeet in his 1801 memoirs:

> The Fall, or Big-bellied [Gros Ventre] Indians, are . . . a people who inhabit the plains from the North bend of the . . . [Missouri] river . . . West, to the South bend of the Assiniboine River. . . . Some of them occasionally come to the latter river

131 / **Mandan man's shirt**
Fort Berthold Reservation, North Dakota, c. 1880. H 42 in, W 26 in. Buckskin, wool stroud, porcupine quills, human hair and horsehair, pigment
Richard and Marion Pohrt (2507–1).
Provenance: Milford G. Chandler

to exchange dressed buffalo robes, and bad wolf skins for articles of no great value. The Picaneaux [Piegan], Black-Feet, and Blood-Indians [all tribes known collectively today as "Blackfeet"], are a distinct people. . . . They are a people who deal in horses and take them upon war-parties toward Mexico (MacKenzie 1801:lxxi).

Indeed, the Blackfeet wealth in horses during the nineteenth century was famous. The Canadian Hudson's Bay Company established trade with the Blackfeet and Gros Ventre early in the nineteenth century while posts tied to St. Louis on the Missouri penetrated the northwestern Plains by 1830. Initially, white traders attempted to interest the northwestern tribes in procuring the pelts of beaver, but the expanding market for buffalo hides proved to be of much greater consequence. The buffalo hide trade dominated the economies of these tribes for almost fifty years. The success of Blackfeet entrepreneurship in this regard is evident in the admiring remarks of Charles Larpenteur, a Missouri River trader active at midcentury:

It is a fine sight to see one of those big men among the Blackfeet who has two or three lodges, five or six wives, twenty or thirty children, and fifty to a hundred head of horses, for his trade amounts to upwards of two thousand dollars a year and I assure you such a man has a great deal of dignity about him (Larpenteur 1933:331).

When the buffalo economy failed, the northwestern tribes were forced into dependency on the governments of Canada and the United States. Three Blackfeet reserves were established in southern Alberta: the Blackfeet Agency, the Blood Agency, and the Piegan Agency. A larger Piegan reservation is located in northwestern Montana just east of Glacier National Park. The Milk River Reservation of north-central Montana, first formed by treaty in 1868, was later subdivided into the present-day Fort Peck Reservation for Assiniboine and Yanktonai Sioux to the east and Fort Belknap in north-central Montana shared by Assiniboine and Gros Ventre.

The production of formal dress and accessories decorated with bead embroidery for social dances and formal events flourished through the reservation period. Buffalo hides remained more accessible in Montana than elsewhere on the Plains and continued to be employed for the manufacture of many categories of objects. Reservation women experimented with all the Plains techniques of bead embroidery, parallel stitch, contour "spot-stitch," overlay "flatwork," and Crow-stitch. Individual reservations established fairly distinctive styles of beadwork. It is difficult to distinguish between Assiniboine and Gros Ventre work from Fort Belknap, for example. Patterns that employ groups of two or three diamond "feathers," as visible in the girl's leggings and the pair of moccasins (pls. 135 and 141), are characteristic of Fort Belknap products after 1880. Geometric motifs such as stepped hourglass and diamonds often float freely within a white field of flatwork in Blackfeet bead embroidery (pls. 136 and 139). Design areas are often bordered with a single lane of parallel stitch as a frame. Blackfeet women would occasionally develop a curvilinear pattern with spot-stitch within a design field and then fill in with flatwork around it, as was the case with the Blackfeet pair of moccasins (pl. 140).

132 / **Mandan man's leggings**
Fort Berthold Reservation, North Dakota, c. 1880. L 32 in, W 17 in. Buckskin, porcupine quills, pigment
Richard and Marion Pohrt (2507–2).
Provenance: Milford G. Chandler

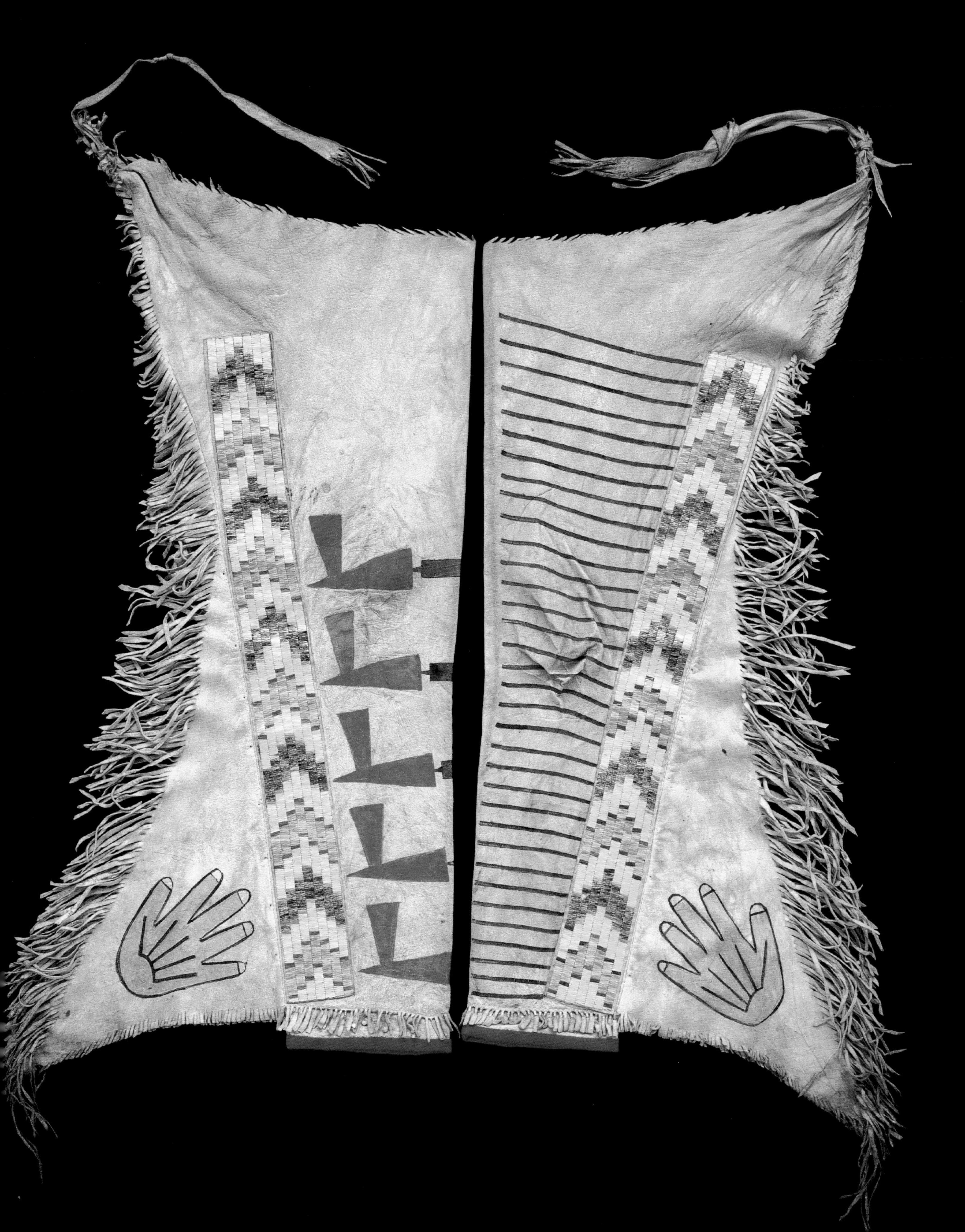

133 / **Blackfeet man's leggings**

Montana, 1880. L 39¾ in, W 19¼ in. Buckskin, glass beads, pigment

BBHC NA.202.474 a/b. *Provenance*: Museum of Science and Industry, Louisville, Kentucky; (by exchange) Richard A. Pohrt (4090)

134 / **Blackfeet woman's dress**

Montana, 1890. L 51¼ in, W 39⅝ in. Wool, button, glass beads, brass beads, bells or thimbles, ribbon

BBHC NA.202.466, Gift of Mr. and Mrs. Charles Duncan. *Provenance*: belonged to Long Time Calf Big Moon; Neil Smith, Denver, Colorado; Richard A. Pohrt (1319)

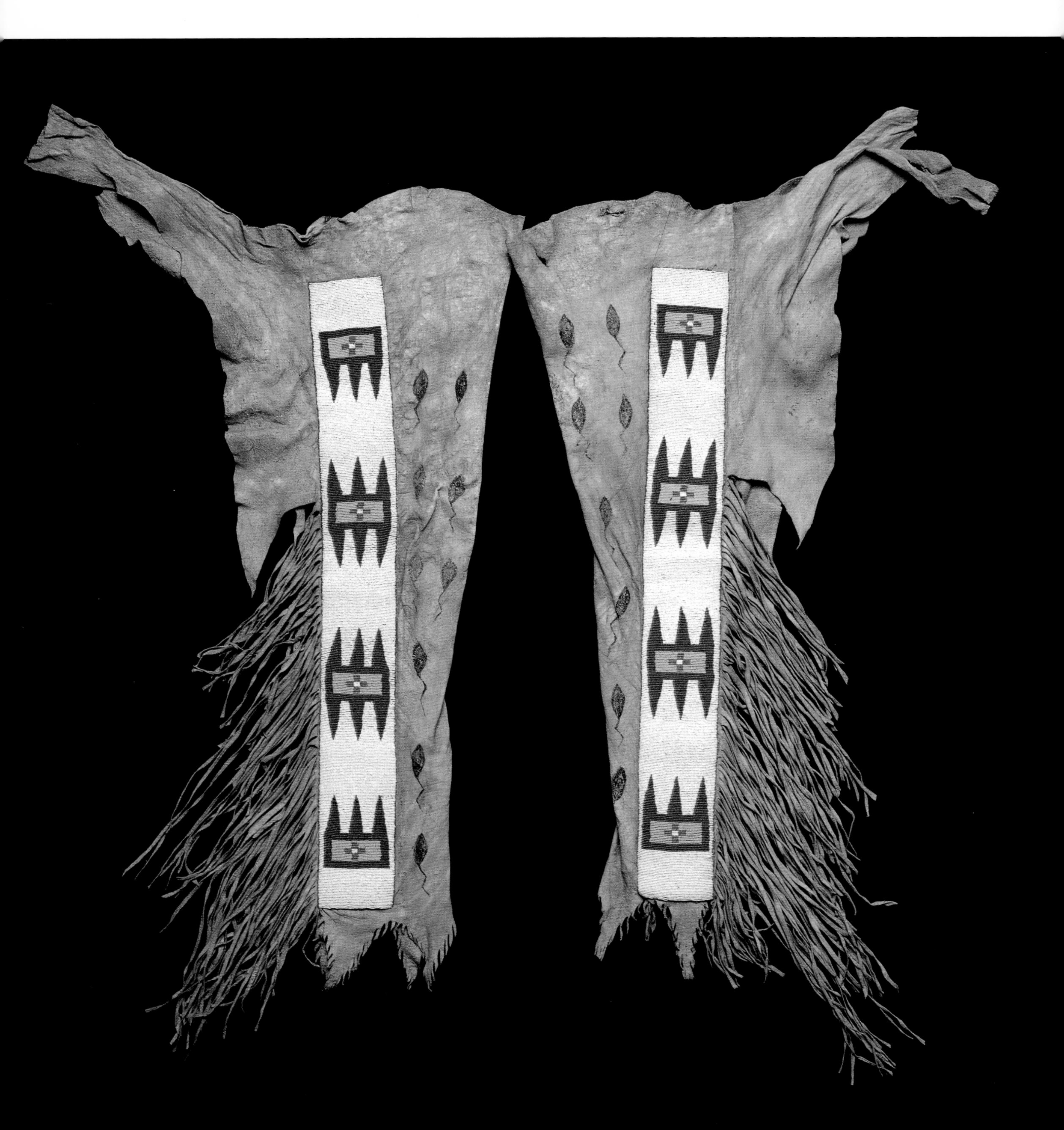

135 / **Gros Ventre girl's leggings**

Fort Belknap Reservation, Montana, 1915. L 15¾ in, W 6 in. Cloth, wool, ribbon, feathers, brass shoe buttons, glass beads

BBHC NA.202.654a/b. *Provenance*: gift of Elizabeth Chandler, Hays, Montana; Richard A. Pohrt (206), 1937. *Conservation note*: upper portions restored based on a surviving fragment

136 / **Blackfeet gun case**

Montana, 1890. L 39⅜ in, W 37⅞ in (including fringe). Buckskin, glass beads

BBHC NA.102.87. *Provenance*: Monroe Historical Museum, Michigan; (by exchange) Richard A. Pohrt (528)

137 / **Assiniboine or Gros Ventre gun case**

Fort Belknap Reservation, Montana, c. 1890. L 41 in (without fringe). Buffalo hide, glass beads

Richard and Marion Pohrt (942). *Conservation note*: fringe on muzzle restored

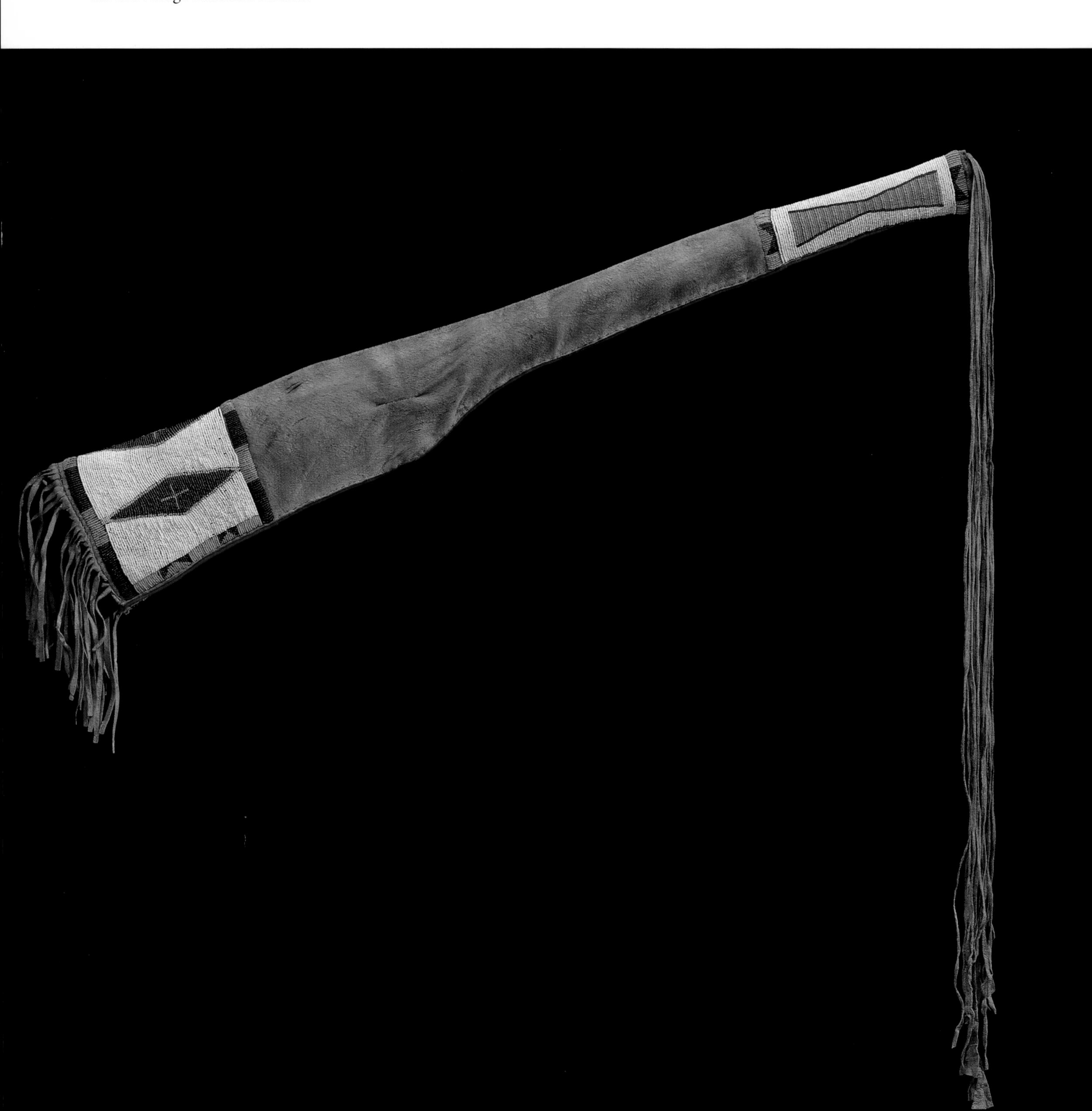

138 / **Assiniboine or Gros Ventre knife case**

Fort Belknap Reservation, Montana, c. 1880. L 13 in, W 4½ in. Rawhide, brass studs, glass beads, pigment
Richard and Marion Pohrt (974).
Provenance: David Sellen, Seattle

139 / **Blackfeet knife case**

Montana, c. 1885. L 15⅜ in, W 5 in. Rawhide, buffalo hide, glass beads
Richard and Marion Pohrt (2471). *Provenance*: Milford G. Chandler (C-1311)

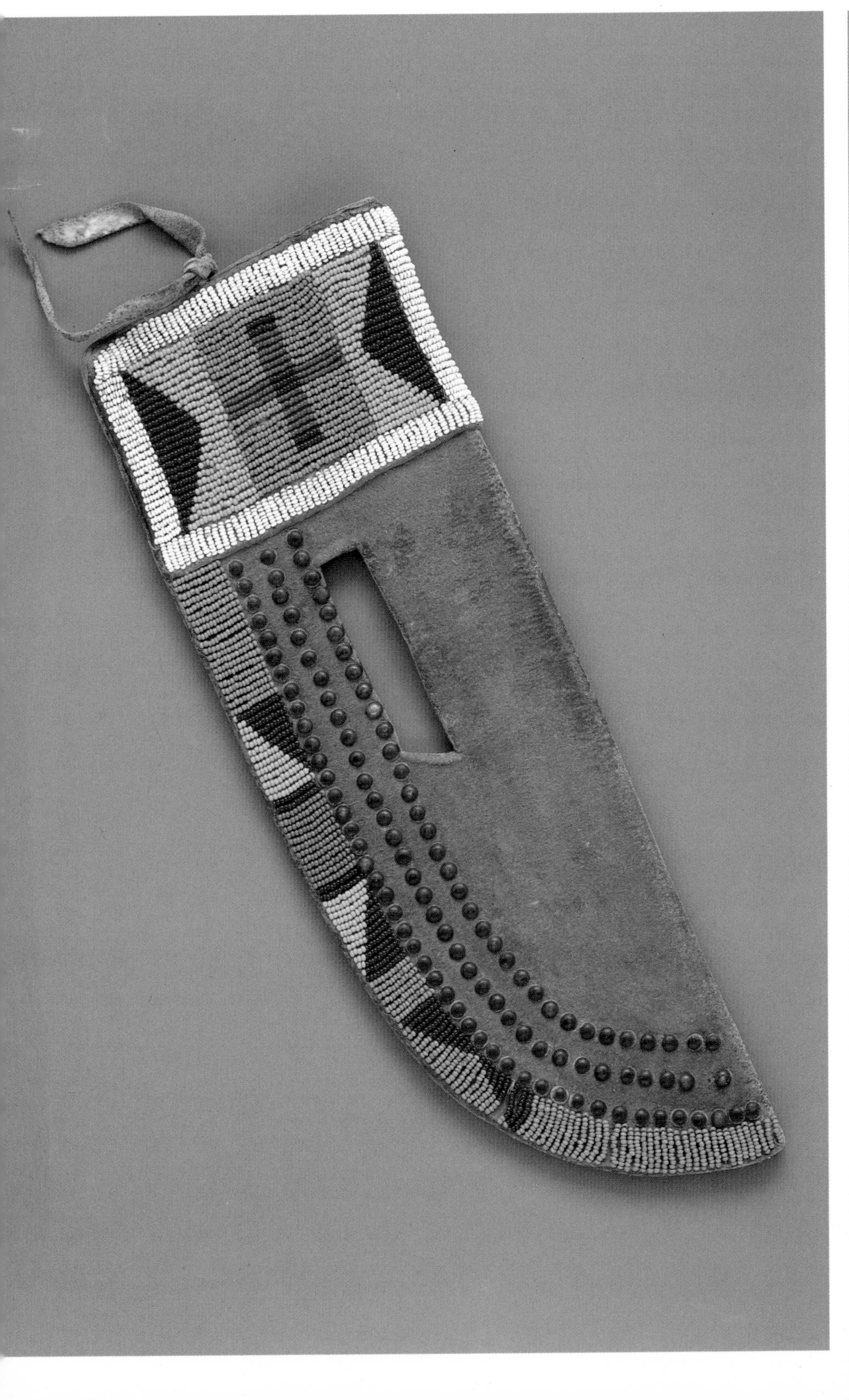

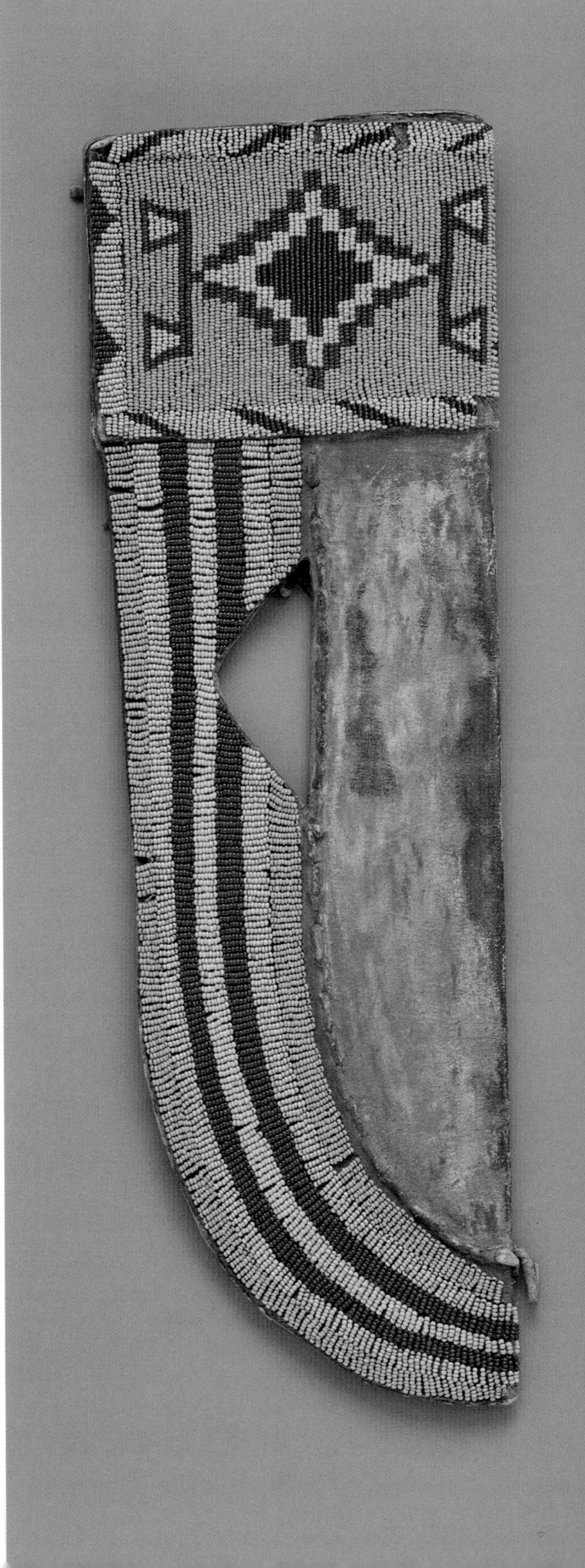

140 / **Blackfeet moccasins**

Montana, 1890. L 10 in. Buffalo hide, rawhide, saddle leather (patch), buckskin, glass beads

Richard and Marion Pohrt. *Provenance*: gift of Mrs. Medicine Owl to Joe Scheurle, 1910–12

141 / **Assiniboine or Gros Ventre moccasins**

Fort Belknap Reservation, Montana, c. 1890. L 10¼ in. Buckskin, rawhide, glass beads, cotton fabric

Richard and Marion Pohrt (4012)

The Measure of Men: Feather Bonnets

HEADDRESSES MADE WITH THE TAIL feathers of eagles are among the most striking and impressive items of Plains Indian regalia. The members of many Native North American tribes thought of eagles as analogs of the thunderbird and considered them among the most powerful of sky creatures. Their feathers could become potently charged spiritual objects. Joseph Nicollet, the French geographer who traveled on the northern prairies during the 1830s, learned of the associations between spiritual powers for war and the "war bonnets" of the Minnesota Chippewa:

> The sacred skin of a bird is its foundation. They attach it to the top of their heads letting the beak bounce up and down on their foreheads. All kinds of accessories trim it so as to produce a general effect of hideousness likely to terrify the enemy. The skin or plumage is for them a guardian, a genius, a spirit, a manito of war which strangely enough will not encourage bravery, courage, or fighting skill, but will inspire them in what they should do, how they must operate to avoid death (Bray 1970:163–64).

In 1868, when the combined tribes of the Lakota wished to recognize Sitting Bull as "head chief," the prominent men of the tribes presented him with an eagle-feather bonnet:

> He was reminded that he must be like the eagle, for the eagle is the chief of all birds, its feathers are the rewards of valor, it flies highest. A chief should study to resemble the eagle. Then they brought out a magnificent war bonnet, with a beaded brow band, ermine pendants, and a swagger crown of lustrous black-and-white eagle plumes. This splendid headgear had a trailing double tail of eagle tail-feathers cascading down the back to drag on the ground. Every feather on the bonnet represented some brave deed, some *coup* performed by the warrior who had contributed it. It was in fact the symbol of the combined valor of the Northern Teton Sioux. With it, Sitting Bull was publicly crowned (Vestal 1957:94).

While not all feather bonnets possessed such significant associations, only proven warriors would presume to wear one in battle. They communicated to the enemy a warrior's determination and aggressiveness. Not all offered protective power. While preparing to go out against General Crook in 1876 in what was to become the Battle of the Rosebud, Sitting Bull's nephew White Bull borrowed a fine feather bonnet from his brother-in-law, Bad Lake. As he explained to Walter S. Campbell (Stanley Vestal): "This bonnet had no protective power: White Bull wore it for its beauty. If he were to be killed, he wished to die in these fine war clothes. . . . Besides, such fine war-clothes made a man more courageous" (Vestal 1934:186).

The "stand-up bonnet" (pl. 142) represents an early style found on the northwestern Plains. The eagle feathers stand straight up supported by "feather sticks" wrapped in porcupine quills arranged in a circular headband. Pieces of ermine skin are attached to the headband and longer ermine pelts hang down either side as pendants to frame the face. The cut feather bonnet with trailer (pl. 143) includes an arrangement of feathers clipped almost to their bases on the crown between the horns made of split buffalo horn. This kind of treatment can be found on headdresses of the Upper Missouri region prior to midcentury. The train of eagle feathers may have been added by Eddie Little Chief, the later owner of the headdress. The Crow feather bonnet and the Gros Ventre feather bonnet (pls. 146 and 144) are both splendid examples of the classic "swept-back" style, each with additions of ermine skin patches and wisps of dyed horse tail on the large and impressive feathers. The feather bonnet (pl. 145) made with rooster hackles is something of an oddity, but the shimmering quality of its iridescent coloring must have been impressive when the bonnet was worn. It was probably assembled as an item of dance dress during the reservation era rather than serving as a warrior's headdress.

142 / **Blackfeet stand-up bonnet**
Montana or Alberta, c. 1860. H 30 in. Eagle feathers, ermine pelts, buckskin, wool stroud, "feather sticks" (wood wrapped with porcupine quills), dyed horsehair
BBHC NA.203.357, Gift of Mr. and Mrs. Richard A. Pohrt. *Provenance*: Howard Chatt, Los Angeles, California; Richard A. Pohrt

143 / **Sioux cut feather bonnet with trailer**

South Dakota (?), c. 1860 (with later additions). L 74 in (approx.). Eagle feathers, additional bird feathers, rawhide, buckskin, split buffalo horn, ermine pelts, horsehair, wool fabric, glass beads, pigment

BBHC NA.205.78, Gift of Mr. and Mrs. Richard A. Pohrt. *Provenance*: Eddie Little Chief; Milford G. Chandler. *Conservation note*: some feathers on the trailer replaced

Pls. 144 and 145 are on following pages

144 / **Assiniboine or Gros Ventre feather bonnet**

Fort Belknap Reservation, Montana, c. 1885. L 28 in. Eagle feathers, wool cloth, ermine and weasel skins

BBHC NA.203.354, Gift of Mr. and Mrs. Richard A. Pohrt. *Provenance*: Sturgis Saddle Shop, Harlem, Montana; Richard A. Pohrt (391)

145 / **Feather bonnet**

Northwestern Plains, c. 1890. L 33 in, W 27 in. Rooster hackles, wood rods, porcupine hair, ermine skins, horsehair, buckskin, glass beads

BBHC NA.203.347, Gift of Mr. and Mrs. Richard A. Pohrt. *Provenance*: Lynn Munger

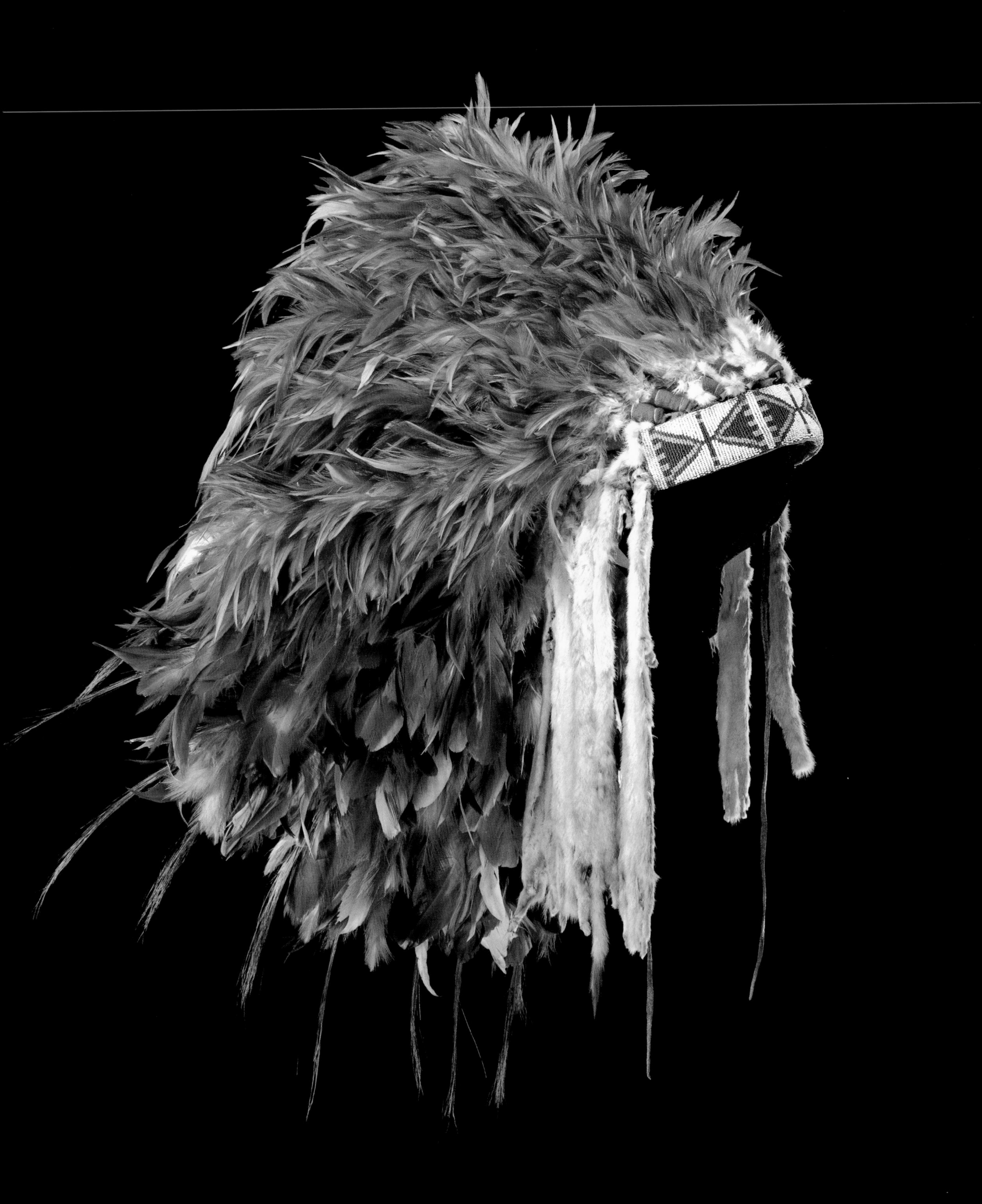

GREAT LAKES AND PRAIRIES

146 / **Crow feather bonnet**

Montana, c. 1890. L 17 in. Buckskin, eagle feathers, ermine skins, glass beads, cow tail DIA 1988.203, Gift of Mr. and Mrs. Richard A. Pohrt. *Provenance*: Milford G. Chandler; Richard A. Pohrt. (*See also pl. 86*)

147 / **Miami wampum belt**
Indiana, 1775–1800. L 26½ in (without fringe), W 2¼ in. Shell beads, buckskin
CIS 2176. *Provenance*: purchased from Camillius Bundy, Peru, Indiana, by Milford Chandler

Pls. 148-49 are on following pages

148 / **Miami presentation tomahawk**
Indiana, c. 1795. L 23½ in, W 8 in. Iron, steel, curly maple, silver
DIA 81.205, Founders Society Purchase with funds from the Flint Ink Corporation. *Provenance*: purchased from Camillius Bundy, Peru, Indiana, by Milford G. Chandler; Richard A. Pohrt (1111). *References*: Detroit Institute of Arts 1986:54, figs. 1 and 11; Penney 1989:94, figs. 1 and 11, cover ill. *Discussion*: according to family tradition, this pipe tomahawk was presented to the Miami Chief Deaf Man (the second husband of Frances Slocum and an ancestor to Camillius Bundy) upon the signing of the Treaty of Greenville in 1795

149 / **Ottawa presentation tomahawk**
Maumee Valley, Ohio, c. 1800. L 18⅜ in, W 6¾ in. Iron, steel, hickory, silver, lead
DIA 81.204, Founders Society Purchase with funds from the Flint Ink Corporation. *Provenance*: private collection, Lexington Kentucky; Milford G. Chandler; Richard A. Pohrt (1110). *References*: Davis 1970:9, ill.; Detroit Institute of Arts 1986:55, figs. 2 and 3; Penney 1989:94, figs. 2 and 3. *Discussion*: inscribed with the name "Ottokee," an Ottawa chief of a village located near the mouth of the Maumee River, near the present city of Toledo (Gunckel 1902:25; Tanner 1987:134)

Exchanges of Trust

THE PAIR OF ELABORATE PIPE TOMAHAWKS (pls. 148 and 149), the silver "pectoral," sometimes called a "moon" (pl. 150), and the small belt of predominantly "black" wampum (pl. 147) date to the period around 1800 when Indians of the old Northwest Territory and the citizens of the new American Republic were attempting to find solutions to their conflicting aspirations. The items belonged to three Indian men: Deaf Man, a proven warrior chief of the Miami; and Ottokee and Matchiwita, both Ottawa. All three participated in the dramatic events that eventually opened the territories of Ohio, Indiana, and Michigan to American settlement, and consequently signaled the end of Indian independence and territorial integrity in tthe eastern and southern Great Lakes.

Throughout the early history of European and Native American peoples, the exchange of objects sanctioned formal relationships and agreements. In this practice, European protocol of diplomacy conformed to American Indian tradition (Jacobs 1950). The presentation of woven belts of shell beads called "wampum" (the term comes from the language of New England Algonkians) took place at formal meetings to emphasize statements. Through association with significant pronouncements, the sequence of belt presentations ordered the discourse and thereafter provided a record of events. The transcript of a meeting between Sir William Johnson (1756:26) and representative chiefs of the Iroquois Confederacy on February 16, 1756, illustrates one way in which wampum belts were employed,

> . . . The Cayougas and Toerighronoes, return their hearty thanks to the General, for his affectionate and public condolence, with a belt.
> A belt.
> The Onondagas acknowledge the same with a belt.
> A belt.
> The Oneidas do the same.
> A belt.
> The Tuscaroras and the Skaniadaradighronos the same.
> A belt.
> The two castles of the Mohawks the same.
> A belt.

Dozens of wampum belts might be exchanged during the course of a single meeting. Belts of predominantly white beads referred to peaceful transactions, while belts would be stained red when exchanged in preparation for war (Heckewelder 1876:109). This war belt, once stained deep red, was preserved by the descendants of the Miami Chief Deaf Man, but without memory of the occasion for which it was intended.

While wampum functioned as a medium of official discourse, less formal gifts presented to Indian leaders were intended to acknowledge (and support) their social position and cement the bonds of mutually beneficial relationships. These pipe tomahawks were probably made by European American smiths. One (pl. 148) was collected from the descendants of Deaf Man, and it was said that it had

been presented to him on the occasion of the Treaty of Greenville in 1795. The other (pl. 149) is inscribed with the name Ottokee, an Ottawa chief whose village was located near the mouth of the Maumee River during the first decades of the nineteenth century (Gunckel 1902:25; Tanner 1987:134). Both, unusual in the extent of their elaborate decoration and inlay, were undoubtedly presented to their owners as gifts.

The silver pectoral (pl. 150), an ornamental disk worn beneath the neck, is inscribed with the name Matchiwita, an Ottawa signatory of the Treaty of Greenville ("Machiwetah" in Kappler 1974:44). It is stamped with the maker's mark "JT Montreal." The "JT" perhaps refers to Joseph Tison (1787–1869), a master silversmith of Montreal (Richardson 1951:72). Presented to Matchiwita before the War of 1812, the silver medal reflects, perhaps, the diplomatic efforts of Canada to retain a hold on the Great Lakes fur trade during this volatile period of British and U.S. relations.

150 / **Ottawa pectoral**
Southeastern Michigan or northern Ohio, 1807. D 7⅛ in. Silver
DIA 81.189, Museum Purchase with funds from the state of Michigan, the city of Detroit, and the Founders Society. *Provenance*: Mrs. Hugh A. Grahm, Traverse City, Michigan ("given to my husband's mother by the son of a chief"); Lynn Munger, Indiana, 1964; Richard A. Pohrt (1087). *Reference*: Reid and Vastokas 1984, no. 174. *Discussion*: "JT Montreal" maker's mark, inscribed MATCHIWITA/1807.

Weapons of War

MILITARY CONFLICT ACCOMPANIED DIPLOMATIC negotiations during the earliest episodes of U.S. and Indian relations in the Great Lakes and Midwest region. The border war between the settlers of Pennsylvania, and later Kentucky, on the one hand, and Indians north of the Ohio on the other, persisted for more than half a century, beginning with the so-called French and Indian War of the 1750s and culminating with the War of 1812. Although Tecumseh and his followers were defeated in the east, Indians of the western Great Lakes successfully blocked any American excursions north of St. Louis. The last armed conflict between Indians and whites in the region was the tragic Black Hawk War of 1832. Intertribal fighting persisted, however, along the Sioux and Chippewa frontier in Minnesota, and occasionally among the various tribes that converged on the prairies west of the Mississippi after the Indian Removal Act of 1830.

Indians of the Woodlands and Prairie employed two styles of hand club as weapons: the gunstock club (pls. 153 and 154) and the ball head club (pls. 151 and 152). Ted Brasser has noted that gunstock clubs tend to be carved with images related to spiritual powers from the sky, such as thunderers and other birds, while the ball head type, with its recurring image of a monstrous beast gripping the striking head in its jaws, suggests associations with spirit beings of the underworld (Brasser 1982:21). Indeed, the zigzag shape of the "gunstock" club suggests a lightning bolt, despite its misnomer.

Even though firearms tended to dominate armed conflict during the early nineteenth century, the club remained an Indian weapon of choice because of its sacred character and the greater honor associated with hand-to-hand combat. As Joseph N. Nicollet wrote of the Chippewa in 1837 (Bray 1970:163): "... the only ancient weapons they have kept are the spear and the elegant but lethal, *pakamagon* [ball head club]. ... Both of these weapons are still of a sacred character and are classified as objects which women, children and strangers may not profane by their touch." Lewis Henry Morgan identified the *gajewa* as the same weapon among the Iroquois (Morgan 1851:362).

Images engraved on the surfaces of clubs may refer to spiritual powers possessed by the owner of the weapon. In 1855, geographer and travel writer Johann Georg Kohl observed the gunstock club illustrated here (pl. 153) in the possession of a Chippewa man of Lake Superior and recorded the owner's account of the meanings of the engraved images: "The two human figures, he told me ... represented himself and his guardian spirit, or guide, who spoke to him in his dream, and told him to look upwards. When he did so, he saw a large, handsome eagle (a kiniou) sitting in its nest, as is represented. ... Above the bird, a crown of glistening stars floated, and over them the moon" (Kohl 1985[1860]:296–97).

The other gunstock club (pl. 154) is engraved with four bear tracks and the small image of a thunderbird with lightning descending from one wing.

Pls. 151-52 are on following pages

151 / **Iroquois ball head club**

New York or Southern Ontario, early nineteenth century. L 19¾ in. Wood, buckskin tie

CIS 3691. *Provenance*: Eddie Little Chief (a Sioux who had received the club from a relative of his Iroquois wife), Wagner, South Dakota; Milford G. Chandler, 1919. *References*: Maurer 1977, no. 92, ill.; Detroit Institute of Arts 1986:9, fig. 7; Penney 1989:25, fig. 7

152 / **Eastern Sioux ball head club**

Minnesota, c. 1800. L 23¼ in. Wood (maple), leather

DIA 81.569, Museum Purchase with funds from the state of Michigan, the city of Detroit, and the Founders Society. *Provenance*: Milford G. Chandler; Richard A. Pohrt (3199). *Reference*: Penney et al. 1983, cat. no. 18

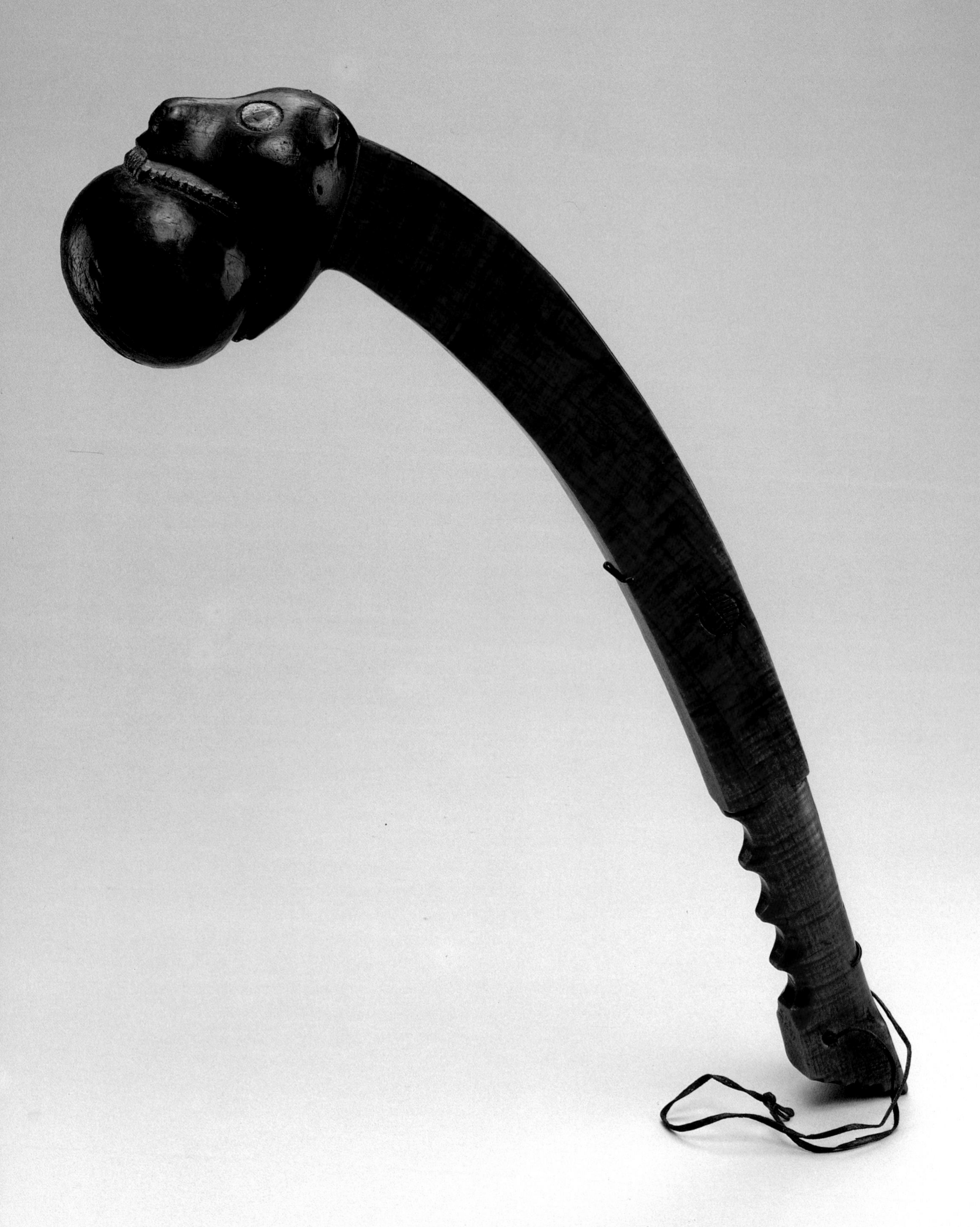

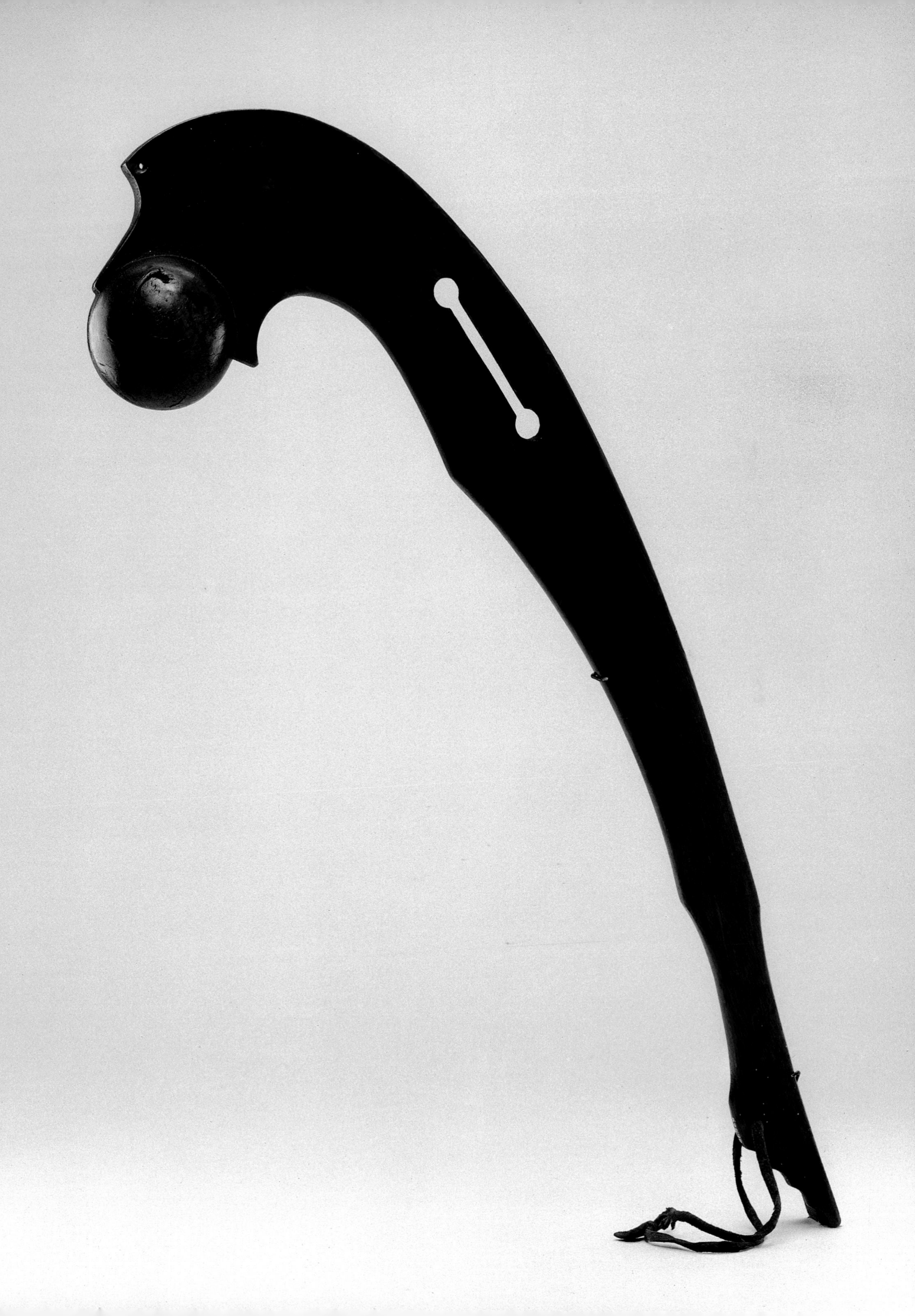

153 / **Chippewa gunstock club**
Upper Peninsula, Michigan, c. 1840.
L 25 in. Wood, iron
Richard and Marion Pohrt. *Provenance*: Calvin Berry, Michigan. *Reference*: Kohl 1985:296–97, ill.

154 / **Iowa (?) gunstock club**
Nebraska, 1800–50. L 25½ in. Wood (maple), iron blade, brass tacks
DIA 81.589, Museum Purchase with funds from the state of Michigan, the city of Detroit, and the Founders Society. *Provenance*: purchased from a Philadelphia dealer by Milford G. Chandler in 1922 (C-1149); Richard A. Pohrt (3242). *Reference*: Penney et al. 1983, no. 19

Smoking Pipes: Pleasing the Spirits

155 / Chippewa pipe bowl and stem

Michigan, 1840–60. Stem: L 35½ in. Bowl: L 8 in, H 4⅜ in. Wood (ash), brass tacks, silk ribbon, black stone

DIA 81.236/81.278, Museum Purchase with funds from the state of Michigan, the city of Detroit, and the Founders Society. *Provenance*: John Schuch, Saginaw, Michigan, 1929; Milford G. Chandler; Richard A. Pohrt (2637 and 2687). *References*: Flint Institute of Arts 1973, no. 46; Maurer 1977, no. 136, ill.

EARLY TRAVELERS IN THE UPPER GREAT Lakes area were surprised to find that a smoking pipe, or calumet, served as a passport when journeying through unfamiliar territories. As Father Louis Hennepin wrote in his travels through the Great Lakes during the seventeenth century:

> This calumet is the most mysterious thing in the world among the savages of the continent of the Northern America; for it is used in all their important transactions; however, it is nothing else but a large tobacco pipe made of red, black, or white marble: the head is finely polished and the quill [stem] which is commonly two foot and a half long, is made of a pretty strong reed or cane, adorned with feathers of all colors, interlaced with locks of women's hair (Hennepin 1903[1698]:125).

The sacred nature of the pipe and tobacco smoking in American Indian thought is reflected in several tobacco origin myths, which recount how tobacco was given to man by the Creator so that it might be offered in thanks for the blessings of spirits (Skinner 1927:368–71; Michaelson 1932:127–32).

Many tobacco pipes were personal possessions, however, and had been purchased at some expense from well-known pipe makers. Kohl became acquainted with one such artist during his visit to Lake Superior in 1855:

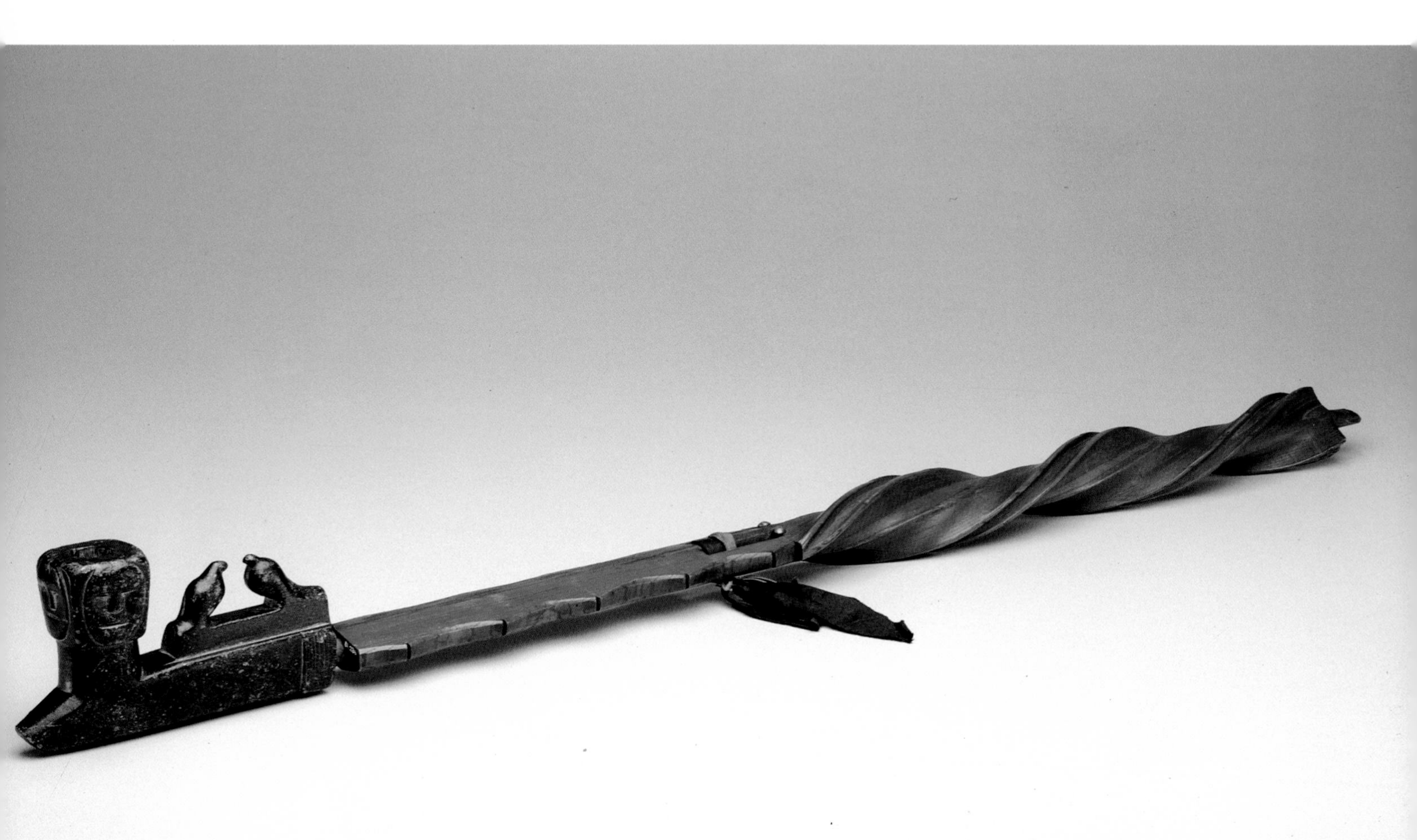

156 / **Miami pipe bowl**

Peru, Indiana, c. 1800. H 3⅛ in, L 2⅝ in.
Catlinite

DIA 81.265, Museum Purchase with funds from the state of Michigan, the city of Detroit, and the Founders Society. *Provenance*: purchased from Camillius Bundy, Peru, Indiana, by Milford G. Chandler before 1925; Richard A. Pohrt (2662). *Reference*: Chandler (this volume)

157 / **Ottawa pipe bowl**

Manitoulin Island, Ontario, c. 1800. L 4 1/2 in, H 2 in. Cast pewter

DIA 81.262, Museum Purchase with funds from the state of Michigan, the city of Detroit, and the Founders Society. *Provenance*: Milford G. Chandler; Richard A. Pohrt (2668)

There are people among them very clever in carving pipe bowls and who carry on a trade in it. I formed the acquaintance here of such a *fassier de calumet* and visited him several times. He inlaid his bowls very neatly with stars and flowers made of black and white stones. His work progressed very slowly, however, and he sold the bowls for four or five dollars apiece. The Indians at times pay much higher prices (Kohl 1985:282).

Paul Kane, the frontier artist, met another such pipe carver at Manitoulin Island in 1845, painted his portrait, and recorded his name, Aw-bon-waish-kum (Kane 1925:9–10, figs. 2 and 3).

Pipe stems are often made of ash. The smoke hole is burned out through the use of a hot wire. "Twisted" pipe stems (pls. 155 and 161) are carved, not steamed and bent, while "puzzle" stems (pl. 160), with elaborate open work carving extending down the length, are made so that the smoke hole runs along one side.

158 / **Chippewa pipe bowl**

Michigan, Minnesota, or Wisconsin, c. 1850. L 5¼ in, W 3⅜ in. Steatite

DIA 81.250, Museum Purchase with funds from the state of Michigan, the city of Detroit, and the Founders Society. *Provenance*: Milford G. Chandler (C-432); Richard A. Pohrt (2655). *Reference*: Flint Institute of Arts 1973, cat. no. 86, ill.

159 / **Cree pipe bowl**

Western Ontario, 1840–60. H 4¼ in, W 2⅝ in. Black stone, catlinite, lead

DIA 81.253, Museum Purchase with funds from the state of Michigan, the city of Detroit, and the Founders Society. *Provenance*: Milford G. Chandler (C-567); Richard A. Pohrt (2658). *Reference*: Penney et al. 1983, no. 45, ill. cover

160 / **Chippewa pipe stem**
Wisconsin or Minnesota, 1840–60. L 26⅛ in. Wood, porcupine quills
DIA 81.752, Museum Purchase with funds from the state of Michigan, the city of Detroit, and the Founders Society. *Provenance*: Milford G. Chandler (C-1248); Richard A. Pohrt (2634). *Reference*: Flint Institute of Arts 1973, no. 63

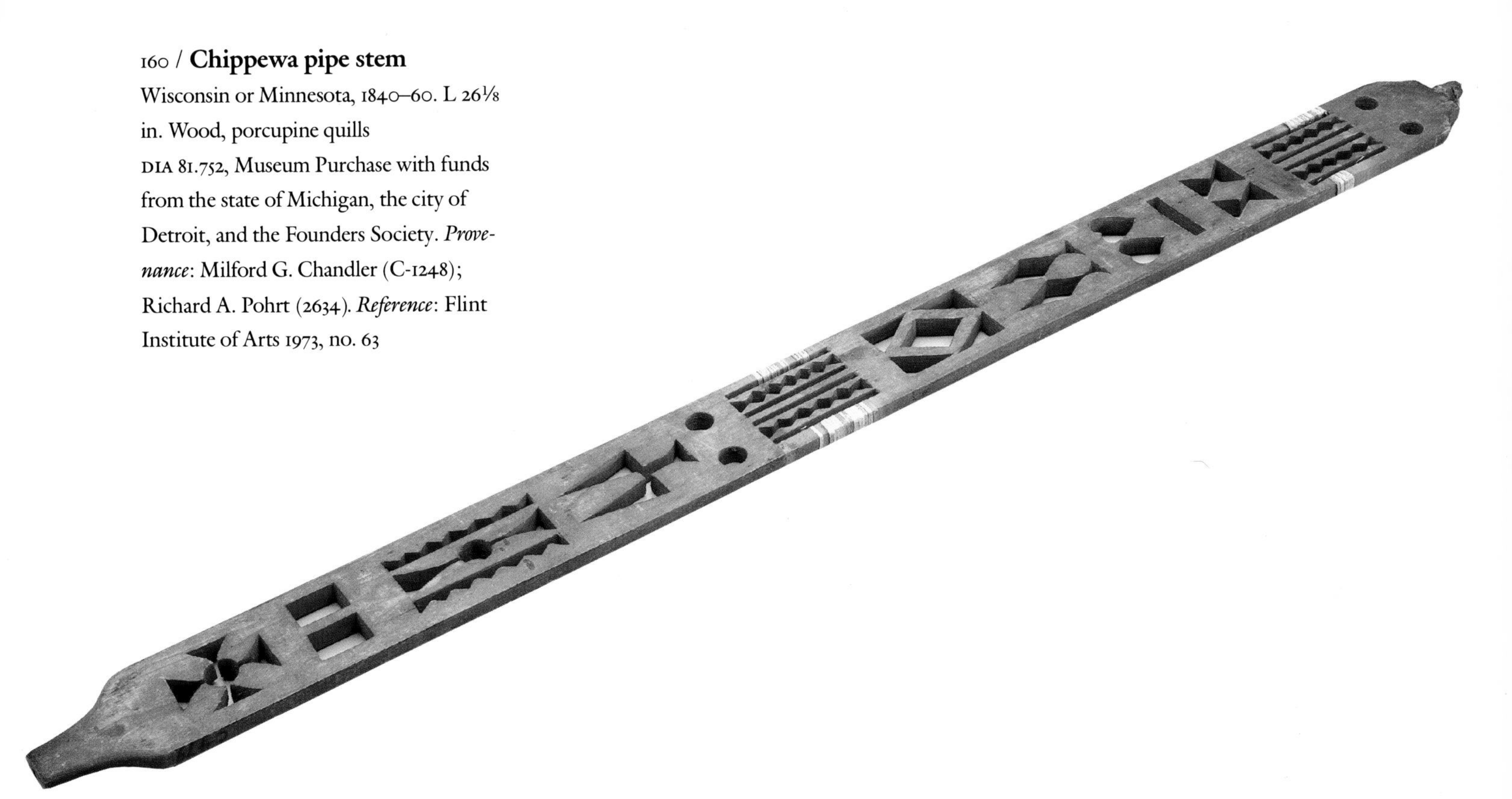

161 / **Chippewa (?) pipe stem**
Michigan, Minnesota, or Wisconsin, c. 1830. L 26 in, W 1¾ in. Wood (ash)
Richard and Marion Pohrt. *Provenance*: James Ritchie, Toledo

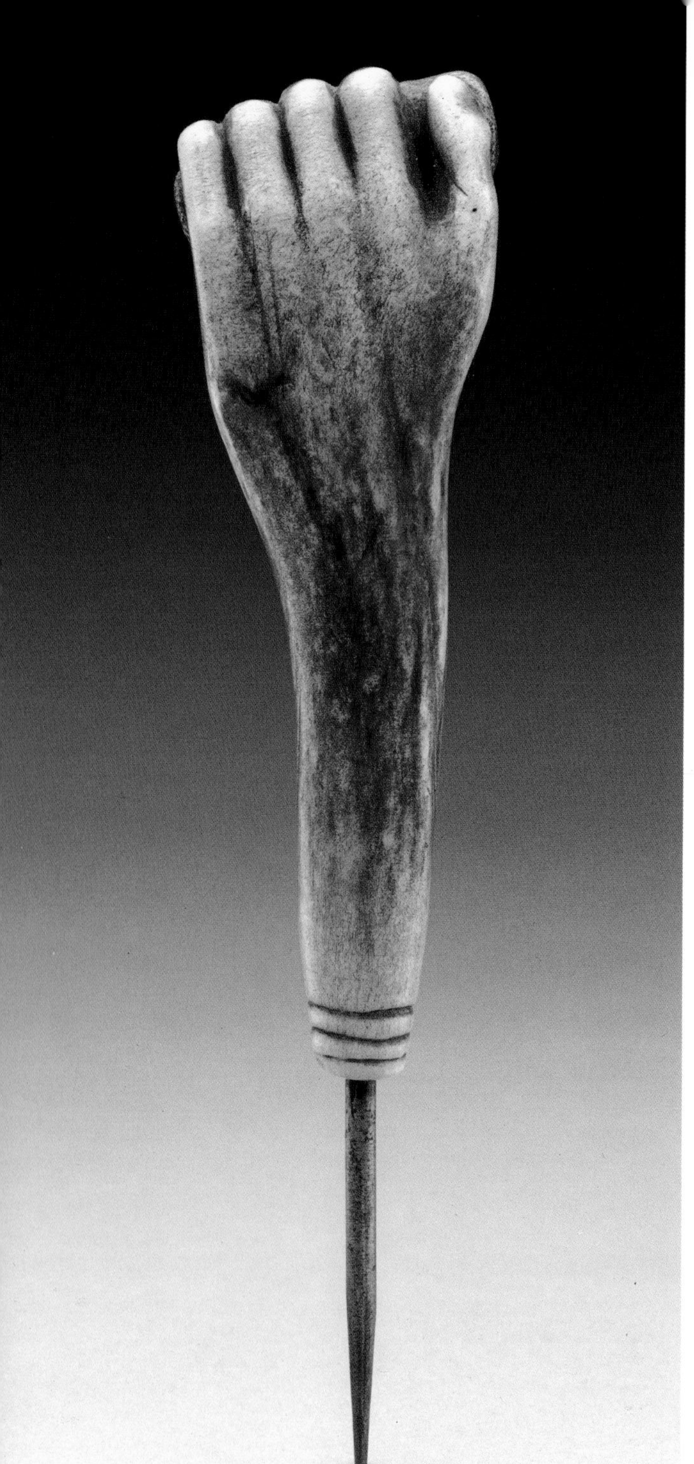

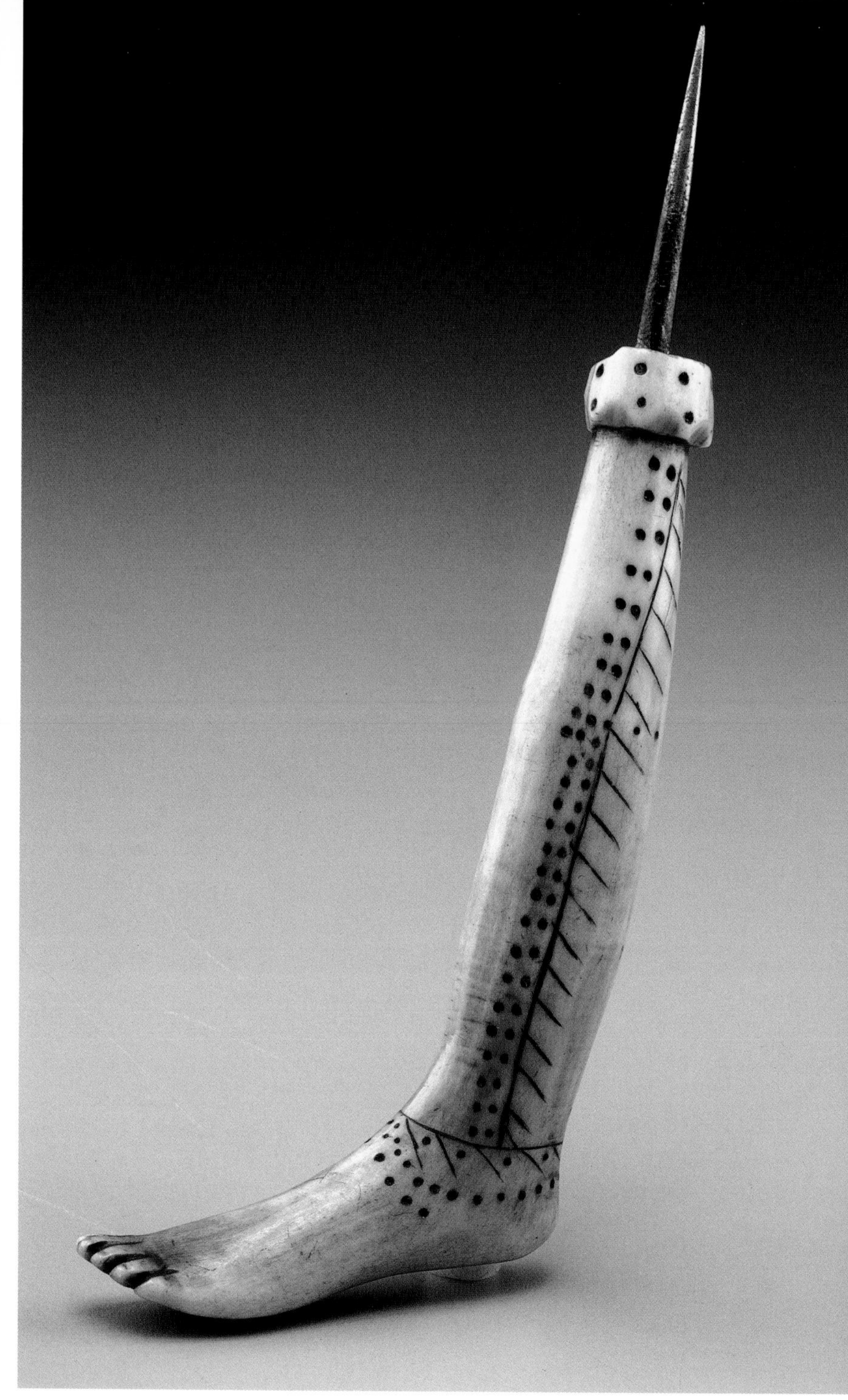

162 / **Chippewa awl**

Lac Court Oreille, Wisconsin, nineteenth century. L5¾ in. Deer antler, iron

DIA 81.279, Museum Purchase with funds from the state of Michigan, the city of Detroit, and the Founders Society. *Provenance*: purchased at Lac Court Oreille, Wisconsin, by Milford G. Chandler; Richard A. Pohrt (2694). *References*: Flint Institute of Arts 1973, no. 363, ill.; Penney et al. 1983, no. 62, ill.

163 / **Chippewa awl**

Walpole Island, Ontario, nineteenth century. L 5⅛ in, W 1⅞ in. Deer antler, iron

DIA 81.280, Museum Purchase with funds from the state of Michigan, the city of Detroit, and the Founders Society. *Provenance*: purchased on Walpole Island, Ontario, by Milford G. Chandler; Richard A. Pohrt (2695). *References*: Flint Institute of Arts 1973, no. 362; Penney et al. 1983, no. 61

164 / **Mesquakie crooked knife**
Tama, Iowa, nineteenth century. L 10¾ in.
Wood (maple), rawhide, steel
DIA 81.498, Museum Purchase with funds from the state of Michigan, the city of Detroit, and the Founders Society. *Provenance*: purchased at Tama, Iowa, by Milford G. Chandler; Richard A. Pohrt (3031). *References*: Flint Institute of Arts 1973, no. 341; Coe 1977, no. 152, ill.; Detroit Institute of Arts 1986:24, fig. 8; Penney 1989:48, fig. 8

Tools as Sculpture

WILLIAM KEATING (1959:229), SPEAKING of the Indians of the western Great Lakes during the 1820s, observed that "the business of men consists of hunting, fighting, building their lodges, digging their canoes, taking care of their horses, making wooden spoons, and etc." Thus, in addition to being hunters and warriors, men also had several fabricating and manufacturing responsibilities, chiefly those involving the media of antler, wood, and metal. Men made tools of these materials, even those used by women such as awls for leather working and porcupine quill embroidery on birch bark, and heddles for weaving. Sculptural elaboration of these objects sometimes included, for example, images of horses on crooked knives (pls. 164 and 165), heddles, and awls (Torrence and Hobbs 1989, pls. 155, 177; see also Penney and Stouffer 1989).

Some images apparently were intended to be playful, such as the sculpted hand on the end of an awl (pl. 162), a pun for the hand that grasps the tool; or the sculpted leg and foot (pl. 163), which may relate to a popular style of pipe cleaner, with risqué connotations, in vogue among European Americans during the nineteenth century. This latter Chippewa awl, however, includes engraved representations of leggings or tattoo patterns on the leg instead of the customary garter of the pipe cleaners.

The crooked knife was the preeminent men's manufacturing and fabricating tool of the Woodlands region. Held palm up and used as a drawknife, the tool was used to trim lodge poles, shape canoe struts, or accomplish countless other

165 / **Ottawa crooked knife**
Beaver Island, Michigan, nineteenth century. L 10⅜ in, W 2⅞ in. Wood (maple), rawhide, steel
DIA 81.293, Museum Purchase with funds from the state of Michigan, the city of Detroit, and the Founders Society. *Provenance*: purchased at Beaver Island by Milford G. Chandler; Richard A. Pohrt (2713). *References*: Flint Institute of Arts 1973, no. 342; Detroit Institute of Arts 1986:24, fig. 9; Penney 1989:48, fig. 9

166 / **Potawatomi heddle**
Wisconsin, c. 1860. L 12¼ in, H 8⅛ in. Wood
DIA 81.370, Museum Purchase with funds from the state of Michigan, the city of Detroit, and the Founders Society. *Provenance*: collected by Milford G. Chandler in Wisconsin; Richard A. Pohrt (2832). *References*: Coe 1977, cat. no. 134, ill.; Penney et al. 1983, cat. no. 54, ill.

167 / **Mesquakie heddle**
Tama, Iowa, c. 1900. H 13½ in, W 9⅛ in. Wood (walnut)
DIA 81.369, Museum Purchase with funds from the state of Michigan, the city of Detroit, and the Founders Society. *Provenance*: carved by John Young Bear; purchased at Tama, Iowa by Milford G. Chandler; Richard A. Pohrt (2831). *References*: Feder 1971, no. 139, ill.; Flint Institute of Arts 1973, no. 346; Glubak 1976:25, ill.

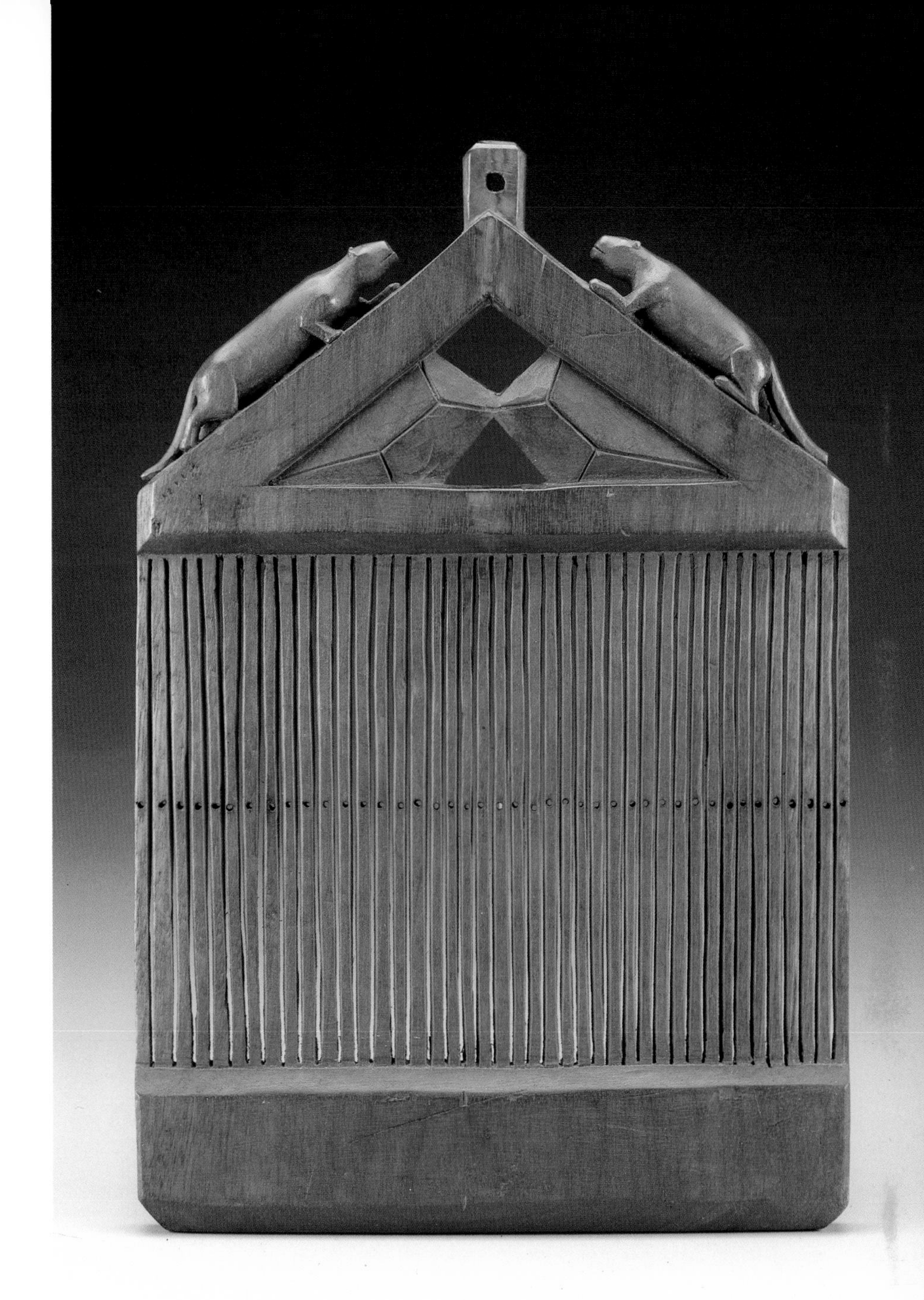

tasks of woodworking. The curved tip was designed to hollow the interiors of bowls and spoons, or any other concave shape. During the nineteenth century, crooked knife blades were often made from old steel files sharpened along one side and hafted to a wooden handle. The extension at the distal end of the knife functioned as a lever for the thumb and was often carved with a sculptural image. The horse was especially popular, as evidenced by this pair, one (pl. 165) collected from the Ottawa of Beaver Island, off the west coast of Michigan, and the other (pl. 164) from the Mesquakie of Tama, Iowa.

Vessels and Utensils: Bowls and Spoons

DAVID ZEISBERGER DISCUSSED THE WOODEN dishes and spoons constituting part of general domestic equipment: "Dishes and spoons they make themselves of wood, sometimes of tree knots [burls] and growths very neatly. The spoons are generally large and round shaped. Occasionally a spoon will be used by several people and turn about at a meal" (Hulbert and Schwarze 1910:86). Lewis Henry Morgan (1851:383) wrote of the Iroquois:

> Their wooden implements were often elaborately carved. Those upon which the most labor was expended were the ladles *ahdoqua sa [atog'washa]*, of various sizes, used for eating hominy and soup. They were their substitute for the spoon and hence every Indian family was supplied with a number. The end of the handle was usually surmounted with the figure of an animal, as a squirrel, a hawk, or a beaver; some of them with a human figure in a seated posture; others with a group of figures in various attitudes as those of wrestling or embracing.

168 / **Mesquakie feast bowl**

Tama, Iowa, nineteenth century. L 16¾ in, W 14⅛ in, H 9 in. Wood (maple)

DIA 81.643, Museum Purchase with funds from the state of Michigan, the city of Detroit, and the Founders Society. *Provenance*: purchased from John Young Bear at Tama, Iowa, by Milford G. Chandler (said to have belonged to John Young Bear's father); Richard A. Pohrt (3384). *References*: Detroit Institute of Arts 1986:11, fig. 11; Penney 1989:29, fig. 11; Torrence and Hobbs 1989, no. 126

169 / **Winnebago medicine bowl**
Wisconsin, c. 1850. L 6½ in, W 3⅝ in, H 2⅛ in. Wood (maple)
DIA 81.116, Museum Purchase with funds from the state of Michigan, the city of Detroit, and the Founders Society. *Provenance*: Milford G. Chandler; Richard A. Pohrt (795). *Reference*: Penney et al. 1983, no. 4

Large bowls were used to present feasts for families, relations, and honored guests (pl. 168).

Religious practitioners employed small "medicine" bowls to effect cures or for acts of divination (pls. 169 and 170). Joseph Nicollet wrote about Chippewa Midewiwin practitioners of the 1830s who, while performing the rite ***nanandawi idi win***, meaning "to doctor" or "to take care of," offered their patients herbal remedies in a shell dish or wooden bowl (Bray 1970:220). Milford Chandler witnessed the use of small bowls in similar acts of curing during the early 1920s. The practitioner sprinkled finely powdered herbal remedies on the surface of the water in a small wooden bowl. The movement of the preparation on the surface of the water would reveal whether the cure would be successful. The figures of human heads or animals carved at the ends of these small bowls may represent the manitous or spirits summoned to assist with and witness these events.

170 / **Mesquakie medicine bowl**

Tama, Iowa, c. 1860. L 5¾ in, W 4⅛ in, H 2¼ in. Wood (maple)
DIA 81.411, Museum Purchase with funds from the state of Michigan, the city of Detroit, and the Founders Society. *Provenance*: purchased at Tama, Iowa, by Milford G. Chandler; Richard A. Pohrt (2901). *References*: Flint Institute of Arts 1973, no. 333; Detroit Institute of Arts 1986:15, fig. 19; Penney 1989:35, fig. 19; Torrence and Hobbs 1989, no. 127, ill.

171 / **Potawatomi spoon**

Wisconsin, 1840–80. L 6¼ in, W 4⅜ in. Wood (maple)
DIA 81.412, Museum Purchase with funds from the state of Michigan, the city of Detroit, and the Founders Society. *Provenance*: Milford G. Chandler; Richard A. Pohrt (2902). *Reference*: Flint Institute of Arts 1973, no. 316, ill.

172 / **Ottawa spoon**

Cross Village, Michigan, nineteenth century (?). L 6¼ in, W 2⅜ in. Wood (maple)

DIA 81.42, Museum Purchase with funds from the state of Michigan, the city of Detroit, and the Founders Society. *Provenance*: purchased from Yellow Thunder at Cross Village, Michigan, by Richard A. Pohrt in July 1972; Richard A. Pohrt (275). *Reference*: Flint Institute of Arts 1973, no. 315, ill.

173 / **Oneida spoon**

Wisconsin, nineteenth century. L 6¾ in, W 3½ in. Wood

CIS 2124. *Provenance*: purchased at the Oneida Reservation in Wisconsin by Milford G. Chandler. *Reference*: Dockstader 1973, no. 241, ill.

174 / **Iroquois spoon**

Grand River region, Ontario, nineteenth century. L 7¾ in, W 4 in. Wood

CIS 2122. *Provenance*: purchased near Brantford, Ontario, by Milford G. Chandler

Images as Effigies

In men's endeavors of hunting and war, success depended as much on the spiritual preparedness of the individual as on his personal abilities, strength, or skill. Special powers were gifts, or "blessings," granted by spirits in visions or dreams. Such powers were made manifest through a variety of special substances, materials, and objects kept together in a bundle to be opened only when accompanied by requisite rituals, often including prayers and songs. Although originating with a dream or vision, the bundle and its attendant rituals could be transferred by gift or sale to others.

Sculptural images in such assemblages functioned metonymically, referencing the material attributes of activities to be aided by spiritual power. The "man's business" bundle (pl. 180), for example, included miniature canoe and paddles for protection during travel, and even a miniature stick to promote luck in lacrosse. Ruth Phillips (1989:53)has observed that such miniature objects may have contributed to a sense of control over the events to which they are related.

Effigies of human beings or humanlike creatures were employed in a variety of activities intended to control behavior, health, or material circumstance. Milford Chandler identified the Potawatomi figure as a male "love doll" (pl. 176) or a charm employed to compel love from the person of one's desires. Use of this kind of "medicine" was considered dangerous and the result akin to coercion: "Persons so attacked find themselves unable to resist. It is often the case that the captor tires of his [her] conquest and leaves the victim, who is still under the spell of the charm. Such a person will become frantic, and even go crazy, following the user of the charm everywhere" (Skinner 1923:207; see also 1915:189–90).

It is plausible, although by no means certain, that the larger Chippewa figure (pl. 175) functioned as a "manitoukanac," a representation of a spirit that protected the members of a household when placed outside near an entryway or along the path that led to and from the house. Passersby left offerings of cloth, ribbons, and ornaments in thanks, winding the textiles around the body of the figure and draping it in jewelry. The small figure from the Yankton Sioux (pl. 177) represents a "tree dweller," an odd race of spiritually potent dwarfs or "little people" that inhabited the forests of western Minnesota. They lived in tree stumps and possessed the ability to befuddle the minds of hunters to make them lose their way in the woods. Note the otherworldly awkwardness in the carved representation of the tree dweller, his knock-kneed stance, twisted joints, and oversized head with bulbous, staring eyes and menacing grin.

Chandler collected the small wooden face (pl. 178) in Caledonia, Ontario, perhaps among the Delaware whose ancestors had fled Ohio after the American Revolution. David Zeisberger, Moravian missionary and founder of the Delaware missions in Ontario, described just such an object: "The only idol which the Indians [Delaware] have and which may be properly called an idol, is their *wsinkhoalican*. . . . an image cut in wood representing a human head in miniature, which they always carry about them either on a string around their neck or in a bag. They often bring offerings to it" (Hulbert and Schwarze 1910:141).

175 / **Chippewa figure (manitoukanac?)**

Cross Village, Michigan, c. 1850. H 37¼ in (with base), W 5½ in. Wood, iron nails, pigment

DIA 81.67, Museum Purchase with funds from the state of Michigan, the city of Detroit, and the Founders Society. *Provenance*: John Ojibway, (originally from) St. Ignace, Michigan; Frank Francis (descendant), Cross Village, Michigan; purchased by Richard A. Pohrt, 1968 (500). *References*: Flint Institute of Arts 1973, cat. no. 529, ill.; Coe 1977, cat. no. 158, ill.; Penney 1989:13, fig. 3

176 / **Potawatomi male figure (love doll)**

Crandon, Wisconsin, 1800–60. H 9 in. Wood, wool fabric

CIS 3058. *Provenance*: purchased at Crandon, Wisconsin, by Milford G. Chandler. *Reference*: Feder 1971, no. 137, ill.

177 / **Yankton Sioux figure (tree dweller)**

Minnesota or South Dakota, nineteenth century. H 9½ in, W 1¾ in. Wood, paint
DIA 1988.35, Founders Society Purchase with funds from the Flint Ink Corporation. *Provenance*: collected at Lower Brule or Crow Creek Reservation; Rev. David W. Clark; James Gillihan, Yankton, South Dakota; Richard A. Pohrt (1252)

178 / **Delaware head effigy**

Caledonia, Ontario, c. 1800–50. H 2½ in, W 1¾ in. Wood
CIS 1625. *Provenance*: collected by Milford G. Chandler at Caledonia, Ontario

179 / Potawatomi horse effigy

Rat River, Wisconsin, 1850–70. H 2 in, L 5⅜ in. Wood, red paint, wool fabric

DIA 81.614, Museum Purchase with funds from the state of Michigan, the city of Detroit, and the Founders Society. *Provenance*: purchased at Rat River, Wisconsin, by Milford G. Chandler; Richard A. Pohrt (3306). *Reference*: Penney et al. 1983, no. 16. *Related work*: Clifton 1978, fig. 9

180 / Portions of a Potawatomi "man's business" bundle (miniature club, lacrosse stick, canoe and paddle, dance wand)

Wisconsin, 1800–60. Club: L 7¾ in. Lacrosse stick: L 11¼ in. Canoe: L 7½ in. Paddle: L 4 in. Dance wand: L 7½ in. Wood

FMNH 155730, Julius and Augusta N. Rosenwald Expedition, Field Museum of Natural History. *Provenance*: collected in Wisconsin by Milford G. Chandler during the summer of 1925. *Reference*: Field Museum of Natural History 1926:426

The Language of Pictographs

THE VISUAL LANGUAGE OF PICTOGRAPHIC images conveyed powerful messages for those with the ability to read them. The engraved, drawn, and painted images did not constitute a formal written language, but served as links to memory. The images often functioned as mnemonic devices to aid in the recitation of sacred formula or to order the procedure of ritual. As such, they also veiled their secrets to those without the right to know, those who had not been initiated with the teachings necessary to read them.

The Chippewa song board and the Potawatomi prescription stick (pls. 183 and 184) both belonged to religious practitioners, one to a member of the Midewiwin society, the other to an herbalist, a healer. Both are oblong slabs of wood with a series of images running around the outer edges. The images on the song board refer to the verses of songs taught to the initiate during his or her religious training, and order their proper sequence for performance: "Many of the songs are taught only to those who pay for the privilege of learning them, and all the songs are recorded in mnemonics on strips of birch bark [song boards]" (Densmore 1910:15). The images that resemble small plants on the prescription stick list the species necessary for an herbal remedy to be prepared by the herbalist for aid to the sick and unhealthy. Each recipe is separated by a vertical line.

The Shawnee and Kickapoo prayer sticks (pls. 185 and 186) were produced by two important leaders of Indian religious movements during the early nineteenth century. The symbols inscribed along their lengths signify prayers taught by the prophets to their followers. Tenskawatawa, the Shawnee Prophet, attempted to unify an Indian confederacy in Ohio and Indiana against the United States just before the War of 1812. His teachings advocated a return to the traditional ways they had known prior to the arrival of whites. Kanakuk, the Kickapoo Prophet, organized resistance to the removal of the Kickapoo from Indiana during the 1820s. He carved and distributed prayer sticks to all of his followers:

> Apparently every man, woman, and child in the tribe was at this time in the habit of reciting the prayers from the sticks on rising in the morning and before retiring for the night. This was done by placing the right index finger first under the upper character while repeating a short prayer which it suggested, then under the next, and the next, and so on to the bottom, the whole prayer, which was sung as sort of a chant, occupying about ten minutes (Mooney 1896:697).

The roll call cane (pl. 187) used pictographic images engraved along its length to record the titles of the fifty Iroquois chiefs. During the Condolence Ceremony, the deceased chiefs of the past were memorialized and their successors "raised up" by the lengthy recitation of the names of all the clan chiefs of the Iroquois Confederacy. The sequence of pictograph images on the roll call cane delineates the relationships between the titles and clans, thereby creating a

181 / **Chippewa or Potawatomi drum**

Michigan, Minnesota, or Wisconsin, c. 1840. D 20¾ in, W 1¾ in. Wood, deerskin, iron nails, pigment

Richard and Marion Pohrt

182 / **Eastern Sioux feather box lid** (?)

Minnesota, 1800–60. L 17½ in, W 4¾ in. Wood (maple)

DIA 81.447, Museum Purchase with funds from the state of Michigan, the city of Detroit, and the Founders Society. *Provenance*: said to have belonged to Little Crow (1800–1863); Milford G. Chandler; Richard A. Pohrt (2969). *References*: Flint Institute of Arts 1973, no. 482, ill.; Glenbow Museum 1987, no. W110, ill. *Related work*: Feder 1965b, no. 208 (National Museum of Natural History 17535)

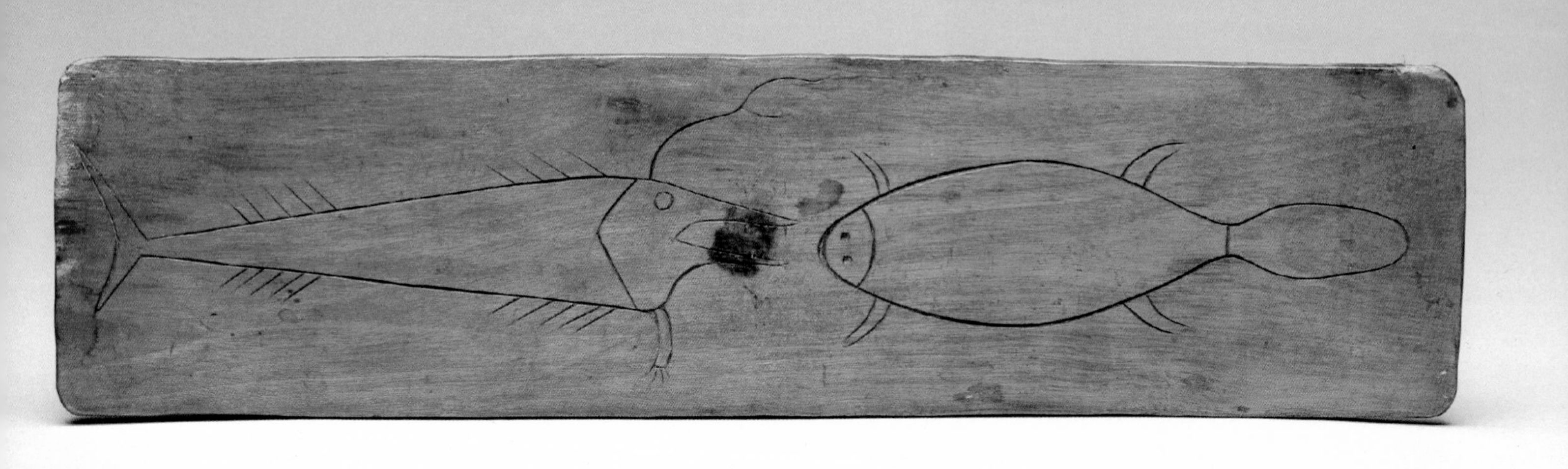

E826

183 / **Chippewa song board**

Lac de Flambeau, Wisconsin, nineteenth century. L 15¼ in, W 3⅞ in. Wood (maple)
DIA 81.69, Museum Purchase with funds from the state of Michigan, the city of Detroit, and the Founders Society. *Provenance*: Lynn Munger; Richard A. Pohrt (506). *References*: Flint Institute of Arts 1973:523; Glenbow Museum 1987, no. W111

184 / **Potawatomi prescription stick**

Mayetta, Kansas, c. 1860. L 18½ in, W 3 in. Wood (maple)
DIA 81.413, Museum Purchase with funds from the state of Michigan, the city of Detroit, and the Founders Society. *Provenance*: collected by Milford G. Chandler at Mayetta, Kansas; Richard A. Pohrt (2903). *Reference*: Flint Institute of Arts 1973, cat. no. 515. *Related work*: Clifton 1978, fig. 7

185 / **Kickapoo prayer stick**

Indiana or Illinois, 1825–30. L 12¾ in, W 2½ in. Wood (maple)
DIA 81.403, Museum Purchase with funds from the state of Michigan, the city of Detroit, and the Founders Society. *Provenance*: said to have been carved by Kanakuk, the Kickapoo Prophet; Milford G. Chandler; Richard A. Pohrt (2880)

diagram of the complex nature of Iroquois political structures. The images on the cane ordered the recitation of titles during the ceremony, confirming the legitimacy of the proceedings and its participants (Tooker 1978:426–27, 437–38; Fenton 1950).

The pictographic diagram visible on the feather box lid (pl. 182) does not appear to be tied to formula or recitations, but makes a more general reference to the structure of the cosmos. The oblong slab is divided into three sections, not counting the disk at one end. In the center are four circles, each with an equal-arm cross inside. The cross-and-circle is an ancient motif in North America. Here it refers to the four cardinal directions and the encircling horizon that define the horizontal plane of the terrestrial earth. This central panel is flanked by two others. One is engraved with two pairs of underworld creatures: underwater panthers with horns, and bears. The other third panel contains two hourglass forms ornamented with feathers. The hourglasses represent the breast and tail feathers of thunderbirds. The three panels together, then, present a diagram of the universe, the terrestrial plane of the earth flanked above and below by the sacred realms of the sky and the underworld, each personified by powerful creatures with mythic powers.

Pictographic reference to otherworldly powers is also visible on the Chippewa hand drum (pl. 181), an instrument employed by a Midewiwin practitioner when performing a cure. The circle of the drum is bisected into two fields with a blue band between them, as is characteristic of *cici'gwan*, or "doctor's drum" (Densmore 1910:11–12, 119–20). One side of the drum is painted with a powerful image of a thunderbird, with lightning issuing from its head like horns, alighting near a stationary figure with wings outspread—perhaps the doctor himself, who has received power from this significant guardian spirit.

186 / **Shawnee prayer stick**
Ohio, 1800–1810. L 13½ in. Wood
CIS 2292. *Provenance*: said to have been carved by Tenskawatawa, the Shawnee Prophet; collected by Milford G. Chandler among the Winnebago of Wisconsin

187 / **Iroquois roll call cane**
Southern Ontario, nineteenth century. L 35¼ in. Wood (maple)
CIS 1914. *Provenance*: purchased from Andrew Spragg (Cayuga, c. 1865-c. 1921) at the Six Nations Reserve, Ontario, by Milford G. Chandler, 1920. *References*: Tooker 1978:427, fig. 5; Fenton 1950, ill.

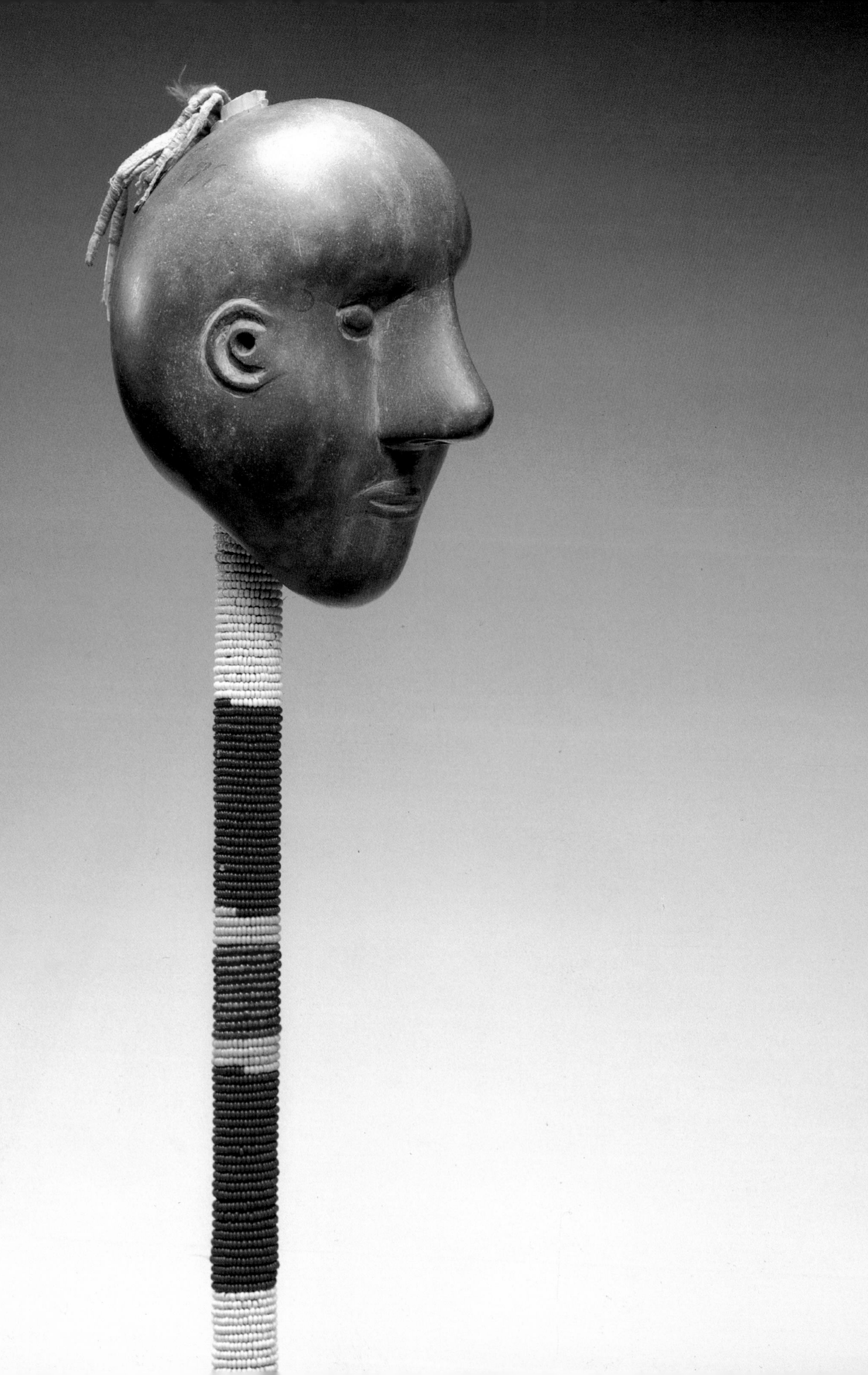

PLAINS

188 / **Sioux club**

North or South Dakota, c. 1860. L 24 in.
Stone, wood, beads
DIA 81.672, Museum Purchase with funds from the state of Michigan, the city of Detroit, and the Founders Society. *Provenance*: Arthur Abraham; Lynn Munger; Richard A. Pohrt. *Reference*: Feder 1971:77, fig. 86, ill. *Related work*: Ewers 1986, fig. 182 (Museum of the American Indian, Heye Foundation 23/850)

189 / **Sioux *coup* stick**
North or South Dakota, c. 1860–80.
L 30½ in, W 2⅛ in. Wood, brass cobbler's tacks, pigment
DIA 1988.33, Founders Society Purchase with funds from the Flint Ink Corporation. *Provenance*: Nadine Hurst; Richard A. Pohrt

190 / **Yanktonai Sioux *coup* stick**
Fort Peck, Montana, c. 1860–80. L 33½ in, W 2⅞ in. Wood, pigment
DIA 1988.225, Founders Society Collection, Gift of Richard and Marion Pohrt. *Provenance*: collected at the Fort Peck Reservation in Montana in the 1880s; Mrs. Jane Parker, Rochester Hills, Michigan; Richard A. Pohrt

Clubs and Coup Sticks

AS WAS THE CASE AMONG THE INDIANS OF the Great Lakes, a man's path to social prominence in a Plains tribe led through accomplishment in warfare. Men tabulated their military exploits through an elaborate means of counting *coups*, or blows struck against an enemy. As the Lakota White Bull explained to Walter S. Campbell: "head feathers were awarded to brave men who had counted *coup*—who had been bold enough to strike the enemy with their hands or with something held in their hands. . . . four men might count *coup* on the same enemy in the same fight, and ranked on that occasion in order of their striking him. To strike first was the greatest possible honor" (Vestal 1934:25). In addition to weapons, some Lakota warriors took *coup* sticks to battle for the express purpose of counting *coup* or touching the enemy. White Bull also told his biographer how his uncle, the Hunkpapa Sitting Bull, who was called "Slow" as a boy, had used nothing but a *coup* stick to count his first *coup*:

> "Slow" . . . was on his war horse, starting for the enemy, coup stick in hand, unable to hold back any longer. . . . "Slow" found himself facing a man on foot with an arrow on his bowstring. . . . He was . . . hot to win that honor, to count his first coup, to be foremost in his first battle. . . . He sped straight on, leaning forward with outstretched coup stick. Crack! He struck the enemy smartly across his forearm, spoiled his aim. . . . "On-hey!" yelled the boy, "I 'Slow' have conquered him!" (Vestal 1957[1932]:12).

The two *coup* sticks (pls. 189 and 190) illustrated here are carved with the heads of the Lakota's traditional enemies of the nineteenth century, the Crow. Each head wears his hair with the customary Crow "pompadour," the forelocks heavily greased to remain upright. Small cobbler's tacks used as inlay on one represent the Crow style of cascading necklace. The faces are red with face paint. The image of an enemy's head on the end of a *coup* stick is at once an insult and a challenge, as if the enemy's head might become a trophy of battle. Presumably, the solidly sculptured stone head on the end of the club (pl. 188), a serviceable weapon, is a symbol of the desire for trophy honors as well.

The later Dance Club (pl. 191) was probably never used as a weapon. It dates to the reservation period after the decline of Plains warfare and the opportunity to count *coups* against one's enemies. Social dances, like the Grass Dance, however, recalled men's virtues as accomplished warriors and protectors of the people. The club derives from the tradition of *coup* sticks with characteristic "Crow" heads, updated as part of a dress ensemble for dancing.

The dance stick and mirror board (pls. 192 and 193) also served as accessories for Grass Dance dress. The Grass Dance derived from an Omaha dance that celebrated the accomplishments of warriors. It spread to many other Plains tribes in a number of variations after the 1860s and became known more generally as the "Grass Dance," a social dance linked to the memory of men as warriors. It is a direct ancestor of modern powwow dancing. These Grass Dance accessories

191 / **Sioux dance club**

Standing Rock (?), North Dakota, c. 1890. L 28 in. Cottonwood, iron, brass tacks, cobbler's tacks, pigment

Richard and Marion Pohrt. *Provenance*: James Ritchie, Toledo, Ohio. *Related works*: Ewers 1986, fig. 123 (State Historical Society of North Dakota 2,594); Maurer 1977, no. 187 (CIS 4170)

192 / **Oto dance stick**

Oklahoma, c. 1900. L 25 in, W 3¾ in. Wood, glass mirror

BBHC NA.203.373. *Provenance*: Arthur Abraham; Richard A. Pohrt

193 / **Iowa mirror board**

Oklahoma, c. 1890. L 14⅛ in, W 6⅜ in. Wood, glass mirror, brass cobbler's tacks, steel head tacks

DIA 81.427, Museum Purchase with funds from the state of Michigan, the city of Detroit, and the Founders Society. *Provenance*: Milford G. Chandler; Richard A. Pohrt (2920). *References*: Penney et al. 1983, no. 17, ill.; Detroit Institute of Arts 1986:22–23, fig. 5; Penney 1989:45–46, fig. 5. *Related work*: Feder 1965b, no. 50 (Museum of the American Indian, Heye Foundation 14/805)

were carried while dancing. The sculptured images of horses are references to the horse-stealing raids of traditional intertribal skirmishing. The inlaid mirrors also possess martial associations: their reflected light, like a warrior, defies an enemy's ability to grasp or harm it. It is also a projection of spiritual power; dancers might intimidate their competitors by reflecting light into their eyes (Penney and Stouffer 1989:45–47; Dorsey 1894:480).

Elk Antler Quirts

THE QUIRT, MADE AND USED BY EQUESTRIAN Indians, may be described as a short riding whip consisting of a handle, wrist strap, and lash" (Pohrt 1978:62). Quirts made with sections of elk antler were used by several Prairie and Plains tribes. Two illustrated here from the Osage are engraved with pictographic images that represent war exploits. The engraving on one (pl. 194) shows a row of rudimentary figures and an assemblage of horse tracks that record the owner's *coup* in battle. A scene of combat between an equestrian and warrior with a feather headdress on foot, perhaps the owner himself, is also included in the center. The abbreviated style of the pictographic engraving suggests that the quirt dates prior to midcentury. In contrast, the other Osage quirt (pl. 195) is engraved with a horse-stealing scene that spreads around the surfaces of the elk antler. Here the figures are portrayed with many additional details of dress and ornament.

Both Crow and Shoshone of the northwestern Plains made large elk antler quirts engraved with pictographic images of animals. The wrist straps of both quirts would tend to identify these as Crow. Two persons engraved one quirt (pl. 196): the elks in black contrast with the more fine-line treatment of buffalo, moose, deer, antelope, bear, horse, crane, and coniferous trees rubbed with brown pigment. The more massive quirt (pl. 197) with triangular panels of crosshatching engraved on its surface also includes pictographic images of elk, buffalo, and a bear. All of these animals, save perhaps the crane, can be considered important game species.

194 / **Osage quirt**
Oklahoma, c. 1840. L 15 in (lash: L 23¼ in).
Engraved elk antler, rawhide
BBHC NA.403.100. *Provenance*: Milford G. Chandler; Richard A. Pohrt. *References*: Maurer 1977, no. 157, ill.; Pohrt 1978:66, fig. 11

195 / **Osage quirt**
Oklahoma, c. 1860. L 13¼ in (lash: L 21 in).
Engraved elk antler, buffalo rawhide
DIA 1988.43, Founders Society Purchase with funds from the Flint Ink Corporation, the Robert H. Tannahill Foundation Fund, and the Benson and Edith Ford Fund. *Provenance*: Milford G. Chandler; Richard A. Pohrt (2988). *References*: Pohrt 1978:66, fig. 10; Penney et al. 1983, no. 22, ill.

196 / **Crow quirt**
Montana, c. 1880. L 18 in (lash: L 23 in).
Engraved elk antler, leather, buckskin, glass beads
DIA 1988.36, Founders Society Purchase with funds from the Flint Ink Corporation. *Provenance*: Milford G. Chandler, Richard A. Pohrt. *References*: Maurer 1977, no. 226, ill.; Pohrt 1978:67, figs. 13a and b

197 / **Crow quirt**

Montana, c. 1880. L 18¼ in (lash: L 21¾ in). Engraved elk antler, rawhide, buckskin, glass beads

Richard and Marion Pohrt (979). *Provenance*: collected in Montana by Charles Henry Palmer in the 1890s; Mrs. Virginia Ward Golding, Pontiac, Michigan, 1979. *Reference*: Pohrt 1978:67, fig. 12a and b

The Gift of Red Stone: Plains Smoking Pipes

By far the most widely employed material for the manufacture of pipe bowls on the Plains was catlinite, a distinctive orange-red stone named after the frontier painter, George Catlin. Catlin visited its source, a quarry in southwestern Minnesota, in the 1830s and made note of the Dakota traditions regarding this sacred location and the purpose of its gifts (1851:169):

Many ages after red men were made, when all the different tribes were at war, the Great Spirit sent runners and called them together at the "Red Pipe." He stood on top of the rocks, and the red people were assembled in infinite numbers on the plains below. He took out of the rock a piece of the red stone, and made a large pipe; he smoked it over them all; told them that it was part of their flesh; that though they were at war, they must meet at this place as friends; that it belonged to them all; that they must make their calumets from it and smoke them to him whenever they wished to appease him or get his good will—the smoke from his big pipe rolled over them all, and he disappeared in its cloud. . . .

Joseph Nicollet visited the site on June 29, 1838 (Bray and Bray 1976:71–77):

. . . we finally arrive in the valley of the famous red stone which is sought after by all the tribes of the north and the northwest for making pipes. When not prevented by war they come to this place on a yearly pilgrimage to quarry it. It lies within the territory of the Sioux, more particularly, in that of the Sisseton tribe. . . . [P]reparations for quarrying it are accompanied by three days of fasting and purification, abstinence from sex, ceremony, prayers, and offerings to the spirit of the quarry. . . . For many years the Indians have regretted that the red stone is exhausted at all the places where it can be extracted without difficulty. To reach it now it is necessary to remove a layer of old sandstone four and one half feet thick.

Members of many Plains and Prairie tribes visited the site regularly to quarry catlinite for smoking pipes. It is also clear that finished pipes and pipe bowls were exchanged among the tribes. For example, sacred pipe bundles could be replicated by means of elaborate rituals of transfer which required substantial payment by the recipients. Other smoking pipes were presented as gifts to seal alliances or other social relationships. In addition, smoking pipes might be purchased from well-known pipe makers for use as social pipes. By these means, catlinite smoking pipes, with their elongated calumet stems, were diffused throughout the Great Lakes, Prairie, and Plains.

The Iowa pipe bowl and stem (pl. 198), with its elaborate stem of ash wrapped with finely braided porcupine quill, resembles the pipe presented to President Monroe by the Iowa chief White Cloud on the occasion of his visit to Washington in 1824 (Ewers 1981, fig. 2). The bowl, made of catlinite with a short "prow" and inverted conical bowl, is a common early nineteenth-century form.

The Iowa pipe bowl (pl. 204), with its distinctive image of two faces wearing

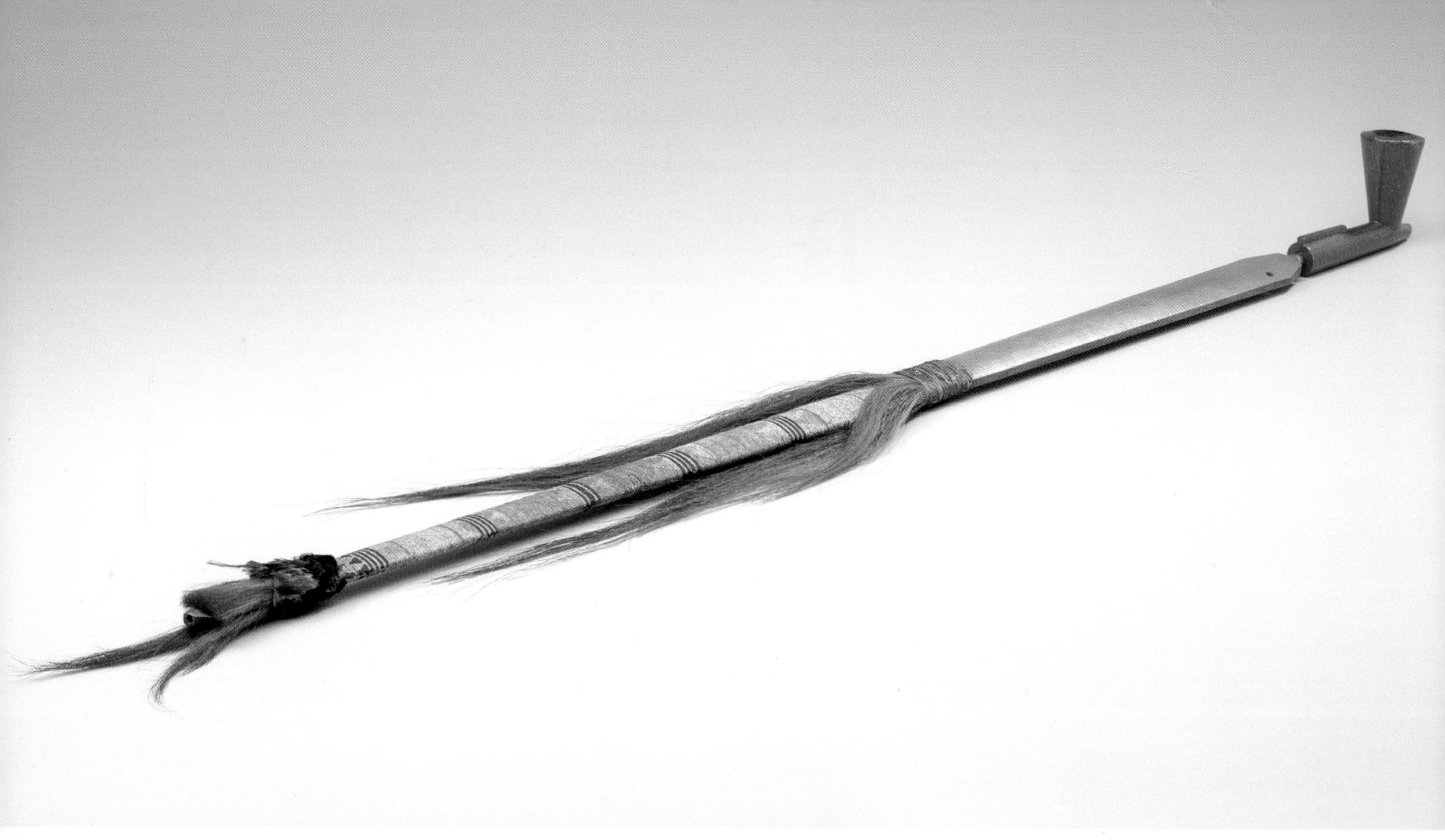

198 / **Iowa pipe bowl and stem**

Nebraska, 1820–40. L 45½ in, H 3¼ in, W 1¾ in. Catlinite, wood (ash), porcupine quills, horsehair, woodpecker scalp

DIA 81.237, 81.258, Museum Purchase with funds from the state of Michigan, the city of Detroit, and the Founders Society. *Provenance*: Milford G. Chandler; Richard A. Pohrt (2663, 2641). *Related work*: Ewers 1981, fig. 2

199 / **Pawnee pipe bowl**

Nebraska, c. 1830. L 5 in, H 3¼ in. Catlinite, lead

DIA 81.667, Museum Purchase with funds from the state of Michigan, the city of Detroit, and the Founders Society. *Provenance*: Richard Byers, Farwell, Michigan, March 1979; Richard A. Pohrt (4115)

a top hat carved on either side of the bowl, has been attributed to the Iowa because it resembles the Black Bear clan pipe collected by Alanson Skinner and now in the Milwaukee Public Museum (Skinner 1926, pl. xxxi, fig. 6). Its inverted conical bowl and slightly convex top relates closely, however, to pipe bowls collected among the Sioux of Minnesota and the Middle Missouri region before 1850 (see Ewers 1986, figs. 25 and 61). It appears likely that many of the Iowa clan pipes collected by Skinner were acquired by the Iowa through trade.

The Pawnee pipe bowl (pl. 199) can be distinguished stylistically by the squared flange at the top of the bowl, and the four-petaled radial motif at the end of the shank. The elegantly carved portrait bowl is well worn by repeated handling.

Eastern Sioux pipe makers are considered among the most skilled and prolific. They excelled at the technique of lead inlay, accomplished by carving shallow patterns in the stone surfaces of the pipe and pouring in molten lead; Milford Chandler claimed that a playing card was often bound around the pipe bowl to hold the lead in place, but any similar material would serve the purpose. One of the most elaborate pipe bowls decorated with this technique was collected by Chandler among the Mesquakie at Tama, Iowa (pl. 202). Chandler was told that the Eastern Sioux had brought the pipe bowl with a delegation to request Mesquakie participation in the Minnesota uprising of 1862. The Mesquakie declined but kept the pipe. Another pipe bowl (pl. 201) collected by Chandler among the Eastern Sioux was decorated with inlay produced from the lead type of a Minnesota printing press destroyed by participants in the Sioux uprising of 1862–63. The event had tragic consequences, and many Eastern Sioux were thereafter forced to leave Minnesota. Some established a settlement just across the Minnesota border at Flandreau, South Dakota, and members of this community continued to quarry catlinite and produce pipe bowls thereafter.

Catlinite pipe bowls of the Lakota Sioux were occasionally carved with a great range of effigy images. The large pipe bowl with the horse carved on its prow (pl. 203) convincingly portrays the animal in motion, its forward movement implied by the alignment of the head with the horizontal axis of the shank, its ears laid back, its mane flying outward behind.

200 / **Eastern Sioux pipe bowl**
Minnesota, c. 1850. L 6⅞ in, H 3⅜ in.
Catlinite
DIA 81.277, Museum Purchase with funds from the state of Michigan, the city of Detroit, and the Founders Society. *Provenance*: Milford G. Chandler; Richard A. Pohrt (2686). *References*: Flint Institute of Arts 1973:21, no. 78, ill.; Feder 1971:79, no. 90, ill.

201 / **Eastern Sioux pipe bowl**
Minnesota, c. 1865. L 5½ in, H 3⅝ in.
Catlinite, lead (printer's type)
DIA 81.257, Museum Purchase with funds from the state of Michigan, the city of Detroit, and the Founders Society. *Provenance*: Milford G. Chandler (C-1155); Richard A. Pohrt (2662). *Reference*: Flint Institute of Arts, 1973: 22, no. 80

202 / **Eastern Sioux pipe bowl**
Minnesota, c. 1855. L 8½ in, H 4⅛ in.
Catlinite, lead
DIA 81.273, Museum Purchase with funds from the state of Michigan, the city of Detroit, and the Founders Society. *Provenance*: collected by Milford G. Chandler at Tama, Iowa; Richard A. Pohrt (2682). *Reference*: Flint Institute of Arts, 1973:23, cat. no. 85

203 / **Sioux pipe bowl**
South Dakota (?), c. 1870. L 9¾ in, H 4⅝ in.
Catlinite, lead, black glass
DIA 81.490, Museum Purchase with funds from the state of Michigan, the city of Detroit, and the Founders Society. *Provenance*: collected by Milford G. Chandler from the Wisconsin Chippewa; Richard A. Pohrt (3025). *References*: Maurer 1977: 150, no. 172, ill.; Detroit Institute of Arts 1986:22, fig. 6; Penney 1989:44–45, fig. 6

204 / **Iowa or Sioux pipe bowl**
Nebraska, South Dakota, or Minnesota, c. 1840. L 8½ in, H 3⅝ in. Catlinite
DIA 81.44, Museum Purchase with funds from the state of Michigan, the city of Detroit, and the Founders Society. *Provenance*: Mrs. William England, Caro, Michigan; Richard A. Pohrt (291). *Reference*: Feder 1971, cat. no. 92, ill. *Related works*: Skinner 1926, pl. xxxi, fig. 7 (Milwaukee Public Museum 30531b); Ewers 1986, fig. 25 (American Museum of Natural History 12–52)

Feasts for Power: Bowls and Spoons

FEAST BOWLS MADE BY MEMBERS OF THE Eastern and Yankton (middle) Sioux participated in the rites of the Sioux Midewiwin, the Grand Medicine Society adopted from their Ojibwa neighbors. The initiate is "provided with a dish and a spoon. On the side of the dish is sometimes carved the head of some voracious animal, in which resides the spirit of Eyah (glutton god). This dish is always carried by its owner to the Medicine Feast, and it is his duty ordinarily to eat all which is served upon it" (Neill 1862:270, quoted in Ewers 1986:170; see also Dorsey 1894:471).

As Samuel Pond, the missionary, noted, "the Dakotas, when actively employed, did not eat often and were in the habit of devouring large quantities of food at a time. . . . long fasts were of course followed by hearty meals, and hunters' stomachs became so distended, by filling them to their utmost capacity, that they would contain enormous quantities of food" (Pond 1986:98). Serving more than it was possible to eat at a feast honored the hosts and shamed the guests, so that those who could not empty their dishes were forced to give their hosts presents of "a pair of leggings, or cloth for a shirt" (p. 97). The bowls with the heads of Eyah carved on the edges would appear to represent the bloated bellies of this spirit, who furnished an example to eat heartily when food was offered.

The Eyah bowls shown here portray the spirit in a variety of ways. Some include heads with brass tack eyes (pl. 205), one with squared horns that frame the face (pl. 206). Other images of Eyah are more abstract or abbreviated, such as the simple pairs of horns carved at both ends of the oval bowl (pl. 207), or the semicircular eyes cut through the squared head of Eyah on the large Eastern Sioux feast bowl (pl. 208; see Maurer 1989).

The Pawnee produced wooden serving bowls as well (pl. 209): "A wooden bowl is made by first cutting the knot from the tree. The knot selected depends upon the size of the bowl to be made. A sharp hatchet is used to whittle around the knot. While the knot is green a hole can be made more readily than when it begins to dry and harden. After the hole is the required size the handle on the rim is carved with a crooked knife. This little projection is called heads-on-top" (Weltfish 1937:48; quoted in Ewers 1986:173).

Plains spoons or ladles were made of both wood and horn, first buffalo or mountain sheep horn and later cow horn (Ewers 1986:174–78). The wooden spoon with the handle carved into the effigy of a loon with glass beads inlaid for eyes was the companion to one of the Yankton Eyah bowls (pl. 210). The elegant Lakota ladle in buffalo horn is also carved with the image of a bird on its handle (pl. 211). This type of spoon was replicated frequently in cow horn during the reservation period.

205 / **Sioux feast bowl**

Minnesota or South Dakota, c. 1850. H 7¼ in, L 17¼ in, W 15½ in. Wood (maple), brass tacks

DIA 81.497, Museum Purchase with funds from the state of Michigan, the city of Detroit, and the Founders Society. *Provenance*: collected at Lower Brule or Crow Creek Reservation; Rev. David W. Clark; Milford G. Chandler; Richard A. Pohrt (3030). *References*: Flint Institute of Arts 1973, no. 355, ill.; Penney et al. 1983, no. 35; Detroit Institute of Arts 1986:13, fig. 14 and cover; Penney 1989:32, fig. 14

206 / **Sioux feast bowl**

Minnesota or South Dakota, c. 1850. D 13⅜ in, H 5⅛ in. Wood (maple), brass tacks

DIA 1988.48, Founders Society Purchase with funds from the Robert H. Tannahill Foundation Fund. *Provenance*: collected at Lower Brule or Crow Creek Reservation; Rev. David W. Clark; James Gillihan, Yankton, South Dakota, 1982; Richard A. Pohrt. *References*: Detroit Institute of Arts 1986:12, fig. 12; Penney 1989:31, fig. 12

207 / **Sioux feast bowl**

Minnesota or South Dakota, c. 1850.
L 14½ in, W 13½ in, H 5¼ in. Wood (ash), brass tacks

DIA 81.624, Founders Society Purchase with funds from the Robert H. Tannahill Foundation Fund. *Provenance*: Milford G. Chandler; Richard A. Pohrt (3347). *References*: Detroit Institute of Arts 1986:16, fig. 20; Penney 1989:32, fig.20

208 / **Sioux feast bowl**

Minnesota or South Dakota, c. 1850.
L 17⅛ in, W 15½ in, H 5½ in. Wood (ash)

DIA 81.625, Founders Society Purchase with funds from the Flint Ink Corporation. *Provenance*: Milford G. Chandler; Richard A. Pohrt (3348). *References*: Detroit Institute of Arts 1986:15, fig. 18; Penney 1989:35, fig. 18

209 / **Pawnee bowl**

Oklahoma, c. 1850. H 5⅝ in, D 11⅞ in. Wood (ash)

DIA 81.618, Museum Purchase with funds from the state of Michigan, the city of Detroit, and the Founders Society. *Provenance*: Milford G. Chandler; Richard A. Pohrt (3341). *References*: Detroit Institute of Arts 1986:16, fig. 21; Penney 1989:36, fig. 21

210 / **Sioux spoon**
Minnesota or South Dakota, c. 1850.
L 13½ in, W 3 in. Wood (maple), glass beads
DIA 1988.60, Founders Society Purchase with funds from the Lillian Henkel Haass Fund and the Clarence E. Wilcox Fund. *Provenance*: collected at Lower Brule or Crow Creek Reservations; Rev. David W. Clark; James Gillihan, Yankton, South Dakota, 1982; Richard A. Pohrt (1250)

211 / **Sioux spoon**
South Dakota (?), c. 1860. L 14⅛ in, W 3¼ in. Buffalo horn
DIA 81.410, Museum Purchase with funds from the state of Michigan, the city of Detroit, and the Founders Society. *Provenance*: Milford G. Chandler; Richard A. Pohrt (2894)

Visionary Painting

WHEN SPIRIT BEINGS BLESSED WORTHY individuals, their blessings often took the form of objects or images that symbolized the nature and origins of the powers they bestowed. The occasion of such a gift was a vision or a dream in which the spirit being would show images or objects that would thereafter become the dreamer's "medicine." Bull Lodge, the Gros Ventre holy man, described to his daughter Garter Snake the occasion when the Thunderers had given him the gift of his war shield (pl. 212):

... one summer day after he had finished crying [praying] around the deserted camp ground ... he lay in the grass on his back.... As he gazed upward, an object appeared, very small, but he could see that it was moving. It looked like a circling bird.... It came closer and closer, and the closer it came, the bigger it got, until it came within an arm's length. It was a shield, with a string or fine cord attached to it leading up into the sky.... Then Bull Lodge heard a voice.... "My child, look at this thing. I am giving it to you from above.... I command you to make one like it for your own use. Your instructions for the shield's use will be given to you later. I will always be watching you and guarding you from above."... Then the voice left, and the shield rose up from Bull Lodge's chest and gradually disappeared into the sky (Horse Capture 1980:32–33).

Images on rawhide shields, or more often their buckskin covers, refer to the sources of power. The Crow shield (pl. 213) is one of a set of four painted with the same image of a bear emerging from a cave to meet a volley of bullets. Another was collected from among the Crow by Stephen C. Simms in 1902 for the Field Museum of Natural History (62578), and a third was collected by W. J. Hoffman in 1892 for what is now the National Museum of Natural History (154349). The other shield collected by Simms had belonged to Big Bear (Ewers 1982:43, fig. 9). Particularly powerful or successful shield designs might be reproduced and given or exchanged to others. Henry Boller, the trader, noted a gift of this kind on one occasion when the Crow visited the village of their Hidatsa kinsmen (1959:327):

The previous summer, when on the visit to the Crows the Wolf [a Hidatsa] painted [body or facial paint?] a young Crow warrior and said he gave him half his medicine. He was chief, and he gave him the same chance to become one. The young man took the name of the Black Cloud and painted half his shield black. He then went to war and stole two horses, when he sent word down that they were for the Wolf. His medicine was good, and he wanted his shield black all over.

Many northern Plains tribes used hand drums to accompany the prayers and songs of important religious ceremonies. The surfaces of these might also be painted with powerful spiritual images. The square drum (pl. 215) collected at Fort Peck is unusual for its shape. The painting of a strange, horned creature

212 / **Gros Ventre shield**

Montana, c. 1860. L 44½ in, W 21 in.
Rawhide (buffalo), buckskin, wool stroud, eagle feathers, brass hawk bells, glass beads, porcupine quills
Richard and Marion Pohrt (92). *Provenance*: owned by Bull Lodge; purchased from Philip Powder Face (a descendant) of Hays, Montana, in 1937. *Reference*: Horse Capture 1980:32–33, op. pp. 66, 67, ill.

with wings and staring eyes on one side no doubt represents an otherworldly being with potent spiritual powers. The horse painted on the hand drum (pl. 216) made by Eddie Little Chief, a Sioux, is a spirit horse, as indicated by the fanlike crest that substitutes for its mane and its elaborately painted body.

With the rise and spread of the Ghost Dance after 1888, many Plains Indians living on reservations hoped and prayed for new blessings that would return to them their former way of life. Garments produced for dancing among the Arapaho of Oklahoma were painted with visionary images that were derived from the traditions of spiritual painting. Many of the symbols and animals on these Arapaho garments were drawn from traditional religious concepts that offered renewed promise in the ritual of the Ghost Dance: "the crow (*ho*) is the sacred bird of the Ghost Dance, being revered as the messenger from the spirit world because its color is symbolic of death and the shadow land. . . . The crow is depicted on the shirts [pl. 218], leggings, and moccasins of the Ghost dancers, and its feathers are worn on their heads" (Mooney 1896:982). The turtle is included on some Ghost Dance garments because of the traditional Arapaho regard for the turtle as the upholder of the earth. An Arapaho Ghost Dance song exclaims, "At the beginning of human existence/ It was the turtle who gave this gift to me/ The earth" (pp. 975–76). The image of a cedar tree is painted on one side of the Arapaho Ghost Dance dress (pl. 217): "The cedar tree, the cedar tree/ We have it in the center . . . / When we dance. . . ." Mooney explains, "The cedar tree is held sacred for its evergreen foliage, its fragrant smell, its red heart wood, and the durable character of its timber" (p. 979). The stars, circles, and crescent moons painted on Ghost Dance garments signify the heavens as the Other World where spirits and ancestors dwell. Ghost Dance paintings drew on traditional symbols of the greater cosmos, which had been disturbed by the events of the nineteenth century and which the Ghost Dance promised to restore.

213 / Crow shield and cover

Montana, 1860. D 21 in. Rawhide (buffalo), buckskin, wool stroud, glass beads, feather BBHC NA.108.105. *Provenance*: owned by Plain Owl; collected by Stephen G. Simms, 1902; Field Museum of Natural History, Chicago (71737/1–2); (by exchange) Milford G. Chandler, 1925; Richard A. Pohrt (2526). *Related works*: Ewers 1982, fig. 9 (Field Museum of Natural History 62578); National Museum of Natural History 154349; Douglas and d'Harnoncourt 1941:149, ill. (copy commissioned by James Mooney from the Kiowa, 1909, National Museum of Natural History 229889)

214 / Cheyenne miniature shield and cover

Montana or Oklahoma, c. 1860. D 7½ in. Rawhide (buffalo), buckskin, pigment BBHC NA.502.177A/B. *Provenance*: Milford G. Chandler; Richard A. Pohrt (2397)

215 / **Assiniboine or Yanktonai Sioux hand drum**

Fort Peck Reservation, Montana, c. 1860–70. L 15¼ in, W 16½ in. Wood, deerskin, pigment

Richard and Marion Pohrt, on permanent loan to the Detroit Institute of Arts T1988.867. *Provenance*: collected at Fort Peck Reservation during the 1880s; Mrs. Jane Parker, Rochester Hills, Michigan

216 / **Sioux hand drum**

Pine Ridge Indian Reservation, South Dakota, c. 1900. L 15⅛ in, W 2 in. Wood, pigskin, pigment

BBHC NA.505.30. *Provenance*: made by Eddie Little Chief; purchased by Milford G. Chandler; Richard A. Pohrt (2119)

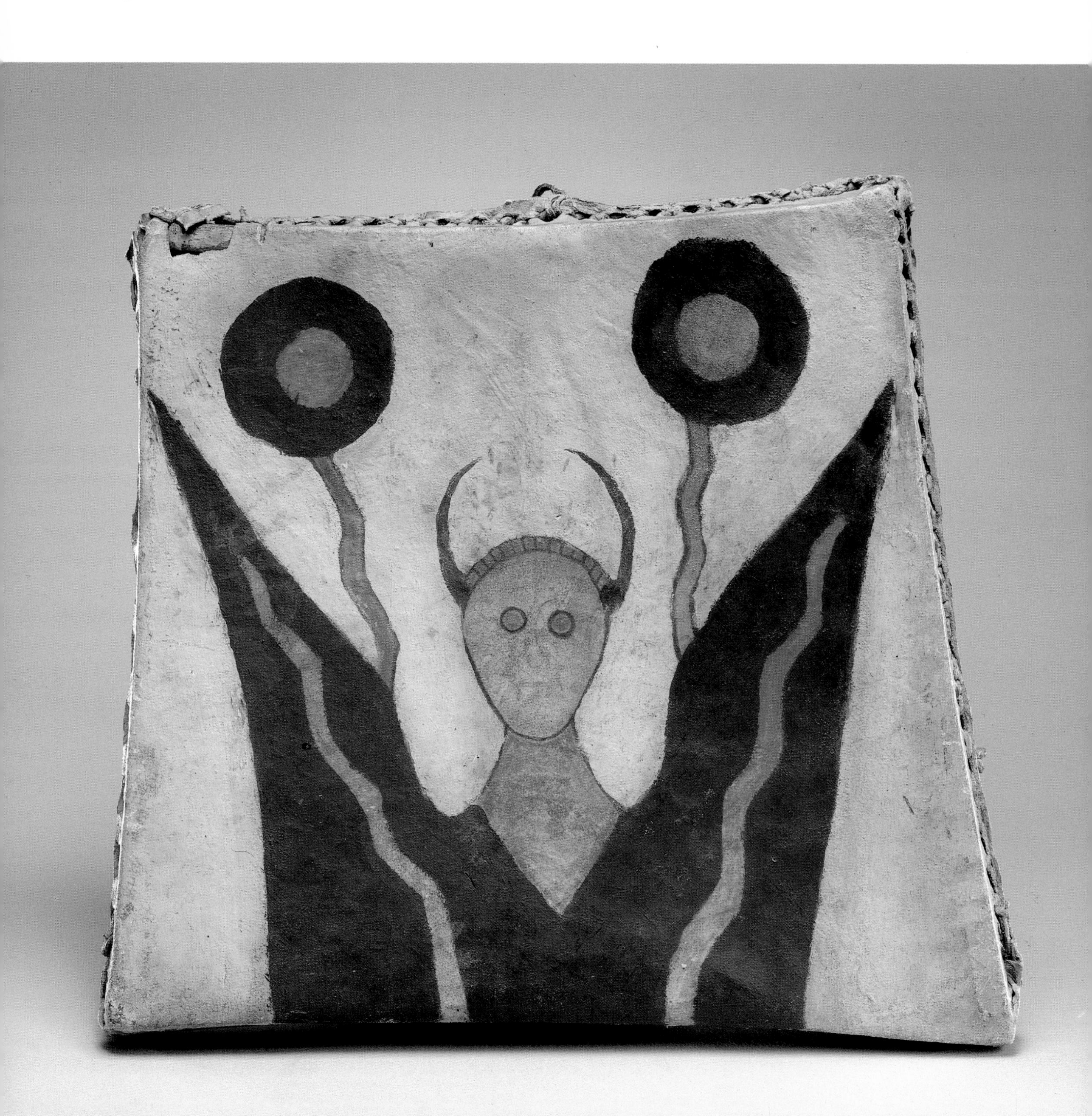

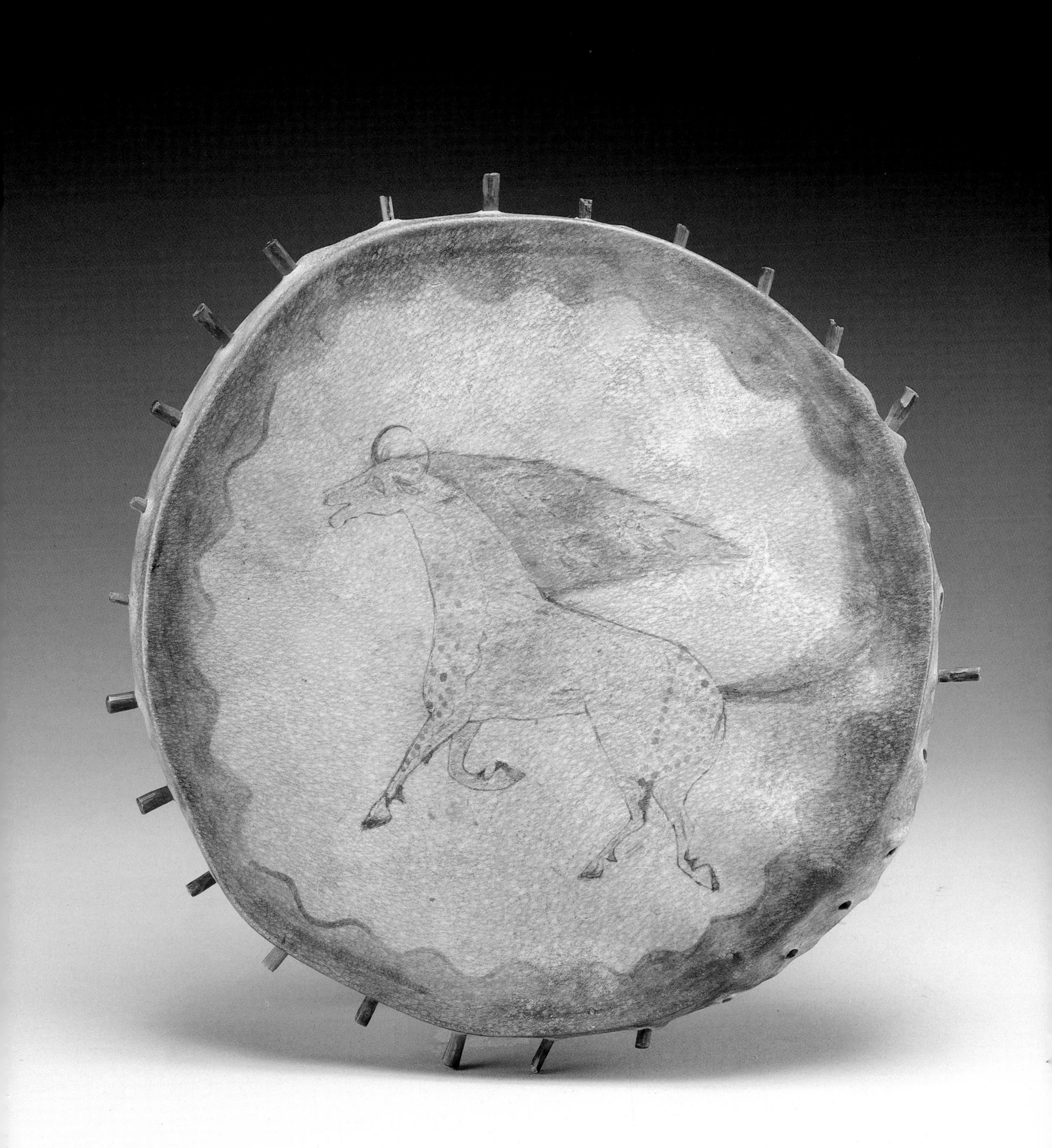

217 / **Arapaho dress**

Oklahoma, c. 1890. L 58 in. Buckskin, feathers, pigment

BBHC NA.204.4. *Provenance*: Chicago collection; purchased by Milford G. Chandler, c. 1925; Richard A. Pohrt (2039). *Reference*: Minneapolis Institute of Arts 1976, front and back covers, ill.

218 / **Arapaho man's shirt**

Oklahoma, c. 1890. L 37 in. Buckskin, feathers

BBHC NA.204.5, Gift of the Searle Family Trust and the Paul Stack Foundation. *Provenance*: Milford G. Chandler; Richard A. Pohrt (2084). *References*: Feder 1971, no. 98, ill.; Josephy et al. 1990, no. 2, ill.

Pictographs as History

219 / Yanktonai or Yankton Sioux Winter Count

Fort Totten Reservation, North Dakota, 1900–10. L 40¾ in, W 35¼ in. Cotton cloth, ink, pigment

DIA 1988.226, Gift of Richard and Marion Pohrt. *Provenance*: Fort Totten Reservation; purchased by Milford G. Chandler, c. 1970; Richard A. Pohrt

A WINTER COUNT IS A CALENDRICAL HISTORY of events. Each winter the keepers of Winter Counts, in consultation with their communities, selected a prominent occurrence to stand for that year, to be represented by means of a pictographic image painted on a buffalo hide (later, a muslin cloth). As the record of passing years grew, the Winter Count keeper arranged the pictographic images sequentially in an opening or closing spiral or in rows, as across a page. The Winter Count pictured here (pl. 219) begins at the lower right corner and spirals inward. It functioned to aid memory in ordering individual and tribal histories. Winter Counts were often maintained by several generations. American Horse, for example, an Oglala of the Pine Ridge Reservation, stated in 1879 that his grandfather had begun his Winter Count and that he had received it from his father (Mallery 1893:269).

This Winter Count records at least two generations of history related to the Upper Yanktonai (middle Sioux), who were eventually confined to the Devil's Lake Agency in 1877. It spans the years 1823 to 1911, beginning with the year "They-Left-the-[bad]-Corn-Standing" after attacking an Arikara village in conjunction with the punitive expedition of Colonel Leavenworth and U.S. troops. In the case of this Winter Count, each pictographic image is accompanied by the transliteration of the Nakota name for the entry. These written words were probably added during the reservation period when standardized transliterations of Nakota words had been established to assist with reservation education. The present Winter Count in fact may be a later, recopied version of an older one. The entries for specific years correspond in some cases to those of other Sioux Winter Counts. The entry for 1833, for example, is titled "the stars fell" accompanied by a pictograph of a circle filled with cross-shaped stars. Other Winter Counts called this winter "plenty-stars-winter" or "storm-of-stars-winter," all referring to the widely observed Leonid meteor shower of November 1833 (Mallery 1886:116). Some events were relevant only to the keeper's community; others had a much wider and profound impact. For example, the great smallpox epidemic is represented in the entries of 1837 and 1838 by the spotted bodies of the stricken.

White Bull told Walter S. Campbell about the event that gave the year 1855 the name "They-tore-off-the-Crow's-Headdress-with-their-Hands," as it is recorded in this Winter Count. A Hunkpapa war party had run off horses from a Crow village and were pursued by Crow warriors:

> . . . when they saw the Hunkpapa line up to receive their charge, the main body slowed down, halted. Only the leaders, three brave men, came on, spread wide, full of fight, making for the Hunkpapa line. One of these charged right in among the Sioux, counted two *coups*, and turned to make his getaway. But Loud Bear snatched the man's war bonnet by its long tail, which came away in his hand (Vestal 1957[1932]:28).

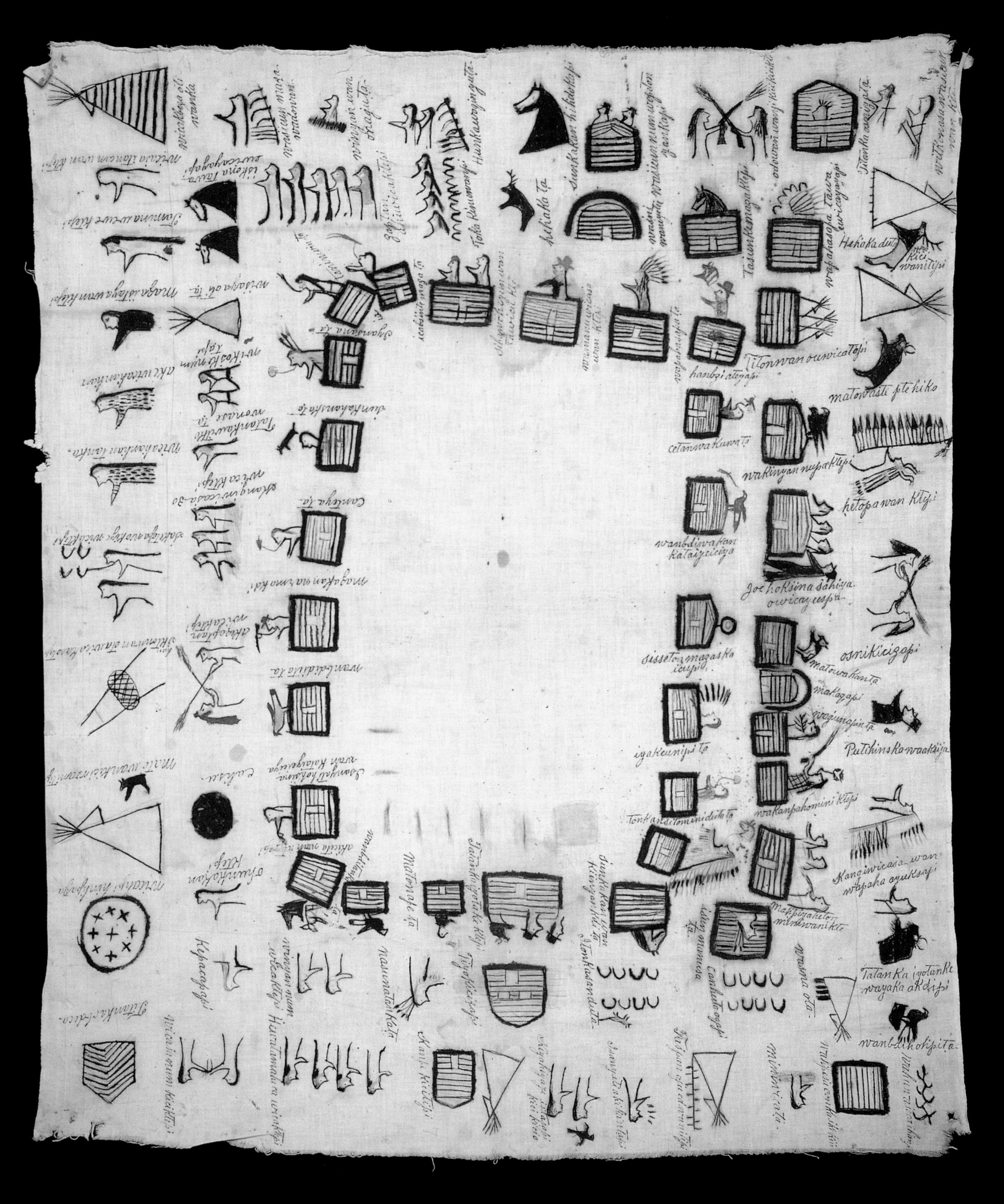

English Witches playing with
their Baby
Dakota Winyan Nokapika Hoksiyula ekta

Dreamed about Black Tail Deer &
performed the same
Sinte sapela Kaga

220 / **Six drawings from a Sioux autograph book**

Rosebud Reservation, South Dakota, c. 1890. Each approximately L 5¾ in, W 9 in. Pencil, colored pencil, and ink on paper DIA 81.233.3b, 81.233.4, 81.233.5, 81.233.6, 81.233.7, 81.233.16, Museum Purchase with funds from the state of Michigan, the city of Detroit, and the Founders Society. *Provenance*: Milford G. Chandler; Richard A. Pohrt (2575). *Reference*: Feder 1971, cat. nos. 100, 101, ill. (81.233.4, 81.233.5)

Beginning with the year 1877, "The withering winter," each entry includes the image of a log cabin marking the beginning of reservation life. The log cabin of 1877 is shown buried in snow, indicating the unusually fierce winter of that year. Later entries comprise a litany of deaths: "Red-Eagle-Died" (1895); "His-Heart-Died" (1897); "Long-Dog-Died" (1898); "Little-Red-Stone-Died" (1899). Perhaps these were the aged friends of the Winter Count keeper and prominent members of their generation. The year 1911 indicates the death of an unidentified individual, since there is no written entry. Presumably, this year also marked the demise of the keeper. (Michael Cowdrey provided the translations of these entries.)

Personal histories, particularly those events related to accomplishments in combat, were recorded by pictographic images painted on wearing robes, shirts (see pls. 77 and 79), tipis, and, by midcentury, the paper pages of account books, ledger books, and autograph books—any kind of bound volume, in fact, with empty pages that could be purchased, traded, or captured from whites. Through the 1880s, the owners of "ledger book" histories, as they have come to be called, filled their pages with images representing the facts of personal war exploits: who were the participants, what was their weaponry, and who killed, captured, or wounded the enemy.

The drawings on the pages of this Lakota autograph book (pl. 220), however, produced by some resident of the Rosebud Reservation during the 1890s, are different. There are no references to the activities of any individual. Instead, the artists (there are at least two hands at work) created an illustrated compendium of Lakota social and religious life. The book illustrates episodes of the Sun Dance, the public performances of the Black Tail Deer Dreamers, even the strange dance performed by the female Dreamers of Double Woman. Some pages are filled with illustrations of regalia worn for the Grass Dance, or show the proper appearance of formal dress for an equestrian parade. When a warrior is represented, he is nameless, and demonstrates how Lakota men would customarily conceal themselves behind their horses when charging the enemy. The artists worked in traditional pictographic style but took an almost anthropological view in their representation of Lakota culture. They illustrate how things were done, generally speaking, instead of recording actual events. English titles for the pictures accompanied by Lakota transliterations suggest the collaboration of an agent or school teacher in writing the captions. Instead of a personal history, this autograph book is more accurately a cultural representation of the religious and social activities of the past and reservation life.

English -- Performing the dreams, of Black Tail Deer
Dakota --- Sinte Sapela Kaga

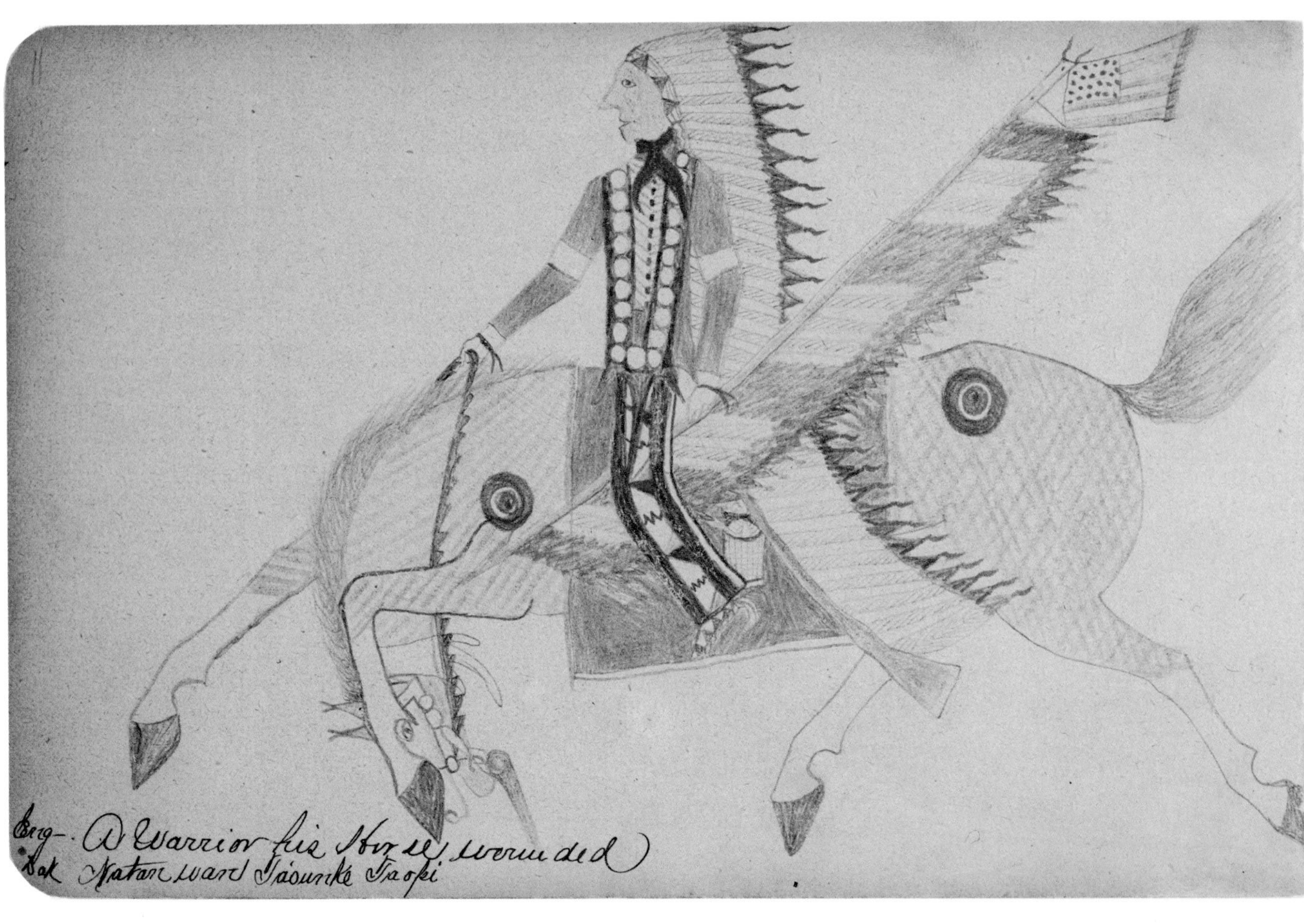
Eng - A Warrior his Horse wounded
Dak Natan wan Tasunke Taopi

Sun Dancing with his Horse, That means praying for the people
Tasunke kici wiwanyangwaci

Sun Dance

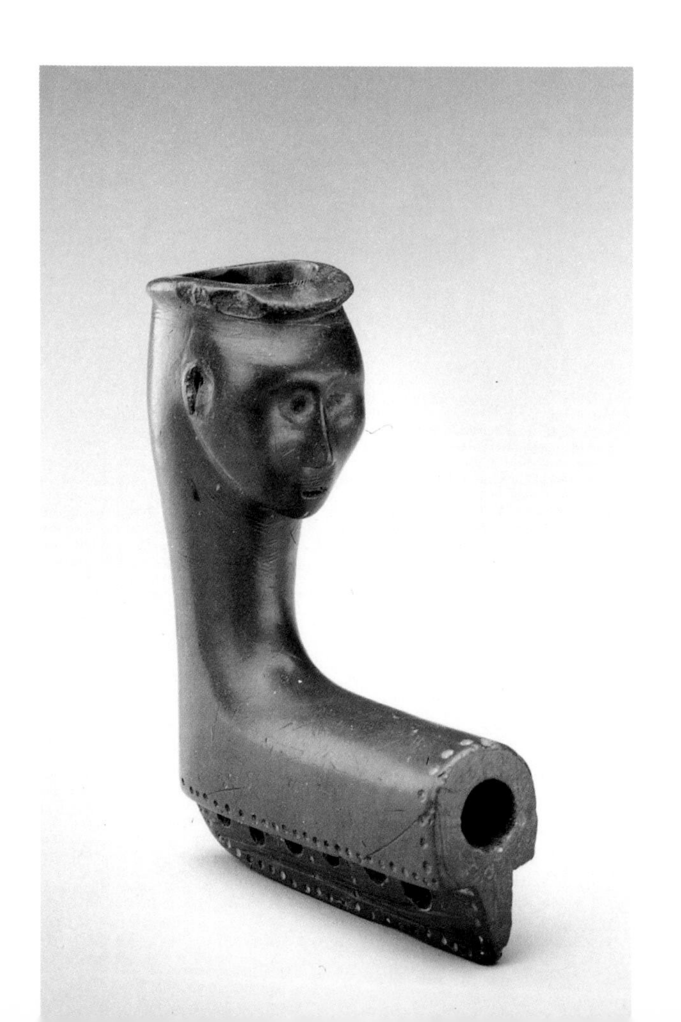

Fig. 17 / **Milford G. Chandler,** c. 1970. Photographer unknown, *photograph courtesy Alan Chandler*

Fig. 18 / **The Miami war pipe,** catlinite, collected by Milford G. Chandler from Camillius Bundy. *Detroit Institute of Arts (see pl. 156)*

The Miami War Pipe

Milford G. Chandler 1889-1981

MILFORD CHANDLER RARELY WROTE. Although many who knew him quarried his memory for the myriad facts and details of Indian lore he possessed, little written by him found its way to the printed page. He was a mesmerizing speaker, his slow and measured words recalling the oratory of an earlier, more genteel generation. It was by this means that he shared his knowledge, which now, for the most part, resides in the memories of those who knew him.

This manuscript evidently evolved from one of Chandler's collecting anecdotes, and was discovered in the files of the Cranbrook Institute of Science. It is not clear whether Chandler wrote it or someone else transcribed it from a recording. The formal style recalls Chandler's mannerisms of speech. It is the story about a pipe bowl that burrows through the layers of its significance to those who once owned it, including Chandler himself, Camillius Bundy (from whom Chandler purchased it), Bundy's mother (who had taught Bundy its history), and finally Hard Strike, Bundy's ancestor who had acquired it as a sacred prerogative from a nameless but powerful elder. As such, the story is a potent reminder of the ability of an object to serve as a vessel of memory.

D. PENNEY

OFTEN WE HEAR THE EXPRESSION, "IF ONLY this thing could talk, what stories it could tell!" The pipe which is the subject of this account is exceptional, being an effigy pipe of what appears to be Ohio pipestone. The bowl is a lifelike representation of a man's head wearing a flaring circular crest. This effigy head faces the smoker. The elongated, curving neck forms the base. The base shows the influence of the Iroquois trumpet pipes of pottery. Fortunately some of the lore connected with this ceremonial pipe was still available at the time it was collected, and its interesting story is presented herewith.

In the early 1920s I made a number of trips to visit and collect among the Miami Indians, living mainly in the neighborhood of Peru, Indiana. In the course of these visits I became acquainted with an old man of mixed blood by the name of Camillius Bundy. Bundy was a descendant of Frances Slocum, the "lost sister of Wyoming." After I had collected several other specimens from him on successive trips, he said, "I'll show you something which has been my friend since I was a boy." He brought out the effigy pipe, which I later acquired, and from him I got much of its story.

When he was a boy of fourteen, his Indian mother noticed his interest in the ways of his people and told him that he should prepare himself to care for the sacred things that she would pass on to him when he became a man. She directed him to go to a lonely place from time to time and there, with his face blackened with charcoal, fast for a day while in meditation. Later he was to fast for a vision in which he would be given his "medicine" or protective amulet, which he was to wear for life.

Also she insisted that he go to the Mississinewa River and daily plunge in over his head even when ice had to be broken in the winter. He said a white boy wanted to take the same course of training. When the water was too cold, he would cheat and allow his companion to jump in first, while he would go only chest deep and quickly wet his hair to make it seem that his head had gone under the water.

The Ringling Circus had winter quarters in Peru, and this year he decided to run away and join the circus when it went on its summer tour. Starting in the spring, he stayed with the circus until it returned in the fall to its winter home in Peru.

He had not written nor heard from anyone in the meantime, so he went out on foot to the settlement. There he was grief-stricken to find his mother's cabin burned to the ground. Hurrying to neighbors, he was told that his mother had died in the fire. Overcome by remorse, he returned to the cabin site with thoughts of all his boyhood pleasures and his mother's loving pains to make him a great man among his people.

Her stores of herbs, some from far places, had been there. Sacred things had been treasured, and they, with their stories and songs, were gone. The world outside, which he had seen with the circus, was hard and foreign. Mother love had made this his real home even though she had been quite exacting. In kicking around among the ashes and charred bits on the ground he suddenly felt something hard and stooped to find it was *the* pipe.

He had seen it and knew it well, as it was an important item in a medicine bundle that was kept hung from the rafters in the loft of the cabin. Periodically the bundle had been opened at a feast, its sacred medicine articles arranged on its wrapper of matting, forming a shrine. An offering of fresh tobacco was sprinkled over the contents. At these times he would look at the pipe and its long stem, which was passed among the participants in communion. The rising smoke became a path to the Great Spirit. There was a necklace with many little ball-shaped medicine pouches, which was a most wonderful thing, and also a choker used to partly strangle a man so that his spirit would travel for a while and then return to tell what it had seen. Then there would be feasting and dancing to the old sacred songs and the beat of the water drum and the rattles which were also kept with the sacred bundle.

Now, as the boy looked at this pipe with one cheek of the face cracked by the heat of the fire, he realized it was the only tangible thing remaining to connect him with the ancient life of his people. He would keep it near him. He would prepare the compound of herbs which his mother had taught him to use with it. He would memorize the stories of the miraculous things that had been done with it. He would gather from the old people other things remaining from his ancestors. He felt himself changing into a man.

The bundle had come down to his mother from Lum Ke Kum, or Hard Strike, who lived in the long-ago time when the Miamis were a great tribe and lived the old holy way. Hard Strike was a great warrior and hunter. One day he had followed a deer a long way until finally he was able to make the fatal shot. As was the custom, he laid the body out properly and then sat and smoked while he thanked the deer for the use of its body for his food and clothing. He explained that the One who made all had made both deer and man to live their separate ways, and it was for this reason that he had taken the deer's body. Men knew if this were done properly the spirit would enter a doe and another deer would be born to live out the life that had been interrupted.

As Hard Strike sat there meditating, he felt that someone was near. He looked up and saw an old man of his people standing there with his bow and arrow but no game on his back. Hard Strike immediately said, "I give it to you," which all men knew was the proper thing to say when another happened to come to the scene of a kill. The old man said, "You treat me well," and took out his knife and did the butchering. As soon as he had cut it up, he separated the meat into the two heaps, which was proper. One pile for the one who had shot the deer and the other for the one who had butchered it. He wrapped Hard Strike's portion in the hide and carried it to him and then, with his burden strap in his hand, stood for a while.

Finally he spoke, "You respect the ancient ways of our people and have given me meat to take home so that my woman and I may not be hungry. You are young, you are a good hunter, the people respect you, you have a brother-friend and a wife, but you do not appear happy. I am old and my hunting is not good, but I have something which has been my friend and protector through my long life. If you come to this place again tomorrow, I will give it to you to bless you as it has me. It will give you a long life and, when you are old, people will ask you to come and eat with them."

They tied their loads of meat and, with their burden straps over their foreheads and their packs on their backs, walked silently to the village. When they parted, Hard Strike told the old man he would meet him the next day.

That evening he told his brother-friend about the strange thing. Though neither of them knew the old man well, he was one who was known to have power in mystic ways and was to be feared by anyone who opposed him.

Hard Strike's brother-friend came early the next morning, saying that he wanted to go along to the meeting place; so they went together. Now this place was at the top of a cliff with the river going around a bend at the bottom of it. But in the swiftly flowing water were some large rocks standing, as well as a number of fallen rocks at the bottom of the cliff. There were no trees on the face of the cliff, and the top of it was grassy for a little way back.

When they reached the clearing they could see the old man sitting stooped over, and when they were near they saw that he had already made everything ready for them. A small mat was laid out and on it were the holy things of this medicine bundle. They smoked the effigy pipe, which had been filled with a mixture of tobacco and the bark of the sweet gum tree. The old man sprinkled a pinch of powdered medicine into a small wooden bowl of water and each drank from it. Then he explained a necklace lying with the other things. Tied to it were little packets of medicine. One had powder from the dried bodies of poisonous spiders, others had herbs for particular help in various kinds of trouble, and there was one that had the dried heart of an eagle in it. Each of them could be called upon if one had faith in its power.

All of this the old man told them and then finally said, "This will do you no good until your faith has been tested and proved." The brother-friend eagerly said, "I have faith, let me try it."

The old man put the necklace over his head and led him to the edge of the cliff, and, as he directed, he and Hard Strike took hold of the brother-friend's shoulders and slowly rocked him back. They were to rock him back and forth four times and the fourth time pitch him out into the air. But when the fourth time came, he braced himself, so they let go of him and the old man took the necklace off his neck. When this was done the brother-friend fell to the ground and hid his face in shame. The old man held the necklace in his hand and waited.

Hard Strike looked up from his friend and said, "I haven't faith, but I am not happy. There is no joy in my home. Many times on the warpath I have asked for death from the enemy, for it is not honorable for a man to take his own life. Pitch me off the cliff so that I may die at the hands of others."

But the old man put the necklace on him anyway. Then his friend stood on one side and the old man on the other and they rocked him once, twice, three times and then, mightily with the fourth, heaved him off the cliff and out into the air.

The cliff was high above the river and thoughts came fast. Suddenly faith came to him and a surge of hope, and eagle-power filled him. He fell more slowly and began to soar away from the jagged face of the cliff, then sailed out to a big rock in the middle of the stream and lit on it.

And those to whom it has been passed down from generation to generation have learned its story and revere its power.

A Collector's Life: A Memoir of the Chandler-Pohrt Collection

Richard A. Pohrt

MY INTEREST IN AMERICAN INDIANS began very early in my life. My father was from a German family living in Rostov, a city on the Don River in southern Russia. He immigrated to the United States as a teenager. My mother was of English and Irish descent, born in Stratford, Ontario. I can recall my father reading *Hiawatha* to me when I was small, and sometimes he would translate it into Russian or German to see if I was paying attention.

My father had a friend, George Pettit, who was a Civil War veteran, and he used to visit our home frequently. Like many Union veterans, Pettit moved to Kansas after the war to homestead free land. He had a number of friendly encounters with Pawnee and Potawatomi Indians and he used to tell my father about his adventures. I remember lying on the floor listening to these stories, and they fired my imagination.

Magazines like *The American Boy* and *Boys' Life* carried ads from dealers who sold Indian material. Occasionally I would send for their lists and pore over them, even though I had no money to spend. My sister bought me a pair of Sioux moccasins from a mail order list published by L. W. Stillwell, a dealer in Deadwood, South Dakota, and these were the first examples of Indian beadwork I ever owned.

While in junior high school, I started reading the novels of James Willard Schultz. In 1877, at age eighteen, Schultz left his home in New York state and traveled up the Missouri River to Fort Benton, Montana. Schultz lived with the Blackfeet and experienced life on the Plains in the waning of the buffalo days. He married a Blackfeet woman and remained in the west for the rest of his life, writing over thirty books recounting adventures of the Blackfeet and other tribes on the warpath and hunting trail. I consider his autobiography, *My Life as an Indian* (Schultz 1906), an American classic. Schultz was responsible for focusing my attention on Montana and its Indian peoples. I dreamed of the day when I might visit there.

I met Milford Chandler in the fall of 1926, shortly after he had moved from Chicago to Flint, Michigan. He was an automotive engineer who had developed a fuel injection pump for aircraft engines. The Army Air Force was keenly interested in his invention and had selected the Marvel Carburetor Company of Flint to produce a limited number of these pumps to be tested on pursuit planes. Chandler was brought in to supervise the research and development. At that time my father was employed by Marvel Carburetor as a skilled mechanic in their experimental department and he became friendly with Chandler in the course of working on the pump. It was common knowledge in the plant that Chandler was an authority on American Indians. My father told him that I was interested in Indians and Chandler invited me to visit. I was fifteen years old.

Shortly thereafter I took a streetcar to Mr. Chandler's home in the Blackstone Apartments. He greeted me warmly and introduced me to his wife Thirza and his two children, Betty and Alan. That evening he showed me a small part of his collection, beginning with a fine pair of Cheyenne moccasins. Chandler pointed out some of the particular features that identified them as being Cheyenne, and his remarks remain vivid to me some sixty-five years later. He played a Winnebago flute and sang two Indian songs. He smoked an Indian pipe filled with kinnikinnick, an aromatic mixture of commercial tobacco and, in that instance, the inner bark of silky cornel, a species of dogwood commonly referred to as red willow. Chandler told me how to identify the shrub and how to prepare the inner bark for smoking. Over the years I made a considerable quantity for his use. When I left, he gave me a catlinite pipe bowl and a small Blackfeet beaded pouch. It had been a wonderful evening and I was completely captivated by the man. It turned out to be the beginning of a friendship that lasted fifty-four years until his death in 1981, at age ninety-two.

Mr. Chandler was born in Walnut, Illinois, on March 15, 1889. He told me that as a boy he was intensely interested in American Indians and that his mother was very sympathetic and encouraged his interest. She read him stories from *The Youth's Companion*, a magazine that often published articles about Indians. Chandler once told me that as a child he had wanted to go to West Point to get a military education so that he could go west and lead the Indians in a fight for their rights with the government.

As a young man, Chandler went to St. Louis, where he worked for a short time. He returned to Chicago to study engineering at the Armour Institute. After completing his education, he started the Chandler Engine Valve Company, working on the development of a gasoline engine. This was at a time when there were hundreds of companies trying to break into the automobile business. It was a wide open field characterized by experimentation and entrepreneurship. Chandler had formed an acquaintance with Walter Chrysler, who was head of Buick Motors at the time. They were close to signing a contract for the adaptation of his engine for general production when World War I broke out. The contract fell through and he never realized any income from the development of his engine.

Despite the demands of education and work, Chandler continued to pursue his interest in American Indian material culture. While attending the Armour Institute, he had a student pass to the Field Museum of Natural History. Whenever he had an opportunity, he would go to the museum and study the exhibits. He became well acquainted with George Dorsey, curator of the Department of Anthropology. Dorsey had done fieldwork in Oklahoma with the Cheyenne, Osage, Ponca, and Wichita. He had collected specimens for the museum and published extensively. Chandler told me that he appealed to Dorsey for a chance to do fieldwork for the museum, but Dorsey discouraged him by listing the educational requirements and the number of years it would take to obtain the necessary degrees.

Chandler also met James Murie, a mixed blood Pawnee, who was assisting Dorsey with the display of Pawnee items for exhibition in the museum. During his career Murie recorded a tremendous amount of information on the Pawnee (Murie 1989), and worked as an interpreter, informant, and museum assistant. He also did independent research and writing. Murie and Chandler became friends, and Murie invited him along on a trip to North Dakota to visit the Arikara. Chandler had to decline this kind invitation because of the demands of his studies.

He told me once that he was "driven" to collect American Indian art. He believed these things were national treasures and that it was his mission to help preserve them. He began to collect American Indian art intensively around 1915 and continued until 1926, when he moved from Chicago to Flint. I would estimate that his collection was 95 percent complete by the time I met him in 1926 when he was thirty-eight. I am well aware of what he obtained after that and it was minimal in comparison to what he already had. It is amazing to me that he was able to acquire such a large amount of material, notable for its quality and rarity, within a relatively short time and with minimal finances.

Over the years we had many conversations about how and where he had collected so much outstanding material. He enjoyed recounting his experiences collecting, and he had many wonderful stories to tell. Chicago proved to be an ideal location for his activities, for most of the Indians he visited lived within a short train ride. While actively engaged with his engine company, he would travel into Wisconsin on the weekends. He said that he would catch night trains in order to maximize the time he could spend in the field. If the performance capabilities of an engine or carburetor needed to be road tested for two or three days, he would route the trip through a particular reservation or Indian community. For instance, when a vacuum-feed carburetor that he was developing showed two critical faults (dust tended to make certain parts stick and the openings became plugged by plant seeds), the best place to test it was in the countryside, and Chandler scheduled a trip to Tama, Iowa, so that he could visit his Mesquakie (Fox) friends.

By the time he moved to Flint he had collected material in the field from all the Wisconsin tribes (Winnebago, Menominee, Potawatomi, and Chippewa); the Eastern Sioux at Prairie Island, Minnesota; the Mesquakie at Tama, Iowa; the Winnebago and Omaha in Nebraska; the Chippewa and Ottawa in Michigan; the Miami in Indiana; the Iroquois and the Chippewa in Ontario; the Potawatomi on Walpole Island; and the Montagnais in eastern Canada.

Chandler told me that the American Indian people he knew were always hospitable and friendly. I think they appreciated his knowledge of their cultures and the sincerity of his interest. He established friendships in most of the places he visited. He enjoyed a special rapport with several tribes and was adopted by Potawatomi and Winnebago families in Wisconsin. Stacey Matlock, a Pawnee from Oklahoma, made Chandler his brother in a formal pipe ceremony.

In September 1971, Robert Bowen, director of the Cranbrook Institute of Science in Bloomfield Hills, Michigan, taped several interviews with Chandler. Among the variety of topics that Chandler commented on was the attitudes of Indian people regarding the sale of objects. He told Bowen that people had often given him things in a spirit of generosity and friendship. He was given an iron pipe tomahawk by Silas Quinney, a Mahican living in Wisconsin (see Hodge 1907: 786–89), who was a descendant of John Quinney, a prominent early nineteenth-century chief of the tribe and the original owner of the tomahawk. John Quinney and some of his people had been moved westward and resettled in Wisconsin during the Removal era. Later Chandler showed the tomahawk to a Menominee friend, who said, "He's brave, isn't he?" Chandler recognized that bravery and generosity were closely associated in the Indian way of thinking. Generosity was seen as a form of courage that doesn't fear want.

As new ideas, influences, or materials were introduced, fashions were apt to change. Chandler told me that he had once asked a woman why she wanted to sell him a ribbon appliqué skirt, and she had responded, "I don't want to wear those old-fashioned things."

Some people expressed a wish to see certain traditional belongings preserved. Realizing the potential for neglect or disinterest, they felt that these objects might last longer if they were passed along. Chandler told Bowen that he had heard people tell others, regarding objects he had acquired, "I don't have them anymore, but they are in good hands."

Dire economic circumstances often forced people to sell things. Chandler recalled one trip in late fall to the Potawatomi in Wisconsin. A family had heard about him being in the vicinity and called for him because they needed money to buy winter clothes for the children. They served Chandler a meal of trout and fry bread, then pulled some things from the attic and a spare room. Chandler made a selection of items he wanted and inquired about the price. When they told him, he said, "You didn't ask enough." He paid the family four times the amount they had asked.

Chandler sought out traditional artists. He was a good friend of John Youngbear, a Mesquakie from Tama, Iowa, who was a superb woodcarver (fig. 19). This exhibition includes a heddle made by him (pl. 167), as well as a beautiful finger-woven bag of yarn and nettle fiber that Chandler purchased from A Ski Ba Qua, a Mesquakie artist whose works are very distinctive (pl. 65). Another friend, Eddie Little Chief, a Sioux from the Pine Ridge Reservation, was a very able craftsman and artist (pl. 216).

A collection assembled directly from Indian people is of great value because important questions regarding tribal attribution, age, and historic or ceremonial significance can often be answered authoritatively. But this was not Chandler's only source for material. Dealers received new items regularly, and Chandler

Fig. 19 / **John Youngbear,** Chicago, 1925. Youngbear was an accomplished Mesquakie wood carver from Tama, Iowa, and a good friend of Milford Chandler. Photograph by Ravenswood Photo Shop, Chicago, *courtesy Richard A. Pohrt*

maintained close contact with several in the Chicago area. Fred Smith, who owned an antique shop on Cottage Grove Avenue, was one person Chandler frequently patronized. The Arapaho Ghost Dance dress (pl. 217) was purchased in Smith's shop. Albert Heath was another important dealer. Heath did business out of the attic of his home, but during the summer months he operated a shop in Harbor Springs, Michigan, under the name Chief Flying Cloud. Chandler bought some beautiful pieces from him, including two rare black buckskin bags with porcupine quill decorations (pl. 1), and a pair of yarn and bead garters which Heath had collected from the Ottawa in Cross Village, twenty miles north of Harbor Springs. The Arapaho Ghost Dance shirt (pl. 218) was also purchased from him. After his death, what remained of Heath's material went into the collection of the Logan Museum of Anthropology at Beloit College in Wisconsin. Harry Burgess, the son of an Oklahoma Indian agent, sold a number of extraordinary specimens to collectors in the Chicago area. Chandler bought Pawnee and Osage pieces from him. N. E. Carter, a curio dealer in Elkhorn, Wisconsin, often came up with fine material. Chandler also told me that he bought good specimens from costume rental stores.

A number of people around Chicago were collectors, and Chandler knew most of them. David T. Vernon, an artist and illustrator, assembled a substantial collection that is now on display at the Colter Bay Visitor Center in the Grand Teton National Park in Wyoming. (Material from the Vernon collection is featured in Walters 1989.) Adolph Spohr, a German who came to the United States before World War I, was another collector and friend of Chandler's. The Adolph Spohr collection is now at the Buffalo Bill Historical Center in Cody, Wyoming. Both collections contain material these men obtained from Chandler. Holling C. Holling, the writer and artist, worked for the Field Museum for a time, and Chandler was well acquainted with him. Charles Eastman, the well-known Sioux writer and lecturer, was also a friend. These men gathered at the Chicago Historical Society and they often organized powwows when Indian delegations passed through the Chicago area (fig. 20).

Eventually Chandler's independent collecting activities were recognized among professionals in the museum community, and despite Dorsey's initial discouragement, the Field Museum did hire Chandler to do some collecting. In 1925 he was employed by the anthropologist Ralph Linton, who was on staff at the Field, to conduct the Julius and Augusta N. Rosenwald Expedition. The emphasis of this trip was to be on gathering material from the Great Lakes region. This material was displayed in the Woodlands exhibit section of the museum, and Chandler was credited for the items he collected. (Specimens that he collected on the expedition were used to illustrate Strong 1926.)

As a result of his association with the Field Museum, Chandler was familiar with people on the staff and he occasionally worked out trades for specimens. The Chandler-Pohrt collection includes a dramatic Crow shield depicting a bear charging from its den (pl. 213), which was collected on the Crow Reservation in 1902 by Stephen Simms. There is also an outstanding Cheyenne parfleche case, which was collected in Oklahoma by George Dorsey (pl. 98). Both items were obtained in an exchange worked out between Chandler and Ralph Linton.

Before moving to Flint, Chandler sold several large boxes, well packed with items, to the Museum of the American Indian in New York. George Heye, director of the museum, had seen the material in storage at the Chicago Historical Society and was particularly interested in obtaining objects from the Great Lakes area. The sale included some otterskin Midewiwin bags, a representative group of Winnebago moccasins, a Mesquakie beaded cloth shirt, some weapons, pipes, a Crow shield, and a bearclaw necklace (pl. 46). Chandler always regretted this sale. He felt that he had given up some extraordinary material and that he had sold things too cheaply. Unfortunately, he was out of work at the time and desperate for money. Despite this setback, he was able to hold together the majority of what had become a formidable collection.

Chandler's other great collecting interest was firearms. Shortly after my initial visit, the Chandlers purchased a two-story house on Euclid Street in Flint. It had much more room than the apartment, with a spacious basement and a walk-in, floored attic. Chandler's gun collection soon filled the attic and spilled over into the basement. He had a fine lot of Colt cap and ball revolvers, including early models made in Paterson, New Jersey; many that were boxed with accessories; some presentation pieces; and a number that were ornately engraved. He had also assembled an impressive collection of Ballard rifles. He had Pennsylvania rifles, U.S. military shoulder weapons, a substantial variety of Mauser rifles, and other unusual pieces.

Fig. 20 / **Powwow at the Chicago Historical Society.** (From left) Milford G. Chandler, Holling C. Holling, Adolph Spohr, (unknown), Charles A. Eastman, Karl Spohr, Oliver Lamere. Photographer unknown, *photograph courtesy Richard A. Pohrt*

There were always a few Indian items around—some pairs of moccasins, a pipe bowl or two, an iron tomahawk, or a wooden bowl. These were Chandler's most recent acquisitions. We spent countless hours in discussing the merits and attributes of these objects.

Chandler lent me books from his library. He directed me to the works of Stanley Vestal, Frank B. Linderman, George Bird Grinnell, and Walter McClintock. He also called my attention to several museum publications on the material culture of Plains and Great Lakes tribes. He would come to my home from time to time to discuss mechanical problems with my father. They shared a mutual respect for each other's abilities. My father admired Chandler's mechanical skills, and said he was the only engineer he ever knew who could tell you the theory behind a particular problem and then step over to your bench, pick up your tools, and do the work. So, together they would try to solve particular job-related problems. Inevitably, the conversation would drift to his experiences with Indian people and his collecting activities.

On one visit he invited me to go with him to Sarnia, Ontario, to visit a gunsmith he had heard about. We started out one Saturday morning with Chandler driving an early model Losier. It was a touring car with big wheels, running boards, and a huge fabric top with leather straps from the windshield to the front of the hood. The trip took the entire day and was a great adventure for me. Two or three times along the way Chandler sang Indian songs, beating on the side of the car door as if it were an Indian drum. At Port Huron we caught a ferry across to Sarnia. The gun shop was on the edge of the business section and was operated by an elderly man who repaired and modernized firearms. He had accumulated a quantity of obsolete gun parts, and Chandler found some pieces he needed for his Colt revolvers. The shop was one of those wonderful, jumbled places that usually yield up some treasure if you look long enough. Such shops have always attracted my interest.

This trip was the first of many one-day excursions I made with Mr. Chandler. I believe that he was pleased to have an eager—albeit youthful—audience. In the 1920s there were few people around who shared his enthusiasm for American Indian art.

During the late 1920s Chandler's collecting focused almost exclusively on firearms, and, with his guidance, I began to collect a few pieces. By the time I had assembled fifteen to twenty guns, I realized I could not afford to collect both guns and historic Indian material. I sold off my gun collection shortly thereafter, but it had been a worthwhile experience because I learned about the importance of guns to the Indian trade and their significant role in opening up the frontier. I also learned how to recognize a fine or unusual gun.

I visited Chandler regularly, and when I arrived at his home he would usually be smoking an Indian pipe. Like many collectors he went through phases when he focused on certain objects, the work of a specific tribe, or some aspect of Indian artistry. He was especially interested in men's artwork—the styles of painting and sculpture made from wood and stone. He was particularly drawn to pipes and smoking equipment and had closely studied their materials, methods of manufacture, and the artistic concepts that went into their creation.

He had also observed and questioned various Indian artists. This background, coupled with his own creative energy, enabled him to credibly reproduce Indian specimens. His works include wooden bowls, pipe stems, war clubs, wood and stone pipe bowls, iron knives, a tomahawk, and two Plains style shields (fig. 21). His inspiration came from objects that he had seen but could not acquire—specimens in museum collections and items pictured in old photographs and paintings. Usually he would make minor changes from the Indian original. He might vary the size or rearrange certain design elements. He enjoyed the challenges this work presented and it fulfilled his desire to see ideas preserved. In this sense, he was an artist. He patiently explored every fact of creation and the end results were exceptional. He never offered this work for sale.

Chandler came to our house one day to report that the King Brothers' Rodeo, a Wild West show from Oklahoma, had arrived in Flint with a group of Indian actors. He suggested that we go meet them. There were about thirty Indian people with the show, mostly Pawnees from Oklahoma. There was also a small contingent of Sioux from the Cheyenne River Reservation in South Dakota. These people were all very friendly, and so I took my father to meet them.

The Sioux Indians, along with their white agent, finally decided to quit the show because they hadn't received their pay. They called my father (I guess we were the only people in Flint they knew) and, together with my uncle, we went to see what we could do. The show had left town, and the Indians and their agent—about eight in all—were sitting where the show had been, in the middle of a now vacant lot. They came to our house and my mother fed everyone. My uncle had done some political work for the local sheriff, so he agreed to bunk everybody at the county jail. Within a few days, arrangements were made for their passage back to Cheyenne River.

The King Brothers' Rodeo returned to Flint about three weeks later to an amusement park near my home. I was now able to spend all my free time there. The agent for the Pawnee was Al Lillie, the brother of Pawnee Bill (Gordon Lillie), a former partner of Buffalo Bill Cody's. Al Lillie invited me to travel with the show until the fall school term started. My parents gave their consent and I spent a month touring southern Michigan.

One of the elderly men in the group was Walking Sun. He was one of the last surviving veterans of Company A, the U.S. Army Pawnee scouts that had served under the command of the North brothers in the Sioux and Cheyenne campaigns of the 1860s and 1870s. Meeting this man was a moving experience.

I corresponded with some of the Pawnee for several years and I visited them briefly in Pawnee, Oklahoma, in 1939. After World War II ended, two members from the show came back to Flint to pick up a new car for the Indian hospital in Clinton, Oklahoma. They looked me up and stayed with my wife and me for several days.

In 1928 Chandler moved his Indian collection from the Chicago Historical Society to the Exhibit Museum of Natural History at the University of Michigan in Ann Arbor. Naturally, he wanted his material to be closer to home. I think he also hoped the university might purchase the collection. Chandler had never

Fig. 21 / **Milford Chandler's model of a Cheyenne war shield,** Asian water buffalo rawhide, deerskin, eagle feathers, owl feathers, brass hawkbells, pigment. Chandler was an excellent craftsman who sometimes replicated in exact detail objects he admired but could not acquire. In this case, Chandler created a copy of a shield acquired by General George Armstrong Custer after the Battle of Washita in 1868 and now in the collection of the Detroit Institute of Arts. *Courtesy Richard A. Pohrt*

done an inventory so the university was anxious for him to identify the material. Arrangements were made for him to drive down from Flint over the Christmas holidays. He invited me to come along, explaining that it would be a chance for me to see his collection and to provide him with some assistance.

We spent close to a week at the museum identifying the specimens. Volney Jones, a young ethnobotanist, numbered each object with red paint. Chandler dictated his remarks to a secretary, naming the object, its tribe of origin, and giving it a dollar value. Frequently he would elaborate on the materials used, the methods of construction, where it had been collected, its historic association, and other pertinent information. My job was to assist Jones in carrying the specimens to the worktable for Chandler's inspection and comments, and then return them to storage. This was a great learning experience. I was able to handle and closely inspect a wide variety of Indian items and at the same time listen to Chandler's remarks. It was a very effective way of absorbing information.

During the spring and summer of 1929, I made several more trips to Ann Arbor with Chandler to look over portions of his collection. On one occasion we met Dr. Melvin R. Gilmore, an ethnobotanist working at the museum. Dr. Gilmore had spent some time on the northern Plains and had written several essays about Indian life. These essays are collected in a charming little book entitled *Prairie Smoke* (1987).

The collection remained in storage at the University of Michigan until 1936. The university did use it for study purposes, but the objects were never put on exhibit. Some of the museum personnel were critical of the material, feeling that it was an art collection and too incomplete to illustrate the material culture of any tribal group or cultural area. There were never any discussions regarding its sale.

I was impressed with the quantity of material Chandler had assembled from the first time I saw it. It took me some time before I realized the quality was also exceptional. Despite the lack of any formal training, Chandler had a tremendously good eye for Indian art. He had a deep appreciation for craftsmanship, design, materials, and technique. These were the same elements that came into play in his work as an engineer. He stressed their importance and paid close attention to them when collecting.

I recall an occasion when I went to Niagara Falls with my mother to visit some relatives. It was just after I had met Chandler. There was a place called the Old Ten Cent Museum that was sort of a tourist trap, a carryover from the turn of the century. It contained all manner of things, including a little Indian material. When I returned to Flint, I told Chandler about the trip and mentioned a tobacco bag that was on exhibit there. I told him that I thought the bag was very good and I went on to describe it. Below the bag, beads had been woven into the fringe, creating a decorative panel.

"Yes, I know the bag," Chandler said. "It's great. In fact, it's the best item in the museum." I think he was impressed that I would remember that piece. Perhaps he saw some possibilities in me as a collector because I made that choice. I had little information to go on. I hadn't really read much or seen much, and I couldn't justify my choice. This issue of aesthetic choice was something that interested him greatly.

Chandler focused on the artistic character of Indian material at a time when it was not considered art. He was particularly impressed by the artistic merit of material from Great Lakes tribes as well as the rarity of it. This appreciation, along with his proximity to the people, led him to concentrate on collecting from these tribes. Their artistic impulse found expression in the decoration of clothing and the elaboration of utilitarian objects. Chandler had a particular interest in wooden bowls and pipes. The ones he collected are superb examples demonstrating superior materials, craftsmanship, and design. Clothing and accessories were embellished with quillwork, ribbon appliqué, or beadwork. He was especially fond of beaded objects and scrutinized them for the artist's choice of colors and shades, design layout, and the evenness of stitching.

Chandler admired the artwork of all cultural areas, but it was material from the Great Lakes and Plains that he aspired to own. Most of the Plains Indian items in his collection were purchased from dealers in the Chicago area. He did not travel west of the Missouri River until the 1960s, after he had retired. Chandler collected Navaho weavings for a short time but sold them before moving to Flint. He never collected any baskets or pottery from the Southwest and only had an occasional piece from the Northwest Coast.

From time to time he brought his new acquisitions to our house and left them so that I might look them over. One evening he came by with a magnificent pipe that he had just purchased from John Schuch in Saginaw (pl. 155). Schuch owned a small hotel on the west side of the Saginaw River that was full of items he had collected. Things were hung on the walls and displayed in glass cases in the coffee shop and hallways. Among the variety of china, glass, guns, items of local history, and other curios, Chandler spotted the pipe. It is an exquisite example of Chippewa artistry. The stem is of ash wood, with the upper half carved to suggest that the wood was twisted. The wood has a wonderful patina. The black stone pipe has two birds facing each other on the shank and the bowl is squared with a human face in low relief on each of the four sides. The pipe remained in my possession for several months before Chandler returned to pick it up.

Chandler's visits amused my father, who referred to them as the "aging process." He suspected that Chandler was waiting for an opportune time to take things home unobserved. He did not want to be criticized by his wife for spending money on Indian items, which the family certainly did not need. There may have been some justification for my father's speculation, because around 1933 Chandler left Marvel Carburetor over a contract disagreement. This obviously affected his income and put a burden on his family. It brought his collecting activities to a near standstill and he again found it necessary to sell some items. My father bought a fine Sioux tobacco bag and a pair of Cheyenne moccasins for me from Chandler. I still have them.

Chandler has had a great impact on my life, my interest in American Indians, and my collecting activities. Our relationship was like that of a father and son, though he never referred to me in that sense. He would sometimes refer to me as his nephew, the way such a relationship might be described by Indian people. When I saw the objects that he had collected, I was inspired to begin my own collection. He was always helpful, calling my attention to the rarity and quality of a particular item, or pointing out variations in tribal art styles. If some point was complicated, he was patient and careful about explaining it until he was sure I fully understood. He congratulated me whenever I acquired a particularly good item. His guidance and teaching helped my self-confidence, and I began to collect with a certain degree of assurance.

For several years I had maintained correspondence with Bill Nankervis, who had represented the Cheyenne River Sioux when they came to Flint with the King Brothers' Rodeo. He was working in Harlem, Montana, for the Riggin Starch Corporation. In the spring of 1933 I received a letter from him inviting me to come to Montana to see the West. He indicated that he might be able to get me a summer job.

I had three friends who were also eager to go. We started making plans even though none of us had much money. One of my friends bought a 1927 Model T two-door sedan for the trip. I think he paid thirty dollars. As the departure date neared, two of my friends found jobs in Flint, including the one who owned the car. That left me and Emerson Frey. The fellow with the car didn't need it, and he suggested we take it and pay him when we returned.

We set out for Montana in mid-June. I had twenty dollars in my pocket and Emerson about the same. We slept in the car and fixed our own meals. Bread, peanut butter, and canned salmon kept us going during the week we were on the road. We drove around Chicago, up the Mississippi River Valley, through Minneapolis, northwest to U.S. 2, then straight west. The highway west was all mud and gravel, and it was very hard on our tires. Somewhere around Glasgow, Montana, we blew a tire and it was beyond repair. We checked our funds and quickly realized we didn't have enough to buy a new one. I had a sinking feeling that the trip was about to end when Emerson took out his pocket knife, cut through the waistband of his trousers, and pulled out a twenty dollar bill. He saved the day. We finally arrived in Harlem, Montana, and located Nankervis, only to be told that we had arrived too late for ranch work.

Harlem is a few miles west of the Fort Belknap Indian Reservation, which is home for both the Assiniboine and Gros Ventre Indians. While we were looking for work around Harlem, we learned that the Assiniboine were holding their annual Sun Dance east of the Agency on an expanse of prairie called the Sun Dance Flats. A huge number of tipis and a sprinkling of wall tents were arranged in the traditional camp circle, with the Sun Dance lodge in the center. Several weathered center poles were still standing in the area, evidence of ceremonies held in previous years. Many of the Indian people had traveled considerable distances to participate in the Sun Dance. Wagons and an occasional automobile were parked about the camp, and hundreds of horses grazed nearby. A crier rode through the camp on horseback announcing events about to take place. There were feasts, giveaways, and social dances throughout the days and nights the Sun Dance was in progress.

Most of the people were dressed in contemporary clothing, but many wore native garments. I saw people wearing some fine traditional shirts, dresses, leggings, and moccasins. Most of the shirts were deerskin with decorative strips of beadwork or porcupine quillwork. Some were also richly trimmed with weasel skin fringe. The women's cloth dresses had bead or shell decorations on the yoke and wide bands of colored ribbon around the skirt. Seeing such a large group of Indians camped on the prairie, listening to the drumming and singing, and observing a Sun Dance ceremony up close made a lasting impression on me.

We were still looking for work. A rancher offered us a job on his sugar beet farm and we settled into the bunkhouse on his property. During our first night, mice ran all over us while outside a terrible thunderstorm beat down. The next day we waded around the sugar beet fields. I'm not sure what was thicker—the mud or the mosquitoes. We decided this wasn't for us and we thanked the rancher and left.

We told our friends in Harlem that we were giving up. We had a full tank of gas and planned to drive as far east as we could, then abandon our car and jump a freight back to Michigan. One fellow suggested that we should go to the Agency. There was a work program for Indians on the Fort Belknap Reservation similar to the Civilian Conservation Corps. They were hiring white people because not enough Indians were available.

We were given the option of being paid $4.50 a day and providing our own room and board or going to the work camp at Hays, near the southern boundary of the reservation, and receiving $3.00 a day plus room and board. We felt we would do better by going to the work camp.

We drove the forty miles to Hays over an ungraded, ill-defined road that wandered across rolling prairie to the edge of the Little Rocky Mountains. The camp was just north of Hays on a gentle hillside a quarter mile west of the entrance to Three White Cows Canyon. There was a combination kitchen and mess hall made from rough sawn lumber, a building for the storage of tools and equipment, a washroom, and a latrine. We lived in army pyramidal tents, with four men to each tent.

Hays was a small Gros Ventre Indian community in the Little People's Creek Valley. There was a combination of frame and log buildings, including a post office, sawmill, school, two grocery stores, and a large two-story log building serving as a recreation center. Every building had a hitching rack because the primary means of transportation was by wagon or saddle horse. There was no electricity, no telephones, and the only running water was in the creek. All the businesses were owned by whites, who either lived on the premises or within the town proper. Most of the Gros Ventre people lived in log cabins scattered for several miles along the valley both above and below the town. St. Paul's Mission was about a mile south, near the mountains.

Emerson and I were assigned to a crew improving the roads through the Mission Canyon and up the mountains to the reservation line near Landusky. Our job was to cut down trees and brush along the route so that men with horse-drawn equipment could widen and grade the road. We rode from camp to the canyon in a truck which stopped to pick up Indian workers along the way. Because it was frequently necessary to blast rock along the road, we always carried a box of dynamite in the back of the truck. One of us would stand on the box to keep it from bouncing around. The canyon was pleasant and the air fresh with the strong scent of pine. The work was invigorating and the men we worked with were very friendly.

We hiked in the mountains and went to an occasional movie or dance at Bill Kearn's social club on our time off. We especially enjoyed the dances, since they gave us an opportunity to meet Indians our own age. The music was provided by a group of young Cree men from the camp who played various stringed instruments.

The weather began to change in early October. The nights were cold and frost was on the ground in the morning. Living in a tent heated by a Sibley wood stove was not very pleasant and so we decided to return to Michigan. Half of our wages had been held at the Agency, and we had managed to accumulate a small savings. We sold the Model T to a young white man for thirty dollars. He gave us half down and promised to send the balance later. We never heard from him again.

We packed our possessions, rode to the Agency with the mail carrier, and picked up our remaining wages. George Neiwoehner, son of the station agent and a friend of ours, had arranged free transportation for us on an eastbound stock train. The Great Northern Railroad attached a passenger coach to the end of each stock train so the shippers could accompany their stock to market. Emerson and I were each assigned a car loaded with horses from the CBC Ranch. Our job was to check them at each stop to see that none were down in the car where they might be trampled. Our destination was Rockford, Illinois.

We helped load the horses early one morning and the train set out. The train picked up cattle, horses, and sheep at various stops all the way to the North Dakota line. Most of the shippers boarding at these places had made the trip before and knew not to expect any of the amenities usually associated with rail travel. They all carried cheap cardboard suitcases containing clothing, toilet articles, a supply of food, a bottle of whiskey, and a dog-eared deck of cards. After the evening meal everyone settled into the serious business of poker and drinking. The noise level increased as the night progressed and it was impossible to sleep. There were plenty of hangovers the next morning.

We fed and watered the stock at Minot, North Dakota, and again in South St. Paul, Minnesota. We left the stock train at Rockford, hopped a freight train to Chicago, and spent the next day at the 1933 World's Fair. We hitchhiked from there and arrived home in late October.

As soon as I was back in Flint, I looked up Mr. Chandler. I had purchased two pairs of moccasins from a saddle shop in Harlem, and he examined them with care. He was very interested in my impressions of Montana.

The country was now in the depths of the Depression. These tough economic times were to last until World War II. After Chandler left Marvel Carburetor, he set up an office in his home in order to design a fuel injection pump for automobile engines. He was granted several basic patents in connection with this pump.

Whenever he needed a break from his work, he would drop by our house. We often drove out east of Flint to do some target shooting. He would arrive with several rifles in the car, mostly World War I military models, and a variety of ammunition. He was interested in testing the guns and enjoyed the respite from his regular routine.

I found employment with the Chevrolet Motor Company. Production of the new model cars began in the fall and work was steady through the winter months. By May, people were being laid off and were on their own until fall. There were no unemployment benefits. You either lived off your savings or found a new job.

In the summer of 1935, Emerson Frey and I decided to return to Montana. We planned to buy a new car, drive it out there, and sell it, hopefully turning a profit. We had a friend working for General Motors who was able to purchase a Buick for a slight discount. Since we picked it up at the factory, there were no freight charges.

We had a leisurely drive west, traveling through the Black Hills, out to Yellowstone National Park, and then up to Great Falls, Montana. Since Great Falls was the largest city in Montana, we figured it would be a good place to sell the Buick. But it took us about two months, and we eventually sold it for about the original cost. At that point Emerson returned to Michigan and I decided to go back to Fort Belknap. I traveled by train from Great Falls to Harlem and then hitched a ride down to Hays in the back of a truck. Among the Indian people traveling in the truck was Al Chandler (no relation to Milford Chandler), the father of one of the men I had worked with in 1933 (fig. 22). He asked me what I was doing back at Fort Belknap. On my first trip out, all the people I worked with were either young or middle-aged men. However, there still were a lot of old-timers around. These were men who had hunted buffalo and been on war expeditions against other tribes on the northern Plains. I explained that I wanted to meet these people, gather historic information, and eventually write about the Gros Ventre.

The Chandler family took me under their wing, and Al acted as my guide, introducing me to people and serving as interpreter. It was through him that I met Curley Head, one of the tribal elders (see fig. 30). Curley Head had hunted buffalo in his youth, was on some of the last war parties that the Gros Ventre organized, served as a U.S. Army scout, and had been the Pipekeeper for the Thunder Pipe Bundle (also referred to as the Feathered Pipe Bundle; see Cooper 1957:130–72 and Hartman 1955:46–69).

Al Chandler lived near Curley Head, and he invited me to stay the night at his house before our first meeting. At the time I was renting a room from Bill Kearn, who was trying to convert his social club into a boarding house. I bought some beef at the butcher shop and some tobacco at the grocery store in Hays as gifts for Curley Head.

We hiked over to Curley Head's cabin the following morning and he welcomed us. We sat on the floor during our visit. Most cabins on the reservation were sparsely furnished in those days.

The cabin was dominated by a medicine bundle hanging from a peg on the west wall. This was the Thunder Pipe Bundle, which (along with the Flat Pipe Bundle) is one of the two sacred tribal bundles of the Gros Ventre. (The Flat Pipe Bundle is discussed in Cooper 1957:33–129 and Hartman 1955:27–45.) The bundle was an impressive, powerful sight. It was probably three feet in circumference and about forty inches long, and it was covered with a blanket of red stroud. Lying on the floor beneath the bundle were the saddle and crupper used by the wife of the Pipekeeper to transport the bundle when the camp was on the move.

Fig. 22 / **Aloysius (Al) and Cora Chandler** in front of their home in Hays, Montana, 1937. The Chandlers hosted Richard Pohrt during his 1937 visit. Since then, the Pohrts and the Chandlers have grown to consider themselves family. The Gros Ventre Chandlers are no relation to Milford Chandler. Photograph by Richard A. Pohrt, *courtesy of the photographer*

I also noticed what I took to be the personal war bundle—or "sacred helper"—of Curley Head. He confirmed my assumption and offered to show me the contents. He knelt on the floor and opened it. It included the body of a western red squirrel decorated with blue pony beads, eagle down plumes, and tail feathers from a red-shafted flicker. There was an eagle wing bone whistle, and the final cloth wrapping was a small American flag. Curley Head said he included the flag to commemorate his service as an army scout out of Fort Ellis, Montana.

Curley Head had obtained his bundle from his father, Bull Lodge, a renowned Gros Ventre holy man. (For a biography of Bull Lodge as told by his daughter, Garter Snake, see Horse Capture 1980.) Throughout the visit Al was interpreting for me. I inquired whether the bundle might be for sale, and Curley Head indicated that he was interested. We agreed on a price, but before I paid him Curley Head held the red squirrel in his hands and spoke directly to it. Then he wrapped it up and told me that no bullets or arrows would harm me as long as I had the bundle.

After we left the cabin, I asked Al what Curley Head had said to his sacred helper. He told me that Curley Head was recalling their travels together and the times they had been out on war parties. Curley Head said he would not be around forever and that when he died there would be no one to care for the bundle. He said, "Where you are going you will get a good home."

I stayed around Hays until the fall. I caught another free ride on a stock train to Chicago, and then a bus ride to Flint. I hadn't accomplished all that I had originally planned, and I was anxious to return when I had more funds and time.

I made a third trip to Fort Belknap in the summer of 1937. I had been working for AC Spark Plug in Flint and managed to save a little money. I decided to quit my job and head back west. I wanted to collect stories from the elderly men who had once hunted buffalo and been on war expeditions.

I met Thomas Main (see fig. 29), who was a member of the tribal council, and he took an interest in what I was trying to do and agreed to help me with the interpreting. We ended up spending a great deal of time together and developed a close friendship. Tom had an inquisitive mind and was curious about many things. He was a fine, capable man and I trusted him completely. He suggested that we should wait a while before we started visiting people. "This will give them a chance to know you're here and look you over a little bit," he told me.

When he felt the time was right, we began with a visit to Curley Head. Tall Iron Man and his wife looked out for Curley Head, and whenever we visited, they would invite us to eat with them. Curley Head would tell a story, Tom Main would interpret, and I would take notes as fast as I could write. He described his first buffalo hunt at age fourteen, war expeditions against the Sioux, and raids on Piegan horse herds. There was also a man named The Boy who was well versed in Gros Ventre tribal history. He acquired this knowledge through the oral traditions of his people. I recorded tribal myths and hero tales from him (K. Pohrt 1976). I went on to record stories from Joe Assiniboine, Fork, Tall Iron Man, and Al Chandler.

At the same time, I was still interested in collecting specimens. One day Al told me that Bull Lodge's buffalo hide shield was on the reservation. I couldn't believe that there would still be a shield in Indian hands in 1937. I thought they had all been either collected or buried. The shield was in the possession of Philip Powder Face, a descendant of Bull Lodge. Al and I drove out to his house and asked if we could see the shield. Powder Face told us the shield was at his ranch about five miles up the Lodge Pole road east of Hays. We drove there and he went into a little shed behind the cabin. I followed and watched him remove a package suspended from the rafters. Mice began jumping out in every direction. We took it outside and Philip unwrapped a magnificent shield (pl. 212). The painting and decorations were very dramatic. There were several concentric circles painted in alternating bands of red and white set against a black background. Two small medicine bags, clusters of hawk bells, and several owl feathers were fastened to the central portion of the shield. The outer edge was thick with eagle feathers.

There were several other articles that had belonged to Bull Lodge as well. He showed me a cylindrical buffalo rawhide case that contained his war medicine. Before unwrapping this bundle, Powder Face said, "There is a very sacred and powerful bird in here. You may have this kind back in your country, but we do not have them out here." The bundle contained a parrot skin. The following year I had it identified at the University of Michigan. It was an *Ara macao*, a species of parrot that ranged from Bolivia to central Mexico. I have no idea how Bull Lodge obtained it.

There was another bundle that contained his horse stealing medicine. Upon request Bull Lodge performed a ceremony with this bundle to ensure the success of anyone who embarked on a horse stealing expedition (for a description of the ceremony, see Cooper 1957:300). A third bundle contained a western red squirrel and was similar to the one I purchased from Curley Head. I was able to acquire these items from Philip Powder Face, and they are now on loan to the Buffalo Bill Historical Center.

Once people knew I was interested in preserving old specimens, they began to bring items to me. Coming Daylight, the grandmother of George Horse Capture, gave me a fine and unusual elk skin bag (see fig. 28). Cora Chandler, Al's wife, gave me a pair of leggings that she had worn as a child. The Chandler family also gave me a painted tipi. Curley Head gave me the saddle and crupper that were used to transport the Thunder Pipe. He also gave me his brother's name, Otter Robe, at a public gathering. I collected a variety of other items, including parfleche cases, moccasins, and knife cases. I returned home in October after writing my mother for train fare. I crated up the material I had collected and shipped it home collect.

It would be many years before I returned to Fort Belknap. Al and Cora Chandler had died before my wife and I, together with our three sons, traveled to Fort Belknap in 1964. We were warmly greeted by George Chandler (Al's son), his wife Margie, and their children. The trip gave me a chance to renew many old acquaintances. My family had the opportunity to see the land and meet the people who were so important to me. One evening Fred Gone organized a sing in his cabin. My sons rode horses and hiked through the reservation mountains

Fig. 23 / **Milford G. Chandler** at his campsite in Oakland County, Michigan, summer 1938. Photograph by Richard A. Pohrt, *courtesy of the photographer*

with the Chandler boys. We have all been back to Fort Belknap many times in recent years. George and Margie Chandler have always been generous hosts, and we count their family as our good friends and Gros Ventre relatives.

In 1936 the Vickers Corporation in Detroit became interested in Mr. Chandler's fuel injection pump. He had recently separated from his wife and he moved to Detroit to work on the project. At this time he transferred his collection from the University of Michigan to the Cranbrook Institute of Science. He was in Flint fairly frequently visiting his son and daughter. We would often meet for lunch or dinner.

Chandler had purchased some property in northern Oakland County just east of Dixie Highway and south of McGinnis Road. This became our meeting place during the summer of 1937 and for many years following. The land was low, rolling wetlands partly covered with hardwood. Chandler was interested in conservation and had planted a quantity of pine seedlings in one field. He had a tipi made and often spent his weekends camping on a high, well-drained wooded site near McGinnis Road (fig. 23).

Dr. Charles A. Eastman, the distinguished Sioux historian and Chandler's friend, was living with his son in Detroit (see Eastman 1971, 1977, 1980; see also figs. 20, 32). Chandler invited him for a weekend, and Dr. Eastman, delighted to camp again in a tipi in a rural setting away from the city, extended his stay through the summer and well into the fall. I brought my tipi and camped there weekends. We were often joined by our friends and a group from Cranbrook.

Dr. Eastman was a fascinating man. He had been Agency physician at Pine Ridge at the time of the Wounded Knee massacre, and he shared his experiences with us. Friends in Montana had given me a quantity of beef jerky and a flour sack filled with crushed choke cherries that had been mixed with melted beef fat and sugar, then dried in the sun. I gave these to Dr. Eastman, who was pleased to receive food that he hadn't enjoyed for many years.

Occasionally Chandler encouraged people who had traditional Indian clothes to wear them for a dance or communal meal, but these get-togethers were usually impromptu. In late October the weather turned cold and Dr. Eastman returned to his son's home in Detroit. He died there in February 1939 at the age of eighty.

In 1939 I met Marion Weidner, an elementary schoolteacher, at a dance in Flint. We were married Thanksgiving Day in 1941. Seventeen days later the Japanese bombed Pearl Harbor. I knew that it was only a matter of time before I would be involved, so we proceeded to get our affairs in order. One of my concerns was the safekeeping of my own collection of Indian material. I now had roughly 250 items, including the pieces I had collected at Fort Belknap. I arranged with Chandler to store my collection with his at Cranbrook for the duration of the war.

I entered the army in March 1942. I did my basic training in a cavalry troop; brief duty as a member of the cadre at Fort Riley, Kansas; ninety days at Aberdeen, Maryland, in officer candidate school; and then I was shipped overseas. My first assignment was at Port Moresby in New Guinea. Following this posting I went to Townsville, Australia, for a year, then to Oro Bay, New Guinea, for another year, and finally on to the Philippines, where I remained until the war ended. I returned to the United States in March 1946.

I hadn't been home long before I got together with Mr. Chandler, who quickly brought me up to date. Shortly after our entry into the war, interest in his fuel injection pump was shelved as a result of war priorities. In addition, a squadron of planes outfitted with the fuel injection pump he had developed at Marvel Carburetor were destroyed on the ground during the Japanese attack on Pearl Harbor. Chandler had left the Vickers Corporation and was unemployed for several years. He was forced to sell most of his gun collection and some of his Indian material to generate income. His collection of Ballard rifles went to the Milwaukee Public Museum where they are part of the Henry J. Nunnemacher Collection (Wolff 1945). The rest of his gun collection was sold to individual collectors. The Indian material was purchased by the Cranbrook Institute of Science.

The sale of the guns did not bother me, but I was disturbed to learn that he had sold some of his Indian collection. I felt the size and diversity of the collection were important features and it would be a mistake to break it up.

Dr. Robert T. Hatt was the director of Cranbrook when the sale was proposed. Chandler had expressed a willingness to sell his entire collection. Dr. Hatt brought in Arthur C. Parker, a well-known anthropologist from New York State, to evaluate and appraise the collection. Parker wrote a twenty-one-page appraisal and a short critical report ("Report on the Chandler Collection," April 3, 1941; manuscript on file at the Cranbrook Institute of Science) that concluded:

> Many of the articles are worthy of exhibition but many more could not be used except for examination and comparison by a limited museum. Neither could a fully explanatory exhibit be made of any part (or all) of the cultures indicated. One could not illustrate a sequential view of any culture. The best that one can say is that here are a number of answers to questions about certain details: as, what bowls did the Fox use; what leggings did the Miami have; what did the central Algonkin weave; what designs did they employ? The broader answers to how they gathered their food, what it was, how it was prepared; what shelters they built, how furnished; what *complete* clothing they wore, what its prototypes were, what later adaptations were employed, are left unanswered. Perhaps the collection was not made to answer such questions, but rather to preserve examples of aboriginal products. In other words, it is a collector's collection and not an ethnologist's collection.

As a result of this critique, Dr. Hatt bought only a small portion of the collection, including some very fine and rare material. Cranbrook acquired nearly all of Chandler's Miami (Indiana) material, some important Iroquois items, and an assortment of objects from the Great Lakes tribes. Robert Bowen later questioned Chandler about Parker's appraisal. Chandler felt that it was sour grapes on Parker's part. Chandler had been able to locate and collect the roll call staff, or condolence cane, of the Five Nations of the Iroquois (Fenton, 1950). He purchased it on the Grand River Reserve in Ontario from Andrew Spragg, a Cayuga ritual singer (pl. 187). Parker coveted this staff and felt he should have obtained it for his museum in Rochester.

When the sale to Cranbrook was finally completed, Chandler moved the collection to Historic Fort Wayne, on the banks of the Detroit River at the corner of Jefferson and Livernois. It was stored there in the enlisted men's barracks for about three years.

In 1948 Chandler was hired to manage the Wessel Gun Shop on John R Street in Detroit. His knowledge of firearms and mechanical skills made him an ideal choice for the job, and he found the work enjoyable and challenging.

Around the time he began his new job, a fire broke out in the barracks at Fort Wayne and his collection narrowly missed being destroyed. He decided to move it to the basement of the gun shop. A year later a heavy spring rain flooded the basement of the shop and several specimens were ruined. The collection was moved again, this time into a neighbor's garage.

I was recalled to active military duty in February 1951 during the Korean War, and for the next two years I was assigned to the Tank Automotive Center in Detroit. My wife and small sons remained in Flint and I joined them most weekends. Chandler was still managing the gun shop. We would often get together for dinner during the week and spend the evening looking at objects from his collection and reviewing my latest acquisitions.

I bought my first iron tomahawk at this time. Chandler had a long-standing interest in these uniquely American weapons, and as a result of his mechanical and engineering background, he was able to give me detailed technical explanations of the methods of manufacturing tomahawks. He had an impressive collection that covered a wide range of styles and included several presentation pieces decorated with inlay and engraving. Many of these blades were used to illustrate his article "The Blacksmith's Shop," written for Harold Peterson's book *American Indian Tomahawks* (Peterson 1971). Chandler's deep knowledge of hand forging methods made this article an important contribution to the literature.

I became so engrossed in tomahawks that I asked Chandler if I could borrow his collection for careful study. A short time later I purchased a tomahawk blade different in construction from any he had seen. It was made like a trade hatchet with a pipe bowl keyed to the poll. I discussed this blade in the first article I published (Pohrt 1957).

Several years later Chandler offered to sell me his tomahawks. It was an unexpected offer and difficult at that point in my life to finance. I sold an army surplus jeep and some woodworking machinery to pay for the collection. After the transaction was completed, Chandler told me he was surprised I'd gone to such lengths to purchase the tomahawks. I told him that I didn't want the group broken up and dispersed. He was pleased by the explanation.

The Boy Scouts and the American Indian hobbyist movement both greatly promoted interest in Indian crafts and cultures, and some serious students emerged from these groups. An Indian study group in the Detroit area came to Chandler's attention. He allowed members access to his collection, and in return they assisted him in repairing damaged specimens. Dennis Lessard was a member of this group and he became well acquainted with Chandler. Mr. Chandler introduced us and we grew to be good friends.

Dennis and I began to explore the possibility of opening our own museum.

We felt that a museum would give us a place to exhibit our collections and might be a profitable summer business. We made several trips around Michigan before settling on Cross Village, an Ottawa community about twenty miles south of the Straits of Mackinaw on a bluff overlooking Lake Michigan. There was still a strong Indian presence in the area and there was also a suitable building available for rent. The Great Lakes Indian Museum opened in 1961 (figs. 24 and 25). Dennis managed the museum full time while I continued working for AC Spark Plug. We exhibited material that I owned, items that Dennis had collected, and objects that Chandler loaned us. We managed to meet expenses and turn a small profit, but it could never be termed a financial success.

After several seasons, Dennis left the operation and moved to Mission, South Dakota, on the Rosebud Indian Reservation. Indian friends in Cross Village assisted me in running the museum. Joe Samuels helped out for a while and Angeline Kawegoma was in charge for many years.

During our years in Cross Village, I became acquainted with Mary Shurtleff, a lifelong resident whose family had been pioneer settlers in the village during the nineteenth century. Miss Shurtleff maintained a small museum in an outbuilding on her property. She had a collection of local Indian items that had been acquired by her grandmother. The material was rare and of high quality. She eventually sold her collection to me and a number of items appear in this exhibition (pls. 10 and 18).

Indian residents of the village also sold me some very interesting items. Angeline Kawegoma brought me a woven yarn and nettle fiber bag decorated with images of underwater panthers and thunderbirds (pl. 19). The human effigy figure came from Frank Francis (pl. 175). This sculpture was on his front porch and one of my sons noticed it and brought it to my attention.

The museum provided great exposure to the Chandler-Pohrt collection. We were visited by Indian people, museum professionals, and serious students as well as casual tourists. We closed the museum at the end of the 1979 season after having been in business for nineteen years.

Fig. 24 / **The Great Lakes Indian Museum,** Cross Village, Michigan. The privately run museum was operated by Richard Pohrt and his family, with the assistance of Dennis Lessard, from 1961 to 1979. From a postcard, *courtesy Richard A. Pohrt*

Fig. 25 / **Prototype for a billboard,** designed by Richard A. Pohrt. The billboard on Michigan Route 131 directed summer visitors to the Pohrt family's museum. *Courtesy Richard A. Pohrt*

The Wessel Gun Shop was sold in 1961, and the new owner decided to emphasize the sale of new merchandise. Chandler was now in his seventies and decided it was time to retire. He was intent on leaving Detroit, so it was necessary to move the collection again. I owned a building in Fenton, Michigan, where Chandler's son Alan lived. We decided to store it there. Chandler planned to spend summers in Fenton at Alan's home and the rest of the year in Pasadena, California, with his old friends Holling and Lucille Holling, whom he had known since the 1920s when they were associated with the Field Museum in Chicago (see fig. 20).

My building provided adequate space, but we had a break-in. We never knew what, if anything, had been stolen, but we realized the collection had to be stored in a more secure place. We decided to move it to my home. The collection filled our basement and a section of the garage. It put a strain on our living space, but it was gratifying to be able to handle the material whenever I wished.

Chandler thoroughly enjoyed his retirement. He bought a pickup truck with a camper on the back and drove through the west on his trips to Pasadena in the fall and on his return to Michigan in the spring. He had never seen the plains or mountain areas of the west before his retirement. He visited with Indian friends and other acquaintances, and—of course—he was always searching for material to add to his collection.

One early summer day he returned with a Sioux winter count that he had purchased from a storekeeper on the Fort Totten Indian Reservation in North Dakota (pl. 219). On another occasion he arrived with a small collection of early Chippewa pieces that he had purchased from Kohlberg's, an antique shop in Denver. The material included a fine wool cloth hood with bead and ribbon decoration (pl. 28), a bandolier bag (pl. 37), a pair of men's two-color cloth leggings, some beaded garters, and sashes (pls. 39 and 41). All the items were of outstanding quality and dated from the mid-nineteenth century. Chandler visited me in 1965 accompanied by Glen Stille, curator of the Detroit Historical Museum. A support group of the museum wanted to purchase a representative lot of Great Lakes Indian material. Chandler and Stille went through the collection and made a selection of items. Most of this material is on permanent display at Historic Fort Wayne in Detroit.

Again I was disturbed by the breakup of the collection. I knew that if I was able to purchase it, I would hold it together and exert some influence on its eventual disposition. Chandler and I discussed the sale on several occasions during the summer of 1966. He was pleased to learn that I wanted to buy the collection. We inventoried and appraised items, and the sale was completed in October 1966. I suggested that we call it the Chandler-Pohrt collection and he approved. Chandler knew I shared his respect and admiration for the material and would see that it was retained as an identifiable collection.

While wintering in Pasadena, Chandler met Carl S. Dentzel, director of the Southwest Museum in Highland Park, Los Angeles. Dentzel made arrangements to have him assist with problems in the identification of their Plains and Woodland material. He enjoyed this association and wrote a short essay entitled "Indian Adaptations" that appeared in the museum's publication *Masterkey* (Chandler 1968).

After his retirement, Chandler returned to a project that he had begun forty years earlier in the 1920s. He was ably assisted by Benson Lanford, who was living in California at this time. Benson had known Chandler since the late 1950s as a result of his involvement with an Indian dance group in Toledo, Ohio. I believe that it was Benson's direct involvement that helped Chandler maintain his enthusiasm for the work at this late stage in his life.

During the 1920s Chandler had spent a great deal of time with the Wisconsin Winnebago and he befriended a man who was the grandson of a warrior in the War of 1812. The man's grandfather had repeated his stories of the Winnebago participation in the war until they were indelibly marked in the young man's mind. He recited these events while Chandler recorded them on Edison cylinders. Since the man spoke an archaic form of Winnebago, a satisfactory translation proved difficult. Chandler began work on a novel about the War of 1812, incorporating this information in the book. The project and other subject matter Chandler and Lanford worked on remain in manuscript.

There was a tremendous growth of interest in American Indian art during the 1970s. Several leading art museums throughout the country sponsored major exhibits of Indian art. Material collected by both professionals and amateurs, and long relegated to the science and natural history fields, was suddenly being sought for exhibition in art museums.

The individual most influential in directing attention to Indian material as art was Norman Feder. In 1954, Feder began editing and publishing *American Indian Hobbyist,* a magazine devoted to the study of Indian arts and crafts. It became the focus for interested students throughout the country. He met Chandler in the 1950s, and I believe Chandler had a major influence on his thinking. Feder's book *American Indian Art* was published in 1965 and featured several items that Chandler and I had collected. He acknowledged Chandler in the book as "certainly one of the most thorough collectors of all time, who unselfishly shared his deep insights of both Indian life and art, and who guided my appreciation of many little-known aspects of material culture" (1965b:5). The book remains the most comprehensive overview of American Indian art to date.

Feder acted as curator for the exhibition Two Hundred Years of North Amer-

Fig. 26 / **Richard A. Pohrt and George P. Horse Capture in Flint, Michigan, 1979.** Photograph by Tom Pohrt, *courtesy of the photographer*

ican Indian Art, sponsored by the Whitney Museum of American Art in 1971 (Feder 1971). The show focused on art produced by Indians during the eighteenth and nineteenth centuries. Feder borrowed fourteen pieces from me for display, and it marked the first time that items were identified as being from the Chandler-Pohrt collection. The exhibit attracted a great deal of attention and critical acclaim. This was the first major show of Native American art since 1941, when the Museum of Modern Art staged Indian Art of the United States (Douglas and d'Harnoncourt 1941). It proved to be the first of many exhibitions that were to follow.

Dr. G. Stuart Hodge, director of the Flint Institute of Arts, suggested to me that the institute produce an exhibition of Indian art. Our collaboration resulted in The Art of the Great Lakes Indians in 1973 (Flint Institute of Arts 1973). We selected material from museum collections and private collectors as well as the Chandler-Pohrt collection. The show was a great success and the exhibition catalogue is still in demand. Chandler contributed a lengthy essay, "Art and Culture of the Great Lakes Indians," for the catalogue.

During the 1976 bicentennial, celebrations included three major exhibits of American Indian art. Dr. Hodge asked me to serve as guest curator for The American Indian/The American Flag (Flint Institute of Arts 1975), exploring the use of patriotic symbols in Indian art. Sacred Circles, a comprehensive view of Indian art, was assembled by Ralph T. Coe in cooperation with the Arts Council of Great Britain and the Nelson Gallery in Kansas City (Coe 1977). It opened in London before coming to the United States. I Wear the Morning Star was organized by Ellen Bradbury and Samuel Sachs II, director of the Minneapolis Institute of Arts, and was cosponsored by the Minneapolis Regional Native American Center (Minneapolis Institute of Arts 1976). This exhibition featured garments and material produced in association with the Ghost Dance movement of the late nineteenth century. The Chandler-Pohrt collection was represented in all three of these exhibits.

Another major exhibition was staged during 1977: The Native American Heritage: A Survey of North American Indian Art. Dr. Evan Maurer assembled the show, including items from the collection, for the Art Institute of Chicago (Maurer 1977). It was highly praised, and Maurer produced an excellent catalogue.

These major exhibitions and several smaller ones gave a great deal of exposure to material in the collection. More important, many people had the opportunity to discover and finally acknowledge the artistic heritage of America's native peoples.

Dr. Frederick Cummings, director of the Detroit Institute of Arts, visited the museum in Cross Village during the summer of 1978. Dr. Cummings admired the quality of the collection, and over the next two years he initiated a series of meetings to discuss its acquisition by the Detroit Institute of Arts.

At the same time, the Buffalo Bill Historical Center in Cody, Wyoming, was involved in the expansion of its Plains Indian Museum. George Horse Capture, the curator of the Indian museum, and I had been friends for many years (fig. 26). We became acquainted while he was a student at the University of California in Berkeley. Horse Capture had a deep interest in his Gros Ventre heritage, and I was happy to share my knowledge and experiences at Fort Belknap with him. Peter Hassrick, director of the Buffalo Bill Historical Center, asked me to serve on a committee with Royal Hassrick and Miles Libhart to determine the theme, select the objects, and plan the exhibits for the new wing. I loaned the museum a number of specimens to fill gaps in its collection.

The new exhibition area opened June 14, 1979. Marion and I attended, and Chandler was there with Benson Lanford. While visiting the museum, Chandler fell and broke his hip. His recovery was slow.

During February 1981, Chandler's health began to deteriorate seriously and he was hospitalized in Sierra Madre, California. Marion and I, accompanied by Lucille Holling, visited him in the hospital March 8. I brought some Indian material that I had purchased on the trip to show him. He was alert and enthusiastic. We left for home and arrived back in Michigan on March 16. He died the following day, March 17, 1981, at the age of ninety-two. He had lived a long and rich life. I have missed him very much over the last decade.

Chandler and I had never discussed the eventual placement of the collection, and he had never made any suggestions regarding its final disposition. My feeling was that the material should be in a place where it could be well cared for and accessible to both the general public and scholars. I am sure he would share these sentiments.

In the fall of 1981 at a meeting with Dr. Cummings I agreed to sell all of the Great Lakes material, all of the Prairie material, and a portion of the Plains material to the Detroit Institute of Arts. Borris Sellers, director of Management and Development of the Founder's Society, worked out the details with me. I felt that it was especially appropriate that the Great Lakes material remain in Michigan.

Peter Hassrick expressed a wish to purchase the items I had on loan at the Buffalo Bill Historical Center. I worked out an agreement with him during the fall of 1983. The specimens were from the Plains tribes, thus in keeping with the definition of their collection.

Many of the Indian tribes on the northern Plains had tribal pipe bundles, and these bundles had great religious significance. They connected the people to their vision of creation, the earth, and their own history. The Pipekeeper, the person in charge of caring for the pipe bundle, assumed a temporary guardianship over this legacy. It was a great honor to be a Pipekeeper. I feel that Mr. Chandler and I have been the temporary guardians of some of the great material legacy of Native American people. Our lives have been charmed by our relationship with this material and our association with Native American people. I remain deeply grateful for this opportunity.

Fig. 27 / **Richard A. Pohrt at Fort Belknap Indian Reservation,** Hays, Montana, in 1937. Pohrt is wearing a pair of moccasins made by Lizzie Yellow Owl, an Assiniboine woman. Photograph by Vincent Chandler, *courtesy Richard A. Pohrt*

Richard A. Pohrt

George P. Horse Capture

The Path to Tribal Reconstruction

MY EARLIEST MEMORIES ARE OF LIVING with my grandmother, Clementine, near a bend of the Milk River on the northern end of the Fort Belknap Indian reservation in Montana. Recollections of hunger, poverty, and thick swarms of mosquitoes fade with time, so these memories are warm and filled with love for this wonderful woman. She not only played a substantial role in raising me but took care of other grandchildren, stray relatives, and some other children as well. Our house was always full.

It doesn't seem so long ago that we kids were getting up early in the morning to pick up chips and chop wood for the stove fire and hauling water in buckets from the ditch for clothes washing. Our days were full and we were happy.

Since there were no public schools on the reservation at that time, we had to catch a yellow school bus at designated stops for a ride to school in the local off-reservation town of Harlem. It was a constant morning goal to be the first student on the bus so as to sit in front, next to the driver, and look out of the large front windows at the approaching world and to admire his complex shifting of gears.

The first bus stop on Fort Belknap was a small, rectangular brick building on a loop driveway near the main highway at the Agency. Arriving early, I waited on the porch of the always-unoccupied building and climbed up a boulder decorated with hoofprint petroglyphs. Often I peered into the building's darkened interior—admiring the many traditional quilled and beaded Plains Indian items such as saddles, moccasins, and other things that were there for some reason or other—but they were always in the dark and isolated from us. I never did find out what happened to them.

Our young Indian lives changed drastically after we attended the Harlem school. There we learned from the white-oriented books, teachers, and town students that Indian people are not good and will never be any good. When we walked on the main street, these beliefs were confirmed by signs in the windows that stated "No Dogs or Indians Allowed." When we looked to our world, we found no institutional assistance for our reservation, which we Gros Ventre occupy with the Assiniboine tribe; it was barren of libraries, theaters, and schools to teach us differently. We never even had traditional leaders or chiefs to tell us about ourselves. So we found ourselves as Indian people stranded in a world where everyone important was white—from Jesus to George Washington on down to the local priest, school principal, and Bureau of Indian Affairs superintendent.

Such a world smothers motivation, inspiration, incentive, and development; confidence and pride never have an opportunity to fashion the child and his or her abilities positively, and so it was with us. It seemed that we had no past and that there was little of value at present, which meant that there was no chance for the future. Those of us who were fortunate enough to survive the destruction such a world bestows upon its people grew to adulthood ashamed, angry, and with massive inferiority complexes. We tried to forget our Indian heritage and blood by attempting to assimilate into the "good" white world.

Many of us were reasonably successful in our adult lives in spite of the earlier restrictions, although somewhat uncomfortable. We had to endure the "humorous" assault when the non-Indians referred to our wives as "squaws" and our babies as "papooses," and when they talked of "scalping," "rain dances," "Indian time," and all the rest. But we figured it was worth it. After all, we were out in the world competing successfully and providing our children freedom from ignorance and racism.

I was lost in this artificial bliss until late 1969, when a group of Indian college students landed on the barren shores of Alcatraz Island and focused the world's attention on the continual plight of the American Indian people. Living in the East Bay area, my boys and I went to the island and helped where we could. Seeing so many dedicated and intelligent Indians working together for a dream had a profound effect on us. Just to be a small part of this Indian force brought new emotions and enlightenment to our lives and allowed us to question our present life-style. We wanted more.

Being comfortable as an Indian, I decided what course in life was best for me and how I would achieve it. My way was clear and based on two goals: I would become deeply involved in the Indian world and I would do so as an Indian person. In order to be useful I would have to be knowledgeable in a relevant subject and develop many skills. The only way to do this was to go to school and earn a college degree. After applying and being accepted for admission at the local college, which fortuitously happened to be the University of California at Berkeley, and with the financial aid of a minority grant, I began my studies at that prestigious university.

I took courses that I thought would best prepare me for later work in the Indian communities and worked to acquire knowledge of history, anthropology, psychology, Indian studies, proposal writing, and other such subjects. For each paper and project I chose an Indian-related direction and researched and learned of my people like never before. I copied many of the rare publications and sent them home to the reservation so others could learn as well.

The results of this search were overwhelming. As a youth never once did I imagine the breadth of my tribe. It turned out that there were many published studies of my people and each contained much knowledge. I learned of our earlier ways, those things that have kept us together as a people since the beginning. I learned of our tribal origin myth and of the powers that controlled the world long ago. I read about the adventures of our tribal heroes, both men and women, and how we battled the English, French, Mexicans, Americans, and even other tribes.

Although the research was difficult and long overdue, it filled me with pride and confidence. I sensed that there was much more to our tribal history to learn and many more sources of cultural information to consult and I felt compelled to find them. Our development required this knowledge to gain self-confidence and we needed self-confidence in order to compete and survive; some day we might even flourish.

I discovered that there is only one thorough anthropological study of our tribe. It is appropriately titled *The Gros Ventres of Montana* and is a two-volume set written in the 1940s by Father John M. Cooper and Dr. Regina Flannery of the Catholic University of America. This rare work was never widely distributed and perhaps only one set ever made it back to the reservation. At that time it was virtually inaccessible to the public.

A Primary Resource

HAVING GAINED ACCESS TO THESE PAGES and their precious information, I pored over them carefully—learning. Here for the first time in photographic references and footnotes I was introduced to Richard A. Pohrt of Flint, Michigan. It seemed that he owned a collection of Gros Ventre materials and had a photographic collection of the tribe as well. Little did I know how much of an impact he would have on me and my tribe. Thinking about the collection led me to a new area, one of three-dimensional objects. They contain no written knowledge, but they were created by us and therefore contain a part of our story. More important, these objects have a form, and when touched establish a direct physical connection to our ancestors.

At first, I believed Pohrt was probably a rich collector from back East who purchased his collection on the commercial market from various sources. As I investigated further, it was revealed that his tribal resources and knowledge extended into areas other than simply art collecting.

As I traced the various leads stemming from my course work, they led in directions that eventually shaped my life. I wrote to Pohrt a few times and he promptly replied in an informative and friendly manner. When an opportunity arose, I made an appointment to visit him in northern Michigan at a place called Cross Village, where he and his wife had established a small museum displaying a portion of their marvelous collection (see fig. 24).

Driving north in Michigan for our first meeting, I wondered about him and what kind of reception would greet me. The idea of obtaining tribal information from a non-Indian did not seem natural. Arriving at night, I was greeted warmly by a vigorous man with shining white hair. After we shook hands, he introduced me to his lovely wife, Marion.

I had arrived in time to witness the rigorous annual work of reopening and staffing the museum for the summer. Everyone worked together and they seemed to enjoy the activity. Pohrt gave me the grand tour of the collection, proudly explaining details of special items as we progressed. The importance of the collection and the knowledge it contained came home to me when we arrived at Gros Ventre materials produced by my people so long ago. An elkhide bag made by my great-grandmother, Mrs. Warrior, drew me closer still; it was so beautiful. My daughter is named in her honor: (Coming) Daylight (fig. 28). Somehow this piece authenticated the collection and welcomed me with encouragement. It made me feel that I was doing the right thing by performing this tribal research project.

In talking to Pohrt, it was comforting to know that he was not a rich collector from the East. Instead he was a "regular Joe" from Flint, and I liked him right away. Since the first meeting, I have always called him "Mr. Pohrt" as a sign of respect. We have maintained contact and become good friends. We have involved each other in Indian-related projects over the years, and much of the Indian art knowledge that I possess came from Pohrt, who is always willing to share what he has learned. Our families have grown close, and I hope our children maintain this relationship after he and I have passed over to the Sand Hills.

With Pohrt being prominent in the Indian art field for so many years, it seemed that there should be a museum exhibition featuring the material from the Chandler-Pohrt collection to honor him. I suggested this to him and he thought it was a grand idea. When Pohrt told David Penney of the Detroit Institute of Arts about it, he picked up the thought and made it a reality.

Because of my close relationship with Pohrt, it was natural that I write about him for the exhibition catalogue. I want to tell something of this remarkable man, about his relationship with his collection, his contribution to the Indian art field, and his impact on my people—the Gros Ventre people of Montana, both living and deceased. The process of writing this essay has been educational and, more important, has allowed me the opportunity of accompanying Pohrt on this literary adventure to meet some great tribal leaders. This is the closest I will ever be to them, and I thank Pohrt for this privilege.

Fig. 28 / **Storage bag,** elkskin, deerskin, glass beads, porcupine quills. Made by Coming Daylight, Gros Ventre, and given to Richard Pohrt in 1937. *Courtesy Buffalo Bill Historical Center*

Richard Pohrt and the Gros Ventre

As a boy, Richard Pohrt was caught up in the stories of James Willard Schultz and often imagined himself astride a painted pony, racing across a field of prairie grass to adventure. He came to wonder if perhaps he had been born too late; a hundred years earlier would have put him right in the middle of the Western movement instead of the town world where he sometimes felt trapped.

He was always interested in the Indian people's arts and crafts, as well as the rest of their culture. Besides reading about his prairie heroes, he began gathering other elements from their world—physical things. One could say that this is where his collecting career began. At first he concentrated on arrowheads, because they were relatively easy to find. But somehow they seemed to be too old and devoid of life. These objects didn't represent the vibrant people he admired.

Every time a Wild West show or circus that had Indians with it came to town, Richard would try to become acquainted with the Indian people. In 1926 he traveled around Michigan with a small rodeo that included twenty-five or thirty Pawnee Indians, and he made longtime friendships with many of them. He found the Indian people he met friendly, honest, and unpretentious.

One of the members of this troupe had been a Pawnee scout during the Sioux campaigns in the 1860s and 1870s. Pohrt was thrilled to stand next to a man who had been a scout or had participated in notable events of western history. Later, knowing the Indians better, he came to realize that they are much like any other people. They had to live within their world, and had problems just like anyone else. But Pohrt admired the traditional virtues of Plains Indian life. Summing up his feelings, he often quoted a remark of the prominent Western author, Stanley Vestal, who wrote of the Sioux warrior White Bull, "It is no small thing to know a man straight out of Homer."

In June 1933, with the economy in the shambles of the Depression, the young Pohrt saw few opportunities in Flint, Michigan. So the restless adventurer cast aside more ordinary aspirations, "saddled up" an old Model T Ford, and with a longtime friend, Emerson Frey, headed west to find the country of James Willard Schultz. Uncertain about future events but excited about the summer's possibilities, they entered Montana and headed toward Harlem, midway across the top of the state, by the railroad tracks that spanned the state east and west. An acquaintance Pohrt had met through the Wild West shows had promised them a job in Montana, so they headed toward the small town where he lived.

The promised employment never materialized. After unsuccessfully searching for work among the surrounding ranches, they ended up sleeping in their car at night and eating sparingly to preserve their dwindling supply of money. They realized that if something positive didn't happen soon, they would have to return home—busted. Always planning for the unexpected, they figured that if things didn't improve they could "bum" a tank of gasoline, drive eastward as far as possible, sell the car, and use the money to travel the rest of the way home.

The night before they were scheduled to leave, they met with some newfound friends to say good-bye. One of this group suggested that instead of going home they give it one more shot and seek employment at the Fort Belknap Agency, which was only four miles away. The government was stringing telephone wire and building a road from Fort Belknap in the north to Hays in the south.

Jubilant, the young men rushed to Fort Belknap the next morning, where they were hired by the Emergency Conservation Work Organization (ECWO). The ECWO program was initially designed to employ Indians—the Indian version of the Civilian Conservation Corps (CCC) and its projects worked to improve the community as a whole. It was considered a resounding success because it employed over fifty local Indian people and was often the first formal employment opportunity many of them had ever had.

Working alongside Richard was a local Indian named Benedict Chandler. He was a low-key, intelligent young man and the two soon became friends. As culvert installers, Richard Pohrt, Emerson Frey, and Benny Chandler worked as a team. It was hard, almost brutal work as they chopped with picks and crowbars just to break the surface of the ground, but it was an honest job in the open air under the Montana sun. At the end of the summer, Richard had never felt better.

He had accepted the fact that the romantic West of his youthful dreams had passed from the scene and that Indian people, like everyone else, had to change with the times in order to survive. Yet Pohrt would find that they still had some strong connections to their buffalo heritage. That, too, would someday pass. He felt grateful for his experience.

Pohrt soon discovered the conservative nature of the Indian people. An outsider could not enter their world and immediately begin to associate with them; first he was expected to reside by himself, minding his own business for a few days, or maybe even a week. The people would then have an opportunity to look him over and observe his behavior. Later they might even welcome him. A good example of this temperament is a story told to Pohrt about the famous George Bird Grinnell, an authority on Indian culture, who visited Fort Belknap just after the turn of the century. When he arrived, he met a Gros Ventre man driving a wagon. He said, "Well, here I am, George Bird Grinnell, on your reservation." The unimpressed Indian said something like, "Well, what's so great about that? Good-bye!"

The summer had a social side as well as work. The reservation people were pleasant and friendly. Richard socialized primarily with the white people in Harlem and occasionally on a weekend would go up to Zurich, a nearby town, to attend a dance. But the railroad workers were a rowdy bunch and he felt much safer with the Indians on the reservation.

Pohrt was drawn naturally to the Gros Ventre Indians rather than the Assiniboine, although both tribes lived on the reservation. After all, Benny Chandler was a Gros Ventre and the camp was located at Hays, were the majority of that tribe lived.

Hays was a pretty small community that had only two general stores and a pool hall. Carl Dodge ran one of the stores and it became a social club of a kind, especially in the evenings. When one entered to buy a sack of Bull Durham or something and gradually became accustomed to the dim light, six or seven elderly men could be seen sitting around, usually on the floor. Old Curley Head, a Gros Ventre leader, had a favorite spot where he reclined comfortably on the floor and smoked his small pipe. Many of the old-timers had difficulty adjusting to chairs because tipis did not have chairs. Even though it was often crowded in Dodge's store, everyone was courteous to each other and the room had a special feeling to it.

Bill Kearn owned a big log cabin, which was the pool hall. It contained two pool tables on the main floor, and there was usually a poker game going on in back. One could buy candy bars and a few other little things in front; outside there were gas pumps. Kearn's was a good place to meet, and the Indian people often socialized there in the evening. You just walked around in the evening and ended up at Kearn's.

Upstairs was a dance hall. On Saturday nights, a dance commenced with young Cree Indians playing fast music. Their guitar, banjo, and violin would get the people to dancing. Nobody seemed to escort a date. The groups just separated on entering and joined up later on the dance floor. The girls usually had their mothers along, so one had to be very careful not to misbehave. White people were welcome at this dance, but most of the participants were Gros Ventres and Crees.

There was a wind-up Victrola with a stock of rather worn records. You could pick out a record, wind the machine, and play it if you were so inclined. A man named Steve Bradley, who would later become prominent in the Gros Ventre world, really enjoyed that phonograph. His favorite record was "Old Montana, Place Where I Was Born." He would play that record over and over and never grew tired of it.

The only Indian type music that Pohrt heard that summer of 1933 was at an Assiniboine Sun Dance held at the Agency at Sun Dance Flats (where Half Town is now located). Overcome by curiosity on hearing about the Sun Dance, Richard went to the Agency with a friend and saw the flats covered with wall tents and tipis arranged in a big circle. There were horses everywhere. With a bit of imagination, it did not seem too far from the old days.

The Sun Dance was well attended. Most people from the reservation took part in some form and visitors were everywhere. At the Grass Dance portion, Richard could not help but notice a participant wearing extraordinary dance attire. The deerskin outfit was decorated with beautifully colored porcupine quillwork, probably made at Ford Berthold, North Dakota. After the activities Richard asked the dancer, Peter Wing, if the outfit could be purchased. He was able to obtain only the moccasins. Considering the generous nature of the Indian people and their poverty, young Richard probably could have amassed a large collection of materials. With $25, he could have purchased Wing's entire ensemble. But Pohrt did not have much money. He spent a dear $2.25 for the moccasins. No one knows what happened to the rest of the outfit, but Wing may have been buried in it.

On occasion, Pohrt saw people wearing moccasins in town. Although wearing moccasins was never completely given up by Native Americans, most

Fig. 29 / **Tom Main and his children**, Fort Belknap Indian Reservation, Hays, Montana, August 1937. *(Left to right)* Jimmie, Elmer, Gerald, Dorothy, Tom Main, Opal, Jerome, Marie, Myra. Photograph by Richard A. Pohrt, *courtesy of the photographer*

young people at Hays did not wear them in 1933. Pohrt often sat on the porch of the store opposite Kearn's place in Hays, and when someone came in wearing moccasins he would make fast sketches of the designs, with some color notes. The Indian people realized what he was doing and used to laugh at him in a good-natured way. Perhaps they thought he was a little crazy, but at least he recorded a little of the art of the Gros Ventre.

Pohrt left the reservation in the fall of 1933 but maintained some contact with people in Hays by correspondence. He also began to read what he could find about the Gros Ventre and other Indian people of the area. In Alfred Kroeber's "Ethnology of the Gros Ventre," he noticed two interesting narratives: "Black Wolf's Narrative" and "Watches All." These were stories about warriors and the great deeds they accomplished. Richard decided to return to Fort Belknap to collect similar stories from living Gros Ventre warriors.

In 1935, after saving some money, the same stalwart pair of Michigan boys again drove toward Fort Belknap, this time in a new Buick sedan. They planned to sell it at a profit upon their arrival. They were delayed in Great Falls, Montana, when the car required repairs, and they did not manage to sell it until September. Emerson Frey decided to return home, but Pohrt fortuitously reunited with Al Chandler, the father of his former workmate Benny, while bumming a ride to Hays. Welcomed by the entire Chandler family, Pohrt decided to stay for a while and pursue his plan.

With his strong ties to the Chandler family, Richard was able to meet many more Indian people. His savings and his share of the Buick sale also allowed him

Fig. 30 / **Curley Head wearing his war medicine:** a western red squirrel with eagle down plumes, the tail feathers of the red shafted flicker, pony beads, and twists of red and blue stroud. In his mouth he holds a whistle made of an eagle wing bone. The shirt belonged to Little Shield. Curley Head had transferred his war bundle to Pohrt in 1935. Photograph by Richard A. Pohrt at Fort Belknap Indian Reservation, Hays, Montana, 1937, *courtesy of the photographer*

to collect some ethnographic material. Richard made it a point never to exploit a situation and take unfair advantage of the poverty that was everywhere on the reservation. As he collected, it continued to surprise him that many people simply gave him things, knowing of his sincere interest. Perhaps they wanted to preserve them for future generations. When they looked around, they saw that the things they had preserved from the past did not fit into the new world of the reservation. Fred Gone, the Chandler family, Mrs. Warrior, Mrs. Horseman, Phillip Shortman, and many more people gave him such things.

It was late in the season and time was short. Al Chandler had introduced Pohrt to many Fort Belknap Gros Ventre, and Pohrt had befriended Tom Main, a local leader, who offered his services as a translator (fig. 29). The crowning event came with his formal introduction to Curley Head (arranged by Al Chandler), probably the most notable Gros Ventre warrior then living at Fort Belknap. Evidently impressed with Pohrt's politeness and respect, Curley Head sold Pohrt his personal war medicine and promised to share the story of his life. With Curley Head agreeing to tell his story, Pohrt was ready to leave with a feeling of success.

For the next two years, Pohrt planned his third trip to Fort Belknap, when he hoped to complete a biography of Curley Head and collect objects. In June 1937 his plans finally came together. More experienced with Indian people now, he packed smoking tobacco to present as gifts and in his 1935 Chevrolet started west.

It was an extremely warm summer, and making his way across the country he visited other Indian reservations, including Wounded Knee, the site of the infamous massacre in 1890. He purchased some fully beaded storage bags at Gildersleeve's store. The Chevrolet usually served as a motel, because there were no other facilities available. By June 25 he had made his way across the muddy and wet roads to Rapid City, where he stopped at a gas station. He saw four Indian men walking down the sidewalk across the street and was struck by their appearance. He recognized two of them, Joseph White Bull and his brother Henry One Bull, from photographs published in the books of Stanley Vestal. Both had participated in the Battle of the Little Bighorn sixty-one years before, to the very day. Vestal had written that Joseph White Bull was the man who had killed Custer in the battle. Realizing that he would never have another opportunity to meet these famous men, he parked his car and followed them through the door of a radio station.

When they came out of the studio, Pohrt saw that they were dressed to the nines in their traditional Indian attire, as was their interpreter, Kadote. Pohrt walked up to them and introduced himself. He told them that he knew that they were famous men and that he would like to meet them. The interpreter replied, "Why don't you come out to our camp on the north side of Rapid City? We're camped out there and you could visit us there."

Seeing that this was the opportunity of a lifetime to get the unadulterated version of what happened at Little Bighorn, Pohrt quickly went out to the camp. But when he saw the men up close, he realized that they were extremely old and fragile. White Bull even used an ear trumpet. Pohrt learned that they had given an interview at the Rapid City radio station on this anniversary of the Custer fight. Because he had great respect for the elderly warriors, he decided it would be too strenuous for them to go through another interrogation; so he simply visited with the group, but mostly with Kadote and his wife, who spoke English. Reluctantly, at evening's end, he left, but not before giving the two famous men small gifts of tobacco and purchasing an autographed postcard from each. As he departed the warriors said something to Kadote, who interpreted the words for Pohrt: "Tell him that he is the best white man in this town."

In Hays that summer Al Chandler had a job, so he could not spend much time with Pohrt. Tom Main served on the Tribal Court, however, and since his hours varied, he and Pohrt could work together. Tom Main felt that the indirect approach was best: he casually let people know that Pohrt was in town and described what he was doing. Slowly, people became more acquainted with him. Main proposed an open meeting with the community and invited everyone to talk with Pohrt. They served coffee, a little meat, fry bread, and berry soup to make the event more attractive. Pohrt made a short speech after being introduced and announced his intention to research the Gros Ventre and that he was interested in their lifeways and traditional arts. No one jumped up and walked out; nor did they jump on the bandwagon either. When the meeting was over, the women, as was their custom, unwrapped flour sacks and packed up whatever remained to take home. It was a good and proper beginning.

Al Chandler and Pohrt eventually got back to Curley Head and arranged for him to tell his old stories with Tom Main as interpreter. The start-and-stop rhythm of the interpreting process was exhausting to everyone. Because of his advanced age, Curley Head frequently fell asleep. No one was so impolite as to wake him. After a few weeks of this, it became clear that the cause was lost. A few months later, during the winter of 1937–38, Curley Head passed to the great Sand Hills.

The Boy, another Gros Ventre leader, often attended the sessions with Curley Head. He was the chief of the tribe (fig. 31). Iron Man and his wife were there as well, since they looked after Curley Head and served lunch. Iron Man was also named Tall Jack.

With his Curley Head project abandoned, Pohrt decided to change direction. Tom Main continued to make introductions. The people he met were warm, intimate, and friendly. Whether they would have been so receptive to any white man who passed by or were just enamored by Pohrt's personal warmth and nature, it is difficult to say, but his friendly attitude helped in collecting material, information, and friends. He couldn't speak the language, but his interpreters were helpful and often brought him in on a joke whenever possible. He learned something very simple. When these Indian people were asked something that they thought was too personal or the answer might insult them, they simply ignored the question. Others would do well to use this tactic on occasion.

Tom Main explained to him that Indian custom requires that a host feed the visitor and the visitor must eat so not to offend. During a hectic schedule one might visit a dozen places in a day and be served a dozen meals. Pohrt ate as little as possible on these occasions, not out of impoliteness but because he was sensitive to how little these people really had to spare.

Fig. 31 / **The Boy, his son James, and his wife Ursula,** sitting in a buggy, c. 1910. The Boy was a prominent leader of the Gros Ventre during Richard Pohrt's visits to the Fort Belknap Indian Reservation in the 1930s. Photographer unknown, *photograph courtesy Richard A. Pohrt*

Later in the summer, Pohrt paid a visit to Little Shield and his wife, who lived near the mission. At first, they both talked about anything except the topic of the visit. Only later did custom permit them to address the main subject. Finally, Pohrt asked Little Shield about a painted tipi with all the furnishings that he had once owned. Little Shield got up and showed him the doctoring medicine he used to treat people. He had a commercial doctor's satchel, and inside were little slots to hold medicine bottles. This one held Indian medicine in the compartments. It was strange seeing an Indian medicine man carrying the traditional bag of a white doctor. Pohrt did not attempt to purchase the unique item, because he did not realize its cultural importance at the time. After they left, as they walked down the road together, Tom Main asked Pohrt why he had not accepted the offer made by Little Shield. Surprised, Pohrt said, "What offer?" Tom replied, "He wanted to give you that tipi and all the furnishings." Flustered, Pohrt said, "Why the heck didn't you tell me?" By then it was too late to take Little Shield up on his indirect offer.

Looking back, Pohrt feels he missed many such opportunities. Like the time he visited with Iron Man No. 1, who is sometimes called Four Bear. Four Bear showed him a tipi, a painted one, and it was a dandy. It had an underwater panther painted around the side. Pohrt still has the sketches of it in his notes. Four Bear offered to sell it for $15.00, but by that time Pohrt's money was gone, and he regrets it still.

Another time, Mrs. Horseman invited Pohrt to come to her home, saying that the attic was full of parfleche cases. But Pohrt never made it because he had run out of money and was living off the generosity of the Chandler family. When he returned to the reservation after World War II, he saw Mrs. Horseman and, remembering the earlier offer, said that he'd like to see the parfleches. Mrs. Horseman looked at him with sad eyes and said that the house had burned up and everything had been lost. Although not a world calamity, the loss of these items made the world just a little bit poorer. These things are gone now, Little Shield's tipi and furnishings, his doctor's bag, the tipi that belonged to Four Bear, and Mrs. Horseman's parfleches. But Pohrt collected and preserved what he could with his limited resources.

For a while Pohrt lived with the Chandler family and gave them money as long as it lasted. He realized that it was a difficult time for everybody and he was a financial burden to them, but no one ever asked him for money or even discussed it.

When he left in 1937, Victor and Clarence Brockie and Tom Main took him to the railroad station with his big box of the things collected that year. The local priest who knew him from his summer's residence came over and asked if he was leaving. Pohrt said, "Yes, it's time to go." The good father stuck out his hand, wished him well, and said, "You set a good example," and walked away without any explanation.

During World War II, Pohrt served in the Pacific theater as a second lieutenant stationed for a time in New Guinea. In early 1943 he learned that the 41st Division had just come out of action and their camp was not too far away. From previous correspondence he knew that some boys from Fort Belknap were part of that unit. After much driving around in a jeep, he found them: George Chandler, J. J. Mount, Preston Bell, and a couple of others. They had a reunion there in the jungle, a far cry from their beloved prairies. The Fort Belknap men offered him food from their mess, as per Indian custom, and they sat in the shade of the tent and visited. Regretfully, the day ended and Lieutenant Pohrt had to leave. He never saw them again over there. Later, he met Elmer Main, one of his good friend Tom Main's sons, who was stationed as a sergeant in the same area. Their Fort Belknap style reunion paid no attention to military protocol and they "mixed ranks," eating together and having a good visit.

After Pohrt returned to Michigan, the first of his three sons was born in 1947 and the second two years later. These obligations kept him close to home, but the western pull was strong. When his youngest was eight or nine years old, Pohrt drove his family out to Hays on a family vacation. They pulled a little Apache trailer and visited the sites that Richard had known so many years before. They looked up the Chandlers first and pitched their camp there, staying for several days. Since then Pohrt has returned to Fort Belknap frequently, never letting another long period pass without visiting the reservation.

Richard Pohrt Today

In the spring of 1990, Pohrt and I drove around the Fort Belknap reservation to many of the locations he had known as a younger man. As he stood on the hill looking down at the main street and what remains of Hays, he must have felt nostalgia, sadness, and even loneliness for the people and the times of long ago. He noticed that the roads and houses—everything—were different. Only one aged log cabin remained. The stores and homes that Pohrt had known were gone. Even the vegetation looked different from the old days he had admired so much.

Although fond of the old world, Pohrt noted that the people now looked more prosperous, better dressed, and probably ate better than they had in the 1930s. Looking north to the Three White Cows Canyon, he recalled that there had been no houses there during his early visits, only pasture. Now Three White Cows is heavily populated with neat-looking homes and a brand new school.

Thinking back about the time in Montana, he recalls that many Indian people gave or sold him items of ethnographic importance with no strings attached. When someone gave him an item, he realized that the person kept it a long time and had close bonds with it. It was a gift of responsibility and he had become only the temporary custodian. Now that he is getting older, he wants to see these precious things preserved so that others can enjoy them. The entire world should have the opportunity to appreciate and learn about the wonderful Indian people who made them. Perhaps others don't view collecting in this manner and do it more for financial reasons, but Pohrt is special. The relationship between Pohrt and the Gros Ventre people is hard to judge from a time far removed. But Pohrt feels in his heart that he is an honorable man and that these early Indian people gave him these objects because they recognized this trait. If some of the contemporary Indian people have any complaints about objects in his collection, he asks that they look him in the eye, air their complaints, and listen to his reply.

As for the repatriation issues, he recognized that the sacred pipes of the Gros Ventre are tribal property and should remain with the tribe or in a secure place safe from any destructive forces of man or nature. They are part of the world's heritage as well as of the tribe's, and should always be protected.

Pohrt has already returned tribal materials whenever a need became apparent. One time Tom Main gave him a shirt, leggings, and moccasins that his son Elmer had worn as a young boy. Back in the 1970s Elmer Main asked if he could have them back and Pohrt returned them. Another time Pohrt returned a set of hand-game sticks, one of only two sets in the world, that he had obtained from Luke White Rock in the late 1960s. Previously he had learned that these had once been in the possession of the Gone family or had belonged to that family, so upon meeting his friend, Ray, who expressed a great interest in them, Pohrt gave the sticks to him. Pohrt feels a great responsibility for the things he collected, and has returned things only to those who were seriously interested. Return of war bundles is another matter. Since these bundles were the personal possessions of their owners, who should they be returned to? How could they function for anyone but the owner unless the power had been transferred?

Being among the Indian people over a long period and listening to their views of the universe revealed a different perspective to Pohrt. Many people believe that outside forces—spiritual forces—guide you throughout your life. It is as if one must follow a preordained destiny. If you talk about this power and destiny with some people, however, they may question your beliefs. You have to keep them within yourself while letting them guide you.

Ed Shambo told Pohrt a story of how Old Stiffarm treated a sick person. Shambo stood in the doorway watching Stiffarm take a weasel skin from a bundle, laying it on the floor near the ill person. Then he started drumming and chanting and making other musical sounds. Soon the weasel got up and started whistling in front of the patient's bed, running to the spot where the sickness was centered. Entering the body, the weasel bit the infection and carried it back to where Stiffarm had first placed him. Laying the sickness down, he became inert once again, his job ended. Shambo told Pohrt, "I know you don't believe me, and I probably wouldn't believe it either, but I was there. I actually saw it."

Pohrt heard many such stories on the reservation, and it was difficult to believe that they were all untrue. There have been occasions when Pohrt felt a kind of destiny himself. He remembers one time in Portland, Oregon, when traveling as an employee of the AC Spark Plug Company, that some force made him stop at a street corner. It told him to go left another two blocks. Something in his mind and body then told him to stop. From there it guided him another block to the right. When he stopped and looked around he was in front of a store that was full of Indian-made things. He sensed that he had been guided to the spot so that he could pursue his life's purpose of collecting these materials. That experience is hard to believe, too, but it happened to him. Over the years that I have grown to know Pohrt, I sense that he feels guided in his endeavors and acknowledges the blessing. This perspective is unique among collectors, in my experience, and perhaps contributes to the great feeling of responsibility and custodianship that Pohrt has for his collection.

The life of this man has been extraordinary. As a youth his pursuit of the story of the American Indian lifted him beyond the limitations of his peers and grew to something much more than an avocation. An extra ability, intellect, or even power seemed to guide him. These attributes influenced other aspects of his life as well. Pohrt has made a good life for himself, his wife, and his family. They have a happy, comfortable life and good health has been their friend over the years.

Pohrt's experiences at Fort Belknap established the foundation for a lifetime of study and collecting. As his abilities and knowledge matured, he became widely recognized as an authority on Plains Indian art and material culture. Now other collectors, museum professionals, and scholars with advanced university degrees seek out his opinions and benefit from his knowledge. Like most other aspects of his life, Pohrt's entry into scholarship began modestly but yielded impressive results. His earliest published articles dealt with the technical features and historic implications of pipe tomahawks, an interest Pohrt inherited from his mentor, Milford Chandler (Pohrt 1957, 1989a). Since then, he has contributed substantially to our understanding of Plains Indian art and history. He is frequently sought as a lecturer, symposium participant, contributor to books and journals, and as a consultant to museum exhibitions. With a phenomenal memory for details of people, objects, and their locations and values, he has become a treasure house of information, which he is always willing to share. He played an instrumental role in helping me with the exhibition and catalogue, *Salish Indian Art,* at the Buffalo Bill Historical Center in 1986 (Horse Capture and Pohrt 1986). My greatest measure of gratitude, however, is for his willingness to share his knowledge, wisdom, and experience with those of my tribe. In 1975, while working toward tribal restoration, we organized a workshop sponsored by the Montana Committee for the Humanities. We asked outside scholars who were acknowledged experts on the Gros Ventre to come and share their knowledge with our tribe. The special guests included Dr. Regina Flannery and Pohrt. The workshop was the first of its kind on the reservation and everyone had a grand time. Over the years that I have been involved in Indian art, history, and the museum field, I have often called him to take part because his contributions are always accurate and unique, and it is fun to be with him.

Tribal restoration is a lifetime process. Over the years, Pohrt and I have grown closer because we share this goal. Our path together is already a long one. Some years ago I investigated the possibility of establishing a museum on the reservation. When I talked to Pohrt about this, he was enthusiastic. He pledged to return some of the Fort Belknap materials in his collection to this new museum should it become established. Although many tribal people assisted with that initial effort, it was short lived, perhaps because only one tribe on the reservation was involved. The possibility that Pohrt would be willing to return some of his collections to the reservation was unexpected and demonstrated his sincere dedication to the reservation people and their culture.

In December 1990, after eleven and one half years of working as curator of the

Plains Indian Museum, Buffalo Bill Historical Center, I resigned my position with some regret. It was an excellent position, but I had been there for a long time and felt as if I had done everything at least once. After investigating the possibilities that offered the best opportunity for me to use my talents, my family and I decided to move back home to Fort Belknap. In the early part of January we moved in. Testing our mettle, the house furnace ceased to function, causing everything to freeze. My eldest son, Junior, remarked: "I feel sorry for Dad. When he moved away forty years ago, he was hauling drinking water in buckets to the house. Now, he's still hauling water to the house."

Settling into the community was easier than expected. I enjoyed seeing my friends and relatives; I have missed them. Attempting to keep as close to my chosen field as possible, I accepted a position marketing arts and crafts items made locally. I needed an office, but finding one was difficult in the crowded reservation office areas. When talking it over with my project coordinator, we discussed my organizational problems within the larger context of many reservation needs. A solution came to us which we presented to the tribal chairman, and before the day was over an agreement was signed that proposed a specific historical building as the site of the future reservation museum. Two weeks later, the tribal council approved an official resolution establishing a reservation museum with me as its director and pledged the facilities and seed money.

My office is now installed in that little brick building where I waited for the yellow school bus as a youth. This is the site of our museum and, with luck and assistance from friends, we will light the interior and bring objects to be one with the people. They will help to teach us many things and to keep us together. The knowledge and the confidence that follows will give us pride and lead us into the future.

I am a great believer in history. I know that as we progress along this road one day Pohrt and I will discuss the future of the tribal museum and he will offer to help. One day some material from his collection will complete its circle and return to our reservation. This would be nothing new for him. He has always helped and has played a key part in our progress to this point in our history.

One day Pohrt and I were talking about the reservation and Indian ways, and he almost confidentially told me about a dream he'd had. He said that the dream was much like the ones the old-timers had years ago. It was a power dream and he awoke from it knowing that he had an animal spiritual helper. Pohrt's animal helper is small, black and white, carries his tail high, and has a terrific ability to protect himself. "Skunk"—it is a proud name, one that he shares with one of my grandfathers and a cousin. So, Batho ("Big Skunk" in the Gros Ventre language), wear your name triumphantly. You and your name are both part of an ancient and proud tribe. I feel fortunate to know you. Keep up the good work, because we have a long way to go. When we meet in the Sand Hills, we will have the satisfaction of knowing we did all we could for our people, the Gros Ventre, and I'll catch you up on all of the reservation stories.

Wa-hey!

Collecting and the Meanings of Collections

David W. Penney

Childhood

As children, both Milford Chandler and Richard Pohrt were fascinated by tales about American Indians. Chandler recalled the Indian place names and their association with the Blackhawk War when he was growing up in Compton, Illinois, and remembered reading Zeisberger, Catlin, and an edition of *Hiawatha* with illustrations by Frederick Remington. Pohrt listened to stories of the Potawatomi and Pawnee as told by his father's friend George Pettit, a Civil War veteran; and his father recited *Hiawatha* for him in the evenings, combining English, Russian, and German ("just to see if I was paying attention"). Both young men, one born during the last decade of the nineteenth century and the other during the first decade of the twentieth, represented generations for whom the events of the Indian frontier could only be known secondhand. Both characterized their early interest as unabashedly "romantic."

"Romantic" here refers to an emotional longing for the past, for the way things were. In romantic literature, this idealization is often seen in "pastoral" terms, the "lament [for] the loss of 'good country,' a place where authentic social and natural contacts were once possible" (Clifford 1986:113). European pastoral poetry, for example, takes the viewpoint of the literate urbanite who looks longingly at the simpler, more "natural" life of the country (Williams 1973; Poggioli 1975). The literary trope of pastoralism is applicable to America as it entered the twentieth century, when an increasing urban sophistication replaced nineteenth-century agrarian idealism. Chandler was explicit about the influence of romanticism in his childhood attitudes toward the West:

> A woman showed me a book in which she had pressed a great variety of native wildflowers. Many of them couldn't even be found when I was a boy. The few which survived were usually along the railroad track. The whole thing, as far as I could see, was more-or-less a type of scene which could be called a transplanted life of the European peasant. That native beauty and romance were a thing of the past and it was the

yearning for this which was one of the elements in making me want to go west (Chandler 1971).

A romantic view of the nation's frontier past was a characteristic American attitude at the turn of the century. The introductory essay of this volume mentioned Frederick Jackson Turner's famous 1893 address that voiced the popular notion that America's unique character had been forged during its childhood on the frontier. As the original inhabitants of America's undeveloped landscape, Indians became a powerful symbol of America's frontier past. They were seen as childlike within the Social Darwinist scheme of progress. Indians, like children, represented an unformed, "primitive" state; proper upbringing and education "civilized" them to join the adult world. Such thinking prompted the idea that Indians and children had much in common.

"What boy would not be an Indian for a while when he thinks of the freest life in the world? This life was mine." So began Dr. Charles Eastman's first book, *Indian Boyhood*, published in 1902 (Eastman 1971:3). Eastman, born in 1858 and named Ohiyesa, "The Winner," was raised by his Dakota family in Minnesota and Canada, believing that his father had been executed for his role in the Santee Uprising of 1862. But his father had been imprisoned, and during that time had converted to Protestantism. In 1872, at the age of fifteen, Ohiyesa was reunited with his father and sent to school in the white world. He adopted the name Eastman from his maternal grandfather, the frontier artist Seth Eastman. With a bachelor's degree from Dartmouth and a medical degree from Boston University, Eastman was assigned to Pine Ridge as government physician at the time of the Wounded Knee massacre in 1890 and later served as the Indian secretary to the YMCA. He was best known, however, as the author of several widely read books, including personal memoirs, anthologies of Dakota folktales, general observations about Indian lore, and a few more critical writings about contemporary Indian issues. He lectured extensively until his health failed in the mid-1930s. Through his writings and personal appearances, when he always dressed in a beaded shirt, leggings, moccasins, and feather bonnet (fig. 32), Eastman was one of the most widely known Indians of his day (Wilson 1983).

Eastman's biography traced the path "from deep woods to civilization"—to borrow from the title of one of his books—as an analogy for the journey from childhood to adult. His life illustrated the promise of progress from "savage" warrior-in-training to Dartmouth graduate and doctor (see Brumble 1988:147–64). His most popular books looked back on his childhood experiences and described the lifeways of the Dakota from a child's point of view, or recalled the long evenings of listening to stories at the feet of elders, as in the "wigwam evenings" books he wrote with his wife, Elaine Goodale Eastman (Eastman 1971[1902], 1913; Eastman and Eastman 1909, 1910). His *Indian Scout Talks: A Guide for Boy Scouts and Camp Fire Girls* (1914) was an outgrowth of long involvement with those organizations and his popularity as a speaker at scout meetings. As an adult, Eastman nostalgically represented Indian life as a bygone chapter of his own and America's youth. Appropriately, his most receptive audience was children.

Fig. 32 / **Dr. Charles A. Eastman,** Emmet County, northern Michigan, c. 1915. Grace Chandler Horn promoted the romantic imaging of American Indians in her photographs of staged tableaus from *Hiawatha* and other Indian subjects. Here Eastman poses in his formal dress clothing (see also fig. 20) that he invariably wore when lecturing. Photograph by Grace Chandler Horn, *courtesy Richard A. Pohrt*

Chandler and Eastman knew each other fairly well. They organized powwows and Indian style outings in Chicago during the early 1920s and they saw each other regularly after Eastman had moved to Detroit with his son in 1928. Richard Pohrt recalled meeting Eastman at Chandler's "camp" in Fenton, Michigan, in 1937. Eastman's writings were not particularly influential in developing Chandler's or Pohrt's interest in Indians, but they do reflect the climate of childlike wonder with which Indians were regarded by the first few generations of twentieth-century Americans.

Of more direct impact on Pohrt as a boy was the literature of James Willard Schultz. Like Eastman, Schultz was a member of the generation who experienced the transition from frontier to modern nation. Early in the 1880s, Schultz began to contribute articles to *Field and Stream*, founded and then edited by George Bird Grinnell. After the death of his Blackfeet wife in 1903, Schultz turned his attention to writing more earnestly, producing stories of Indian life drawn primarily from his experiences with the Blackfeet and the lives of the people he knew well. Most of his stories are set in a timeless era of Plains Indian culture at the height of its success. If one had to fix a date to the events Schultz described, it would be around midcentury. His stories are full of engaging characters, high adventure, and rich descriptions of Indian life. After 1903, however, Schultz wrote from the vantage point of looking back at the past, especially his own youth. All of his stories first appeared in periodicals, initially *Field and Stream*, but later *American Boy, Youth's Companion, Open Road for Boys, True Western Adventures,* and *Boys' Life*, where the young Richard Pohrt found them. Schultz's most faithful audience was a generation of the young who had never known the frontier but wished to experience it through his words.

It is possible to argue that a youthful audience for the writings of Eastman and Schultz had already been established by pulp novels, cheaply produced adventures that often featured western settings and now familiar "cowboy and Indian" scenarios. The writings of Eastman and Schultz transcended that genre because their point of view was that traditional Indian culture and values had something to offer the developing character of youngsters. Recurring themes include self-reliance and self-control, respect for one's elders, honesty, and, of course, courage. Ernest Thompson Seton, founder of the Woodcraft Indians, the prototype for the Boy Scouts of America, held out such virtues, and traditional Indian life more generally, as the template for molding the character of American youth. The image of Indians portrayed in the writings of Eastman, Schultz, and others played an important role in shaping the youth movement of the early twentieth century that would result in the Boy Scouts and Campfire Girls, and countless summer camps with Indian themes (Wilson 1983:151).

One of the most accomplished heirs of the tradition of Indian literature for children was a close friend of Chandler's from his Chicago days, Holling C. Holling. Holling was an illustrator for the Field Museum of Natural History when Chandler met him. He and his wife Lucille became an active part of Chandler's circle of Indian enthusiasts in Chicago (see fig. 20). They also summered frequently in the Southwest and were acquainted with Mabel Dodge Luhan and her circle of artists and writers. The Hollings produced a number of popular children's books, most of them on Indian subjects, that were exquisitely illustrated (fig. 33). The Hollings derived their knowledge of Indian lore from extensive travel and study, visiting museums, camping on reservations, and attending festivities at the pueblos. Pohrt recalled that Lucille used to tell of meeting Schultz during the 1930s or 1940s, and his taking them to a Sun Dance on the Blood (Blackfeet) reserve in Alberta. Holling had not known the frontier firsthand. Like Chandler and Pohrt, his interest in Indians began in childhood with a sense of awe and curiosity to know the Indian past. He said it best in his introduction to *The Book of Indians* (1935:11), which could probably speak for Chandler and Pohrt as well: "As a boy, I wanted to know all about Indians. How did they really live? Did they always have horses? Did they always wear warbonnets? How did they make those arrowpoints that Grandfather found in the fields? There were a thousand questions in my mind, and very few answers in the books I had."

Fig. 33 / **"Even with these clumsy arrows the boy brought down many a squirrel and partridge."** Watercolor by Holling C. Holling, from *The Book of Indians* (1935). Holling, a close friend of Milford G. Chandler (see fig. 20), was one of the most widely read writers of children's books on Indian subjects.

The Significance of Collecting

CHANDLER AND POHRT TURNED THEIR youthful curiosity about Indians to collecting. Assembling a collection provided the means of imposing order on the emotional impulses that sparked both men's interest in American Indians. Material objects represented direct links with the romanticized past. And as Walter Benjamin wrote about collecting: "ownership is the most intimate relationship one can have with objects" (1968:67). Fundamental to their motivation to collect was the desire to know and experience the culture and history of Indians. As youngsters, both sought to meet Indians, at Wild West shows or on other occasions. Collecting, however, gave permanence to these more ephemeral contacts and provided a means to express their interests. It provided a structure for the cross-cultural relations formed between Chandler and communities he visited in Wisconsin and elsewhere, as with Pohrt and the Gros Ventre of Fort Belknap. The role of "collector" established a mutually acknowledged bridge between people of different worlds.

Although neither Chandler nor Pohrt had university training in ethnography or history, they substituted collecting and close personal relationships for the research of facts in reference books and the formality of fieldwork undertaken by professional ethnographers. Nevertheless, for both, collecting provided the path to knowledge. Pohrt refers to the writing of Wallace Nutting, an expert in American antiques, to articulate this idea: "The spirit of the collector consists in that divine curiosity which desires to observe and compare and on occasion to cherish whatever comes to the attention of human intelligence. . . . The brain of an ordinary individual is developed and enriched by collecting" (Nutting 1949:127).

Chandler's and Pohrt's interests happened to coincide with the massive collecting programs undertaken by natural history museums and other institutions of the same era. Natural history museums were motivated to collect the material culture of American Indians as an effort to preserve a record of cultures that manyy believed were destined to disappear. The initial seeds of this impulse lay early in the nineteenth century with the popular perception that the societies of Indians were destined to give way to the progress of civilization by either "vanishing" or assimilating to European American ways (Dippie 1982). George Catlin, the frontier artist, was among the first to embark on a comprehensive program to preserve a record of the "vanishing Indian." In 1832, he began his ambitious project, "devoted to the production of a literal and graphic delineation of the living manners, customs, and character of an interesting race of people, who are rapidly passing away from the face of the earth—lending a hand to a dying nation, who have no historians or biographers of their own to portray with fidelity their native looks and history; thus snatching from a hasty oblivion what could be saved for the benefit of posterity" (Catlin 1851:3).

For Catlin, Indians represented the "natural man." He responded to the threat of their loss by attempting to fix their image in paintings. To be effective, his work needed to be comprehensive, hence his 310 portraits and 200 additional scenes of Indian life as he described in his book.

Catlin's efforts at empirical thoroughness paralleled the aims of ethnographic collecting as it developed among the young museums of natural history late in the nineteenth century, including the federally sponsored Bureau of American Ethnology established in 1879. Instead of paintings, ethnographers collected descriptions of Indian life (ethnographies) and "material culture," the material objects made and used by Indian people whose permanence when preserved in museums ensured the survival of a "record" long after the people themselves were gone. Material culture, or "artifacts," could be employed to reconstruct Indian societies just as archaeologists reconstructed ancient societies through the use of excavated artifacts. In the context of "natural history" Indians represented a stage of cultural and human development within the overall history of humanity. On the other hand, the "scientific" objective of documenting an obsolete stage of human progress was no doubt supported by the more popular sentiment that looked to museums, as they had earlier to Catlin's paintings, as a means to fulfill the romantic desire to experience the more natural order of humanity's collective past.

Chandler became involved briefly with the institutional objectives of collecting during the teens and 1920s. He became acquainted with the professional staff of the Field Museum of Natural History, particularly Ralph Linton. During the summer of 1925 he was commissioned by the Field to undertake a modest collecting expedition to visit Indian communities in Wisconsin and Kansas, where he had been collecting since 1918. Earlier that year Chandler had sold a large collection of objects, including substantial collections from the Mesquakie of Tama, Iowa, and the Nebraska Winnebago, to George Heye of the Museum of the American Indian. William Wildschut and Alanson Skinner, two active institutional field collectors, both recommended Chandler's collection to Heye. In 1925 Chandler seemed eager to participate in the massive program of field collecting undertaken by the major scientific institutions of the time, but that year also marked the end of Chandler's institutional affiliations. Much later, he complained about the effort and cost of field collecting, and the modest return offered by museum purchases (Chandler 1971). Quite possibly he disliked the pace and pressure necessary to make such activity lucrative. Compared with the collecting programs of ethnographic institutions, Chandler's collecting was not considered sufficiently "scientific," meaning thorough and comprehensive. The University of Michigan Museum of Anthropology declined to purchase Chandler's collection in the 1930s, as did the Cranbrook Institute of Science (with the exception of a relatively small group of objects) in the 1950s. Arthur C. Parker, in his evaluation for Cranbrook, was explicit about Chandler's failure as an ethnographic collector (quoted this volume, see Pohrt's essay). Chandler's collection was tied too closely to his own interests and experiences, his own personality, to be scientifically objective. As Benjamin has commented about book collecting (1968:60): "Every passion borders on the chaotic, but the collector's passion borders on the chaos of memories. More than that: the chance, the fate, that suffuse the past before my eyes are conspicuously present in the accustomed confusion of these books. For what else is this collection but a disorder to which habit has accommodated itself to such an extent that it can appear as order?" The personalized nature of Chandler's collection, the result of pursuing his individual interests, did not mesh with the institutional order of "scientific" ethnography.

Differences in method and attitude between Chandler and contemporary ethnographers may explain partly the differences in their results. The successful ethnographer functioned sometimes like an inquisitor, seeking to unlock secrets and expose what is hidden to more "objective" science and judgment. Chandler's attitude was evidently more sociable and deferential. While speaking of his trips into Wisconsin before 1925, he recalled (1971):

> I've talked to Indians who were members of the Medicine Lodge [Midewiwin] and those who were sincere and members would not talk. . . . The Winnebagos urged me to join. They said, "Then you'll know all about it."
>
> I said, "If I join and take the vows which you've taken to secrecy, I'll not be able to write anything down or talk about it."
>
> And they said, "Well, that's true."
>
> I said, "There's another thing. The one joining has to put up a pretty good feast and a lot of presents."
>
> "Yes, yeah, but it's worth it." So, that's as far as I got.

In contrast, Alanson Skinner, an ethnographer for the Milwaukee Public Museum and the American Museum of Natural History who was well known to Chandler, took a different attitude. His memoirs of collecting trips among the Menominee of Wisconsin are filled with acts of threat and coercion. He was called "the Weasel" because of the predatory tenacity with which he pursued "specimens": "The bloodthirsty Weasel did not go home without that war bundle. Not for nothing was he called for the successful little hunter of the quadrupeds" (Skinner 1921:58). When faced with the threat of retaliation for prying where he was unwelcome, he responded: "But to the mind of a museum man witchcraft is nothing when a specimen is in question" (p. 55).

The difference between Chandler and Skinner was in their objectives. For Chandler, collecting was a means of entering the Indian world. He enjoyed dancing and singing Indian songs and made many friends. It is not that Skinner was any less knowledgeable about Indian social life. Both Chandler and Skinner stressed understanding of etiquette as fundamental to successful field collecting. But Skinner's priorities were the reverse of Chandler's. His knowledge of social life was a tool for the pursuit of "science" and specimens. He knew, for example, that the Menominee would rarely be so impolite as to refuse to sell something if asked four times, no matter how much they desired to keep it. Using this stratagem frequently, Skinner bragged that it was usually possible to obtain a specimen once he had seen it (Skinner 1924b:136). In contrast, Chandler had commented that it might be necessary to visit someone over the course of several years before that person might be willing to sell something to him.

Like Chandler, Pohrt established enduring social relationships. After visiting Fort Belknap during the summers of 1933 and 1935, Pohrt returned in 1937 to seek out elders to hear them speak and to collect what he was able—in short, to conduct ethnography, although he had virtually no formal training to do so. With the guidance of his mixed-blood friend, Tom Main, who acted as an interpreter, Pohrt widened his social contacts and spent the summer visiting the cabins of elders dispersed across the reservation. Perhaps most memorable of the events that summer was a Tea Dance organized by Pohrt's circle of acquaintances. As the women erected a summer tipi, Pohrt dutifully took photographs. Inside, they sang songs, danced, and played hand-game (fig. 34). Certainly Pohrt was motivated that summer by the sense that his activities had some ethnographic value. But at a more fundamental level, he was seeking a means of expression for his interest in Indians. The role of the ethnographer, or collector, provided him with an identity appropriate to those interests. Similarly, the Gros Ventre who came to know Pohrt that summer seem to have accepted the approach taken by this young man who had appeared among them with such a burning curiosity coupled with polite respect. Pohrt's "ethnography" created a bridge to the world of the Gros Ventre and established the foundation for lasting friendships. Pohrt's ethnographic experiences and collections opened a path that endured over the ensuing decades, bringing, among others, George Horse Capture to Pohrt's Great Lakes Indian Museum during the early 1970s. Horse Capture had come to Pohrt seeking a collection of artifacts and found in addition a lifelong friend.

Fig. 34 / (From left) Takes the Bow, Stanley Rye (?), Richard Pohrt, Iron Man (Tall Jack), Little Shield, Ed Blackbird (partially hidden), and Fred White, inside a tipi at a Tea Dance near Hays, Fort Belknap Indian Reservation, Montana, summer 1932. The men are about to play hand-game. Photograph by Tom Main, *courtesy Richard A. Pohrt*

Artifacts into Art

WHEN CHANDLER AND POHRT BEGAN TO pursue their interests, neither thought of himself as an art collector. For a time, both engaged in a kind of personal ethnographic project, but after Pohrt's visit to Fort Belknap in 1937, neither man collected in the field again. Instead, they (Pohrt especially) roamed through antique and curio shops, gun shows, and estate sales. The objects they collected there were the exception rather than the rule, moccasins mixed in with the bric-a-brac of secondhand consumerism. The objects they sought had little value in such a context and none as scientific specimens (as in "artifact") due to their distance from the ethnographic context. They were in fact "cultural debris," the traces of marginalized societies that had once, perhaps, represented an earlier owner's western experience, the memory of one generation to the next, until finally, the objects had been stripped of nearly all identity except for their vague "Indian" origin. This lack of reference permitted Chandler and Pohrt, both men of modest financial means, to acquire such objects. The two men's connoisseurship and expertise restored to these objects the meanings of tribal identity and historic significance. Their apotheosis into a valuable art collection had little to do with Chandler's and Pohrt's intentions, but rather it resulted from more widespread transformations of the identity of "art" during the twentieth century.

During the first decades of the twentieth century, the productions of American Indians and the term "art" had only the most tenuous relationship. The thousands of objects collected by natural history museums were considered "artifacts," their study a matter of understanding "material culture." While museum reports published illustrations and offered, in some cases, excellent technical descriptions of manufacturing techniques, these objects had little to do with contemporary ideas about the identity and significance of "art." The "artfulness" of many Indian creations found in museum collections was indeed perplexing to some students of material culture, as William Orchard wrote of the technique of porcupine quill embroidery in 1916:

> When we consider the hardships connected with the primitive life of the North American Indians, particularly that of the wandering life of the great plains, it at first seems hardly possible that the women had either the inclination or the time to devote to elaborate embroidery . . . .
>
> The purpose of this paper is to describe the technique and to attempt to bring about an appreciation of the complexity of the art of porcupine-quill work and the tireless patience that must have been exercised in producing such exquisite effects (Orchard 1971:3).

Evidently, in Orchard's thinking, art was more appropriate to a life of leisure, not the "hardships" of a "primitive" life, hence his emphasis on tireless patience.

Those who possessed no pretensions of scientific detachment recognized that the word "art" represented, among other things, a commodity during the early twentieth century. It was the entrepreneurial class, not aesthetes or anthropologists, who began to explore the possibilities and potential of reclassifying American Indian products as "art."

The process was nourished by the same romantic attitude toward the West and America's frontier history that Chandler and Pohrt had experienced. The West, populated by Indians, became a tourist destination, particularly the Southwest—Albuquerque, Santa Fe, and Taos—made accessible by the railroad. Fred Harvey opened a chain of establishments tied to the railroad that provided lodging, food, and Indian textiles, pottery, baskets, and other products for sale as souvenirs to tourists in transit (Harvey 1976:2). When exported, such objects became decor, a material symbol installed in an eastern, well-to-do household, a memento of that journey into America's past. The process of transformation into decor dictated the production of objects that would be successful in this marketplace. Among other things, borders were added to Navajo blankets to make them rugs, and Apache coiled basketry ollas were enlarged and decorated to create sculptural vessels comparable to Chinese vases or other familiar decorative arts.

Despite its adaptability to the new format (household decor/aesthetic object), the product-as-souvenir relied on its reception as an authentic representation of the West-as-Indian. The tension was often resolved by obscuring the reflexive character of the Indian-made product, substituting the notion of "tradition." The creative response to the marketplace was sometimes so innovative and synthetically successful that entire fictive traditions needed to be invented, as was the case with Louisa Keyser's unique and remarkable baskets that were marketed by entrepreneur Abe Cohn as *degikup,* the ancient and unique creative prerogative of Dat So La Lee, the last Washoe Indian princess (a.k.a. Louisa Keyser) (Cohodas 1986). Cohn, the proprietor of a men's clothing store and the chief vendor of Washoe baskets to California visitors in Carson City, Nevada, invented the tradition of Dat So La Lee to authenticate Louisa Keyser's innovative work. He employed the western image of the artist as a unique and specially gifted individual/genius: the last Washoe princess. In so doing, Cohn reclassified her work from craft to art, with a commensurate appreciation of its value as a commodity.

The economic rewards of this kind of reclassification came to the attention of many Indian "artists" and entrepreneurial patrons throughout the greater Southwest. Early in the twentieth century, the reception for these products depended on a mixture of codependent attributes: the media of decor, the identity of the artist as an individual, and the authenticity of the work as an expression of "tradition." Prominent among the successes were the watercolors produced by young Pueblo painters working under the guidance of their white teacher, Elizabeth De Huff, at the Santa Fe Indian School. She selected the artists from among her students based on their proclivity for drawing and painting, provided them with materials, and suggested that they paint renderings of Pueblo ceremonies and dances, since, in 1918, photography of these events was prohibited (Seymour 1988:20–21). De Huff's artists soon came to the attention of the Taos art colony, including the well-known painter John Sloan, who arranged in 1920 for the group to show with the Art Students League in New York. At a time when the American art establishment was searching for its own independent voice amid the clamor of European modernism, the Pueblo painters were received with sympathetic eyes.

The successes of the Fred Harvey shops, Louisa Keyser and many other Far Western basket makers, the Santa Fe Indian School painters, the potters Julian and Maria Martinez, and countless artists who responded with energy and creativity to the opportunities of the ever-expanding market, all had a palpable economic effect. To the Bureau of Indian Affairs, Indian arts and crafts began to suggest a solution to the poverty besetting reservations. Initial plans to capitalize on this idea depended on participation of the private sector, however, and stalled throughout the late 1920s. John Sloan and Santa Fe writer Oliver La Farge took up the cause of Indian art as an economic strategy by organizing the Tribal Arts Exposition, which opened in New York City in November 1931. Sponsored by the College Arts Association, the exposition toured throughout the United States and Europe for two years. In an accompanying publication, Sloan and La Farge pointed out that the "American Indian is willing and competent, given a market, to earn a congenial and lucrative living through his art, with benefit to himself and his country" (Sloan and La Farge 1930:53), and stated in conclusion (p. 56):

> The Exposition of Indian Tribal Arts, Inc., was organized in 1930 for the purpose of stimulating and supporting American Indian artists by creating a wider interest and more intelligent appreciation of their work in the American public at large, and to demonstrate to the country what an important contribution to our culture the Indian is making. To this end, an exhibition of Indian products in the fine and applied arts, selected from the best material available, both old and new, has been arranged.

The issues of decor and artist identity were addressed by the living artists whose work was exhibited in the show. To fortify the authority of "authenticity," the exhibition organizers borrowed heavily from natural history museums (and already initiated collectors) those "artifacts" that had been assembled to preserve a material record of the American Indian. The juxtaposition of old and new established equivalences that identified the work of the young Pueblo painters, the western basket makers, and the Navajo weavers with that of ancestral generations. It also merged the artful artifact with social intent, aesthetic philosophy, and cultural identity of "art" as it was understood in 1931. To be plausible, the identification between new and old required a seamless join, so that the work of new artists could be perceived as having the scientific and ethnographic value of the artifacts produced by the past generations of artists. The projection of a 1930s understanding of art back to the American Indian past promoted the reconsideration of artifact as art, and at the same time self-consciously obscured the synthetic process by which contemporary Indians had been able to enter the 1930s art market.

The Tribal Arts Exposition was symptomatic, perhaps, of a more general early twentieth century romantic American attitude toward frontier history. Within the context of national policy toward American Indians, however, this event was part of a developing socioeconomic agenda that came to the forefront with the advent of the John Collier administration of the Bureau of Indian Affairs and the organization of the Indian Arts and Crafts Board in 1936, charged with implementing a federal policy to promote marketing of American Indian art. The exposition concept was repeated on a grander scale at the Indian Arts and Crafts Board Exhibit at the San Francisco Golden Gate International Exposition in 1939, and at the exhibition entitled Indian Art of the United States, at the Museum of Modern Art, in 1941. In both cases, the artifacts from natural history collections were employed to establish the traditional context for marketing contemporary productions. The installation of the Museum of Modern Art show, for example, began with prehistoric art, proceeded through historic and contemporary "Living Traditions" sections, and concluded with "Indian Art for Modern Living," which featured modern jewelry, clothing accessories, and articles for the home (Schrader 1983:231–36).

While the primary purpose of the effort was to market contemporary Indian art, so far as the Indian Arts and Crafts Board was concerned, to do so called for the organizers to aestheticize the "traditional" art that established the later work's authenticity. As Aldona Jonaitis has pointed out, the exhibition organizers, Rene d'Harnoncourt and Frederic Douglas, selected objects most accessible to the aesthetic sensibilities of a non-Indian audience, and their catalogue occasionally adopted a "mildly apologetic" tone (Jonaitis 1981:6–8).

The institutional and economic structures that had enjoined the redefinition of American Indian arts and crafts had been fortified by the rhetoric of "primitivism" in intellectual support. The primitivist thought of American artists, writers, and intellectuals, particularly the Taos arts colony and the circle of Mabel Dodge Luhan, had promoted an intellectual appreciation of Indian arts and crafts from the earliest days of the Southwest movement. But the marriage between art-as-commodity and the aesthetic-intellectual evaluation of American Indian art is particularly evident in later decades, when the process began to have a retroactive effect on the older objects that had been employed to encourage sales of contemporary work. The New York art world took notice of the objects borrowed from natural history museums at the Museum of Modern Art exhibition. Several of the early abstract expressionists, such as Adolph Gottlieb and Jackson Pollock, stressed the impact the exhibition had on their developing sensibilities. "Primitivist" readings of American Indian art had been encouraged by expatriate Surrealists such as Max Ernst and André Breton. Writing for the catalogue of Northwest Coast Indian paintings shown (and some offered for sale) at the Betty Parsons Gallery in 1946, Barnett Newman, painter and key spokesman for his generation of New York artists, summed up the purposes that lay behind an identification between Northwest Coast painting and the contemporary art of New York:

> There is an answer in these works [Northwest Coast Indian paintings] to all those who assume that modern abstract art is the esoteric exercise of a snobbish elite, for among these simple peoples, abstract art was the normal, well-understood, dominant tradition. Shall we say that modern man has lost the ability to think on so high a level? Does not this work rather illuminate the work of those of our modern American abstract artists who, working with the pure plastic language we call abstract, are infusing it with intellectual and emotional content, and who, without any imitation of primitive symbols, are creating a living myth for us in our own time? (Newman 1946, unpaginated).

Newman and his sympathetic contemporaries read into American Indian art a set of artistic aspirations and formal solutions very close to their own, and enlisted it to marshal support for contemporary art among clients and critics. When identified with the cutting edge of the American postwar art scene, American Indian art was well positioned to enter the mainstream of art museums, exhibitions, and arts publications.

By and large, these cultural trends had little impact on Chandler or Pohrt until the 1960s. The eventual discovery of the Chandler-Pohrt collection, however, would issue from the ideas and attitudes that had redirected consideration of American Indian art before midcentury. Pohrt, like most of his generation, was caught up in the events of World War II and then with raising his family. But he never lost an opportunity to add to his collection when possible, and his connoisseurship was sharpened by economic necessity. In the early 1960s he worked out an arrangement with the aging Chandler to purchase his collection for fear that Chandler was losing the ability to care for it.

After Chandler had moved to Detroit in 1948, he became increasingly involved with the emerging Indian hobbyist movement (see Powers 1988). Chandler's study of Indian lore and enthusiasm for dancing during the early decades of the century linked him with the postwar resurgence of interest among Boy Scouts and other young enthusiasts. Dennis Lessard and Benson Lanford, both widely recognized authorities today on Indian art of the Plains and Great Lakes, became, in a sense, students of Chandler's, after meeting him at Detroit area powwows in the 1950s. Norman Feder, former Boy Scout dancer, founder of the *American Indian Hobbyist* in 1954, and later curator of the American Indian collections at the Denver Art Museum, formed a close association with Chandler during this period, collaborating on several articles for the *Hobbyist*.

Before midcentury the rhetoric of "primitivism" and the commodifying of American Indian art had been confined, for the most part, to objects from the Southwest and Northwest Coast. Feder, however, with his hobbyist appreciation for Plains and eastern tribes, opened up the field with his mammoth illustrated book *American Indian Art* (1965b), which illustrated several objects from the Chandler-Pohrt collection. This was followed by the influential exhibition Two Hundred Years of North American Indian Art at the Whitney Museum of American Art in 1971, which also drew extensively from the Chandler-Pohrt collection. Feder's approach to American Indian art established the standard for the next two decades. He unquestioningly accepted the notion that American Indian art, as well as art in general, represented universal human values. He cited pop psychology in support of "universal ideals of beauty" and observed that "man everywhere seems to have enjoyed beautiful things about him, and the American Indian was no exception" (Feder 1971:4, 8). As Pohrt recounts in his memoir, Feder's were the first of many such publications and exhibitions during the 1970s that promoted the notion of American Indian art within the broad, institutional structures of the museum world and thereby brought Pohrt's collection to the attention of that world.

The social climate that rather uncritically accepted American Indian art as appropriate to illustrated coffee table books and museum displays was very much a product of the postwar idealism, with its footing in a firm and expanding economy, that permeated American social life in the late 1950s and the 1960s.

A notion of art emerged during this era and came to be regarded as basic truth: this was the idea that art was for everyone, not just the cultural and intellectual elite, hence the unprecedented growth of art museums as civic institutions and later their community outreach programs to multicultural audiences. Public funding for the arts through national endowments, civic arts councils, and so on, was calculated to make this all possible. If art was for everyone, it followed that everyone must have art: it represented a constant of human experience, like language, like family, found in some form among every society of the world. Just as in 1955 the landmark Museum of Modern Art photography exhibition and publication *The Family of Man* collected all mankind together by means of photographic images as a representation of a collective human unity of common values (Sontag 1977:31–33), museums of the 1970s assembled countless exhibitions of objects produced by peoples scattered across the world and across time to demonstrate a common unity of art as a human endeavor. The art exhibition, with its architectural frame of the gallery, the trope of mounts and pedestals, and its sequenced arrangement of aesthetic objects, translated every exotic facet of the world's "art" into the same homogeneous cultural experience. The art of American Indians, of course, was included in this expansive celebration and concomitant leveling of all mankind's collective creativity. Today the identity of American Indian "art" is as legitimate as that of "Scythian gold" or pre-Columbian art. One of the consequences of this approach is that art everywhere has come to be seen as stemming from the same impulses, from the same vague notion of a universal human creativity. Today, perhaps, there is much more interest in "cultural diversity," emphasizing that the differences between cultural approaches to visual expression can be far more revealing than the similarities.

Richard Pohrt opened his Great Lakes Indian Museum in 1961. Conceived and developed outside the programmatic purposes of the art museum or natural history museum, the Great Lakes Indian Museum organized the collection in ways that responded to the collector's sense of meaning and significance. The case groupings and juxtapositions of objects reflected the logic and sense of order that had informed the accumulations of the objects. The initial pedagogical sequence in the installation, as the visitor entered, presented a series of object groupings focused on the materials of manufacture—vegetal, animal, stone, trade materials, and so forth. Materials and construction techniques had been the primary criteria of Pohrt's connoisseurship when assembling the collection, signifying for him issues of authenticity, quality, and chronology. At his museum, the categorization of manufacturing materials provided the initial access to the collection's signification, just as they had when he had found potential additions at flea markets and curio shops. Other groupings situated objects in different categories: object type (warrior's weapons, rawhide cases); geographic region (Great Lakes, Plains); and ideological significance (religion, images of animals), illustrating a range of morphological strategies intended to give the collection meaning.

The Collection as Cultural Legacy

PHILIP FISHER WROTE, "THE LIFE OF things is in reality many lives" (1975:589), meaning that the identity of a thing depends on its circle of socialization, which changes, through time, as the "community of access" changes. The creator of an object, his or her client, the collector, the scientist, the cultural consumer, the museum audience—all represent different but related communities of access that invest objects with layers of significance and meaning. It would be a mistake to declare one sense of significance privileged over any other, because the progress of objects through accretions of socialization is sequential, the meanings of today adhering to meanings of the past. It is not possible to return, completely, to any previous set of associations, although it is possible to excavate through them and by doing so, perhaps, begin to understand them. To freeze the life of an object would be to destroy it, as certainly as the vast number of objects that were *not* collected were eventually discarded or "used up."

When George Horse Capture, a Gros Ventre engaged in researching his tribal history, sought out Richard Pohrt and his collection at the Great Lakes Indian Museum in the early 1970s, the objects began to accumulate yet another layer of significance. Horse Capture at first approached the collection as an "artifact," part of an ethnohistoric record that would contribute to his tribal research. When faced with an elkskin bag made by his maternal grandmother, however, or the sacred objects entrusted to Pohrt by the Gros Ventre holy man, Curley Head, Horse Capture sensed a significance that went beyond "artifact" or "art." Even Horse Capture has difficulty putting these feelings into words, but they relate, perhaps, to a sense of legacy, a connection with the past that many of Horse Capture's generation had thought was irretrievable—a renewed understanding of one's relationship to the world as an individual, as a member of a family, as part of a people with a unique history. The objects signify a link to the historic past that restores a sense of identity today.

The significance of American Indian collections as a cultural legacy to American Indians today is yet the latest chapter in the lives of objects that have been preserved from the past to serve a variety of purposes. The unique value of this latest reconsideration is that it calls into question the certainty and the authority with which these objects had been regarded in the past. It has required that we examine how and for what purposes these objects have been preserved, and how they will be employed in the future. As these questions are engaged, it is important to keep in mind that as the collections continue to signify different things to different people, they remain connected by virtue of their history to those individuals from many generations and across cultures who held them in their gaze and invested them with meaning.

Bibliography

Abbass, K. Kathleen

1980 "American Indian Ribbonwork: The Visual Characteristics." In *Native American Ribbonwork: A Rainbow Tradition,* ed. G. P. Horse Capture, pp. 31–43. Cody: Buffalo Bill Historical Center.

Bailey, Alfred G.

1969 *The Conflict of European and Eastern Algonkian Cultures, 1504–1700.* Toronto: University of Toronto Press (orig. pub. New Brunswick Museum Monograph Series no. 2, 1937).

Beauchamp, William M.

1901 "Wampum and Shell Articles Used by the New York Indians." *Bulletin of the New York State Museum* 8 (41):321–480.

Beltrami, J. C.

1828 *A Pilgrimage in America.* London (later ed. Chicago: Quadrangle Books, 1962).

Benjamin, Walter

1968 "Unpacking My Library." In *Illuminations: Essays and Reflections,* ed. Hannah Arendt, pp. 59–68. New York: Schocken Books.

Berlo, Janet C.

n.d. "Beyond *Bricolage*: Women and Aesthetic Strategies in Latin American Textiles." In *Mesoamerican and Andean Cloth and Clothing,* ed. M. Schevill, J. C. Berlo, and E. Dwyer. In press.

Blair, Emma H., ed.

1911 *The Indian Tribes of the Upper Mississippi Valley and Region of the Great Lakes.* 2 vols. Cleveland: Arthur H. Clark Company.

Boas, Franz

1955 *Primitive Art.* New York: Dover (orig. pub. Oslo: H. Aschehoug, 1927).

Bol, Marsha C.

1985 "Lakota Women's Artistic Strategies in Support of the Social System." *American Indian Culture and Research Journal* 9 (1):33–51.

Boller, Henry A.

1959 *Among the Indians: Eight Years in the Far West, 1858–1866.* Chicago: Lakeside Press.

Bowers, Alfred W.

1965 *Hidatsa Social and Ceremonial Organization.* Washington, D.C.: Bureau of American Ethnology Bulletin 194.

Bradbury, John

1986 *Travels in the Interior of America in the Years 1809, 1810 and 1811,* ed. Reuben Gold Thwaites. Lincoln: University of Nebraska Press (orig. pub. London, 1919).

Brasser, Ted J.

1976 *"Bo'jou, Neejee!": Profiles of Canadian Indian Art.* Ottawa: National Museum of Man.

1982 "Pleasing the Spirits: Indian Art Around the Great Lakes." In *Pleasing the Spirits: A Catalogue of a Collection of American Indian Art,* ed. Douglas Ewing, pp. 17–31. New York: Ghylen Press.

1984 "Black Buckskin in Great Lakes Native Art Traditions." Paper presented at symposium, From the Four Quarters: Native and European Art in Ontario, 5000 BC to AD 1867, Art Gallery of Ontario, Toronto.

1985 "In Search of Metis Art." In *The New Peoples: Being and Becoming Metis in North America,* ed. Jacqueline Peterson and Jennifer S. H. Brown, pp. 221–29. Winnipeg: University of Manitoba Press.

Bray, Martha Coleman, ed.

1970 *The Journals of Joseph N. Nicollet: A Scientist on the Mississippi Headwaters with Notes on Indian Life.* St. Paul: Minnesota Historical Society Press.

Bray, Martha Coleman, and Edwin C. Bray, eds. and trans.

1976 *Joseph Nicollet on the Plains and Prairies: The Expeditions of 1838–1839 with Journals, Letters and Notes on the Dakota Indians.* St. Paul: Minnesota Historical Society Press.

Brumble, H. David, III

1988 *American Indian Autobiography.* Berkeley: University of California Press.

Carrington, Margaret I.

1983 *Absaraka: Home of the Crows: Being the Experiences of an Officer's Wife on the Plains.* Lincoln: University of Nebraska Press (orig. pub. Philadelphia: Lippincott, 1868).

Carter, James L., and Ernest H. Rankin, eds.

1970 *North to Lake Superior: the Journal of Charles W. Penney, 1840.* Marquette, Minn.: John M. Longyear Research Library.

Catlin, George

1851 *North American Indians.* London: Henry G. Bohn.

Chandler, Milford G.

1968 "Indian Adaptations." *The Masterkey* 42 (2):59–64.

1971 Transcript of interviews with Robert Bowen at the Cranbrook Institute of Science during the fall of 1971, Detroit Institute of Arts Archives, Department of African, Oceanic and New World Cultures.

1973 "Art and Culture of the Great Lakes Indians." In *Art of the Great Lakes Indians,* pp. xv-xxvi. Flint: Flint Institute of Arts.

Chittenden, Hiram M., and Alfred T. Richardson

1905 *Life, Letters, and Travel of Father Pierre-Jean de Smet.* 4 vols. New York: Francis P. Harper.

Clifford, James

1986 "On Ethnographic Allegory." In *Writing Culture: The Poetics and Politics of Ethnography,* ed. James Clifford and George E. Marcus, pp. 98–121. Berkeley: University of California Press.

1988 *The Predicament of Culture: Twentieth Century Ethnography, Literature, and Art.* Cambridge: Harvard University Press.

Clifton, James A.

1978 "Potawatomi." In *Handbook of the North American Indians: Northeast,* ed. Bruce Trigger, 15:725–42. Washington, D.C.: Smithsonian Institution.

Coe, Ralph T.

1977 *Sacred Circles: Two Thousand Years of North American Indian Art.* London: Arts Council of Great Britain.

Cohodas, Marvin

1986 "Washoe Innovators and Their Patrons." In *The Arts of the North American Indian,* ed. Edwin L. Wade, 203–20. New York: Hudson Hills Press.

Cohoe

1964 *A Cheyenne Sketchbook,* ed. E. Adamson Hoebel and Karen D. Peterson. Norman: University of Oklahoma Press.

Coleman, Sister Bernard, OSB

1947 *Decorative Designs of the Ojibwa of Northern Minnesota.* Washington, D.C.: Catholic University of America, Anthropological Series, no. 12.

Conn, Richard

1979 *Native American Art in the Denver Art Museum.* Denver: Denver Art Museum.

1986 *The Persistent Vision: Art of the Reservation Days.* Denver: Denver Art Museum.

Cooper, John M.

1957 *The Gros Ventres of Montana. Part II: Religion and Ritual,* ed. Regina Flannery, Washington, D.C.: Catholic University of America Press.

Davis, Ogilvie H.

1970 "Tomahawk Embellishments Old and New." *Muzzle Blasts* 31 (10):8–10.

Deloria, Vine, Jr.

1973 "Some Criticisms and a Number of Suggestions." In *Anthropology and the American Indian: A Symposium.* San Francisco: Indian Historian Press, Inc. American Indian Educational Publishers.

DeMallie, Raymond

1983 "Male and Female in Traditional Lakota Culture." In *The Hidden Half: Studies of Plains Indian Women,* ed. Patricia Albers and Beatrice Medicine, pp. 237–66. Washington, D.C.: University Press of America.

Denig, Edwin T.

1961 *Five Indian Tribes of the Upper Missouri: Sioux, Arickaras, Assiniboines, Crees, Crows,* ed. John C. Ewers. Norman: University of Oklahoma Press.

Densmore, Frances

1910 *Chippewa Music.* Washington, D.C.: Bureau of American Ethnology Bulletin 45.

Detroit Institute of Arts

1986 *Bulletin,* vol. 62, no. 1.

Dippie, Brian W.

1982 *The Vanishing American: White Attitudes in U.S. Indian Policy.* Middleton, Conn.: Wesleyan University Press.

Dockstader, Frederick J.

1973 *Indian Art in America.* New York: Promontory Press.

Dorsey, George O.

1894 "A Study of Siouan Cults." *Eleventh Annual Report of the Bureau of Ethnology for 1889–90,* pp. 361–544. Washington, D.C.: Smithsonian Institution.

Douglas, Frederic H., and Rene d'Harnoncourt

1941 *Indian Art of the United States.* New York: Museum of Modern Art.

Eastman, Charles A.

1913 *Indian Child Life.* Boston: Little, Brown.

1914 *Indian Scout Talks: A Guide for Boy Scouts and Camp Fire Girls.* Boston: Little, Brown.

1971 *Indian Boyhood.* New York: Dover (orig. pub. 1902).

1980 *From Deep Woods to Civilization.* Lincoln: University of Nebraska Press (orig. pub. 1916).

Eastman, Charles A., and Elaine Goodale Eastman

1909 *Wigwam Evenings: Sioux Folktales Retold.* Boston: Little, Brown.

1910 *Smoky Day's Wigwam Evenings: Indian Stories Retold.* Boston: Little, Brown.

1977 *The Soul of an Indian: An Interpretation.* Lincoln: University of Nebraska Press (orig. pub. 1911).

Eastman, Elaine Goodale

1978 *Sister to the Sioux: The Memoirs of Elaine Goodale Eastman, 1885–91,* ed. Kay Graber. Lincoln: University of Nebraska Press.

Edmuns, R. David

1984 *Tecumseh and the Quest for Indian Leadership.* Boston: Little, Brown.

Ewers, John C.
15939 *Plains Indian Painting: A Description of an Aboriginal Art.* Palo Alto, California.
1968 *Indian Life on the Upper Missouri.* Norman: University of Oklahoma Press.
1981 "Pipes for Presidents." *American Indian Art Magazine* 6 (3):66–70.
1982 "The Awesome Bear in Plains Indian Art." *American Indian Art Magazine* 7 (3):36–45.
1986 *Plains Indian Sculpture: A Traditional Art from America's Heartland.* Washington, D.C.: Smithsonian Institution Press.
Featherstonhaugh, George W.
1970 *A Canoe Journey Up the Minnay Sotor.* 2 vols. St. Paul: Minnesota Historical Society Press (orig. pub. London: Richard Bentley, 1847).
Feder, Norman
1965a *American Indian Art Before 1850.* Denver: Denver Art Museum Summer Quarterly.
1965b *American Indian Art.* New York: Harry N. Abrams.
1971 *Two Hundred Years of North American Indian Art.* New York: Whitney Museum of American Art.
Feest, Christian F.
1980 *Native Arts of North America.* New York: Oxford University Press.
1984 "Ottawa Bags, Baskets and Beadwork." In *Beadwork and Textiles of the Ottawa,* pp. 12–28. Harbor Springs, Mich.: Harbor Springs Historical Commission.
Fenton, William N.
1950 "The Roll Call of the Iroquois Chiefs: A Study of a Mnemonic Cane from the Six Nations Reserve. *Smithsonian Miscellaneous Collections* 111 (15):1–73.
Field Museum of Natural History
1926 *Annual Report of the Director to the Board of Trustees for the Year 1925.* Field Museum of Natural History Publication 235, Report Series 6 (5):390–523.
Fisher, Philip
1975 "The Future's Past." *New Literary History* 6 (3):587–606.
Flannery, Regina
1953 *The Gros Ventres of Montana. Part I: Social Life.* Washington, D.C.: Catholic University of America Press, Anthropological Series 15.
Fletcher, Alice C., and Francis La Flesche
1972 *The Omaha Tribe.* 2 vols. Lincoln: University of Nebraska Press. (orig. pub. *27th Annual Report of the Bureau of American Ethnology for the Years 1905–1906,* Washington, D.C., 1911).
Flint Institute of Arts
1973 *Art of the Great Lakes Indians.* Flint: Flint Institute of Arts.
1975 *The American Indian/The American Flag.* Flint: Flint Institute of Arts.
Fraser, Douglas
1962 *Primitive Art.* Garden City: Doubleday.
Fundaburk, Emma L., and Mary D. Foreman, eds.
1957 *Sun Circles and Human Hands, The Southeastern Indians—Art and Industries.* Luverne: Emma L. Fundaburk.
Galante, Gary
1980 "Crow Lance Cases or Sword Scabbards." *American Indian Art Magazine* 6 (1):64–73.
1989 "Creek Man's Outfit in the Collection of the Montclair Art Museum." *Rand Society for Native American Art* 1 (1):1–4.
Gilbert, R.
1986 "A Sauk Chief's Gift: The Complete Costume of Moses Keokuk." *American Indian Art Magazine* 12 (1):54–63.
Gilmore, Melvin R.
1987 *Prairie Smoke.* St. Paul: Minnesota Historical Society Press (orig. pub. New York: Columbia University Press, 1929).

Gilmore, Robert
1990 "The Northern Arapaho Cradle." *American Indian Art Magazine* 16 (1):64–71.
Glenbow Museum
1987 *The Spirit Sings: Artistic Traditions of Canada's First People, A Catalogue of the Exhibition*. Calgary: Glenbow-Alberta Institute.
Glubak, Shirley
1976 *Art of the Woodlands Indian*. New York: Macmillan.
Grand Rapids Public Museum
1977 *Beads and Their Use by Upper Great Lakes Indians.* Grand Rapids: Grand Rapids Public Museum.
Grinnell, George B.
1923 *The Cheyenne: Their History and Ways of Life.* New Haven: Yale University Press.
Gunckel, John E.
1902 *The Early History of the Maumee Valley.* Toledo: Hadley Printing Co.
Hail, Barbara A.
1980 *Hau, Kola!: The Plains Indian Collection of the Haffenreffer Museum of Anthropology.* Providence: Haffenreffer Museum of Anthropology, Brown University, Studies in Anthropology and Material Culture, vol. 3.
Hamell, George R.
1986–87 "Strawberries, Floating Islands, and Rabbit Captains: Mythical Realities and European Contact in the Northwest During the Sixteenth and Seventeenth Centuries." *Journal of Canadian Studies* 21 (4):72–94.
Harbor Springs Historical Commission
1984 *Beadwork and Textiles of the Ottawa.* Harbor Springs, Mich.: Harbor Springs Historical Commission.
Harrison, Julia
1985 *Metis: People Between Two Worlds.* Calgary: The Glenbow-Alberta Institute.
1989 " 'He Heard Something Laugh': Otter Imagery in the Midewiwin." In *Great Lakes Indian Art,* ed. David W. Penney, pp. 82–93. Detroit: Wayne State University Press (orig. pub. Detroit Institute of Arts *Bulletin* 62 [1]:46–53, 1986).
Hartman, Sister M. Clare
1955 *The Significance of the Pipe to the Gros Ventres of Montana.* Bozeman: Montana State University.
Harvey, Byron, III
1976 "The Fred Harvey Fine Arts Collection." In *Fred Harvey Fine Arts Collection,* pp. 1–8. Phoenix: Heard Museum.
Heckewelder, John
1876 *History, Manners, and Customs of the Indian Nations Who Once Inhabited Pennsylvania and the Neighboring States. . . .* Philadelphia: Historical Society of Pennsylvania.
Henderson, Alice C.
1931 "Modern Indian Painting." In *Introduction to American Indian Art, Part II.* New York: Exposition of Indian Tribal Arts, Inc.
Hennepin, Louis
1903 *A New Discovery of a Vast Country in America,* ed. Ruben Gold Thwaites. 2 vols. Chicago: A. C. McClurg (reprint of 2nd London ed., 1698).
Hodge, Frederick Webb, ed.
1907 *Handbook of American Indians North of Mexico.* 2 vols. Washington, D.C.: Bureau of American Ethnology Bulletin 30.
Hoffman, Walter J.
1888 "Pictography and Shamanistic Rites of the Ojibwa." *American Anthropologist,* O.S. 1:209–29.
1890 "Mythology of the Menominee Indians." *American Anthropologist,* O.S. 3:243–58.
1891 "The Midewiwin or 'Grand Medicine Society' of the Ojibwa." *Seventh Annual Report of the Bureau of Ethnology for 1885–86,* pp. 149–304. Washington, D.C.: Smithsonian Institution.

1895 "The Menominee Indians." *Fourteenth Annual Report of the Bureau of American Ethnology for 1892–93*, pt. 1, pp. 11–328.

Holling, Holling C.

1935 *The Book of Indians*. New York: Platt and Munk.

Horse Capture, George P.

1989 *Powwow*. Cody, Wyo.: Buffalo Bill Historical Center.

Horse Capture, George P., ed.

1980 *The Seven Visions of Bull Lodge*. Ann Arbor, Mich.: Bear Claw Press.

Horse Capture, George P., and Richard A. Pohrt

1986 *Salish Indian Art: From the R. Simplot Collection*. Cody, Wyo.: Buffalo Bill Historical Center.

Howard, James H.

1951 "Notes on the Dakota Grass Dance." *Southwest Journal of Anthropology* 7:82–85.

Hoxie, Frederick E.

1984 *A Final Promise: The Campaign to Assimilate the Indians, 1880–1920*. Lincoln: University of Nebraska Press.

Hulbert, Archer B., and William N. Schwarze, eds.

1910 "David Zeisberger's History of the Northern American Indians." *Ohio Archaeological and Historical Quarterly* 19:1–189.

Irving, Washington

1956 *A Tour on the Prairies*, ed. John McDermott. Norman: University of Oklahoma Press (orig. pub. 1859).

Jacobs, Wilber R.

1950 *Diplomacy and Indian Gifts*. Stanford: Stanford University Press.

Jakobson, Roman

1973 "Two Aspects of Language: Metaphor and Metonymy." In *European Literary Theory and Practice: From Existential Phenomenology to Structuralism*, ed. Vernon W. Gras, pp. 119–29. New York: Delta Books.

James, E., ed.

1956 *A Narrative of the Captivity and Adventures of John Tanner*. Minneapolis: Ross and Haines (orig. pub. New York, 1830).

Jennings, Francis

1988 *Empire of Fortune: Crowns, Colonies and Tribes in the Seven Years War in America*. New York: Norton.

Johnson, Sir William

1756 *An Account of the Conferences Held and Treaties Made Between Major-General Sir William Johnson, Bart. and the Chief Sachems and Warriors of the Indian Nations in North America*. London.

Jonaitis, Aldona

1981 "Creations of Mystics and Philosophers: The White Man's Perceptions of Northwest Coast Indian Art from the 1930's to the Present." *American Indian Culture and Research Journal* 5 (1):1–45.

1988 *From the Land of the Totem Poles: The Northwest Coast Indian Art Collection at the American Museum of Natural History*. Seattle: University of Washington Press.

Jones, Reverend Peter

1861 *History of the Ojibway Indians*. London: Houlston and Wright.

Josephy, Alvin M., Jr., et al.

1990 *Wounded Knee: Lest We Forget*. Cody, Wyoming: Buffalo Bill Historical Center.

Kane, Paul

1925 *Wanderings of an Artist Among the Indians of North America*. Toronto: Raddision Society of Canada (orig. pub. Longman, Brown, Green, Longmans and Roberts, 1859).

Kappler, Charles J.

1974 *Indian Affairs, Laws and Treaties*. 5 vols. Washington, D.C.: U.S. Government Printing Office.

Keating, William H.

1959 *Narrative of an Expedition to the Source of the St. Peters River, Lake of the Woods, &c., Performed in Year 1823.* Minneapolis: Ross and Haines (orig. pub. London, 1825).

Kelsay, Isabel T.

1984 *Joseph Brant 1743–1807: Man of Two Worlds.* Syracuse: Syracuse University Press.

Klein, Cecelia F.

1989 "Gaining Respect: Native American Art Studies and the Humanities." *Native American Art Studies Association Newsletter* 6 (2):3–6.

Kohl, Johann Georg

1985 *Kichi-Gami: Life Among the Lake Superior Ojibwa.* St. Paul: Minnesota Historical Society Press (orig. pub. London: Chapman and Hall, 1860).

Kroeber, Alfred L.

1907 "Gros Ventre Myths and Tales." *American Museum of Natural History Anthropological Papers* 1, pt. 3:55–139.

1908 "Ethnology of the Gros Ventre." *American Museum of Natural History Anthropological Papers* 1, pt. 4:141–281.

Kurz, Rudolph Frederick

1937 *The Journal of Rudolph Frederick Kurz,* trans. M. Jarrell, ed. J. N. B. Hewitt. Washington, D.C.: Bureau of American Ethnology Bulletin 115.

Lanford, Benson L.

1980 "Parfleche and Crow Beadwork Designs." *American Indian Art Magazine* 6 (1):32–39.

1984 "Winnebago Bandolier Bags." *American Indian Art Magazine* 9 (3):30–37.

1986 "Great Lakes Woven Beadwork." *American Indian Art Magazine* 11 (3):62–67, 75.

Larpenteur, Charles

1933 *Forty Years a Fur Trader on the Upper Missouri: A Personal Narrative of Charles Larpenteur, 1833–1872,* ed. Paul L. Hederen. Chicago: Lakeside Press.

Lessard, F. Dennis

1980 "Crow Indian Art: The Nez Perce Connection." *American Indian Art Magazine* 6 (1):54–63

1986 "Great Lakes Indian 'Loom' Beadwork." *American Indian Art Magazine* 11 (3): 54–61, 68–69.

1990 "Pictographic Art in Beadwork from the Cheyenne River Sioux." *American Indian Art Magazine* 16 (1):54–63.

Loeb, Barbara

1984 "Crow and Plateau Beadwork in Black and White: A Study Using Old Photographs." In *Crow Indian Art.* Pierre, S.D.: Chandler Institute.

Long, John

1922 *John Long's Voyages and Travels in the Years 1768–1788,* ed. Milo M. Quaife. Chicago: Lakeside Press.

Lurie, Nancy Oestreich

1989 "Beaded Twined Bags of the Great Lakes Indians." In *Art of the Great Lakes Indians,* ed. David W. Penney, pp. 70–81. Detroit: Wayne State University Press (orig. pub. Detroit Institute of Arts *Bulletin* 62 [1]:38–45, 1986).

Lyford, Carrie A.

1940 *Quill and Beadwork of the Western Sioux.* Washington, D.C.: Office of Indian Affairs, Indian Handcrafts Pamphlet 1.

1942 *The Crafts of the Ojibwa (Chippewa).* Washington, D.C.: Office of Indian Affairs, Indian Handcrafts Pamphlet 5.

MacKenzie, Alexander

1801 *Voyages from Montreal on the River St. Lawrence through the Continent of North America. . . .* London: R. Noble.

Mallery, Garrick

1886 "On Pictographs of the North American Indians." *Fourth Annual Report of the*

Bureau of Ethnology for 1882–83, pp. 4–256. Washington, D.C.: Smithsonian Institution.
1893 "Picture Writing of the American Indians." *Tenth Annual Report of the Bureau of Ethnology for 1888–89,* pp. 25–822. Washington, D.C.: Smithsonian Institution.
Markoe, Glenn E.
1986 *Vestiges of a Proud Nation: The Ogden B. Read Northern Plains Collection.* Burlington, Vermont: Robert Hull Flemming Museum.
Mason, Phillip P., ed.
1958 *Schoolcraft's Expedition to Lake Itasca: The Discovery of the Source of the Mississippi.* Lansing: Michigan State University Press.
Massicotte, E. Z.
1924 "La Ceinture Fleche, Chef-d'oeuvre de l'Industrie Domestique au Canada." *Royal Society of Canada, Proceedings and Transactions* 18, ser. 3, 1–15.
Maurer, Evan M.
1977 *The Native American Heritage: A Survey of North American Indian Art.* Chicago: Art Institute of Chicago.
1989 "Representational and Symbolic Forms in Great Lakes–Area Wooden Sculpture." In *Great Lakes Indian Art,* ed. David W. Penney, pp. 23–38. Detroit: Wayne State University Press (orig. pub. Detroit Institute of Arts *Bulletin* 62 [1]:7–17, 1986).
McGrane, Bernard
1989 *Beyond Anthropology: Society and the Other.* New York: Columbia University Press.
McKenney, Thomas L.
1972 *Sketches of a Tour of the Great Lakes, of the Character of the Chippeway Indians, and of Incidents Connected with the Treaty of Fond du Lac.* Barre, Mass.: Imprint Society (orig. pub. 1827).
Merritt, Ann S.
1988 "Women's Beaded Robes: Artistic Reflections of the Crow World." In *To Honor the Crow People,* ed. Father Peter J. Powell, pp. 41–47. Chicago: Foundation for the Preservation of American Indian Art and Culture, Inc.
Michaelson, Truman
1925 "Fox Texts." *Fortieth Annual Report of the Bureau of American Ethnology for 1918–1919,* pp. 23–644. Washington, D.C.: Smithsonian Institution.
1928 *Notes on the Buffalo-Head Dance of the Thunder Gens of the Fox Indians.* Washington, D.C.: Bureau of American Ethnology Bulletin 87.
1930 *Contributions to Fox Ethnology-II.* Washington, D.C.: Bureau of American Ethnology Bulletin 95.
1932 *Notes on the Fox Wapanowiweni.* Washington, D.C.: Bureau of American Ethnology Bulletin 105.
1937 *Fox Miscellany.* Washington, D.C.: Bureau of American Ethnology Bulletin 114.
Minneapolis Institute of Arts
1976 *I Wear the Morning Star: An Exhibition of American Indian Ghost Dance Objects.* Minneapolis: Minneapolis Institute of Arts.
Mooney, James
1896 "The Ghost Dance Religion and the Sioux Outbreak of 1890." *Fourteenth Annual Report of the Bureau of Ethnology for 1892–93,* pt. 2, pp. 643–1136. Washington, D.C.: Smithsonian Institution.
Morgan, Lewis Henry
1851 *League of the Iroquois.* Rochester, New York.
Morissonneau, Christian
1978 "Huron of Lorette." In *Handbook of the North American Indians: Northeast,* ed. Bruce Trigger, 15:389–93. Washington, D.C.: Smithsonian Institution.
Mott, Mildred
1938 "The Relation of Historic Indian Tribes to Archaeological Manifestations in Iowa." *Iowa Journal of History and Politics* 36 (3):227–314.

Murie, James R.

1989 *Ceremonies of the Pawnee,* ed. Douglas R. Parks. Lincoln: University of Nebraska Press (orig. pub. Washington, D.C.: Smithsonian Institution, 1981).

Nabokov, Peter

1967 *Two Leggings: The Making of a Crow Warrior.* New York: Crowell.

Neill, E. D.

1862 "Dakota Land and Dakota Life." *Minnesota Historical Society Collections* 1:254–94.

Newman, Barnett

1946 *Northwest Coast Indian Painting.* New York: Betty Parsons Gallery.

Nutting, Wallace

1949 *Furniture Treasury.* Vol. 3. New York: Macmillan.

Odle, Robin

1973 "Quill and Moosehair Work in the Great Lakes Region." In *Art of the Great Lakes Indians,* pp. xxxi-xxxviii. Flint: Flint Institute of Arts.

Orchard, William C.

1971 *The Technique of Porcupine Quill Decoration Among the Indians of North America.* New York: Museum of the American Indian, Heye Foundation (orig. pub. 1916).

Parker, John, ed.

1976 *The Journals of Jonathan Carver and Related Documents, 1766–1770.* St. Paul: Minnesota Historical Society Press.

Penney, David W., ed.

1989 *Great Lakes Indian Art.* Detroit: Wayne State University Press.

Penney, David W., et al.

1983 *Forest, Prairie, and Plains: Native American Art from the Chandler-Pohrt Collection.* Detroit: The Detroit Institute of Arts.

Penney, David W., and Janet Stouffer

1989 "Horse Imagery in Native American Art." In *Great Lakes Indian Art,* ed. David W. Penney, pp. 40–51. Detroit: Wayne State University Press (orig. pub. Detroit Institute of Arts *Bulletin* 62 [1]:18–25, 1986).

Peterson, Harold L.

1971 *American Indian Tomahawks.* New York: Museum of the American Indian, Heye Foundation.

Phillips, Philip, and James A. Brown

1978 *Pre-Columbian Shell Engravings from the Craig Mound at Spiro.* Part 1. Cambridge: Peabody Museum of Archaeology and Ethnology, Harvard University.

Phillips, Ruth B.

1984 *Patterns of Power: The Jasper Grant Collection and Great Lakes Indian Art of the Early Nineteenth Century.* Kleinburg, Ontario: McMichael Canadian Collection.

1989 "Dreams and Designs: Iconographic Problems in Great Lakes Twined Bags." In *Great Lakes Indian Art,* ed. David W. Penney, pp. 52–69. Detroit: Wayne State University Press (orig. pub. Detroit Institute of Arts *Bulletin* 62 [1]:27–37, 1986).

1990 "Great Lakes Textiles: Meaning and Value in Women's Art." In *On the Border: Native American Weaving Traditions of the Great Lakes and Prairie,* ed. David Wooley, pp. 4–11. Moorhead, Minn.: Plains Art Museum.

Plains Art Museum

1990 *On the Border: Native American Weaving Traditions of the Great Lakes and Prairie,* ed. David Wooley. Moorhead, Minn.: Plains Art Museum.

Poggioli, Renato

1975 *The Oaten Flute: Essays on Pastoral Poetry and the Pastoral.* Cambridge: Harvard University Press.

Pohrt, Karl

1976 "The Boy." *Northwest Review* 15 (2):172–89.

Pohrt, Richard A.

1957 "Two Tomahawks and an Iron Pipe." *Ohio Archaeologist* 7 (2):70–71.

1977 "Plains Indian Moccasins with Decorated Soles." *American Indian Art Magazine* 2 (3):32–39, 84.

1978 "Plains Indian Riding Quirts with Elk Antler Handles." *American Indian Art Magazine* 3 (4):62–67.

1989a "Pipe Tomahawks from Michigan and the Great Lakes Area." In *Great Lakes Indian Art,* ed. David W. Penney, pp. 94–103. Detroit: Wayne State University Press (orig. pub. Detroit Institute of Arts *Bulletin* 62 [1]:54–60).

1989b "The Identifications of Northern Plains Indian Beadwork." *American Indian Art Magazine* 15 (1):72–79.

Pond, Samuel W.

1986 *The Dakota or Sioux in Minnesota as They Were in 1834.* St. Paul: Minnesota Historical Society (orig. pub. *Minnesota Historical Collections* 12, 1908).

Powell, Father Peter J., ed.

1988 *To Honor the Crow People: Crow Art from the Goelet and Edith Gallatin Collection of American Indian Art.* Chicago: Foundation for the Preservation of American Indian Art and Culture.

Powers, William K.

1988 "The Indian Hobbyist Movement in North America." In *The Handbook of the North American Indians: History of Indian-White Relations,* ed. Wilcomb E. Washburn, 4:557–61. Washington, D.C.: Smithsonian Institution.

Quaife, Milo Milton, ed.

1947 *The Western Country in the 17th Century: The Memoirs of Lamothe Cadillac and Pierre Liette.* Chicago: Lakeside Press.

Radin, Paul

1963 *The Autobiography of a Winnebago Indian.* New York: Dover (orig. pub. University of California *Publications in Archaeology and Ethnology* 16 [7], 1920).

Ray, Arthur J.

1974 *Indians in the Fur Trade: Their Role as Trappers, Hunters, and Middlemen in the Lands Southwest of Hudson Bay, 1660–1870.* Toronto: University of Toronto Press.

Reid, Dennis, and Joan Vastokas

1984 *From the Four Quarters: Native and European Art in Ontario 5000* BC *to 1867* AD. Toronto: Art Gallery of Ontario.

Richardson, Edgar P.

1951 *The French in America, 1520–1880.* Detroit: The Detroit Institute of Arts.

Schneider, Mary Jane

1983 "Women's Work: An Examination of Women's Roles in Plains Indians Arts and Crafts." In *The Hidden Half: Studies of Plains Indian Women,* ed. Patricia Albers and Beatrice Medicine. Washington, D.C.: University Press of America.

Schrader, Robert Fay

1983 *The Indian Arts and Crafts Board: An Aspect of New Deal Indian Policy.* Albuquerque: University of New Mexico Press.

Schultz, James Willard

1906 *My Life as an Indian.* Boston: Houghton Mifflin.

1962 *Blackfeet and Buffalo: Memories of Life Among the Indians,* ed. Keith C. Seele. Norman: University of Oklahoma Press.

Seymour, Tryntje Van Ness

1988 *When the Rainbow Touches Down.* Phoenix: Heard Museum.

Skinner, Alanson

1913 "Social Life and Ceremonial Bundles of the Menominee Indians." *Anthropological Papers of the American Museum of Natural History* 13, pt. 1:1–165.

1915 "Associations and Ceremonies of the Menominee Indians." *Anthropological Papers of the American Museum of Natural History* 8, pt. 2:167–215.

1921 "Recollections of an Ethnologist Among the Menominee Indians." *Wisconsin Archaeologist* 20:41–74.

1924a "The Mascoutens or Prairie Potawatomi Indians: Social Life and Ceremonies." *Bulletin of the Milwaukee Public Museum* 6 (1):1–262.

1924b "A Trip to the Potawatomi." *Wisconsin Archaeologist,* N.S. 3:135–42.

1926 "Ethnology of the Ioway Indians." *Bulletin of the Milwaukee Public Museum* 5 (4):181–354.

1927 "The Mascoutens or Prairie Potawatomi Indians: Mythology and Folklore." *Bulletin of the Milwaukee Public Museum* 6 (3):327–411.

Sloan, John, and Oliver La Farge

1930 *Introduction to American Indian Art.* New York: Exposition of Indian Tribal Arts Council, Inc.

Sontag, Susan

1977 *On Photography.* New York: Farrar, Straus and Giroux.

Sotheby Parke Bernet

1983 *American Indian, African, and Oceanic Art.* Sale no. 5036 (April 29, 30), New York.

Speck, Frank G.

1911a "Huron Moose Hair Embroidery." *American Anthropologist* 13:1–13.

1911b "Notes on Material Culture of the Huron." *American Anthropologist* 13:208–28.

Spinden, Herbert J.

1931 "Fine Art and the First Americans." In *Introduction to American Indian Art, Part II.* New York: Exposition of Indian Tribal Arts Council, Inc.

Squier, G. E. Ephram, and E. G. Davis

1848 *Ancient Monuments of the Mississippi Valley.* Washington, D.C.: Smithsonian Contributions to Knowledge 1.

Strong, William Duncan

1926 *The Indian Tribes of the Chicago Region.* Chicago: Field Museum of Natural History, Anthropology Leaflet 24.

Sword, Wiley

1985 *President Washington's Indian War: The Struggle for the Old Northwest, 1790–1796.* Norman: University of Oklahoma Press.

Tanner, Helen H.

1987 *Atlas of Great Lakes Indian History.* Norman: University of Oklahoma Press.

Theiz, R. D.

1988 "Multifaceted Double Woman: Legend, Song, Dream, and Meaning." *European Review of Native American Studies* 2 (2):9–16.

Thomas, David, and Karin Ronnefeldt, eds.

1976 *People of the First Man: Life Among the Plains Indians in Their Final Days of Glory.* New York: Dutton.

Thompson, Judy

1977 *The North American Indian Collection: A Catalogue.* Berne: Berne Historical Museum.

Tooker, Elisabeth

1978 "The League of the Iroquois: Its History, Politics, and Ritual." In *Handbook of the North American Indians: Northeast,* ed. Bruce Trigger, 15:418–41. Washington, D.C.: Smithsonian Institution.

Torrence, Gaylord, and Robert Hobbs

1989 *Art of the Red Earth People: The Mesquakie of Iowa.* Iowa City: University of Iowa Museum of Art.

Trigger, Bruce G.

1985 *Natives and Newcomers: Canada's Heroic Age Reconsidered.* Kingston: McGill-Queen's University Press.

Turner, Frederick Jackson

1894 "The Significance of the Frontier in American History." *Report of the American Historical Association*, pp. 197–229. Washington, D.C.

Vastokas, Joan M.

1986–87 "Native Art as Art History: Meaning and Time from Unwritten Sources." *Journal of Canadian Studies* 21 (4):7–36.

Venum, Thomas, Jr.

1982 *The Ojibway Dance Drum: Its History and Construction.* Washington, D.C.: Smithsonian Folklife Studies, no. 2.

Vestal, Stanley
1934 *Warpath: The True Story of the Fighting Sioux Told in a Biography of Chief White Bull*. Boston: Houghton Mifflin.
1957 *Sitting Bull: Champion of the Sioux*. Norman: University of Oklahoma Press (orig. pub. Boston: Houghton Mifflin, 1932).
Viola, Herman J.
1976 *The Indian Legacy of Charles Bird King*. Washington, D.C.: Smithsonian Institution.
Walker Art Center and Minneapolis Institute of Arts
1972 *American Indian Art: Form and Tradition*. Minneapolis: Walker Art Center, Indian Art Association, Minneapolis Institute of Arts.
Wallace, Paul A. W., ed.
1958 *The Travels of John Heckewelder in Frontier America*. Pittsburgh: University of Pittsburgh Press.
Walters, Anna Lee
1989 *The Spirit of Native America*. San Francisco: Chronicle Books.
Weltfish, Gene
1937 "Caddoan Texts, Pawnee South Band Dialect." *Publications of the American Ethnological Society* 17.
White, Leslie A., ed.
1959 *Lewis Henry Morgan: The Indian Journals, 1859–1862*. Ann Arbor: University of Michigan Press.
Whiteford, Andrew H.
1977 "Fiber Bags of the Great Lakes Indians." *American Indian Art Magazine* 2 (3): 52–64, 85.
1986 "The Origins of Great Lakes Beaded Bandolier Bags." *American Indian Art Magazine* 11 (3):32–43.
Wildschut, William, and John C. Ewers
1959 *Crow Indian Beadwork: A Descriptive and Historical Study*. New York: Contributions from the Museum of the American Indian Heye Foundation, vol. 16.
Williams, Raymond
1973 *The Country and the City*. New York: Oxford University Press.
Wilson, Lee Ann
1982 "Bird and Feline Motifs on Great Lakes Pouches." In *Native North American Art History*, ed. Zena Pearlstone Mathews and Aldona Jonaitis, pp. 429–44. Palo Alto: Peek Publications.
Wilson, Raymond
1983 *Ohiyesa: Charles Eastman, Santee Sioux*. Urbana: University of Illinois Press.
Winter, George
1948 *The Journals and Indian Paintings of George Winter, 1837–1839*, ed. Howard H. Peckham. Indianapolis: Indiana Historical Society.
Wissler, Clark
1907 "Some Protective Designs of the Dakota." *Anthropological Papers of the American Museum of Natural History* 1 (2):21–53.
1912 "Societies and Ceremonial Associations in the Oglala Division of the Teton Sioux." *Anthropological Papers of the American Museum of Natural History* 11:1–97.
Wolff, Eldon G.
1945 "Ballard Rifles in the Henry J. Nunnemacher Collections." *Bulletin of the Milwaukee Public Museum* 18 (1):1–77.
Wood, W. Raymond
1987 "Origins and Settlements of the Hidatsa." In *The Way to Independence: Memories of a Hidatsa Indian Family, 1840–1920*, ed. Carolyn Gilman and Mary Jane Schneider, pp. 322–27. St. Paul: Minnesota Historical Society Press.

Index

Bold numbers refer to illustrations;
italicized numbers refer to captions